D0532477

BASTEI
LÜBBE

Josef Nyáry

# Amazonien

BASTEI-LÜBBE-TASCHENBUCH
Band 25341


Lizenzausgabe: Bastei Verlag Gustav H. Lübbe GmbH & Co.,
Bergisch Gladbach
Printed in Germany, April 1998
Einbandgestaltung: CCG, Köln
Titelbild: Image Bank
Satz: hanseatenSatz-bremen, Bremen
Druck und Verarbeitung: Elsnerdruck, Berlin
ISBN 3-404-25341-8

Der Preis dieses Bandes versteht sich einschließlich
der gesetzlichen Mehrwertsteuer.

»Gott, der Herr, ließ aus dem Ackerboden
allerlei Bäume wachsen,
verlockend anzusehen und mit köstlichen Früchten,
in der Mitte des Gartens aber den Baum
des Lebens.«

*Genesis 2,9*

# TEIL EINS

## Hyläa

DIE NACHT WAR schwarz wie vor dem ersten Schöpfungstag. Das Licht der Sterne wurde nach seiner oft viele Jahrtausende langen Reise durch das All zwei Millionstelsekunden vor Erreichen der Erdoberfläche vom Wasserdampf einer zwanzig Millionen Tonnen schweren Kumuluswolke absorbiert, die achthundert Meter hoch über den Gipfeln des Nebelgebirges schwebte. Die Luftfeuchtigkeit in der Nähe des Bodens betrug fünfundneunzig Prozent, die Temperatur hatte mit dreiundzwanzig Grad Celsius ihren täglichen Tiefststand erreicht. Bald würde sie wieder ansteigen, denn wie jeder andere Ort in Äquatornähe raste auch das grüne Waldland weit hinter den Quellen des Orinoco durch die Erdumdrehung mit der enormen Geschwindigkeit von vierhundertfünfundsechzig Metern pro Sekunde der Sonne entgegen.

Das Paradies lag scheinbar in tiefer Ruhe, und doch war überall das Leben aktiv. Schmetterlinge küßten Tränen von den Lidern träumender Affen. Linienschwärmer senkten ihre dreißig Zentimeter langen Hohlzungen wie winzige Gummischläuche in die Blütenkelche nachtbestäubter Nelken. Ein Skorpionweibchen stieg mit gestreckten Beinen über die duftende Spermatophore, die ein Männchen der gleichen Art in einer modrigen Astgabel abgelegt hatte, und nahm das Samenpaket durch die Genitalöffnung auf, damit seine Eier befruchtet wurden und neue Skorpione heranwachsen konnten, wie es dem Willen des Schöpfers entsprach.

Wie an jedem Tag seit der Zeit vor zehn Milliarden Jahren, als sich die Erde allmählich aus einem glühenden Gasball in eine rotierende Steinkugel verwandelt hatte, zeigte sich kurz nach sechs Uhr am östlichen Himmelsrand der Widerschein der solaren Lebenslampe. Wie eine physikalische Erscheinungsform göttlichen Willens flutete Licht auf das Land und gab dem Wald das Grün zurück. In Minuten verblaßte das Schwarz erst zu Grau und Hellgrau, belebte sich zu Oliv-, dann zu Gras- und Hellgrün, bis endlich das Chlorophyll in Milliarden und aber Milliarden pflanzlicher Zellen von neuem mit dem wundersamen Prozeß der Photosynthese begann.

Der Tag, der ewig neue Sieger, zog in das Paradies ein wie ein König in seinen Garten und bemalte das Land bis zum Horizont mit Lebensfarbe in tausend leuchtenden Variationen. Die großen Bäume, die Aristokraten des Waldes, begrüßten ihn ihrer Würde entsprechend als erste. Nicht nur die Höhe ihrer Wipfel, die oft siebzig, achtzig Meter über den Erdboden ragten, sicherte ihren Rang, sondern mehr noch ihr übermächtiger Anteil an der Biosphäre, jener Schicht werdender und vergehender, wachsender und faulender, zeugender und sterbender Materie zwischen Luft und Gestein: Tausend Tonnen Leben brachte der Wald auf jedem Hektar hervor; neun Zehntel davon lieferten die Bäume. Stolz wie autochthone Ritter in undurchdringlichen Rüstungen reckten sie sich der Sonne entgegen, als das Paradies wieder grün wurde und der tagaktive Teil seiner Bewohner erwachte.

Wolkenfänger stand auf dem Dach seiner Hütte aus Palmenzweigen im Wipfel des Axtbrecherbaumes und schaute froh in den Morgen. In seiner Seele war Friede. Der Himmel über ihm war klar zu sehen, die hohen Bäume standen fest wie eh und je, vergeblich drängte das schwarze Höllengewölk aus düsterer Tiefe gegen die Pforten des Paradieses. Niemals würden die giftigen Schwaden den Wohnsitz der Gotteskinder erreichen, denn die Macht des Herrn war stärker als Satans Zauber, und solange es keine Sünde gab, drohte auch keine Vertreibung. Hatten das nicht auch die Erzengel immer wieder versichert, seit nun schon fast fünfhundert Jahren? Das Paradies war klein, aber so sicher wie das Nest des Kolibris in den Zweigen des Korallenbaumes. Niemals, niemals würde es anders sein.

Sander steuerte seinen 68er Chevrolet vorsichtig durch das dichte Verkehrsgewühl der Avenida Caracas. Die asphaltierten Arterien Ciudad Guayanas pumpten Tausende von Autos in computergesteuerten Ampelphasen durch den Betonleib der Halbmillionenstadt am Zusammenfluß von Orinoco und Caroní. Am Überseehafen Puerto Ordaz legten große japanische Erzfrachter ab, um mit dem Schatz aus den Eingeweiden der fremden Erde zu ihrem pazifischen Ameisenhügel zu fahren, von dem sie wie zahllose andere Schiffe ausgeschwärmt waren, in aller Welt die Lebensgrundlagen für ihre Konsumkultur zusammenzuklauben. Ihre Sirenen klangen wie das Triumphgebrüll urzeitlicher Ungeheuer. Doch so gierig die Riesentiere aus Asien auch an dem gewaltigen Kotelett nagten, das die Mineralogen »Orinoco-Gürtel« nennen, der Reichtum des Urwalds war nicht zu erschöpfen: Unter der dünnen Folie fruchtbaren Bodens lagen 1,2 Billionen Barrel Öl und zwölf Milliarden Tonnen Eisenerz, neun Milliarden Tonnen Kohle, dazu Bauxit, Kupfer, Zink, Schwefel, Nickel, Mangan, Phosphate, Gold und Diamanten; der Schöpfer hatte an dieser Stelle besonders großzügig in seine Schatztruhe gegriffen und edle Metalle aus voller Hand in die rote Erde gestreut.

Um 4.17 Uhr erreichte der Orinoco den Höchststand: Die Flut war durch die sechsunddreißig Kanäle des riesigen Deltas tief in die Venen des Erdteils gedrungen und hatte den Wasserspiegel des Stroms noch dreihundert Kilometer von der Atlantikküste entfernt um sechs

Meter angehoben. Dabei näherte sich der »Fluß ohne Ufer« jetzt, Anfang Februar, eben dem Höhepunkt seiner jährlichen Abmagerung: Seit Beginn der Trockenzeit im November war seine Durchflußmenge beständig gesunken, nun lag sie nur noch bei sechstausend Kubikmetern pro Sekunde. Bis zum August würde sie sich wieder vervierfachen; dann würde der drittgrößte Strom des Kontinents und der achtgrößte der Welt wieder seine volle Breite von 3,2 Kilometern erreichen.

Hätte die Schöpfung in den Savannen an seinen Ufern Pferde, Rinder, Schafe, Ziegen, Kamele oder andere Tiere grasen lassen, die Milch produzieren und damit einer Nomadenwirtschaft die Grundlage bieten können, hätten, wie Alexander von Humboldt bemerkte, am Orinoco einst wohl ebenso mächtige Khane geherrscht wie ehedem an Onon und Kerulen, Wolga, Don und Theiß. Dann hätten die spanischen Konquistadoren auf ihrer Suche nach El Dorado vermutlich ebenso mächtige Gegner gefunden wie die christlichen Ritter des Mittelalters in den Sarazenen oder den Mongolen. Doch in den Savannen Guayanas, den Llanos mit ihren schier endlosen Grasebenen, den schmalen Galeriewäldern an den Flußufern und den Morichepalmen an den Wasserlöchern zählen die großen Huftiere nicht zur biologischen Grundausstattung; sie kamen erst mit den Eroberern aus Europa. Vor ihnen gehörte die große Savanne den Weißwedelhirschen und den Gürteltieren, den Stachelschweinen, Tapiren und Ameisenbären, von denen sich Jaguar, Puma und Ozelot nährten. Die Indianer jagten sie und erreichten die Stufe des Viehzüchters nie; auch ihre primitive Ackerbautechnik hielt sie in der Steinzeit fest, bis ihr Land den Weißen anheimfiel.

Sander lenkte seinen Wagen auf den riesigen Parkplatz des »Intercontinental Guayana« und trat durch die Drehtür in das klimatisierte Foyer.

»Ah, Mister Sander«, sagte der Rezeptionist. »Miss Behring erwartet Sie in ihrer Suite. Nummer tausendachtundsiebzig.«

»Suite?« sagte Sander. »Auch gut.«

Der Lift trug ihn geräuschlos in den zehnten Stock. Die Suite lag auf der Caroníseite. Als er an die Tür klopfte, hörte er ihre Stimme: »Sind Sie das, Herr Sander?«

»Ja«, sagte er.

Sie schob die Sicherheitskette zurück und öffnete. Ein wenig verblüfft erkannte er, daß sie ein weißes Frotteetuch wie einen Turban um den Kopf gewickelt hatte und in einem weißen Bademantel vor ihm stand.

»Hereinspaziert«, sagte sie munter. »Entschuldigung, ich war unter der Dusche. Ich koste den Komfort noch ein bißchen aus.« Sie lächelte spitzbübisch. »Ich bin gleich soweit. Nehmen Sie sich etwas aus der Minibar. Oder schauen Sie schon mal, was der Room service zu bieten hat.«

»Wie war der Flug?« fragte er.

»Sehr lang«, antwortete sie. Sie ließ ihn ein, schloß hinter ihm die Tür und verschwand im Badezimmer. Er ging in den Salon, setzte sich in einen häßlichen Polstersessel am Fenster und blickte eine Weile auf den Caroní hinaus. Dann schaute er sich im Zimmer um. Auf dem niedrigen Nußbaumtisch neben ihm lag ein aufgeschlagenes Buch. Er beugte sich ein wenig vor und las: »Die Llanos trennen die Küstenkordillere von Caracas und die Anden von Neu-Granada von der Waldregion, jener Hyläa des Orinoco, die schon bei der ersten Entdeckung Amerikas von Völkern bewohnt war, welche auf einer weit tieferen Stufe der Kultur standen als die Bewohner der Küsten und vor allem des Gebirgslandes der Kordilleren. Indessen waren die Steppen einst so wenig eine Schutzmauer der Zivilisation, als sie gegenwärtig für die in den Wäldern lebenden Horden eine Schutzmauer der Freiheit sind. Sie haben die

Völker am unteren Orinoco nicht davon abgehalten, die kleinen Flüsse hinaufzufahren und nach Nord und West Einfälle ins Land zu machen ...«

»Interessant, nicht wahr?« Sie war ins Zimmer getreten, ohne daß er es bemerkt hatte. »Kennen Sie die Werke von AvH?«

»Von wem?« fragte er und legte das Buch ein wenig verlegen zurück.

»Alexander von Humboldt«, sagte sie. Sie trug ein weißes T-Shirt über Bluejeans; ihr frisch gefröntes Haar federte so perfekt auf die Schultern, als stünde sie für eine Shampooreklame Modell. Sie schien nicht zu bemerken, daß sich ihre Brüste deutlich unter dem dünnen Stoff abzeichneten. Sander bemühte sich, nicht hinzusehen.

»Ach so, der«, sagte er. »Ja. Nein, eigentlich nicht. Ich meine, hier hat schon jeder mal von ihm gehört. Aber so richtig gelesen – nein.«

»Sollten Sie aber mal tun«, sagte sie. »Ist wirklich sehr interessant.« Sie beugte sich über ihn, zeigte ihm den Titel und las vor: »›Reise in die Äquinoktial-Gegenden des Neuen Kontinents. Paris, achtzehnhundertvierzehn.‹ Wissen Sie, daß AvH über fünf Monate lang im Orinocogebiet war? Wir werden hoffentlich nicht ganz so lange brauchen.«

Der Duft ihres Parfüms machte ihn fast benommen. Sie merkte, daß er in Schwierigkeiten war, deutete aber die Ursache falsch. »Äquinoktialgegenden nannte man damals die Länder, in denen Tag und Nacht gleich lang sind«, erklärte sie. »Also die Tropen.« Sie richtete sich wieder auf; er holte unauffällig Luft.

»Das habe ich schon mal gehört«, sagte er. »Aber was ist Hyläa?«

»Das ist ein Wort, das der alte Herodot eingeführt hat«, erklärte sie. »Es bedeutet ›Urwald‹. AvH hat es von ihm übernommen, es schien ihm der passende Begriff für den Regenwald am Orinoco zu sein.« Sie nahm ihm das Buch aus der Hand, setzte sich auf den zweiten Sessel und blätterte ein paar Seiten zurück. »Hier, hören Sie: ›Die beiden Becken an den jeweiligen Enden Südamerikas sind Savannen oder Steppen, baumlose Weiden; das mittlere Becken, in welches das ganze Jahr die äquatorialen Regen fallen, ist fast durchgängig ein ungeheurer Wald, in dem es keinen anderen Pfad gibt als die Flüsse ...‹«

»Und die Transamazônica«, unterbrach er sie.

»Ja. Eine schwärende Wunde, die jeden Tag größer wird«, sagte sie. Dann las sie weiter: »›Der Wald bedeckt nicht nur den überwiegenden Teil der Ebenen des Amazonenstroms von der Kordillere von Chiquitos bis zu der von Parima, er überzieht auch diese beiden Bergketten ...‹ Und hier: ›Da die Region der Wälder Ebenen und Gebirge zugleich begreift, so erstreckt sie sich vom achtzehnten Grad südlicher bis zum siebenten und achten Grad nördlicher Breite, und umfaßt nahezu einhundertzwanzigtausend Quadratmeilen. Dieser Wald oder Urwald des südlichen Amerika, denn im Grunde ist es nur ein einziger, ist sechsmal größer als Frankreich; die Europäer kennen ihn nur an den Ufern einiger Flüsse, die ihn durchströmen, und er besitzt Lichtungen, deren Ausdehnung mit der des Waldes im Verhältnis steht ...‹ Ist das nicht wunderbar formuliert?«

»Wirklich sehr anschaulich«, gab Sander zu.

»Lesen Sie Humboldts Bücher«, sagte sie. »Der Mann wußte, wovon er schrieb. Mein Gott, die ganze Reise mit Maultieren und in Pirogen, kaum jemals ein festes Dach über dem Kopf, ständig dieses Ungeziefer, und dann dieser Fraß – ich wäre wahnsinnig geworden. Was wollen Sie essen?«

»Wie?« meinte er verblüfft. »Ach so.« Er überflog die Speisekarte. »Ich nehme das Steak«, sagte er.

»Ich auch«, sagte sie. »Ein Glas Wein dazu?« Sie griff zum Telefonhörer und bestellte.

Sander schaute aus dem Panoramafenster auf die Cachamay-Stromschnellen und den Parque La Llovizna auf der Halbinsel am anderen Ufer des Caroní. Der Himmel hatte sich verdüstert; Regentropfen schlugen gegen die Scheibe.

Sie legte den Hörer auf und sagte: »Paradiesisch, nicht?«

Er deutete mit dem Daumen über die Schulter und sagte: »Die Hölle sehen Sie auf der anderen Seite.«

»Ich weiß«, sagte sie. »Rauchende Schlote und verstopfte Straßen. Vergewaltigte Natur. Menschen in Ameisenjobs. Schrecklich.«

Nach dem ersten kurzen Gespräch war nun Gelegenheit, einander unauffällig zu mustern. Maria Behring sah einen Mann mit schütterem, aschblondem Haar und leicht eingedellter Nase, dem die Tropen ziemlich zugesetzt hatten. Sein sonnenverbranntes Gesicht wirkte genauso ausgelaugt wie das billige weiße Leinensakko; in seinem Blick lag die sanfte Resignation eines knapp Sechzigjährigen, der weise genug geworden war, den alten Schimären Geld, Macht und Ruhm nicht mehr ins Dickicht der Leidenschaften zu folgen. Sander wiederum sah eine junge, großgewachsene, selbstbewußte Frau von achtundzwanzig Jahren, deren blondes Haar nicht nur zweifellos echt, sondern auch von einem erstklassigen Friseur geschnitten war; ihre graublauen Augen strahlten auf freundliche Weise Autorität aus.

Sie war es auch, die das Schweigen brach. »Ich habe Sie mir ganz anders vorgestellt«, sagte sie. »Viel älter. Man möchte kaum glauben, was in Ihren Personaldokumenten steht. Für einen Mann Ihres Alters sind Sie wirklich noch sehr gut in Form.«

»Man tut, was man kann«, sagte er lächelnd. »In meinem Alter ist man froh, wenn man noch kein Bruchband braucht. Vierzig Jahre in diesem Klima, das geht an keinem spurlos vorüber.«

»Wann sind Sie denn hierhergekommen?«

»Anfang der fünfziger Jahre, gleich als es hier losging.«

Sie wartete. Er blickte sie ein wenig unsicher an. »Wollen Sie, daß ich mehr davon erzähle?«

»Sehr gern. Es interessiert mich wirklich.«

»Also gut. Daß hier allerhand im Boden liegt, war schon seit Ende des vergangenen Jahrhunderts bekannt. Die Venezolaner konnten damit allerdings nicht besonders viel anfangen. Aber dann kamen die Amis dahinter. Denn als die ersten Passagiermaschinen hier über den Urwald flogen, wunderten sich die Piloten immer, daß ihre Kompaßnadeln verrückt spielten. Die einzige Erklärung war, daß hier unten riesige Mengen Eisenerz lagern mußten. Neunzehnhundertsechsundzwanzig wurde das Vorkommen am El Pao entdeckt und neunzehnhundertsiebenundvierzig das noch viel größere da hinten am Cerro Bolívar. Sehen Sie, da drüben am Horizont, der Berg, der wie ein Kegel aussieht. Schon neunzehnhunderteinundfünfzig holten die Leute von Bethlehem Steel dort drei Millionen Tonnen heraus, für ihre Hütten in Pennsylvanien.«

»Und zu dieser Zeit waren Sie schon hier?« fragte sie erstaunt.

»Nicht ganz. Ich kam erst neunzehnhundertvierundfünfzig. Da hatte die Orinoco Mining hier bereits Straßen und Eisenbahnen gebaut, und auf dem Fluß fuhren schon die ersten großen Frachter. Aber es war immer noch Pionierzeit. Innocenti baute gerade die erste Fabrik, das Wasserkraftwerk Macagua wurde erst neunzehnhundertneunundfünfzig fertig, vorher gab es fast keinen elektrischen Strom; die Indianer paddelten in ihren Pirogen bis an die Staumauer und staunten.«

Sie lächelte über den Gleichklang der beiden Worte;

da er ihn weder beabsichtigt noch bemerkt hatte, sah er sie ein wenig irritiert an. Als sie ihm aufmunternd zunickte, fuhr er fort: »Die Stadt hatte damals zehntausend Einwohner, vielleicht drei- oder vierhundert von ihnen Frauen. Sie können sich vorstellen, was da los war.«

»Und für wen sind Sie damals geflogen?« fragte sie.

»Erst für die Italiener«, erzählte er, »dann für die CVG, und ...«

»Für wen?«

»CVG. Corporación Venezolana de Guayana. Die staatliche Gesellschaft, die hier die ganze Entwicklung koordinierte.«

»Ach so, ja, natürlich.«

»Vorher gab es hier ein wüstes Durcheinander, jeder plante und baute drauflos, wie es ihm gerade einfiel. Dann aber kam General Ruvord als erster CVG-Präsident und brachte das Ganze auf Vordermann: Eisenerz, Stahl, Bauxit/Aluminium, Energie, Landwirtschaft, Hafenausbau und so weiter. Damals wurde der Grundstein für den Guridamm am Caroní gelegt, heute das größte Wasserkraftwerk der Welt. Neun Millionen Kilowatt, genug Strom für achtundzwanzig Millionen Menschen.«

»Die Indianer haben nicht besonders viel davon«, sagte sie.

»Ja«, sagte er. »Für die ist hier nun natürlich kein Platz mehr. Aber wundert Sie das? Das war hier ein Aufbauprogramm wie bei einem stalinistischen Fünfjahresplan, mit den beiden kleinen, aber wesentlichen Unterschieden, daß hier die Statistiken stimmten und die Arbeiter klotzig verdienten. Da hat sich um die Indios natürlich keiner gekümmert. War damals eben nicht so wie heute. Für die Stahlproduktion wurde neunzehnhundertvierundsechzig die Sidor gegründet, für die Aluminiumerzeugung neunzehnhundertachtundsiebzig die Venalum und neunzehnhundertzweiundachtzig die

Interalumina, Kapazität über eine Million Tonnen pro Jahr.«

»Und Sie haben wohl die Prospektoren in den Urwald geflogen«, sagte sie und hob ihr Glas.

»Ja«, sagte er. »Meinen Sie vielleicht, ich sollte mich nun dafür schämen?« Er nippte an dem Scotch; der Whisky brannte ihm in der Kehle.

»Es waren andere Zeiten«, sagte sie. »Damals ahnten die Leute noch nicht, was sie der Erde antaten, als sie die Wälder abholzten. Und den Menschen. Neulich habe ich irgendwo gelesen, daß man das Amazonasgebiet früher ›grüne Hölle‹ genannt hat. Das muß man sich einmal vorstellen – eines der letzten Paradiese!«

»Komisch, daß ausgerechnet Sie das sagen«, meinte er. »Pharmazeutische Konzerne werden im allgemeinen nicht für ihre ökologischen Prinzipien gerühmt.«

»Das versuchen wir gerade zu ändern«, sagte sie.

Es klopfte. Sie warteten, bis der Zimmerkellner seinen Trolley hereingeschoben, aufgedeckt und vorgelegt sowie Wein eingeschenkt hatte.

Als er wieder verschwunden war, sagte Sander: »Ich meine natürlich, es geht mich ja nichts an, aber ich habe nirgends gelesen, daß die Arzneimittelhersteller neuerdings freiwillig auf Profit verzichten.«

»Idealismus ist was Schönes«, erwiderte sie, »aber ganz ohne ein bißchen Materialismus geht es nun mal nicht. Denn Idealismus kostet Geld. Und Materialismus verdient es. Man muß nur darauf achten, daß die Balance stimmt.« Sie hob ihr Glas. »Lassen Sie uns auf unsere Reise trinken.«

»Prost«, sagte er und schnitt dann hungrig in das kurzgebratene, duftende Fleisch.

Sie aß die Hälfte des Steaks, aber das gesamte Gemüse und den Salat, tupfte sich dann mit der Damastserviette die Lippen ab und fragte: »Wann ging diese glorreiche Pionierzeit denn zu Ende?«

»Anfang der achtziger Jahre war plötzlich Schluß«, antwortete er, noch kauend. »Da hatten die Prospektoren bereits so viele Lagerstätten entdeckt, daß es dreihundert Jahre dauern wird, bis alle ausgebeutet sind. Stellen Sie sich mal vor: Allein das Öl, das unter dieser Erde liegt – mehr, als die Saudis und die Kuwaitis zusammen haben.« Triumphierend leerte er sein Glas.

Sie griff nach der Flasche im Eiskübel, aber er kam ihr zuvor. »Lassen Sie nur, ich mache das schon.« Er goß erst ihr, dann sich selber nach, die angenehme Empfindung nachkostend, die er verspürt hatte, als sich ihre Hände berührten. »Dreihundert Jahre«, wiederholte er.

»Wenn die Menschheit so lange existiert«, sagte sie. »Gerade hier ist ja besonders gut zu sehen, was unsere westliche Zivilisation für die Erde bedeutet. Büroburgen, Wohnsilos, Fabriken, Kühltürme, Hafenanlagen, überall Autos ... Hier standen einmal Bäume, deren Wachstum fünfhundert Jahre gedauert hat. Und dann haben diese verdammten Motorsägen sie in einer halben Stunde umgebracht.«

»Das Land ist groß genug«, erwiderte er. »Keine Bange, Sie kriegen Ihr Paradies schon noch zu sehen.« Er räusperte sich und fügte wie entschuldigend hinzu: »Die Venezolaner können schließlich nicht vor Hunger verrecken, und die Brasilianer genausowenig, nur weil es den Idealisten von Greenpeace mißfällt, daß hier ab und zu ein paar Bäume gefällt werden.« Er blickte sie über den Rand seines Glases an. »Jeder halbwegs anständige Sturm wirft in diesem Wald mehr Bäume um, als sämtliche Motorsägen in einem Jahr schaffen können. Außerdem hat die Regierung schon neunzehnhundertneunundsechzig ein riesiges Aufforstungsprogramm gestartet. Drüben, auf der anderen Seite.« Er deutete wieder hinter sich. »Früher gab es auf dem Nordufer des Orinoco nur Savanne, eigentlich sogar Halbwüste, schmutzige Erde mit ein paar Büschen.« Er grinste. »War nur für Notlandungen gut. Aber als Naturpiste eben doch ein bißchen sehr groß. Neunzehnhundertsechsundsechzig importierte die CVG dann Samen von karibischen Kiefern aus Guatemala und zog versuchsweise Setzlinge. Und neunzehnhundertneunundsechzig begann dann das Uverita-Programm, im ganz großen Stil. Heute rauschen dort einhundertvierzigtausend Hektar Pinien und fünfzigtausend Hektar Eukalyptuswälder. Sie können dort jetzt schon fünfzig Kilometer weit durch Schatten fahren. Die CVG-Ingenieure haben Pflanzmaschinen konstruiert, mit denen sieben Mann täglich dreißigtausend Setzlinge in die Erde stecken können. Wenn das Öl in Venezuela alle ist, wird dieses Land die Welt mit Papier beliefern.«

»Wenn es dann noch jemanden gibt, der was zum Schreiben braucht«, sagte sie.

»Positive Informationen passen wohl nicht in Ihr ... Ihr Umweltbild?« fragte Sander und trank wieder einen Schluck Wein.

»Ich kann natürlich nicht behaupten, daß in unserer Branche das Kommerzielle überhaupt keine Rolle spielt«, sagte sie. »Aber unser Unternehmen sieht sich auch in einer ökologischen Verantwortung. Und zwar einer ganz besonderen. Denn bei uns geht es schließlich nicht nur um Arbeitsplätze, sondern darüber hinaus um die Gesundheit von Menschen. Und die können wir auf Dauer schlecht garantieren, wenn wir zwar gute Pillen produzieren, aber gleichzeitig zulassen, daß andere die Umwelt ruinieren.«

Sie machte eine Pause, um ihre Worte wirken zu lassen. Sander hätte gern angemerkt, wie phrasenhaft er diese Bemerkung fand, aber er wollte sie nicht noch mehr provozieren. Immerhin sagte er: »Trotzdem haben Sie hier auch nichts anderes vor als die Prospektoren, die ich vor dreißig Jahren in den Urwald geflogen habe. Sie wollen sich an seinen Schätzen bereichern.«

»BPW wird nicht nur nehmen, sondern auch geben«, sagte sie. »Zwanzig Prozent der Gewinne aus jedem Medikament, das wir aufgrund unserer Forschungen hier entwickeln und verkaufen können, fließen in die Provinz Amazonien zurück. So steht es in unserem Abkommen mit der Regierung. Glauben Sie, die Leute hier hätten mehr von ihrem Wald, wenn wir nicht da wären? Sie würden die besten Bäume abholzen und den Rest dann schlicht und ergreifend verbrennen, das wissen Sie genausogut wie ich. Das würde hier nicht anders laufen als in Brasilien. Verbrennen, verstehen Sie – all diese kostbaren Ressourcen! Der Schah von Persien – ein widerlicher Tyrann, aber wo er recht hatte, hatte er recht – wies schon in der OPEC-Krise von neunzehnhundertdreiundsiebzig darauf hin, was für ein Wahnsinn es ist, das Öl, aus dem sich tausend verschiedene hochwertige Medikamente und andere wichtige Stoffe herstellen lassen, in Automotoren und Heizöfen zu verfeuern. Wissen Sie eigentlich, wie groß die Artenvielfalt im tropischen Regenwald ist? Auf jedem zentralamazonischen Hektar finden sich über fünfhundert verschiedene Arten von Bäumen, Lianen und anderen Holzgewächsen. Ein Höchstmaß an Diversität, einmalig auf der gesamten Erdoberfläche. Sehr viele Pflanzen enthalten hochwirksame Arzneistoffe, deren Wirkung wir nie kennenlernen oder gar nutzen werden, weil sie zerstört sind, ehe wir sie entdecken und verwerten können. Bei jeder Brandrodung geht eine ganze Bibliothek genetischer Forschung verloren. Wissen Sie eigentlich, was die Medizin den Indianern schon heute verdankt? Curare sorgt für die nötige Muskelentspannung bei Herzoperationen. An der Universität von Belém wurden aus Dschungelpflanzen bereits Medikamente gegen Epilepsie, Diabetes, Grippe, Diarrhö und Zahnschmerzen entwickelt. Schon jetzt stammen weltweit etwa zehn Prozent aller rezeptpflichtigen Arzneien aus dem tropischen Regenwald. In Ekuador verwenden die Indianerinnen Piri-Piri als Antibabypille. Anorado verhindert Fehlgeburten. Virola hilft gegen Hautkrankheiten. Wenn ich alles aufzähle, bin ich morgen noch nicht fertig.«

Sander schwieg, mehr von ihrem Engagement als von den Fakten beeindruckt. Sie nippte an ihrem Glas und sah ihn erwartungsvoll an.

»Trotzdem ist es ein gutes Geschäft für Sie«, sagte er und ärgerte sich sogleich, weil ihm nichts Besseres eingefallen war.

»Vergessen Sie nicht, daß wir enorme Aufwendungen haben«, konterte sie. »Was meinen Sie, was allein diese Expedition kostet? Denken Sie nur mal an Ihr Honorar!«

Sein höfliches Lächeln wich einem Ausdruck von Vorsicht und Wachsamkeit. »Das finde ich eigentlich völlig angemessen«, sagte er.

»Ja, natürlich, keine Bange, da gibt es überhaupt kein Problem«, sagte sie. »Außerdem übertrifft der Welthandel mit Heilpflanzen aus dem tropischen Regenwald schon jetzt die Grenze von vierzig Milliarden Dollar im Jahr. Können Sie sich das vorstellen? Aber viel wichtiger als das Finanzielle ist etwas ganz anderes. Es geht um die Frage: Was holt man aus dem Urwald heraus, und wie holt man es heraus? Und da kann ich Ihnen sagen, wir betreiben hier Pharmaforschung und keinen Ölschiefertagebau. Und wir arbeiten ausschließlich nach ökologischen Methoden. Keine Camps mitten in der Wildnis. Keine Hubschrauberlandeplätze. Keine Anwerbung von Indianern als Arbeitskräfte, um sie noch schneller mit Schnaps, Transistorradios und anderen Errungenschaften unserer großartigen Zivilisation zu beglücken.« Sie lächelte ironisch. »Wir gehen rein in den Wald und wieder heraus, ohne daß man uns bemerkt. Wissen Sie, wie man früher die Kronenregionen der Regenwälder erforscht hat? Die Wissenschaftler düsten hin, fuhren mit dem Jeep in die Wälder, hauten einfach ein paar Urwaldriesen um und guckten sich dann Blüten und Insekten auf dem Erdboden an. Das machen wir anders. Auch dank Ihrer Hilfe.« Als er nicht reagierte, fragte sie: »Was ist? Habe ich etwas Falsches gesagt?«

Er riß sich aus seinen Gedanken und konzentrierte sich wieder auf sie. »Nein«, sagte er. »Ich habe mich nur gerade gefragt, wie Sie da draußen im Wald zurechtkommen werden. Für Frauen wie Sie ist das eigentlich nicht das Rechte. Keine Klimaanlage, keine eisgekühlten Getränke, keine Hygiene. Absolut keine Hygiene.«

»Was Sie nicht sagen«, erwiderte sie.

Sander beschloß, ein wenig zu schwadronieren. »Statt dessen gibt's dort jede Menge lästiger Viecher. Und ich rede nicht nur von ein paar Moskitos oder Ohrwürmern. Dort gibt es Mücken, die so klein sind, daß sie Ihnen unter die Augenlider kriechen können. Und Schnaken, die so giftig sind, daß Ihnen das Gesicht anschwillt, als hätten Sie einen Ballon auf dem Hals. Man nennt sie Zancudos. Die Indianer fragen nicht: ›Hast du gut geschlafen?‹, sondern: ›Wie waren deine Zancudos heute nacht?‹ Es gibt Sandflöhe, die legen ihre Eier unter Ihren Fußnägeln ab; Sie bemerken die Larven erst, wenn sie sich durch das Nagelbett fressen. Die Fliegenschwärme sind so dicht, daß man sich die Nase zuhalten muß, wenn die Biester einem nicht ins Gehirn kriechen sollen. Auf jedem Ast lauern Zecken, die sich an den intimsten Stellen durch die Haut bohren. Man muß sich ständig gegenseitig nach ihnen absuchen, so, wie sich die Affen lausen. Ah ... man muß sich ziemlich gut kennen, wenn man dort ...« Er verstummte.

»Nur keine Angst«, sagte sie munter. »BPW stellt ja schließlich keine Gummibärchen her, sondern erstklassige Medikamente. Auch für die Tropen. Auch zur Prävention. Sie haben also nichts zu befürchten. Ich kann Sie jederzeit verarzten.«

»Ich möchte Ihnen nicht etwa angst machen«, sagte Sander ein wenig enttäuscht. »Ich wollte Sie nur nicht im unklaren darüber lassen, was da draußen auf Sie zukommt.«

Sie trank wieder ein paar Schlucke Wein. »Waren Sie mal auf der Insel Marajó?« fragte sie dann.

Er schüttelte den Kopf. »Nein«, sagte er. »Für die Amazonasmündung haben sich meine Kunden leider nie interessiert.«

»Aber ich war dort«, sagte sie. »Ein einziger riesiger Sumpf, größer als die Schweiz. Anakondas, so lang wie Autobusse. Die Universität von Belém betreibt dort gemeinsam mit der Harvard Medicine School eine ethnobotanische Forschungsstation. Ich war zwei Jahre dort. Ich war auch in Ekuador, bei den Auca, und in Peru. Ich weiß, wie man in einer Hängematte liegt. Ich weiß auch, wie man bei fünfunddreißig Grad Hitze schläft und bei neunundneunzig Prozent Luftfeuchtigkeit arbeitet. Und was Jejenes, Zancudos und Tempraneros sind, weiß ich auch nicht nur aus den Büchern von AvH.« Ein Funken Spott glomm in ihren Augen.

»Entschuldigung«, sagte Sander. »Sie sehen nun mal nicht aus wie jemand, der Spaß daran hat, Tausendfüßler zu essen, stinkendes Wasser zu trinken und sich monatelang von Moskitos piesacken zu lassen.«

»Haben Sie schon mal geröstete Vogelspinne gekostet?« fragte sie. »Sehr delikat, kann ich Ihnen sagen. Das Muskelfleisch schmeckt wie Hühnchen. Aber am besten sind die Eier. Man wickelt sie in Blätter und dünstet sie.«

Er mußte lachen. »Sie kennen sich aus«, meinte er.

»Man soll nicht zu sehr nach Äußerlichkeiten gehen«, sagte sie. »Daß ich vom Cocuy herübergeflogen bin, um Sie persönlich abzuholen, mögen Sie bitte als Zeichen meiner persönlichen Wertschätzung betrachten. Aber es hat auch ein bißchen damit zu tun, daß ich noch mal in einem anständigen Hotel übernachten und mich ein bißchen verwöhnen lassen wollte. Na und? Deswegen bin ich noch lange kein Zuckerpüppchen. Wenn ich boshaft wäre, könnte ich zu Ihnen sagen, Sie sähen aus wie einer von diesen Typen, die den Garimpeiros Schnaps und Frauen in den Urwald karren. Das wäre genauso ungerecht. Denn so was haben Sie nicht nötig. Nach meinen Informationen sind Sie der mit Abstand beste Pilot zwischen Caracas und Manáus. Und nach Ihren Informationen auch, sonst hätten Sie Ihr Honorar nicht so hoch angesetzt.«

Sie lächelte ihn versöhnlich an. Nach Art vorsichtig gewordener älterer Männer versuchte er die Verpflichtungen, die er hinter dem Kompliment witterte, nicht ausufern zu lassen und antwortete: »Sie machen zuviel Aufhebens von dem bißchen Fliegerei.«

»Na hören Sie mal!« rief sie in gut gespieltem Protest. »In den sechziger Jahren haben Sie amerikanische Touristen sogar mit einem Heißluftballon zum Salto del Angel gefahren! Und Professor Halard hätte Sie nicht empfohlen, wenn er bei der Roraima-Expedition nicht hundertprozentig mit Ihnen zufrieden gewesen wäre. Was heißt zufrieden – er war direkt euphorisch.«

»Na ja«, brummte Sander verlegen.

»Andererseits weiß ich natürlich auch, daß es hier zur Zeit mit der Privatfliegerei nicht mehr so läuft, seit die Sidor, die Edelca, die Venalum und wie sie alle heißen, die großen Companies hier am Orinoco und am Caroní, alle ihre eigenen Flugzeuge und Piloten haben. Daß ich Ihr Honorar trotzdem akzeptiert habe, sollte Ihnen doch beweisen, wie sehr ich Sie schätze.«

»Ich nehme mal an, daß ein großer Teil davon Schweigegeld ist«, sagte Sander.

Sie beugte sich ein wenig vor und sagte: »Gut, daß Sie noch mal darauf zu sprechen kommen. Ich möchte Sie warnen: Der Passus mit der Konventionalstrafe ist durchaus keine Formalität. Was Exklusivität und Geheimhaltung angeht, versteht BPW keinen Spaß. Schließlich investiert unser Haus Millionen in diese Expedition. Und was wir da draußen im Regenwald finden, kann noch viel mehr wert sein. Wenn wir Glück haben und einen Wirkstoff entdecken, aus dem sich ein neues Medikament machen läßt, sagen wir mal, gegen Krebs oder Aids, dann werden Sie sehen, wie es hier von Leuten wimmelt, die herausfinden wollen, wo genau Sie mich hingebracht haben.«

»Was suchen Sie denn nun eigentlich?« fragte er.

Sie blickte ihn prüfend an. »Vielleicht ist es wirklich am besten, wenn ich es Ihnen gleich sage«, antwortete sie dann. »Sonst bringt es Sie noch um den Schlaf. Also: Mein Fachgebiet sind epiphytische Zisternenbromelien.«

Er lehnte sich zurück. »Dann sind Sie hoffentlich gut im Klettern«, sagte er. »Soweit ich orientiert bin, wachsen Epiphyten auf Bäumen. Hier nennt man sie ›parásitos‹.«

»Bingo«, sagte sie. »Aber epiphytische Zisternenbromelien leben keineswegs parasitär. Es gibt jedenfalls keinerlei Beweise, daß sie ihren Gastbäumen Nährstoffe entziehen. Sie sind reine Aufsitzer; ihre Wurzeln schlingen sich zwar fast wie Draht um die Äste, schnüren sie aber nicht ab wie die der Würgfeige und dringen auch nicht durch die Rinde. Sie nutzen lediglich die Höhe, denn auf dem Boden würden sie nicht genug Sonnenlicht bekommen.«

»Und weil diese Bromelien in der Kronenregion wachsen, wollen Sie mit dem Luftschiff an sie ran«, stellte er fest.

»Sie haben es erfaßt«, sagte sie. »Hubschrauber sind zu laut, stören zu sehr die Natur und verbrauchen außerdem viel zuviel Energie. Ein Luftschiff gleitet schön leise über den Wald, hält mal kurz an – schwups, habe ich mein Körbchen voll.«

»Wie viele von diesen Bromelien brauchen Sie denn? Manche werden zwei Meter hoch!«

»Ich entnehme meistens nur einige Teile«, antwortete sie. »Meine Leute untersuchen sie dann im Labor.«

»Und wie lange dauert es, so eine Pflanze auf dem Baum auseinanderzunehmen?« erkundigte er sich.

Sie lächelte. »Wir haben das schon in Berlin getestet«, erwiderte sie. »Zwischen drei und fünf Minuten, je nach Größe. Kommen Sie damit zurecht?«

Sander nickte. »Und Ihr Luftschiff ist wirklich absolut baugleich mit dem von Halard?« fragte er sicherheitshalber noch einmal.

Sie nickte mehrere Male. »Alles haargenau wie bei Halards Schiff. Kunstfaserskelett, Länge vierundzwanzig Meter über alles. Zweitausend Kubikmeter Helium. Rolls-Royce-Motoren, Propeller an Seiten und Heck, automatische Fangvorrichtungen an Bug und Heck. Hülle aus Trevira, gasdicht beschichtet, reißt erst bei fünf Tonnen pro Meter. Das ist ungefähr so fest wie die Sicherheitsgurte in Ihrem Auto.«

Sander schüttelte den Kopf. »Hab' ich nicht«, sagte er. »Als meiner gebaut wurde, war so was noch nicht vorgesehen.«

»Das kann ich mir denken«, erwiderte sie. »Unglaublich, wie viele alte Rostkisten hier die Straßen unsicher machen. Stinkende Benzinfresser aus der hohen Zeit der Energieverschwendung. Dafür aber keinerlei Sicherheitsvorkehrungen. Typisch für die Überflußgesellschaft.«

»Aber in meinem Flugzeug«, sagte er.

»Wie?« fragte sie.

»In meinem Flugzeug«, wiederholte Sander, »sind Sicherheitsgurte.«

»Immerhin«, sagte sie. »Das ist ja schon mal was. Also weiter. Tankinhalt dreihundertachtzig Liter. Das reicht für achtundzwanzig Stunden oder elfhundert Kilometer ununterbrochenen Motorbetrieb. Nutzlast dreihundertachtzig Kilogramm. Reichweite achthundert Kilometer. Höchstgeschwindigkeit neunzig Stundenkilometer. Enorm manövrierfähig. Wir haben am Cocuy schon ein halbes Dutzend Probeflüge gemacht. Sie werden mit dem Schiff sofort vertraut sein.«

»Das Schwierigste war die Arbeit mit dem Kunststofffloß«, sagte Sander. »Das Absetzen in der Kronenregion klappte noch einigermaßen, aber es wieder an den Haken zu kriegen, ohne daß es in Stücke riß ...« Nachdenklich kratzte er sich am Kinn.

»Brauchen wir nicht«, sagte sie knapp.

»Keine Arbeitsfläche zum Absetzen?« fragte Sander.

»Nein«, sagte sie. »Halard mußte so was haben, bei dem krabbelten sie ja immer gleich zu sechst in den Bäumen herum. Die hatten aber auch ein völlig anderes Programm. Studien zur Baumarchitektur. Messungen zur Photosynthese. Was die Franzosen halt immer so machen. Brotlose Kunst. Mehr für die wissenschaftliche Gloire als fürs Geschäft. Bei uns geht es ausschließlich um epiphytische Zisternenbromelien. Sie fahren möglichst nahe an sie heran, und ich schneide dann was von ihnen ab. Anschließend Untersuchung im Basislager. Wir haben in Cocuy ein Feldlabor aufgebaut. Ach so: Eine kleine Veränderung gibt es doch. Die Leute von der Luftschiffwerft haben einen hydraulischen Ausleger mit einem Korb aus Kohlefaser an die Gondel gebaut. Funktioniert so ähnlich wie die Dinger, mit denen die Leute vom E-Werk die Leuchtkörper von Peitschenlampen auswechseln. Fährt aber natürlich nach unten aus, nicht nach oben.

Falls wir mal nicht nahe genug an meine Bromelien herankommen.«

»Reichweite?« fragte Sander.

»Knapp sechs Meter«, sagte sie. »Handsteuerung. Sie können den Korb aber auch von der Gondel aus bedienen. Geht kerzengerade nach unten, kann also die Stabilität nicht beeinträchtigen. Sagt jedenfalls Doktor Frosinn, der Ingenieur, den die Werft mitgeschickt hat.« Sie wartete auf einen Kommentar, aber Sander schwieg. »Das wird endlich mal eine durch und durch ökologische Expedition. Wir werden über den Wald dahinschweben wie Engel über das Paradies. Haben Sie gewußt, daß die Konquistadoren hier den Garten Eden vermuteten?«

»Die haben hier eine ganze Menge vermutet«, sagte Sander trocken. »El Dorado. Die Amazonen. Das geheimnisvolle Manoa. Aber gefunden haben sie das alles nie.«

»Wir werden es besser machen«, sagte sie lächelnd. »Trinken wir darauf!«

Als sie die Gläser hoben, heulte eine besonders laute Schiffssirene auf dem Strom. Maria Behrings Augen begannen unternehmungslustig zu funkeln. Sie empfand den alles durchdringenden Ton wie ein anstachelndes Posaunensignal, das sie aufrief, zu tun, wozu sie gekommen war. Für Sander aber, der den Wald kannte, klang die eherne Saurierstimme wie eine letzte Warnung vor tödlicher Gefahr.

Das Geheul der Sirene drang über das kleine Flugfeld von San Simón de Cocuy in den nahen Wald. Erschrokken flatterte ein Schwarm gelbbrauner Stärlinge aus den hohen Stockschöpfen der Bulbostylisgräser in den flachen Senken neben der Startbahn empor, und eine Horde schwarzgesichtiger Wollaffen flüchtete kreischend durch die schwankenden Wipfel buntblühender Tachigalien.

»Ich glaube es einfach nicht«, sagte Sander kopfschüttelnd und drückte den Kippschalter des Signalhorns wieder in Ruhestellung. »Wozu soll das denn gut sein?«

Maria Behring lächelte. »Das ist für die Japaner«, sagte sie. »Die sind auf solche Sachen ganz scharf.«

»Der wahre Grund sind natürlich die deutschen Vorschriften«, korrigierte der Ingenieur hinter ihr. »Signalhörner sind Pflicht für Luftschiffe aller Art. Schließlich können sie immer mal gezwungen sein, mitten in der Landschaft runterzugehen.«

»Und dann tuten sie wie die Hochseedampfer?« fragte Sander verwundert.

Der Ingenieur zuckte mit den Schultern. »Diese Luftschiffe werden nun mal in Deutschland gebaut«, sagte er. »Und ohne die Warnanlage gibt es keine Zulassung vom Luftfahrtbundesamt.«

»Das ist längst noch nicht alles«, sagte Maria Behring. »Drücken Sie mal auf den gelben Knopf da links, und schalten Sie noch mal ein!«

Sander hob sich ein wenig aus dem Pilotensitz, tippte kurz auf den Umschalter und betätigte das Signalhorn zum zweitenmal. Diesmal erklang ein lautes Tatütata. Rasch stellte er das Gerät wieder ab.

»Ein Martinshorn!« sagte er entgeistert.

»Na ja, das ist natürlich Spielerei«, gab der Ingenieur zu. »Da hat Frau Doktor Behring schon recht, das ist für die Japaner, die kaufen immerhin neunzig Prozent unserer Produktion. Im Computer sind sechzig verschiedene Warnsignale gespeichert, von der Rolls-Royce-Hupe über die deutsche Luftschutzwarnung bis zur Sirene der New Yorker Feuerwehr.«

»Na, bestens«, sagte Sander. Er hatte sich an diesem Tag schon genug gewundert. Das angebliche Feldlabor am Cocuy hatte sich als eine Ansammlung von mehr als dreißig Containern entpuppt, die alle voll klimatisiert und durch Schleusen miteinander verbunden waren. Sie lagen am Rand des kleinen Flugfeldes, als solle dort ein Wolkenkratzer gebaut werden. Die Hälfte der Container war mit modernster Elektronik vollgepackt, die andere mit komfortabelster Einrichtung für die Teilnehmer des Unternehmens, für das Sander die Bezeichnung »Expedition« mittlerweile als völlig unpassend empfand. Noch nicht einmal der winzigste Moskito hatte auch nur die geringste Chance, in den hermetisch abgedichteten Eingangscontainer einzudringen. Eine aseptische Schleuse hielt selbst die Kleinstfauna fern. Die medizinische Station, die von zwei Tropenärzten geleitet wurde, besaß sogar einen Operationssaal. Das Essen wurde von drei Köchen zubereitet, die deutschen Lebensmittel lagerten in einem Kühlcontainer. Eine sechs Meter hohe Satellitenschüssel stellte die Verbindung zur Außenwelt her.

»Na, das ist endlich mal eine richtig ökologische Expedition«, hatte Sander gesagt.

»Ganz recht«, hatte Maria Behring geantwortet. »Denn je besser die Leute sich fühlen, desto besser arbeiten sie. Desto schneller sind wir am Ziel. Und desto kürzer ist dann unser Aufenthalt. Außerdem sind wir hier nicht im Urwald, sondern auf einem Flugplatz. Und in ein paar Wochen wird hier nichts mehr an uns erinnern. Wir nehmen alles mit, was wir hergebracht haben, sogar die Abfälle. Wir haben eine eigene Abwasserentsorgungsanlage. Das Wasser, das wir zurückgeben, ist sauberer als das, das wir uns nehmen. Die festen Stoffe kommen auf eine Deponie in Ciudad Guayana.«

Danach hatte Sander keine weiteren Bemerkungen gemacht. Das Abendessen – Rouladen mit Spätzle – hatte herrlich geschmeckt. Er konnte sich nicht mehr erinnern, wann er dieses Gericht zuletzt gegessen hatte; es mochte mindestens vierzig Jahre her sein. Danach hatte er himmlisch geschlummert, in Laken, wie sie ihm schon lange nicht mehr an die Haut gekommen waren. Als Maria Behring ihn am Morgen gefragt hatte, wie er geschlafen habe, hatte er gesagt: »Ökologisch wie noch nie.« Darauf war sie in schallendes Gelächter ausgebrochen.

Nun blickte Sander prüfend auf die Armaturen in der Gondel des Luftschiffs und fragte: »Sind wir soweit?«

»Kann losgehen«, sagte der Ingenieur und schnallte seinen Sicherheitsgurt fest.

»Fahren Sie erst mal einfach nach Norden über den Wald«, sagte Maria Behring. »Bis Sie ein paar Überständer sehen.«

Sander kontrollierte den Druck in der Hülle des Luftschiffs, setzte die Kopfhörer mit dem Mikrophon auf, öffnete den Kraftstoffhahn, stellte die Füße auf die Seitenruderpedale, schob den Gashebel ein Stück nach oben und fragte: »Luftschrauben frei?«

»Luftschrauben frei«, antwortete der Ground-crew-Chef am Haltemast zwölf Meter vor der Gondel.

»Okay«, sagte Sander und schaltete den Anlasser für das linke Triebwerk ein. Kaum drei Sekunden später sprang es an. Sander gab etwas Gas, kontrollierte die Drehzahl und reduzierte langsam die Umdrehungen, bis der Motor gleichmäßig lief. Kurz darauf begann auch das rechte Triebwerk zu arbeiten.

»Bis jetzt einwandfrei«, sagte Sander.

»Tadellos«, sagte Maria Behring in seinen Kopfhörern.

Sander warf prüfende Blicke auf Drehzahlmesser und Temperaturanzeiger, schaltete den Alternator ein und regulierte sorgfältig die Luftzufuhr. Dann wechselte er von der Companyfrequenz zum Tower.

»Airship Delta Bravo Papa Whiskey Oscar«, meldete Sander. »Ready for take-off, leaving control zone One November.«

Durch das Rauschen krächzte eine Stimme mit schwerem spanischem Akzent: »Delta Bravo Papa Whiskey

Oscar, you're clear to take off and leave control zone One November.«

Sander schaltete wieder auf Companyfrequenz und sagte: »Okay, wir gehen jetzt vom Mast.«

Er löste die Fangvorrichtung und gab etwas Rückwärtsschub. Das Luftschiff trennte sich von der Halterung und rollte mit dem Heck voran etwa einen Meter hoch über das Gras. Leichte Winde ließen den Riesenrumpf schwanken; Sander trat in die Pedale und glich die schwachen Schaukelbewegungen aus.

»Reagiert einwandfrei«, brummte er anerkennend.

Als der Mast hundert Meter entfernt war, packte Sander das große vertikale Rad des Höhenruders neben seinem Sitz und schob den Gasregler auf Vollast. »Es geht los«, rief er. Die Motoren dröhnten. Das Luftschiff gewann rasch an Geschwindigkeit. Als es sechzig Stundenkilometer erreicht hatte, drehte Sander das Höhenruder kräftig nach vorn. Das Rad unter der Gondel löste sich vom Boden, und das Luftschiff stieg in einem Winkel von fünfzehn Grad auf. Ein paar Sekunden später ließ es den kleinen Flugplatz hinter sich zurück und schwebte knapp fünfzig Meter über den Bäumen nach Norden.

Sander drosselte die Motoren und ging auf eine Geschwindigkeit von dreißig Stundenkilometern. Maria Behring schob Kopf und Oberkörper durch die offene Seitenscheibe und genoß die Kühle des Fahrtwinds. Der Wald unter ihr überzog das ebene Land in überraschender Ungleichförmigkeit. Zwischen den mit Stacheln bewehrten Stämmen der Pirijaopalmen, den opportunistischen, aber kurzlebigen Cecropiabäumen mit ihren wie Kandelaber geformten Wipfeln, den Philodendren und den Balsabäumen ragten immer wieder riesige Laurazeen und Amyrisarten empor. Die älteren Bäume hingen voller Kletter- und Schlingpflanzen. Die leuchtenden Blüten der verschiedensten Bromelien und

Orchideen blitzten im Meer der Milliarden Blätter auf, wie Neonfische durch das dämmrige Grün einer von Algen bedeckten Aquariumscheibe blinken.

»Ist das nicht atemberaubend?« fragte Maria Behring bewegt. Sie hob ihren digitalen Fotoapparat und begann Aufnahmen zu machen.

»Also für mich sieht das von oben immer aus wie Brokkoli«, antwortete der Ingenieur prosaisch.

Nach einigen Minuten steuerte Sander auf einige besonders hohe Bäume im Norden zu. Die größten mochten rund sechzig Meter hoch über den Erdboden aufragen. Ihre gewaltigen Kronen, jede gut zwanzig Meter breit, wölbten sich wie Schirme über die kleineren Bäume, die ihrerseits immerhin etwa dreißig Meter Höhe erreichten. Als das Luftschiff noch dreihundert Meter davon entfernt war, hob Maria Behring ihr Fernglas.

»Ein Deckeltopfbaum«, sagte sie. »Und zwei Dipteryx odorata.«

»Was?« fragte der Ingenieur.

»Tonkabäume«, erläuterte sie. »Hülsenfrüchtler. Schwarze Samen, sehen aus wie Bohnen. Die Indios tragen sie in Ketten um den Hals, weil sie so gut riechen. In Europa hat man die Kapseln deshalb früher in Schnupftabaksdosen gelegt, um den Inhalt zu parfümieren. Die Stämme sind eisenhart, man kriegt kaum einen Nagel hinein. Die Äste halten eine Menge aus.«

»Sie wollen doch nicht etwa auf ihm landen, oder?« fragte der Ingenieur mißtrauisch.

Sie lachte. »Keine Sorge«, sagte sie. »Das wird nicht nötig sein. Ich bin nur hinter ein paar Bromelien her.« Sie reichte das Fernglas nach hinten. »Schauen Sie mal auf den linken Dipteryx«, sagte sie. »Sehen Sie die rotgelben Punkte in der oberen Astgabel? Das muß eine Tillandsia fendleri sein. Prächtige Pflanze, fast zwei Meter groß. Die Trichterrosette muß mindestens neunzig Zentimeter hoch sein, da könnten Sie drin baden.«

»Und die wollen Sie absäbeln?« fragte der Ingenieur entgeistert.

Maria Behring lachte. »Nein«, sagte sie. »So was haben wir massenhaft in unseren Gewächshäusern. Wir suchen hier neue Arten. Und von denen nehmen wir auch nur Teile. Vor allem die Infloreszenzen.« Sie merkte, daß die beiden Männer damit nichts anfangen konnten, und fügte hinzu: »Die fertilen Teile, also die Blütenstände. Staubblätter, Griffel und Ovarien. Die enthalten besonders interessante Wirkstoffe.«

»Der Wind hat sich gedreht«, bemerkte Sander. »Wir müssen von der anderen Seite an sie heran.«

Er steuerte nach Westen und ging langsam tiefer. Maria Behring überprüfte die Gurte, die sich ihr um Schultern, Hüften und Oberschenkel schlangen, zog die Reißverschlüsse ihres dunkelblauen Overalls zu und klinkte die Sicherungskette ihrer Spezialschere mit einem Karabinerhaken in die Öse eines Metallbands an ihrem rechten Handgelenk ein.

Die drei großen Bäume kamen rasch näher. Sander zog die beiden Gashebel zurück und ließ das Luftschiff treiben. Als der vorderste Dipteryx noch etwa fünfzig Meter entfernt war, stellte er die Luftschrauben um. Langsam verringerte sich die Geschwindigkeit, bis das Schiff fast mit der Nase gegen den Baum stieß. Rechtzeitig gab Sander Gegenschub und ließ zugleich Luft aus den Ballonetts. Das Schiff stieg langsam höher, und Sander steuerte es genau über die Tillandsia, die grell zwischen den Blättern des Dipteryx hervorleuchtete. Die Bromelie hatte sich tief in einer Astgabelung eingenistet und hielt sich dort mit ihren zu Haftorganen umgebildeten Wurzeln fest; sie wirkte wie ein Tintenfisch auf dem Rücken eines Wals.

Sanders blickte auf den Höhenmesser. »Achtundvierzig Meter«, sagte er.

»Das ist mir hoch genug«, antwortete Maria Behring munter.

»Seien Sie nur vorsichtig!« sagte der Ingenieur überflüssigerweise.

Maria Behring klopfte gegen ihr Mikrophon. »Wieviel Zeit geben Sie mir?« fragte sie.

Da das Schiff nun stillstand und die Motoren kaum noch Luft in die beiden Ballonetts drücken konnten, die in dem Riesenleib für den nötigen Druckausgleich sorgten, schaltete Sander die Blower ein und öffnete die Ventilklappen. Die elektrischen Hilfspumpen bliesen die jeweils fünf Meter hohen Innenballons auf, damit das Schiff genauso schwer blieb wie die Luft, die es umgab. Der Vortrieb reichte gerade aus, das Fahrzeug im leichten Wind zu halten.

»Vier Minuten«, sagte Sander.

Maria Behring zog zur Kontrolle hart an ihrem Sicherungsseil. Sander schaute prüfend auf die Verankerung an der Dachstrebe der Gondel. Dann nickte er. »Viel Vergnügen«, sagte er.

»Danke.« Sie kletterte vorsichtig von ihrem Sitz, stellte die weichen Profilsohlen ihrer Spezialstiefel auf den Boden des Korbes und überprüfte noch einmal die Rutschfestigkeit in der superleichten Kohlefaserkonstruktion. Dann kletterte sie ganz hinein und legte die Finger um den Griff der Handsteuerung. Die Bodenklappe öffnete sich, und der Korb sank langsam aus der Gondel in die Tiefe.

»Entfernung ungefähr drei Meter«, hörte Sander sie in seinem Kopfhörer sagen, und dann plötzlich: »Entfernung vergrößert sich!« Rasch nahm er die beiden Blower zurück, und das Schiff sank wieder einige Zentimeter, ehe es in der Luft stillstand.

»Genug«, sagte Maria Behring. »Entfernung zwei Meter. Hydraulik arbeitet einwandfrei. Noch einen Meter.« Ein leichter Ruck ging durch das Schiff. »Ich bin dran«, meldete sie.

Sie stand nun genau neben der Tillandsia in der Astgabel, knapp zehn Meter unter den höchsten Zweigen des Dipteryx, und blickte auf das Blätterdach der kleineren Bäume zwanzig Meter unter ihr hinab. Den Erdboden konnte sie nicht sehen. Das Adrenalin in ihrem Blut ließ ihr Herz schneller schlagen. Sie fotografierte die Bromelie von allen Seiten. Dann schaltete sie das Tonband in ihrer Brusttasche ein.

Sander beugte sich aus dem Fenster. Der Korb stand so ruhig in der Astgabel, als habe auch er dort Wurzeln geschlagen und nicht nur der Epiphyt.

Gespannt sahen Sander und der Ingenieur zu, wie sich Maria Behring zu dem Epiphyten hinüberbeugte. Mit geübten Bewegungen machte sie sich an der Pflanze zu schaffen.

»Tillandsia fendleri auf Dipteryx odorata«, sagte sie dabei. »Fundhöhe achtundvierzig Meter. Alter etwa sechs Jahre. Pflanzenhöhe eins achtundachtzig Meter. Trichterrosette zweiundneunzig Zentimeter.« Sie zog ein metallenes Maßband aus der grünen Bromelienzisterne. »Blattscheide nicht sehr scharf, eher etwas undeutlich abgesetzt. Länge vierundzwanzig Zentimeter. Gleichmäßig lepidot, dichte braune Schuppen ...« Sie sprach nun ziemlich schnell und fast ohne Pause. »Blattspreite ligulat, Länge fünfundneunzig Zentimeter, Breite acht Zentimeter. Kahl, an der Basis ziemlich wachsig. Farbe blaßgrün. Infloreszenzschaft sehr dick ... fünfundsechzig Millimeter ... Schaftbrakteen imbrikat, subfoliat, sehr dicht. Seitenäste ungewöhnlich lang gestielt, stehen horizontal ab.« So ging es noch eine ganze Weile. Dann sagte sie: »Ich gehe jetzt in die Infloreszenz. Sehr tripinnat. Lanzeolate Ähren, schwertförmig zugespitzt ...«

»Sie haben noch eine Minute«, unterbrach Sander.

»Verstanden. Noch eine Minute«, sagte sie. »Weiter. Längste Ähre zweiundzwanzig Zentimeter. Vierzehn

Blüten, abwärts gebogen. Deckblätter schmal-lanzettlich zur Spitze gekielt. Zahl ...« Sie machte eine kleine Pause. »Sechzehn. Farbe gelb bis orange. Etwa so lang wie die Kelchblätter. Ich schneide jetzt. Ich habe sie. Ich komme jetzt wieder hinauf.«

»Sie haben noch fünfundzwanzig Sekunden«, sagte Sander.

»Brauche ich nicht mehr«, sagte sie. »Ich komme jetzt.«

Die beiden Männer in der Gondel spürten, wie sich der Korb aus der Astgabel löste. Wenige Sekunden später hob ihn die Hydraulik in das Innere zurück und schloß die Bodenklappe. Maria Behring kletterte aus dem Kohlefasergestänge und schnallte sich auf ihrem Sitz fest.

»Na, wie sah es denn von hier oben aus?« fragte sie aufgeräumt.

»Gut«, sagte Sander.

Der Ingenieur stieß zischend die Luft aus. »Ich konnte gar nicht richtig zuschauen«, gestand er. »Meine Nerven!«

»Das ist allerdings nicht so gut«, sagte Maria Behring. »Mit schwachen Nerven sind Sie in der Kronenregion fehl am Platze.«

»Ich habe auch überhaupt nicht die Absicht, Ihnen dieses Kunststück nachzumachen«, sagte Frosinn.

Sander schaltete auf halben Schub und ließ Luft aus den Ballonetts entweichen. Das Schiff gewann an Höhe und nahm Fahrt auf.

»Das hat ja ganz gut geklappt«, sagte sie. »Wie lange hätten Sie das Schiff denn noch auf Position halten können?«

»Vielleicht noch drei oder vier Minuten«, antwortete Sander. »Die Blower waren noch nicht sehr heiß, fünfundachtzig Grad, und der Wind ziemlich leicht auszuregulieren.«

Sie schaute auf ihre Armbanduhr. Seit ihrem Start

waren fünfzig Minuten vergangen. »Fahren Sie noch einmal zu dem Deckeltopfbaum«, sagte sie.

Langsam umkreiste das Luftschiff das fast siebzig Meter hohe Riesengewächs. Maria Behring hielt die ganze Zeit ihren Feldstecher auf die Krone gerichtet, konnte aber nichts Interessantes entdecken.

»Vriesea distichoides«, murmelte sie. »Und ziemlich klein. Nein, das ist nicht besser als das, was wir schon haben. Achmea filicaulis. Sieben Stück auf einem Ast. Drei sind bläulich verfärbt, die Fruchtreife hat eingesetzt. Dahinter eine ganze Kolonie Acanthostychus strobilacea.«

Sander folgte ihrem Blick und sah ein wucherndes Konglomerat leuchtendrot gefärbter Pflanzenbüschel, die mehrere Äste des Deckeltopfbaumes besetzt hielten. Fragend blickte er Maria Behring an. Sie schüttelte den Kopf. »Nein«, sagte sie. Ihr Atem hatte sich immer noch nicht normalisiert. »Auch davon haben wir massenweise in unseren Gewächshäusern. Ich hätte es gern ein bißchen spannender, auch wenn wir nur üben.«

»Und ich hätte gern mal die Halteautomatik getestet«, sagte Sander.

»Meinetwegen.« Sie hob ihr Fernglas an die Augen. Er ließ das Luftschiff etwas höher steigen und drehte den Bug in den schwachen Nordostwind. »Vielleicht dort«, sagte sie und zeigte nach Norden. »Sehen Sie den Überständer da hinten? Ungefähr drei Kilometer vor uns, auf zweihundertsiebzig Grad.«

Sander ließ den Blick an der unruhigen Linie entlangwandern, an der sich das satte Grün des Waldes vom kräftigen Blau des Himmels schied. Nach einigen Sekunden fand er den Baum; er ragte über seine Nachbarn empor wie ein Wolkenkratzer über das Häusermeer einer Stadt.

»Ceiba pentandra«, hörte Sander sie sagen. »Beachtlicher Bursche. Mindestens fünfundsiebzig Meter hoch.«

»Was?« fragte der Ingenieur.

»Wollbaum«, erklärte Maria Behring. »Die Kapseln enthalten Samenwolle, die früher als Stopfmaterial verwendet wurde. Der Samen besteht zu vierundzwanzig Prozent aus Öl. Schmeckt ein bißchen wie Mandeln.«

»Sie kennen sich aber gut aus«, sagte der Ingenieur.

Vor allem, was wirtschaftliche Aspekte betrifft, dachte Sander.

Als hätte sie seine Gedanken erraten, sagte sie: »Geld läßt sich damit aber nicht verdienen. Viel interessanter ist, daß er seine Blüten nicht von Vögeln oder Insekten, sondern von Fledermäusen bestäuben läßt.«

Je näher sie kamen, desto imposanter fanden sie die Dimensionen des Baumes. Auf den Ingenieur, der zum erstenmal im Regenwald war, wirkte der schwarzbraune Stamm mit der rissigen Rinde wie der riesige Schornstein eines Kohlekraftwerks. Selbst an der Stelle, wo er das dreißig Meter hohe Blätterdach der unter ihm wachsenden Käsebäume durchstieß, mußte sein Umfang noch wenigstens achtzehn Meter betragen; am Boden mochten es fünfundzwanzig Meter oder mehr sein. Die gewaltigen Äste waren wie die Stockwerke eines Hauses ohne Außenwände angeordnet; zwischen ihnen klafften Lücken von mindestens fünf Metern.

»Was halten Sie davon, wenn wir kurz über dem obersten Ast andocken?« fragte Sander.

»Versuchen wir es«, sagte Maria Behring.

Sander blickte prüfend auf den Höhenmesser und verringerte allmählich die Geschwindigkeit. Der noch etwa dreihundert Meter entfernte Baum stand nun vor dem Himmel wie der Turm einer Burg. Maria Behring hob wieder das Fernglas. »Er ist wirklich riesig«, murmelte sie.

Das Luftschiff glitt langsam näher, bis der Baum den

größten Teil des Horizonts verdeckte. Nun wirkte der Ceiba, als sei er allein ein ganzer Wald. Die waagerechten Äste waren dick wie Pipelines; aus ihnen sprossen andere, die Feuerwehrschläuchen ähnelten und in Zweigen, dick wie Baseballschläger, endeten. Milliarden Blätter umhüllten den Baum wie Schuppen ein Reptil; die anderen Bäume schienen sich unter ihm förmlich zu ducken.

»Er ist ein wahrer König«, hörten sie Maria Behring in ihren Kopfhörern sagen. »In ein paar Wochen wird er blühen. Dann sieht sein Wipfel aus wie der Explosionskranz einer Feuerwerksrakete.«

»Einmalig!« sagte der Ingenieur staunend.

Langsam schob sich das Luftschiff über den obersten Ast. Sander stellte den Motor ab. Frosinn hielt sich an Sanders Rückenlehne fest, obwohl er angegurtet war. Beklommen riskierte er einen Blick in die Tiefe. Der Ast wand sich sechs Meter unter der Gondel wie ein schwarzer Lindwurm durch frisches Grün.

»Achtung«, sagte Sander. »Ich fahre jetzt den Haltering aus.« Er drückte mehrere Knöpfe. Der mit Gummi gepolsterte Kohlefaserring am Bug schob sich auf den mächtigen Stamm zu und öffnete sich zu zwei Sicheln. Ein leichter Windstoß ließ das Luftschiff leicht schwanken. Sander korrigierte rasch mit Gasschieber und Pedalen, bis das Fahrzeug wieder auf Position war. Dann löste er die Fernsteuerung vom Armaturenbrett und verfolgte den raschen Zahlenwechsel der Digitalanzeige.

»Noch acht Meter«, sagte er. »Noch vier. Drei. Zwei. Eins. Dran.« Ein leichtes Beben ließ die Gondel vibrieren. Sander drückte weitere Knöpfe; mit einem schabenden Geräusch schloß sich der Haltering um den Stamm.

»Gut gemacht«, sagte der Ingenieur erleichtert.

Sander löste das Winkelgelenk und gab dem Luftschiff seitliche Bewegungsfreiheit, damit es sich in den Wind drehen konnte. Dann schaltete er die Schwebeautomatik ein; sobald sich der Luftdruck so stark veränderte, daß das Schiff sank oder stieg, würde der Computer Blower und Ventile steuern, bis das Luft-Helium-Verhältnis in Hülle und Ballonetts wieder ausbalanciert war.

Maria Behring überprüfte ihren Karabinerhaken. »Endstation«, sagte sie fröhlich. »Alles aussteigen!«

»Ohne mich«, sagte der Ingenieur.

»Und Sie, Herr Sander?« fragte sie aufmunternd. »Wollen Sie sich nicht auch mal ein bißchen die Beine vertreten?«

Sander schaute auf die Armaturen. Der elektronische Abstandsmesser zeigte an, daß die Gondel sechzig Meter über dem Boden schwebte.

Maria Behring kletterte aus ihrem Sitz und stieg in den Korb. »Was ist?« hörte Sander sie in seinen Kopfhörern fragen. »Kommen Sie mit oder nicht?«

»Augenblick«, sagte Sander. Er löste seine Sitzgurte, stieg in das externe Gurtgeschirr, ließ den Karabinerhaken an der Gondeldecke einschnappen und stellte die Winde auf Bereitschaft. Dann steckte er die Fernsteuerung in die Brusttasche seines Overalls und kletterte zu ihr in den Korb.

»Mutig, mutig«, lobte sie und drückte auf die Handsteuerung. Der Boden der Gondel öffnete sich und gab den Blick auf den Wald unter ihnen frei. Der Korb senkte sich langsam in die Tiefe und setzte acht Meter neben der Stelle auf, an der der starke Ast aus dem riesigen Stamm wuchs.

Maria Behring aktivierte die Verankerung. Große, sichelförmige Krallen aus Aluminium schoben sich aus dem Boden des Korbes und schlossen sich um den Ast.

Sie nahm Kopfhörer und Mikrophon ab. Nach kurzem Zögern befreite sich auch Sander von den Geräten und beugte sich über die Brüstung. Das Blätterdach der Käsebäume dreißig Meter unter ihnen schien undurchdringlich. Kolibris schwirrten an ihren Blüten umher, und ein großer Ara äugte mit schräggestelltem Kopf zu ihnen empor.

Plötzlich fühlte er ihre Hand an seinem Oberarm. »Sehen Sie!« sagte sie.

Er drehte sich zu ihr um und folgte mit den Augen ihrem ausgestreckten Arm. Sie deutete zu der Gabelung zwischen Ast und Stamm. Die Rinde war an dieser Stelle fast völlig von Moosen und Farnen überwuchert. Auch einige Bromelien hatten sich in dieser luftigen Höhe festgesetzt; am äußeren Ende des Astes hingen Tillandsien in meterlangen Büscheln und Strängen herab, als sei dem Baum dort ein Bart gewachsen.

»Was ist?« fragte Sander.

»Schauen Sie doch!« sagte sie. »Dort! Hinter der Würgfeigenranke! Sehen Sie die weißen Blüten? Das ist eine Catopsis morrenia. Die dürfte hier eigentlich gar nicht wachsen. Bisher wurde sie nur in Costa Rica gefunden. Sie hat es also tatsächlich bis zum Orinoco geschafft!«

Die Bromelie wuchs fast genau am Stamm. Sander wurde es mulmig. »An die kommen wir nicht heran«, sagte er.

»Mit dem Luftschiff bestimmt nicht«, sagte sie. »Aber das brauchen wir auch nicht.« Sie setzte sich die Kopfhörer wieder auf. Ehe er es verhindern konnte, hob sie ein Bein über die Brüstung, zog das andere nach und stand auf dem Ast.

»Sind Sie verrückt?« rief Sander erschrocken. »Kommen Sie zurück!« Rasch stülpte er sich die Kopfhörer wieder über und schaltete das Mikrophon ein. »Kommen Sie zurück!« wiederholte er. Er wollte nach ihr greifen, aber sie wich geschickt aus, drehte sich um und ging langsam auf den Stamm zu.

»Regen Sie sich nicht auf«, hörte er sie sagen. »Für Leute, die in der Kronenregion forschen, ist das Routine. Außerdem dauert es nicht lange. Die nehme ich im Stück mit.«

Sicher und unbekümmert wie ein Kind, das spielerisch auf einem Bordstein balanciert, bewegte sie sich zwischen den hohen Farnen, Ranken und Aufsitzerpflanzen hindurch auf den Stamm zu. Als sie ihn erreicht hatte, stützte sie sich mit der Hand ab; die Rinde fühlte sich warm und rissig wie sonnenbeschienener Fels an.

»Es ist tatsächlich eine Morrenia«, sagte sie. »Na, da hätte der alte Mez aber gestaunt, wenn er das noch erlebt hätte.«

»Wer?« fragte Sander, der nichts verstand.

»Der alte Mez«, sagte sie, als befinde sie sich auf einer Cocktailparty. »War ein bedeutender Bromelienforscher. Fand diese Pflanze achtzehnhundertsechsundneunzig in Mexiko.«

»Und wieso heißt sie dann Morrenia?« sagte Sander; erst danach wurde ihm klar, wie absurd es war, in dieser Situation eine solche Frage zu stellen. »Lassen Sie nur, das können Sie mir später erklären. Schneiden Sie das verfluchte Ding ab und kommen Sie zurück!«

Sie machte sich nun einen Spaß daraus, seine Nerven zu strapazieren. »Nach Édouard Morren. Bedeutender belgischer Botaniker und Bromelienforscher. Achtzehnhundertdreiunddreißig bis achtzehnhundertsechsundachtzig. Sie trägt ihren Namen zu seinen Ehren.« Sie mußte lächeln. »Übrigens gibt es auch eine Tillandsia behringiana«, fügte sie gut gelaunt hinzu. »Und wenn Sie ein bißchen Glück haben, werden Sie eines Tages vielleicht von mir in einer Sanderiana verewigt.«

»Vielen Dank«, sagte Sander. »Kein Bedarf.« Er fühlte, wie er schwitzte; die Temperatur war zwar inzwischen auf über fünfunddreißig Grad gestiegen, aber der wirkliche Grund war jene panische, oft irrationale Furcht, die ihn seit Jahren quälte und der er doch niemals nachgeben durfte, wenn er nicht seinen Job verlieren wollte.

»Sie brauchen keine Angst zu haben«, hörte er sie sagen. »Ich bin gleich zurück.« Sie bückte sich, zog die Botanikerschere aus der Brusttasche und machte sich am Wurzelwerk der Catopsis zu schaffen. »Sehr schönes Exemplar«, sagte sie dabei. »Rosette weiß bemehlt. Schmale, weiß gerandete Spreiten. Perfekt.«

»Wie lange brauchen Sie denn noch?« mischte sich der Ingenieur ein. Er schien noch nervöser als Sander.

»Kommen Sie zurück!« sagte Sander noch einmal.

»Hier ist noch eine«, sagte Maria Behring. »Kommen Sie her und nehmen Sie mir eine ab, die haben immer noch sehr viel Wasser und sind ziemlich schwer.«

»Nichts lieber als das«, knurrte Sander. Er zog einmal kurz an seinem Sicherungsseil. Beruhigt spürte er den Widerstand der Winde.

»Wo bleiben Sie denn?« fragte Maria Behring. Es war klar, daß sie seinen Mut und seine Loyalität auf die Probe stellen wollte.

»Bin schon unterwegs«, sagte Sander. Vorsichtig kletterte er aus dem Korb und suchte festen Stand. Dann arbeitete er sich durch dicke Moospolster langsam auf den Stamm zu. Ihm war, als laufe er über einen schmalen Wiesenpfad; er bemühte sich, nicht nach unten zu schauen.

Ein leichter Windstoß ließ ihn besorgt innehalten, aber er beruhigte sich rasch wieder, denn um das Luftschiff in seiner Verankerung zu gefährden, waren mindestens neun Windstärken erforderlich.

Als er Maria Behring erreicht hatte, hielt sie ihm eine der beiden Tillandsien entgegen. Sie hatte die Blätter der Trichterrosette mit Draht zusammengebunden. »Immer schön mit den Blüten nach oben halten«, ermahnte sie ihn. »Die Zisterne ist bis zum Rand voll, und wir brauchen jeden Tropfen von dem Wasser, wegen der Enzyme.«

Er nickte, als habe er verstanden, was sie meinte, drehte sich vorsichtig um und setzte wieder Fuß vor Fuß, bis er den Korb erreicht hatte. Vorsichtig kletterte er hinein und atmete erleichtert auf. Ein paar Sekunden später war auch Maria Behring zurückgekommen; sie trug die zweite Tillandsia, die etwas kleiner war.

»Ein toller Baum, nicht wahr?« sagte sie. »In Marajó bin ich mal auf einen Mahagoni geklettert, der war noch gut zehn Meter höher. Aber an dem hatten die Jungs von Harvard fixe Seile mit Gegengewichten angebracht; man setzte sich einfach in die Gurte und wurde durch die Schwerkraft hochgetragen. Das war zwar ziemlich bequem, aber man blieb eben immer am Seil festgebunden; mit diesem Luftschiff hat man viel mehr Bewegungsfreiheit.«

Sie bediente die Handsteuerung, fuhr die Fixierkrallen ein und steuerte den Korb nach oben in die Gondel zurück. Der Ingenieur sah ihnen angespannt entgegen; Schweißtropfen liefen ihm über das bärtige Gesicht. »Verdammt heiß heute«, murmelte er und wischte sich mit dem Ärmel über die Stirn.

»Allerdings«, sagte Sander, löste sich aus dem Gurtgeschirr, schnallte sich auf seinem Sitz fest und schaute auf das Thermometer. »Fast dreiunddreißig Grad. Dabei ist es noch nicht einmal zehn Uhr.«

»Das kann ja heiter werden«, sagte Frosinn.

»Sehen Sie mal«, sagte Maria Behring und hielt ihm die beiden Bromelien hin. »Sind das nicht wundervolle Exemplare?«

»Ganz toll«, beeilte sich der Ingenieur zu sagen; er fürchtete, ein weniger kräftiges Lob könne ihren Ehrgeiz anstacheln, auf den Ast zurückzukehren.

Ein leichter Windstoß traf das Schiff.

»Diese neue Haltevorrichtung ist wirklich überzeugend«, sagte Sander.

»Danke«, sagte der Ingenieur. »Wir haben auch lange genug daran herumgebastelt.«

»Hat sich gelohnt«, sagte Maria Behring.

»Wir legen ab«, sagte Sander. Er startete die Motoren, stellte die Propeller ein und drückte wieder Knöpfe an dem großen Armaturenbrett. Der Haltering öffnete sich und glitt zurück in den Bug. Langsam schob Sander die Gashebel nach vorn; das Schiff löste sich vom Stamm und fuhr hundert Meter rückwärts durch die Luft. Sander drückte die beiden Pedale und gab halben Schub; das Luftschiff hielt an, fuhr dann vorwärts und zog in einer langen Kurve um den großen Wollbaum herum nach Süden.

»Kurs Heimat«, sagte Maria Behring aufgeräumt. »Diese Tour war wirklich ein voller Erfolg.« Sie klopfte Sander auf die Schulter. »Gut gemacht«, fügte sie gönnerhaft hinzu.

»Danke«, sagte Sander.

Knackend meldete sich der Tower. »Delta Bravo Papa Whiskey Oscar! Bitte melden Sie Ihre Position!« Sander gehorchte. Maria Behring tippte ihm auf die Schulter und zeigte nach Südsüdost.

Sander drehte den Kopf. Zwei Hubschrauber flogen unter den Wolken auf die Landepiste zu; sie waren noch etwa fünf Kilometer entfernt.

»Militär«, murmelte Sander.

»Wir kommen jetzt zurück«, sagte er in das Mikrophon.

»*Sí*«, quakte die Stimme.

Sander steuerte das Schiff in den Wind und schob die Gashebel auf halbe Kraft. Das Fahrzeug beschleunigte sanft. Es begann heftig zu regnen. Ein paar Minuten später sahen sie den Tower am Horizont. Die beiden

Hubschrauber umkreisten ihn und verschwanden dann hinter den Bäumen auf dem militärischen Teil des Flugplatzes.

Als das Luftschiff gelandet war, hörte der Regen wieder auf. Der Ingenieur winkte seinen Mitarbeitern und fing an, Motoren, Steuerung und Hydraulik zu überprüfen. Mit dem Korb befaßte er sich so sorgfältig, als habe er bis zu diesem Tag nicht geglaubt, daß der Ausleger jemals eingesetzt werden könnte.

Maria Behring zeigte auf die beiden Pflanzen. »Seien Sie bitte so freundlich und bringen Sie sie ins Labor«, sagte sie. Sander hob die Bromelien auf und folgte ihr in den vordersten Container.

»Haben Sie alles gut verstehen können?« fragte Maria Behring den jungen Mann in der Funkbude. Der Funker nahm die Kopfhörer ab und nickte. »Klar und deutlich, Frau Doktor«, sagte er. »Die Verbindung war ganz ausgezeichnet. Nun ja, bei dieser geringen Entfernung ...«

Sie holte das Tonbandgerät aus der Brusttasche, ließ es einen Ausschnitt der Aufzeichnung abspielen, nickte befriedigt und sagte: »Bitte gleich kopieren und zu Professor Meybohm.«

»Wird gemacht«, sagte der junge Mann und blickte sie bewundernd an.

»Ist noch was?« fragte sie lächelnd.

Der Funker wurde rot. »Nein«, sagte er. »Es ist nur ... Ich finde, das war eine tolle Sache, wie Sie da auf diesen hohen Bäumen ... Also ich würde mich nicht so ohne weiteres trauen.«

»Man gewöhnt sich an alles«, sagte sie. Dann wandte sie sich Sander zu, der mit den beiden Bromelien im Arm wartete, und sagte: »Ich ziehe mich nur eben um. Wir treffen uns dann im Labor.«

»In Ordnung«, sagte Sander.

»Moment noch«, sagte sie, griff in die Brusttasche ihres Overalls und zog den Infloreszenzschaft heraus, den sie der Tillandsia auf dem Dipteryx abgeschnitten hatte. »Der muß gleich eingefroren werden.« Sie knöpfte Sanders Hemdtasche auf und steckte den Blütenstab hinein.

Sander ging durch die Schleuse in das Labor. Der Container war mit Elektronik vollgestopft wie eine Raumstation. Hinter einem mannshohen Rechner kam ein kleiner, rundlicher, fast kahlköpfiger Mann in einem weißen Kittel hervor. »Dann kann es ja endlich losgehen«, rief er munter und streckte begierig die Hand aus.

Sander gab ihm die Pflanzen und legte den Infloreszenzschaft auf den Tisch. »Sander«, sagte er höflich.

»Wie?« fragte der Wissenschaftler. Dann besann er sich. »Ach so. Meybohm. Angenehm.«

Sander gab ihm die Hand, drehte sich um und ging in seinen Container. Dort duschte er, zog Jeans und T-Shirt an und kehrte ins Labor zurück. Maria Behring stand schon am Seziertisch, die Hände von weißen Gummihandschuhen geschützt.

»Da sind Sie ja endlich«, sagte sie. »Haben Sie noch schnell ein Nickerchen gemacht?«

»Ich wußte nicht, daß wir es so eilig haben«, sagte Sander. Der alte Wissenschaftler blinzelte ihm zu; mit seiner grünen Gummischürze sah er wie ein Gerichtspathologe aus.

»Professor Meybohm leitet unser Labor«, erklärte Maria Behring. »Er ist sozusagen der Papst unter den Experten für Bromeliazeen.«

»Na, na, meine Liebe«, sagte der Wissenschaftler und hob in scherzhafter Drohung den Finger, »Sie wollen mir schon wieder schmeicheln. Vermutlich in der Hoffnung, daß Sie mich eines Tages doch noch überreden können, nur noch für die Ehre zu arbeiten!«

»Diese Hoffnung habe ich längst aufgegeben«, meinte sie lachend. Dann sagte sie: »Herr Sander. Unser Pilot.«

»Ich weiß, ich weiß«, sagte Meybohm.

»Ach so, ja, natürlich«, sagte Maria Behring. »Sie haben sich ja schon kennengelernt.«

»Ein Mann des Mutes und der Tat«, sagte Meybohm. »Ich habe schon von Ihrem kleinen Ausflug gehört.«

»Für Mut ist Frau Behring zuständig«, erwiderte Sander, »und für Taten auch. Ich habe nur ein bißchen assistiert.«

»Es ist immer wieder ein Vergnügen, mit so bescheidenen Herren zusammenzuarbeiten«, sagte sie, nahm einen Kittel aus dem Wandschrank neben der Tür und reichte ihn Sander. »Hier. Ist bei uns Vorschrift.«

Sander streifte sich den Kittel über.

»Ich werde Ihnen erst einmal etwas über Bromelien erzählen«, sagte sie. »Dann werden Sie besser verstehen, warum diese Pflanzen für uns so wichtig sind. Es gibt weltweit rund fünfzig Gattungen und zweitausend Arten, fast alle auf dem amerikanischen Kontinent, etwa zwischen Arizona und Argentinien. Die bekannteste ist die Ananas. Aber die mit Abstand interessantesten sind die epiphytischen Zisternenbromelien in der Kronenregion des tropischen Regenwaldes. Sie speichern zum Teil enorme Mengen Regenwasser in ihren Tanks. Und natürlich fallen immer wieder Tiere in die Zisternen. Andere Tiere halten sich sogar auf Dauer darin auf: Einzeller, winzige Würmer, alle möglichen Insektenlarven, Käfer, kleine Krebse, sogar Frösche; manche laichen in den Bromelien und ziehen darin ihre Kaulquappen auf. Es ist eine richtige Proteinsuppe. Und die Bromelie lebt davon.«

»Sie frißt die Tiere?« fragte Sander verwundert.

»Nein, lebenden Tieren kann sie nichts anhaben«, sagte Maria Behring. »Aber sie zersetzt tote Organismen und verwertet die Mineralstoffe. Deshalb fault das

Wasser in den Zisternen nie, sondern bleibt immer ganz frisch. Man kann es unbesorgt trinken, natürlich erst nachdem man die Insekten und die Kadaver herausgefiltert hat.«

Sander nickte. Sie sah ihn aufmunternd an. »An dieser Stelle meines Vortrags fragen mich meine Schüler normalerweise, wie die Bromelie das macht«, sagte sie.

»Und wie macht sie es?« fragte Sander gehorsam.

»Durch Enzyme«, antwortete sie. »Sagt Ihnen das was?«

Sander schüttelte den Kopf. »Nicht so richtig«, gestand er.

»Enzyme sind von lebenden Zellen erzeugte Eiweißstoffe«, sagte sie. »Sie lösen chemische Reaktionen aus, ohne sich dabei zu verbrauchen. Man nennt sie auch Biokatalysatoren. Enzyme werden in den Zellen gebildet. Sie regeln und steuern den Stoffwechsel. Ohne sie könnten wir zum Beispiel nicht verdauen. Viele Krankheiten entstehen durch Mangel an bestimmten Enzymen. Andere Enzyme wiederum können möglicherweise Krankheitserreger bekämpfen. Vielleicht gehören die Enzyme der Bromelien dazu. Ich glaube, daß manche von ihnen auch menschliche Zellen von Wucherungen oder Viren reinigen könnten. Zum Beispiel bei Krebskranken. Oder bei HIV-Positiven.«

Sander hörte ihr mit wachsendem Interesse zu. Der Umfang der Forschungsexpedition begann ihm allmählich verständlich zu werden; mit Medikamenten gegen diese Geißeln der Menschheit mußten Milliarden zu verdienen sein.

Maria Behring löste den Draht von der Trichterrosette der ersten Catopsis und schüttete das Wasser durch ein Sieb in einen Glasbehälter. Danach entleerte sie das Sieb in eine Metallpfanne. Mit der zweiten Catopsis verfuhr sie genauso, dann drückte sie auf einen Knopf. Die Tür öffnete sich, und eine Assistentin erschien.

»Zu Doktor Reiter«, sagte Maria Behring knapp.

»Jawohl, Frau Doktor«, sagte die Assistentin, nahm die Pfanne und verschwand.

»Unser Entomologe«, klärte Maria Behring Sander auf. »Haben Sie gewußt, daß es im Regenwald vermutlich mehr als zwanzig Millionen verschiedene Insekten gibt? Nicht einmal zwei Millionen davon sind bekannt. Die meisten neuen Arten finden sich natürlich in der Kronenregion, wohin die Forscher früher kaum Zugang hatten. Erst vor ein paar Jahren haben Entomologen vom Smithsonian Institute die Insel Barro Colorado in der Panamakanalzone untersucht und auf ihren rund fünfundzwanzig Quadratkilometern über zwanzigtausend verschiedene Insektenarten entdeckt. Das sind ungefähr so viele, wie es in ganz Europa gibt. Können Sie sich das vorstellen? Manchmal leben zweieinhalbtausend Arten auf einem einzigen Baum!« Sie reichte Dr. Meybohm den Glasbehälter und fuhr fort: »Für unsere Forschungen sind Insekten allerdings nur insoweit interessant, als wir herausfinden wollen, ob sie Abwehrstoffe gegen die Enzyme der Bromelien entwickeln. Doktor Reiter ist Inhaber des Lehrstuhls für Entomologie an der Humboldt-Universität in Berlin.«

Dr. Meybohm stellte den Glasbehälter in einen Metallschrank. Maria Behring setzte sich den Metallbügel mit dem Mikrophon auf, nahm die größere der beiden Catopsien und begann sie erst zu vermessen und dann mit einem kleinen Messer zu zerteilen. Sander sah ihr fasziniert zu.

»Catopsis morrenia. Gefunden in etwa fünfzig Meter Höhe auf einer Ceiba pentandra«, protokollierte sie. »Größe fünfunddreißig Zentimeter. Rosette aus sechzehn blaß- bis hellgrünen Blättern, weiß bemehlt ... Länglich-ovale Blattscheiden, achtunddreißig Millimeter breit ... Hochblätter dachziegelig angeordnet ... Kelchblätter fünf Millimeter ...«

Sander, der bald nicht mehr folgen konnte, starrte wie gebannt auf ihre weißen Handschuhe, während sie fortfuhr, mit geradezu anatomischer Meisterschaft die Teile der Pflanze zu zerlegen. »Blüten eingeschlechtlich«, hörte er sie sagen. »Das habe ich mir gedacht.« Auch Professor Meybohm folgte den präzisen Griffen mit aufmerksamen Blicken. Als er einmal kurz die Hand hob, sagte sie: »Ja, Sie haben recht, die Infloreszenz hat ungewöhnlich lockere Rispen, das schauen wir uns mal genauer an.«

Nach einer Weile legte sie die Pflanze zur Seite und schaute Sander lächelnd an. »Nun?« fragte sie. »Haben Sie was mitgekriegt?«

Sander schüttelte den Kopf. »Das ging mir alles viel zu schnell«, erwiderte er.

Sie hielt ihm einige Blätter vors Gesicht. »Sehen Sie? Das sind die Blätter, aus denen die Enzyme in das Wasser abgegeben werden.« Sie griff nach einem anderen Büschel. »Und hier sehen Sie die Saugschuppen, die das Wasser aufnehmen. Auch dabei sind ganz bestimmte Chemikalien im Spiel. Wenn wir diese Prozesse verstehen, sind wir ein ganzes Stück weiter.«

Sie legte die Pflanzen zurück auf den Tisch, zog die Handschuhe aus und sagte zu dem Professor: »Die andere überlasse ich Ihnen, sonst kommen Sie noch aus der Übung.«

Dr. Meybohm lächelte. »Sie werden schon dafür sorgen, daß das nicht passiert«, erwiderte er.

»Gehen wir einen Kaffee trinken.« Sie nahm Sander am Arm und schob ihn vor sich aus der Tür. Draußen sagte sie: »Ich wollte Sie noch um einen Gefallen bitten. Der hiesige Militärkommandeur hat mich heute abend zum Essen in den Stützpunkt eingeladen. Unser Haus besitzt beste Beziehungen zur Regierung, desgleichen zur Armeeführung in Caracas, und für die Genehmigung unserer Forschungsvorhaben bezahlen wir sehr viel Geld; insofern kann es da wohl keine Probleme geben. Trotzdem möchte ich nichts riskieren. Am Ende ist das einer von diesen Militärmachos, der denkt, daß er mir imponieren kann, und nach dem dritten Bier frech wird; Verwicklungen kann ich jetzt aber nicht brauchen. Vielleicht will der Kerl mir auch einen Bären aufbinden und ein paar Dollar für sich herausschlagen; das würde mir ebenfalls nicht gefallen, denn ich habe keine Lust, mir drohen oder mich für dumm verkaufen zu lassen. Ich wollte Sie deshalb bitten, mich heute abend zu begleiten. Sie sprechen die Sprache und kennen die Mentalität der Leute hier.«

»Das waren die beiden Hubschrauber«, stellte Sander fest.

»Offenbar«, sagte sie. »Der Colonel heißt Gómez, und er sagt, er sei heute mittag aus San Fernando de Atabapo angekommen. Kennen Sie ihn?«

»Nein«, sagte Sander. »Vielleicht sollten Sie sich geschmeichelt fühlen.«

Sie schnitt ein Gesicht. »Wir werden um fünf Uhr abgeholt«, sagte sie. »Ziehen Sie sich möglichst förmlich an, das ist bei solchen Anlässen immer gut.«

Das Mißtrauen erwies sich jedoch als absolut unbegründet, denn der Oberst entpuppte sich als Mann von erlesener Bildung und hervorragenden Manieren. Er hatte am Ufer des Río Negro auftischen lassen, unter einem riesigen Moskitozelt, das zwischen zwei mit Orchideen bewachsenen Balsabäumen aufgespannt war. Der große, schwarze Fluß war bei San Simón de Cocuy, achthundertdreißig Kilometer von seiner Quelle entfernt, schon fast zwei Kilometer breit; seine Wasser wälzten sich träge wie Sirup dahin, denn das Gefälle war minimal. Über tausend Kilometer weiter, schon tief in Brasilien, erweiterte sich der Abstand seiner Ufer auf über dreißig Kilometer, ehe er seine gewaltigen Wassermassen in den Amazonas ergoß.

Oberst Gómez hatte für seine Gäste das venezolanische Nationalgericht Pabellón aus gekochtem und zerpflücktem Rindfleisch, gedünsteten schwarzen Bohnen, gekochtem Reis und gebratenen Kochbananen anrichten lassen; dazu wurden Maniokfladen gereicht. Zwei weißgekleidete Ordonnanzen füllten frischgepreßte Säfte von Orange, Ananas, Mango, Wassermelone, Papaya, Maracuja und Tamarinde in gläserne Krüge. Der Oberst empfahl, sie nicht mit Wasser, sondern mit Milch zu mixen.

Sie aßen, während die letzten Sonnenstrahlen die riesige Felswand der Piedra de Cocuy röteten. Der Tafelberg ragte zehn Kilometer entfernt aus dem Regenwald wie ein gewaltiger Opfertisch voradamitischer Götter. Jahrmillionenlang hatte die Erosion an seinem Granit genagt, wie an den einhundertvierzehn anderen Felsburgen Venezuelas, die das Land am Orinoco nicht weniger charakteristisch prägen als der Welt größter Monolith, Ayers Rock, die Wüste Inneraustraliens. Letzte Überreste eines ursprünglich geschlossenen Sandsteinplateaus, in dem sich erst durch Verschiebungen übereinanderliegender Schichten Risse und Brüche gebildet hatten, die dann dem Regen und dem Wind Angriffsflächen boten, hatten die Tepuis, die Göttersitze der Ureinwohner, noch längst nicht alle ihre Geheimnisse preisgegeben, auch wenn auf den meisten von ihnen schon Hubschrauber mit venezolanischen Forschern gelandet waren.

Wuchtig, mit weit ausladenden Flanken, türmte der Fels von Cocuy sich sechshundert Meter hoch über den Wald; das steinerne Antlitz zwischen dem Kragen seines grünen Mantels und der grünen Kappe auf seinem Haupt war von zahllosen Rissen durchzogen und doch noch immer so glatt, daß selbst geübte Bergsteiger nur mit Haken und Seilen hinaufkommen konnten.

Colonel Gómez unterhielt seine Gäste in höflicher, ja

fast herzlicher Weise, glänzte mit witzigen Anekdoten aus der Geschichte des venezolanischen Bundesstaats Amazonas und bewies durch gut gewählte Zitate, daß auch er seinen Humboldt kannte, dem, wie er meinte, die Jugend des Landes bis heute sehr viel Interesse entgegenbringe, wahrscheinlich sogar mehr als die deutsche. Maria Behring konnte das nicht bestreiten.

»Bis zum Cocuy ist Humboldt zwar nicht gekommen«, sagte sie, als es dunkel geworden war und der Kaffee gereicht wurde. »Aber er ist auf dem Casiquiare gefahren und auf dem Siapa. Er nannte sie ›Brutplatz für alle Stechmücken der Welt‹. Und er hatte recht. Dort oben ist die Plage noch weit schlimmer als hier unten am Río Negro.«

»Ich bin froh, daß Sie trotzdem auch hier so gut vorgesorgt haben«, sagte Sander mit einem dankbarem Blick auf das riesige Moskitonetz.

»Das stimmt«, sagte Maria Behring. »Sonst würden wir hier kaum so ruhig sitzen.«

Der Oberst blinzelte in die elektrische Lampe, die in dem vorderen Balsabaum hing, und antwortete: »Sie tun mir zuviel Ehre an. Aber der Eindruck, daß Sie mit mir doch nicht ganz unzufrieden sind, macht es mir nun leichter, auf etwas sehr Unangenehmes zu sprechen zu kommen. Etwas, das Ihre Arbeit betrifft und, wenn ich ehrlich sein soll, der eigentliche Grund für meine Reise nach San Simón und diese bescheidene Einladung ist.«

Sander spürte, wie sich seine Kopfhaut spannte, so daß sich die Nackenhaare aufrichteten. Maria Behrings Gesicht verriet keine Anzeichen von Unsicherheit, als sie fragte: »Was meinen Sie damit? Gibt es Probleme mit unseren Genehmigungen?«

Der Colonel hob abwehrend die Hände. »Wo denken Sie hin!« protestierte er. »So etwas würde ich niemals im Rahmen einer privaten Einladung besprechen. In einem solchen Fall hätte ich Sie selbstverständlich in

Ihrem Camp aufgesucht und um eine Unterredung gebeten. Bitte verzeihen Sie mir, daß ich mich so ungeschickt ausgedrückt und dadurch verschuldet habe, daß Sie sich nun offenbar Sorgen machen!« Er deutete eine Verbeugung an.

Maria Behring mußte lächeln. »Dann bin ich ja beruhigt«, sagte sie. Sander atmete auf; ein Streit mit dem venezolanischen Militär konnte seine Aufgabe als Pilot kaum erleichtern.

»Trotzdem geht es um ein Ereignis, das Ihre Forschungstätigkeit möglicherweise mittelbar betrifft«, sagte Oberst Gómez. »Sie kennen ja unsere Schwierigkeiten in diesem Teil unseres Landes. Die *selva* ... der Regenwald ist eines der größten Wunder der Natur, gewiß, und – ah, welche Schönheit!« Er zeigte auf die Sonne, die nun als roter Ball im Río Negro zu versinken schien.

Schweigend bewunderten sie das Naturschauspiel. Nach einer Weile räusperte sich der Oberst und fuhr fort: »Forscher, Fotografen, Touristen, alle sind von dieser herrlichen Landschaft begeistert. Für uns Militärs aber ist der Aufenthalt hier kein Vergnügen. Nicht daß ich mich über Mangel an Komfort beschweren will – mit ein wenig Phantasie kann man sich's überall einigermaßen erträglich machen. Ich rede von unseren Aufgaben.«

Sander trank einen Schluck Kaffee.

Der Oberst fuhr fort: »Die besondere Situation hier besteht darin, daß am Felsen von Cocuy drei Länder zusammenstoßen. Aus Kolumbien kommen immer mehr Rauschgiftschmuggler über den Río Negro. Und aus Brasilien dringen die verfluchten Garimpeiros vor.«

Trotz der Wärme, die noch am Abend über dem Land lag, begann Sander zu frösteln.

»Werden Sie mit diesen Kerlen etwa nicht fertig?« fragte Maria Behring geringschätzig. »Das sind doch nur

Lumpen, die ein richtiger Soldat mit ein paar Gewehrschüssen über die Grenze zurückjagt.«

Der Oberst schüttelte bedächtig den Kopf. »Ich bitte um Verzeihung, wenn ich widersprechen muß«, sagte er. »Aber diese schönen Zeiten sind lange vorbei. Es handelt sich nicht mehr um einzelne Goldsucher wie früher. Heute haben wir es mit wohlorganisierten Banden zu tun, die keinerlei Rücksicht mehr nehmen und auch vor uns Soldaten kaum noch Angst haben. Es sind einfach zu viele, wissen Sie.« Er unterbrach sich, nippte an seinem Kaffee und fuhr fort: »Bedenken Sie bitte, daß die Autorität des Staates Venezuela in diesem Gebiet noch sehr jung ist. Die Quellen des Orinoco sind erst seit neunzehnhunderteinundfünfzig erforscht. Der Siapa wurde erst neunzehnhundertsechsundachtzig erkundet. Und drüben im Neblinagebiet sind fast überhaupt noch keine Venezolaner gewesen. Ich meine, weiße Venezolaner. Die Yanonamí dort sind natürlich ebenfalls Bürger unseres Landes. Sogar sehr geschätzte. Verstehen Sie mich bitte nicht falsch. Diese Menschen benötigen unseren Schutz. Deshalb hat die Regierung das gesamte Gebiet schon vor Jahren zum Nationalpark erklärt. Ausländer dürfen es nur mit behördlicher Sondererlaubnis betreten.«

»Falls Sie damit auf unsere Forschungen anspielen wollen«, sagte Maria Behring, »darf ich Sie davon in Kenntnis setzen, daß wir diese Erlaubnis selbstverständlich längst eingeholt haben und sie uns ohne Einschränkungen erteilt worden ist.«

Der Oberst hob abwehrend die Hand. »Selbstverständlich, Frau Doktor. Das weiß ich. Gerade deshalb habe ich Sie ja zu mir gebeten. Ich hätte Sie auch in Ihrem Camp aufsuchen können, aber das hätte der Sache einen zu offiziellen Anstrich gegeben. Bitte glauben Sie mir, es geht mir nicht darum, Ihre Forschungen auch nur im geringsten zu beeinträchtigen. Ich möchte Sie lediglich davor warnen, Ihre Genehmigung für das Neblinagebiet in nächster Zeit zu nutzen.« Er beugte sich vor. »Vor ein paar Tagen haben Garimpeiros zwei Yanonamídörfer niedergebrannt. Dreiundsiebzig Tote – Männer, Frauen und Kinder. Auf brutalste Weise abgeschlachtet.«

»Mein Gott!« sagte Maria Behring erschüttert. »Das ist ja entsetzlich. Wo denn?«

»In Hoximu und in Simao«, sagte der Oberst. »Aber es hätte auch jeden anderen Ort treffen können.«

»Diese beiden Dörfer liegen auf brasilianischer Seite«, stellte Maria Behring fest und blickte Sander auffordernd an; der nickte sogleich.

»Richtig«, gab der Oberst zu. »Aber die Täter sind auf venezolanisches Gebiet geflüchtet. Der Angriff war wahrscheinlich ein Racheakt; die Garimpeiros glauben, die Yanonamí hätten sie an uns verraten. Ich will nicht prahlen, aber vor unseren Soldaten haben die Goldgräber weit mehr Respekt als vor den brasilianischen Polizisten; die können sie leicht bestechen, weil sie so schlecht bezahlt werden. Deshalb ist die Bande inzwischen vermutlich wieder nach Brasilien zurückgekehrt. Es kann aber auch sein, daß die Kerle sich immer noch am Neblina herumtreiben.«

»Wir haben dort in nächster Zeit nichts vor«, sagte Maria Behring.

»Das beruhigt mich sehr«, sagte der Oberst. »Ich brauche Ihnen ja wohl nicht zu sagen, was Ihnen droht, wenn Sie solchen Burschen in die Hände fallen. In Hoximu haben sie die Indianer erst mit Lebensmitteln aus den Hütten gelockt und dann erschossen. Danach hackten sie die Frauen in Stücke. Was sie ihnen zuvor noch angetan haben, möchte ich Ihnen nicht schildern. Die Kinder wurden geköpft.«

Sie schwiegen eine Weile. Ein kräftiger Regenguß prasselte auf die Plane. Dann sagte der Oberst: »Das

Militärkommando Amazonas möchte, daß ich das Gebiet durchsuche. Das kann Wochen dauern. Die Garimpeiros haben genug Zeit zu verschwinden, und wenn wir wieder abgezogen sind, kommen sie zurück. Wir werden die Grenze und die Yanonamí nur verteidigen können, wenn wir am Neblina einen Stützpunkt einrichten und täglich mit Hubschraubern patrouillieren. Aber das haben wir bisher in Caracas nicht durchsetzen können; die lieben Naturfreunde dort glauben, daß wir in Wirklichkeit gar nicht am Schutz der Indianer interessiert seien, sondern nur aus Spaß so einen kleinen Privatkrieg veranstalten wollten. Und die Regierung befürchtet diplomatische Verwicklungen mit Brasilien. Die Grenze ist nicht umstritten, aber die Brasilianer sind sehr heikel mit ihrer Souveränität.« Er verschwieg, daß die Regierung von Venezuela seit langem territoriale Ansprüche im Hochland von Guayana erhob, was ihre Nachbarn ziemlich beunruhigte.

Der Regen wurde noch stärker. Maria Behring räusperte sich. »Ich danke Ihnen«, sagte sie. »Wir werden uns entsprechend vorsichtig verhalten.«

»Die Dankesschuld liegt ganz auf meiner Seite«, betonte der Oberst. »Ich will aber noch hinzufügen, daß die Garimpeiros nicht nur im Neblinagebiet über die Grenze vorstoßen, sondern auch östlich und westlich davon. Ich halte es sogar für möglich, daß sie hier in der näheren Umgebung auftauchen.«

»Das Luftschiff fliegt auch mit ein paar Einschüssen weiter«, sagte Maria Behring.

»Das weiß ich«, sagte Gómez. »Aber wenn Sie trotzdem einmal heruntermüssen, will ich mit meinen Männern möglichst schnell bei Ihnen sein. Verstehen Sie?«

Sie nickte. Der Oberst fuhr fort:

»Ich möchte Sie deshalb in aller Form bitten, Ihr Funkgerät künftig ständig eingeschaltet zu lassen und uns zu erlauben, Ihre Companyfrequenz mitzuhören. Nur zu Ihrer Sicherheit. Es kann sein, daß Sie plötzlich nicht mehr in der Lage sind, einen Notruf abzusetzen. Oder daß Sie nicht wissen, wo Sie sich befinden.«

»Das halte ich für unwahrscheinlich«, sagte Maria Behring. »Herr Sander ist ein ausgezeichneter Pilot und kennt die Gegend hier wie seine Westentasche. Nicht wahr?« Sie blickte Sander ermunternd an.

»Selbstverständlich«, sagte der Oberst. »Das ist mir natürlich bekannt. Ich spreche aber von dem möglichen Fall, daß Señor Sander dann nicht mehr ... nun ...«

»Der Colonel hat recht«, sagte Sander. »Es ist wirklich gefährlich.«

»Ich möchte daran erinnern, daß für unsere Aktivitäten mit Caracas strengste Vertraulichkeit vereinbart wurde«, sagte Maria Behring energisch. »Ich bin sehr froh darüber, daß das venezolanische Militär anders als so manche südamerikanische Armee nicht korrupt ist. Aber ich möchte trotzdem kein Risiko eingehen.«

»Sie können sich voll und ganz auf mich verlassen, Frau Doktor«, sagte der Oberst. »Ich werde eine Sondergruppe aus völlig vertrauenswürdigen Leuten zusammenstellen und ihnen für die Dauer des Auftrags jeden Kontakt mit Zivilisten verbieten. Falls tatsächlich Konkurrenten Ihrer Firma hier auftauchen sollten – von meinen Leuten erfahren sie nichts.«

»Dann ist es ja gut«, sagte Maria Behring. Es war ihr anzusehen, daß sie trotzdem nicht zufrieden war. Dennoch bemühte sie sich, höflich zu bleiben, und borgte dem Oberst später sogar ihre Taschenlampe, als plötzlich der Strom ausfiel und Gómez darauf bestand, persönlich die rasche Reparatur des Generators zu beaufsichtigen; das Gerät war, damit sein Geräusch nicht allzusehr störte, zweihundert Meter stromabwärts aufgebaut.

Kurz nach zehn Uhr trank Maria Behring die dritte

Tasse Kaffee aus und bat dann, zurück in das Camp gefahren zu werden. Der Oberst verabschiedete seine Gäste mit bedauernden Worten über die Ungelegenheiten, die er ihnen bereite.

Als der Fahrer sie ins Camp zurückgebracht hatte, sagte Maria Behring zu Sander: »Ich habe es geahnt. Der Kerl ist neugierig geworden und wittert ein Geschäft. Vielleicht hätte ich ihm gleich ein paar Dollar anbieten sollen, damit er Ruhe gibt.«

»Vielleicht tun Sie ihm unrecht«, gab Sander zu bedenken. »Auf alle Fälle sollten wir sehr vorsichtig sein. Ich glaube aber nicht, daß die Garimpeiros sich bis nach Cocuy wagen.«

»Das ist mir völlig egal«, sagte sie. »Wir werden hier sowieso nicht lange arbeiten.«

Er blickte sie überrascht an. »Heißt das, daß Sie tatsächlich in das Neblinagebiet wollen?« fragte er.

»Und noch etwas weiter«, sagte sie. »Ich werde Sie ins Vertrauen ziehen. Aber enttäuschen Sie mich nicht! Wir müssen auf die brasilianische Seite. In die Berge auf der Südseite des Neblina, zwischen Cauaburi und Marauiá.«

»Da haben Sie sich ja was vorgenommen! Und dafür haben Sie ebenfalls eine Genehmigung?«

»Das braucht Sie nicht weiter zu kümmern«, erwiderte sie. »Die Verantwortung liegt ganz allein bei mir. Sorgen Sie nur dafür, daß wir hinkommen. Und behalten Sie die Sache für sich! Ich will nicht, daß uns dieser Gómez dazwischenfunkt. Die Südseite des Neblina ist das wichtigste Ziel auf dieser Expedition; wenn es geht, wie ich hoffe, werden wir dort auch die wichtigsten Ergebnisse erzielen.«

Wolkenfänger stand auf dem obersten der Äste eines Axtbrecherbaumes, die das Gewicht eines Menschen noch eben zu tragen vermochten; die noch höheren waren den Kleinen Brüdern vorbehalten, den pelzigen Vierhändern, die Gott zur Übung geformt hatte, ehe er Adam den Lebensatem einblies. Die noch schwächeren Zweige gehörten den Fliegenden Vettern, den Aras und anderen Vögeln, den einzigen Bewohnern des Paradieses, denen es gegeben war, schon zu Lebzeiten in den Himmel emporzusteigen und dort die Herrlichkeit Gottes zu schauen, die sie nach ihrer Rückkehr mit lauten Stimmen zu preisen verstanden.

Anzahl und Vielfalt der Fliegenden Vettern waren unermeßlich; der Garten des Herrn war von ihnen erfüllt wie eine Honigwabe von Bienen. Vögel aller Größen und Farben durchquerten in Schwärmen den Himmel oder saßen in Scharen bei den bunten Früchten, mit denen der Schöpfer sie nährte. Winzige Kolibris standen im Schwirrflug vor leuchtenden Orchideenblüten und stärkten sich mit energiereichem Nektar, während ihre rosinengroßen Vogelherzen zwanzigmal pro Sekunde schlugen und leuchtendhelles Blut durch haarfeine Arterien pumpten. Schwanzmeisen fütterten die zwitschernden Jungen in ihren Kugelnestern. Hoch über den Wipfeln zog ein Greisenkopfsegler durch den Morgenhimmel dahin.

Die Sonne fegte die Reste der Nacht in den Abgrund der Hölle und entfaltete den goldenen Prachtmantel, der sie als Königin unter den Gestirnen kennzeichnete. Die Wärme des Lebens legte sich wie eine wollene Dekke über das Paradies; in Billiarden Blättern wurden die Quanten des Lichts von Chlorophyllpigmenten absorbiert, und die Pflanzen begannen Sauerstoff und Glukose zu produzieren, die beiden Verbindungen, mit denen die Organismen des Planeten ihren Stoffwechsel bestreiten. Die Kühle des nun verdunstenden Wassers auf dem noch vom Tau der Nacht glänzenden Grün erzeugte ein sanftes Wehen; es war, als winkten die Bäume der Sonne zu.

Wolkenfänger bog die zwölf langen Zehen seiner beiden Füße um den dünnen Ast, so wie ein Vogel seinen Sitz auf einem Telegrafendraht sichert, löste die Hände von den Zweigen, reckte sich zu seiner vollen Länge von einhundertdreißig Zentimetern empor und streckte die Arme nach oben, als wolle er das Firmament berühren. Es war dieser Mut, dem er seinen Namen verdankte; kein anderer wagte sich höher in die Wipfel, keiner kam dem Himmel näher und ließ die Hölle tiefer unter sich als er.

Sein zierlicher Körperbau kam ihm dabei zugute: Obwohl er schon zwölf Jahre alt und damit fast erwachsen war, wog er kaum fünfunddreißig Kilogramm. Schultern, Oberarme, Brustkorb und Beine zeigten die Proportionen eines Turners. Unter seiner kupferfarbenen Haut spielten fein gezeichnete Muskeln. Eine mit Papageienfedern geschmückte Schnur hielt sein halblanges schwarzes Haar aus der Stirn; um seine Hüften war ein buntes Stück Stoff geschlungen, Produkt des Baumes, auf dem die Kleider wachsen.

Als Ani, Senex und Blaukrönchen sechs Meter unter ihm mit ihren Körben aus der Hütte traten und über die Lianenbrücke auf den Hochweg zu den Paranußbäumen zugingen, begann Wolkenfänger auf seinem Ast zu wippen. »Wartet auf mich!« rief er.

Sie blieben stehen und schauten zu ihm hinauf. »Wir müssen uns beeilen«, sagte seine Mutter. »Hol deinen Korb und komm!«

Wolkenfänger wippte noch stärker; dann stieß er sich ab und fiel in die Tiefe. Nach sieben Metern trafen seine perfekt trainierten Füße mit traumwandlerischer Sicherheit einen breiten Ast, der kräftig federte; geschickt nutzte der Junge die Elastizität des Holzes und ließ sich vom Rückschwung auf die Lianenbrücke tragen.

Ani reichte ihm einen der beiden Körbe, die sie trug.

»Schon so groß und immer noch so kindisch«, tadelte sie ihren Sohn.

»Laß ihn doch«, sagte Senex großväterlich beschwichtigend. »Wir waren doch alle mal jung.« Die hohe Luftfeuchtigkeit kräuselte seinen weißen Bart wie die Ohrbüschel eines Marmosettenäffchens.

Blaukrönchen bemühte sich, ihren Bruder zu überholen und als erste den Hochweg zu erreichen, dessen hölzerne Planken aus dem Geäst des Axtbrecherbaumes in die dicht daneben aufragende Krone einer Chorisia führten. Lächelnd ließ Wolkenfänger seine neunjährige Schwester gewähren. Übermütig sprang sie auf einen Ast, der parallel zum Hochweg wuchs, und lief fast zwanzig Meter weit neben den anderen her, keinen Blick auf das dunkle Gewölk zu ihren Füßen verschwendend, das ihr nicht weniger vertraut war als der blaue Himmel über ihr. Es war eine Lust, auf den schmalen Ästen zu tanzen, ihre Biegsamkeit zu erproben, ihre federnde Kraft zu berechnen und dann mit einem plötzlichen Sprung über vier, fünf Meter auf einen anderen Ast, manchmal auf einen anderen Baum hinüberzuwechseln, wie es die Kleinen Brüder taten; ebensowenig, wie sie jemals stürzten, würde auch ihr je ein solches Mißgeschick widerfahren, denn das Paradies war für den Menschen gemacht und der Mensch für das Paradies.

»Paradiesisch«, sagte Maria Behring zum wiederholten Mal und genoß den Blick auf das wellige Waldland, das tief unter ihr dem Horizont entgegenwucherte wie jene paläozoischen Dschungel, in denen vor dreihundert Millionen Jahren die ersten Echsen weideten. Das Luftschiff zog zwölfhundert Meter hoch über den Wipfeln dahin; die beiden Motoren arbeiteten gleichmäßig mit zweieinhalbtausend Touren. Ein leichter Nordostwind drückte von links gegen den Bug, und Sander mußte immer wieder gegensteuern, um nicht vom Kurs abzukommen.

Seit anderthalb Stunden brauchte er dazu nicht mehr auf den Kreiselkompaß zu schauen, denn im Südosten war längst die Gipfelplatte des Cerro de la Neblina aus dem Morgendunst aufgetaucht, der sich jetzt, zwei Stunden nach Sonnenaufgang, auch in den tieferen Lagen des Hochlandes im äußersten Süden Venezuelas verflüchtigt hatte. Das Thermometer zeigte sechsundzwanzig Grad Celsius, die Luftfeuchtigkeit hatte vierundneunzig Prozent unterschritten, und der Wind, der durch die geöffneten Fenster der Gondel drang, machte die Fahrt vollends angenehm; das Luftschiff hielt konstant eine Geschwindigkeit von neunzig Stundenkilometern ein.

Es war schon die vierte Reise, die Maria Behring und Sander in den drei Wochen seit der Warnung des Colonels in das Grenzgebiet unternahmen. Beim erstenmal waren sie nach Osten zum Río Baria vorgestoßen und dem Urwaldfluß nach Südosten bis zu seiner Quelle am Nordhang des Neblina gefolgt. Beim zweitenmal waren sie noch weiter östlich entlang dem Cano Maveni zur Sierra Imeri gefahren und hatten den Nebelberg erst auf der Rückfahrt zu ihrer Linken gesehen. Und beim drittenmal hatten sie drei Kilometer südlich von San Simón de Cocuy die brasilianische Grenze anvisiert und das Luftschiff dann schnurgerade an ihr entlang zum Cerro Cupi gelenkt, was zur Folge gehabt hatte, daß sich der Colonel über Funk meldete und höflich, aber bestimmt die Einhaltung eines Sicherheitsabstandes von fünf Kilometern zur Grenze verlangte.

Die Ausbeute an Bromelien von den Bäumen des Neblina-Nationalparks, mit über dreizehntausend Quadratkilometern auf venezolanischer und sogar zweiundzwanzigtausend Quadratkilometern auf brasilianischer Seite größer als Belgien, war keineswegs gering gewesen, hatte aber Maria Behrings Erwartungen noch nicht einmal annähernd erfüllt. Insgesamt hatte sie siebenundachtzig Epiphyten untersucht; alle entstammten bekannten Arten, und die in ihnen enthaltenen Enzyme unterschieden sich, jedenfalls nach den bisherigen Tests, weder in ihrer Zusammensetzung noch in ihrer Wirkung von denen, die schon in Werken anderer Wissenschaftler beschrieben waren.

In Vorbereitung auf den Vorstoß über die Grenze hatten Maria Behring und Sander vereinbart, in ihren Gesprächen an Bord Positionsangaben und andere Beschreibungen, aus denen sich ihre Fahrtroute verfolgen ließ, konsequent zu vermeiden. Sander hielt zwischendurch ständig nach Anzeichen für das Vorhandensein von Garimpeiros Ausschau, entdeckte aber nur zwei kleine, schon wieder völlig überwucherte Landepisten, die das venezolanische Militär schon vor mehreren Jahren zerstört haben mußte. Auf ihrer zweiten Fahrt hatten sie jenseits der Sierra Irima auf brasilianischem Gebiet einen Waldbrand beobachtet, der aber auch natürliche Ursachen haben konnte.

Als sie vor einigen Tagen nach der Rückkehr von einer Fahrt wieder bei einem Kaffee zusammengesessen hatten, hatte Sander vorsichtige Zweifel geäußert, ob die bisher eher bescheidenen Ergebnisse der Expedition den immensen Aufwand rechtfertigten; auch die Hartnäckigkeit, mit der Maria Behring immer wieder den Neblina als Fahrtziel bestimmte, erschien ihm langsam widersinnig, denn die Entfernung von gut hundert Kilometern kostete sie auf jeder dieser Reisen drei Stunden allein für Hin- und Rückreise, so daß für die Suche nach Epiphyten viel weniger Zeit blieb, als wenn sie sich ganz auf das Cocuygebiet konzentriert hätten. Ob die Kronenflora in der Neblina denn wirklich so verschieden von der im Urwalddach am Río Negro sei?

»Natürlich«, hatte sie geantwortet. »Können Sie sich das nicht denken? Hier sind wir auf einhundertachtzig Meter Meereshöhe, in den Ausläufern des Neblina kommen wir auf ein- bis zweitausend Meter. Sicher, die Bäume gehören weitgehend zu den gleichen Arten wie hier, aber nicht die Bromelien. An der Nordseite merkt man es nicht so deutlich, weil das Klima dort ähnlich ist wie hier. Aber an der Südseite, wo der Wolkenwald beginnt, müßten wir eigentlich auf völlig andere Epiphyten stoßen. Ich rechne mit Arten, wie sie in den Nebelwäldern der Anden wachsen; vielleicht haben sich im Neblinagebiet Mischformen von Flachland- und Hochlandbromelien entwickelt. Wir kommen schon noch an die Schokolade, warten Sie es nur ab.«

Der Cerro de la Neblina war nun noch etwa zehn Kilometer entfernt. Der Wind frischte auf. Sander öffnete die Ventile der Ballonetts und drehte das Höhenruder nach vorn. Die Luft entwich, das leichtere Helium breitete sich fast in den gesamten Rumpf aus und trug das Luftschiff langsam auf zweitausend Meter. An der Frontscheibe zerplatzten einige Regentropfen.

Maria Behring beugte sich zu Sander und inspizierte den Höhenmesser. Sander nickte ihr beruhigend zu. Sie schaute durchs Fernglas und zeigte dann stumm auf einen Punkt links von dem breiten Gipfel des Berges. Der Wind hatte etwas nachgelassen; da Sander nun nicht mehr so stark gegensteuern mußte, schob er den Gashebel für den Backbordmotor wieder einige Zentimeter nach vorn.

Einige Minuten später überquerte das Luftschiff die unsichtbare Grenze und fuhr nun über brasilianisches Gebiet. Sander war froh, daß sie in einer Luftregion schwebten, die außerhalb der Reichweite von Garimpeirogewehren lag, wußte aber auch, daß sie aus desto größerer Entfernung zu sehen waren, je höher sie fuhren. Er beruhigte sich mit dem Gedanken, daß sie in diesem Stadium ihrer Reise immer noch behaupten konnten, vom Wind abgetrieben worden zu sein.

Maria Behring musterte ihn von der Seite. Wie Sander den ersten Test, den kurzen Ausflug auf den Ast des Ceiba pentandra, bestanden hatte, schien er nun auch den zweiten, die illegale Grenzüberquerung, problemlos zu meistern. Mit ihrer Wahl ein weiteres Mal zufrieden, nickte sie ihm aufmunternd zu.

Sander drehte das Heck des Luftschiffs in den Wind, stellte die Motoren auf Leerlauf und ließ das Schiff treiben. Durch die Verringerung der Motorengeräusche fühlte er sich ein wenig sicherer, und unwillkürlich entspannte er sich. Die Riesenmauer des Cerro de la Neblina zu ihrer Rechten schien bis in den Himmel zu ragen; es war, als blicke man auf einer Taxifahrt durch die Häuserschluchten Manhattans zum Empire State Building empor.

Maria Behring steckte den Kopf zum Fenster hinaus und schaute zum Rand des Gipfelplateaus fünfhundert Meter über ihnen hinauf. Ein Stein, der sich dort oben löste, würde direkt auf das Luftschiff fallen.

Sander folgte ihrem Blick, trat in die Pedale für die Seitenruder und lenkte das Luftschiff ein Stück von dem Felsen fort. Plötzlich begann die Gondel zu zittern; es war, als habe eine Riesenfaust das Schiff gepackt und wolle es nach Süden tragen.

Maria Behring sah Sander fragend an. Er deutete auf den Windmesser; das Gerät zeigte eine Windgeschwindigkeit von vierzig Stundenkilometern an. Sander drehte wieder an dem großen Rad neben seinem Sitz und ließ die letzten Luftreserven aus den Ballonetts. Das Luftschiff stieg rasch; bald meldete der Höhenmesser zweitausendachthundert Meter, und der Wind ließ wieder nach.

Sander entspannte sich und blickte prüfend nach Süden. Zu seiner Erleichterung konnte er nirgends

Rauchwolken entdecken. Der Cerro de la Neblina lag nun genau hinter ihnen. Rasch entfernten sie sich von dem mächtigen Berg. Eine halbe Stunde später schien der Tepui schon merklich kleiner. Längst lag wieder welliges Waldland unter ihnen, das nun aber immer öfter von größeren Hügeln unterbrochen wurde.

Nach einer weiteren halben Stunde tippte Maria Behring Sander auf die Schulter. Er sah sie fragend an. Energisch deutete sie mit dem Zeigefinger nach unten. Er überprüfte den Windmesser, leitete Luft in die Ballonetts und drehte das Höhenruder nach hinten. Das Luftschiff begann langsam zu sinken. Aufmerksam beobachtete Sander den Höhenmesser. Bei tausend Metern wollte er den Sinkflug beenden, aber Maria Behring beugte sich wieder zu ihm und legte den Zeigefinger auf die Hundert-Meter-Marke.

Besorgt schüttelte Sander den Kopf und deutete auf den Windmesser. Wieder ergriff eine starke Luftströmung das Schiff. Maria Behring ließ sich nicht beirren; der manikürte Nagel ihres Zeigefingers klopfte befehlend gegen das Glas, genau über der Zahl 100.

Sander leitete noch mehr Luft in die Ballonetts und drehte wieder am Höhenruder. Durch den Wind nahm das Luftschiff immer mehr Fahrt auf; der Geschwindigkeitsmesser zeigte schon fast einhundertzehn Stundenkilometer. Sander schaltete die Motoren ab und ließ das Schiff treiben. Lautlos glitt es nun durch die Luft, der Fahrtwind lieferte das einzige Geräusch. Je tiefer sie sanken, desto stärker spürten sie den Druck des Windes. Plötzlich türmte sich eine steinerne Mauer vor ihnen auf. Rasch drehte Sander das Höhenruder nach vorn, aber der Sicherheitsabstand zu der kleinen Hügelkette unter ihnen war auch ohne dieses Manöver groß genug. Während sie über den natürlichen Steinwall hinwegsausten, der etwa dreißig Meter hoch sein mochte, äugte Sander verblüfft nach links und nach rechts.

Dann zerrte er die Karte aus dem Fach unter seinem Sitz, entfaltete sie auf den Knien und studierte sie mit gerunzelten Brauen. Maria Behring beobachtete ihn eher erstaunt als besorgt. War es möglich, daß er nicht mehr wußte, wo sie sich befanden? Sie beugte sich aus dem Seitenfenster; der Wind zerrte heftig an ihren Haaren. Der Wald unter ihr kam ihr seltsam verändert vor. Rechts hinter sich sah sie den Felsenwall; er schien eine große Kurve zu beschreiben, die zweieinhalb Kilometer rechts von ihnen ihre größte Entfernung erreichte und dann wieder zurückschwang. Erst nach Sekunden erkannte sie, daß der natürliche Wall rund war wie ein mit dem Zirkel gezogener Kreis.

Sie hob das Fernglas und musterte die Bäume. Nach wenigen Sekunden setzte sie das Gerät ab und rieb sich die Augen. Sander beobachtete sie von der Seite; er glaubte, die unruhige Luftfahrt mache es ihr unmöglich, durch das Fernglas präzise zu beobachten, denn die Bäume flogen in rasendem Tempo vorüber. Aber es war nicht die hohe Geschwindigkeit, die sie an ihren Augen zweifeln ließ, sondern die Beschaffenheit des Waldes; nie zuvor hatte sie so etwas gesehen.

Sie atmete tief durch und schaute erneut durch das Fernglas. Ihr Atem ging flach. Auch Sander hatte nun gemerkt, daß der Wald unter ihnen irgendwie anders war.

Am Horizont tauchten einige Paranußbäume auf. Maria Behring konnte immer noch nicht glauben, was sie sah.

Der Wald unter ihnen schien nur aus Riesenbäumen zu bestehen; sie mußten im Durchschnitt mindestens sechzig Meter messen. Es waren Arten dabei, die anderswo höchstens vierzig oder fünfzig Meter erreichten. Außerdem standen sie so eng nebeneinander, als seien sie alle gleich alt und miteinander aus Samenkörnern zu Titanen gewachsen; fast immer waren ihre breiten Kronen so ineinander verschränkt, daß man kaum auseinanderhalten konnte, welcher Ast zu welchem Baum gehörte. Sehr viele Mahagonibäume, aber auch Wollbäume und Giganten anderer Arten wuchsen in diesem Wald, der wie verzaubert wirkte. Es war, als hätten sich Überständer aus dem gesamten Amazonasgebiet versammelt, um herauszufinden, welche Art die mächtigsten Exemplare hervorbringen könne. Selbst aus diesem Heer hölzerner Riesen aber ragten die Paranußbäume heraus; sie mußten mehr als neunzig Meter hoch sein.

Sander trat in die Pedale und lenkte das Luftschiff mit großem Geschick mitten zwischen den Überständern hindurch. Die unheimlichen Gewächse reckten dem fremden Gefährt ihre Äste entgegen, als seien sie Wächter, dazu bestimmt, Eindringlingen mit den Schwertern zu wehren. Auf dem obersten Ast stand ein Vogel; auch er schien Sander ungewöhnlich groß.

In diesem Augenblick warf sich Maria Behring so heftig auf Sanders Seite, daß ihm fast die Füße von den Pedalen gerutscht wären, und schlug auf den Hauptschalter der Funkanlage. Sofort verloschen die Blinklichter des Geräts.

»Gegenschub!« schrie sie.

Augenblicklich startete Sander die Motoren, kehrte die Stellung der Propeller um und schob die Gashebel auf volle Kraft. Das Luftschiff bremste so stark, daß Maria Behring in ihre Gurte geschleudert wurde. Sie stieß einen Schmerzensschrei aus. Dann riß sie ihre Kamera hoch, richtete das Objektiv auf den vorbeihuschenden Ast und ließ den Motor durchlaufen, als drükke sie den Abzug einer Automatikwaffe.

Die Nadel des Geschwindigkeitsmessers tanzte auf hundert, achtzig und dann auf sechzig Stundenkilometer.

»Zurück!« rief Maria Behring erregt.

Sander schüttelte den Kopf. »Unmöglich. Der Wind drückt viel zu stark.«

»Fahren Sie eine Kurve«, sagte sie.

»Dagegen kommen wir nicht an«, sagte er. »Ich müßte kreuzen, aber das würde viel zu lange dauern. Außerdem haben wir noch mindestens drei Stunden Fahrt vor uns bis nach Hause. Nein, tut mir leid. Unmöglich.«

»Begreifen Sie denn überhaupt nicht, was wir da gesehen haben?« rief sie. Die südliche Rundung des steinernen Walls huschte unter ihnen vorbei. Sander berechnete rasch ihre Position und verglich sie mit den Eintragungen der Karte.

»Nicht markieren!« warnte Maria Behring, die sich wieder einigermaßen in der Gewalt hatte.

Sander beugte sich vor und schaltete das Funkgerät wieder ein. »Hoppla«, sagte er dann. »Wieso war das Ding denn aus? Ich muß irgendwie gegen den Hauptschalter gekommen sein.« Seine Schauspielerei kam ihm selber so miserabel vor, daß er eine Grimasse schnitt.

Maria Behring saß schwer atmend auf ihrem Sitz und wartete, bis sich das Adrenalin in ihrem Blut wieder abgebaut hatte. Dann überprüfte sie mit fliegenden Fingern ihre Digitalkamera und holte die Aufnahmen auf den kleinen Bildschirm. Das Format war jedoch zu winzig, um etwas erkennen zu können.

Sander brachte das Luftschiff auf fünfhundert Meter Höhe und drehte nach Westen. Um nicht mit leeren Händen zurückzukehren, schnitt Maria Behring unterwegs noch einige Tillandsien von verschiedenen Bäumen. Eineinhalb Stunden später erschien der Felsen von Cocuy am Horizont. Kurz darauf landeten sie und machten mit Hilfe der Bodencrew am Haltemast fest.

Der Ingenieur schaute durch das geöffnete Fenster. »Hatten Sie eine gute Fahrt?« erkundigte er sich freundlich. »Irgendwelche besonderen Vorkommnisse?«

»Nein«, antwortete Maria Behring.

»Die Funkanlage fiel einmal kurz aus«, sagte Sander. »Bin versehentlich an den Hauptschalter gekommen. Wir hatten ziemlich viel Wind, und es gab einiges zu tun.«

Maria Behring und Sander kletterten aus der Gondel und eilten zu den Containern. »Kommen Sie in einer Stunde zu mir«, sagte sie. »Nein, lassen Sie nur, ich bringe das selber ins Labor.«

Sie nahm ihm das Büschel Bromelienblätter ab und verschwand. Sander duschte, zog sich bequem an und klopfte pünktlich an ihre Tür.

»Kommen Sie herein«, sagte sie.

Er trat ein. Erstaunt registrierte er, daß ihr Container fast ebenso dicht mit Elektronik vollgestopft war wie das Labor. Nur ein schmales Feldbett an der rückwärtigen Wand zeigte, daß der Raum auch zum Schlafen genutzt wurde.

Maria Behring saß vor einem Computer und drückte einige Tasten. »Sehen Sie sich das an«, sagte sie und schlug mit der Handfläche einladend auf einen leeren Stuhl.

Sander setzte sich neben sie und schaute auf den Bildschirm. Das Gerät zeigte in zwanzigfacher Vergrößerung eines der Bilder aus dem digitalisierten Fotoapparat.

»Es war wirklich kein Vogel«, sagte Maria Behring leise.

Sander beugte sich vor. Sofort erkannte er den Wipfel eines Paranußbaumes. Auf dem obersten Ast stand eine eigentümliche Gestalt.

»Nein, das ist kein Vogel«, bestätigte er.

Maria Behrings Finger flogen über das Keyboard. Das Bild verschwand und kehrte Sekundenbruchteile später in vierzigfacher Vergrößerung zurück. Nun waren Augen, Mund und Hände der Gestalt deutlich zu erkennen.

Sander wagte kaum zu atmen. Bis zu diesem Augenblick hatte er es immer noch für möglich gehalten, daß sie beide gleichzeitig einer Sinnestäuschung erlegen waren; der Dschungel war voll von solchen Geschichten.

Maria Behring bearbeitete wieder die Tastatur, und das Bild erschien in achtzigfacher Vergrößerung. Der elektronische Raster war nun schon sehr grob. Trotzdem gab es jetzt endgültig keinen Grund mehr zu irgendeinem Zweifel.

Sander räusperte sich. »Aber was ist das?« murmelte er heiser.

Maria Behring schaltete das Gerät aus und schaute ihn nachdenklich an. Dann fragte sie: »Kennen Sie die Legende vom Hombrecillo?«

# TEIL ZWEI

## Hombrecillo

FIEBRIG GLÜHENDE AUGEN unter dem rostigen Eisen iberischer Helme, wuchernde Bärte über eingefallenen Wangen, faulende Zähne hinter rissigen Lippen, zerschundene, von Insekten zerstochene Hände, die sich um tödliche Waffen klammerten, tauchten in einem plötzlichen Tagtraum vor Sanders geistigem Auge auf. Ausgemergelte Gestalten, vorwärtsgetrieben von der Gier nach Gold und in die Irre geführt von den vagabundierenden Mythen des Regenwaldes: der Legende von El Dorado, das an immer anderen Orten gesucht und doch nie gefunden wurde; der Sage von den Amazonen, die dem wasserreichsten Fluß der Welt den Namen gegeben hatten; den Berichten von den geheimisvollen Omagua und ihrem versunkenen Reich in dem schier undurchdringlichen Urwaldgebiet; der Überlieferung von Manoa, dem Timbuktu des Amazonas, der geheimnisumwitterten, unendlich reichen Stadt am entlegensten Ufer des Stroms; und der Kunde vom Hombrecillo, dem Waldmenschen, der gleich den Affen auf Bäumen lebte, die er nur manchmal verließ, um sich von den Indianern ein Kind oder eine Frau zu holen, mit denen er dann für immer im Dunkel des Urwaldes verschwand. Die Furcht vor ihm war Teil der menschlichen Urangst vor den tierischen Vettern, die bis heute überall auf der Welt in der Seele des Homo sapiens nistete und in den Südseemärchen um den Riesenaffen Kong wie in Europas mittelalterlichen Schauergeschichten vom Wilden Mann ihren Ausdruck fand.

»Hallo!« sagte Maria Behring.

»Wie?« fragte Sander. »Entschuldigung, ich war gerade in Gedanken. Natürlich, die Legende vom Hombrecillo kennt hier wohl jeder; allerdings nennt man ihn in Venezuela Salvaje. ›*Son cuentos de frailes*‹, sagen die Leute hier, alles Pfaffenmärchen, mit denen die Indianer früher den Missionaren angst machen wollten.«

»Das schreibt auch AvH«, sagte Maria Behring. Sie schaute in das Buch, das aufgeschlagen neben ihr lag. »Hier steht es: ›In den Katarakten hörten wir auch zum ersten Mal von dem behaarten Waldmenschen, der Frauen entführt, Hütten baut und zuweilen Menschenfleisch frißt. Die Tamanacas nennen ihn Achi, die Maipures Vasitri oder den großen Teufel. Die Eingeborenen und die Missionare zweifeln nicht an der Existenz dieses menschenähnlichen Affen, vor dem sie sich sehr fürchten –‹ «

»Der sieht aber nicht wie ein Affe aus«, unterbrach sie Sander und blickte zweifelnd auf den Monitor. »Das ist ein junger Indianer.«

»Vielleicht sind wir trotzdem auf den Ursprung der Legende gestoßen«, sagte Maria Behring, »und haben ein ganz neues, unbekanntes Volk entdeckt. Haben Sie zum Beispiel gewußt, daß auch das Märchen von Rumpelstilzchen einen wahren Kern hat? Es enthält eine vage Erinnerung an die steinzeitliche Urbevölkerung Mitteleuropas; von moderneren Rassen in Rückzugsgebiete abgedrängt, ahnten diese Primitiven instinktiv, daß ihr Volk nur überleben konnte, wenn es ihnen irgendwie gelang, ihre Gene mit denen der überlegenen Einwanderer zu verbinden. Darum drangen sie nachts in die Siedlungen der Neuankömmlinge ein und raubten kleine Kinder, die sie aufzogen und später mit ihren eigenen Kindern verheirateten. Das ist der wirkliche Grund, warum Rumpelstilzchen von der armen Müllerstochter das erste Kind haben wollte, als Preis dafür, daß es ihr zeigte, wie man aus Stroh Gold spann. Hören Sie mal, was AvH weiter schreibt: ›Pater

Gili erzählt in vollem Ernst die Geschichte von einer Dame aus San Carlos in den Llanos von Venezuela, welche dem Waldmenschen wegen seiner Gutmütigkeit und Zuvorkommenheit das beste Zeugnis gab. Sie lebte mehrere Jahre sehr gut mit ihm zusammen und ließ sich von Jägern nur deshalb wieder in den Schoß ihrer Familie bringen, weil sie, nebst ihren Kindern (die auch etwas behaart waren), der Kirche und der heiligen Sakramente nicht länger entbehren mochte.«

Sander wiegte den Kopf. »Ich habe nur gehört, daß ab und zu Frauen von Indianern verschleppt wurden«, sagte er. »Meistens hat sich dann aber ganz schnell herausgestellt, daß in Wirklichkeit weiße Goldsucher die Täter waren. Sie wissen ja, daß man Guayana auch das Land der Lüge nennt.« Er zeigte auf den Monitor. »Aber was für ein Indianer ist das? Ein Yanonamí auf keinen Fall, und andere Stämme leben hier nicht. Und wie ist er auf diesen Baum gekommen? Die untersten Äste liegen doch mindestens dreißig Meter über dem Erdboden! Überhaupt habe ich noch nie so viele riesige Bäume auf einer Stelle gesehen. Und was war das für ein Steinring? Auf meinen Karten ist nichts dergleichen eingetragen; das heißt natürlich nicht allzuviel.«

»Ich habe Satellitenbilder bestellt«, sagte sie. »Schauen Sie sich das Foto noch einmal an.« Sie drückte eine Taste und holte eine Größenskala auf den Monitor. »Hier, sehen Sie.« Sie führte die weißen Striche mit der Maus in die Mitte des Bildschirms, bis sie genau über der fremdartigen Gestalt lagen. »Größe genau einhundertdreißig Zentimeter«, sagte sie. »Aber diese Muskulatur! Sehen Sie sich diese Schultern und diese Oberarme an! Und wie sicher er dort oben steht! Das müssen mehr als achtzig Meter sein, und er balanciert vollkommen frei auf dem obersten Ast; es sieht fast so aus, als wolle er gleich davonfliegen.«

»Ja«, sagte Sander. »Mir ist das ein Rätsel. Junge Indianer sind zwar oft sehr geschickt darin, auf eine Palme zu klettern. Aber auf einen Paranußbaum? Er kann natürlich von einem Nachbarbaum herübergeklettert sein; die Kronen stehen ja unglaublich dicht beieinander. Aber die anderen Bäume sind auch nicht viel leichter zu besteigen, jedenfalls nicht ohne technische Hilfsmittel.« Er zögerte; dann fügte er hinzu: »Und haben Sie diese schwarzen Wolken unter den Kronen der Bäume gesehen? Wenn wir über einem Bergregenwald gewesen wären, würde es mich nicht wundern, aber dieser Wald liegt höchstens sechshundert Meter über Normalnull.« Ratlos zuckte er mit den Schultern.

Sie zeigte ihm die anderen Bilder, die sie gemacht hatte, aber sie waren noch weniger scharf als das erste, und die Konturen lösten sich schon bei geringer Vergrößerung fast völlig auf. »Eines ist klar«, sagte sie schließlich. »Wir müssen so bald wie möglich wieder dorthin, aber mit mehr und besseren Geräten. Glauben Sie, daß Sie die Stelle wiederfinden?«

»Kein Problem«, sagte Sander. »Aber was wollen Sie Ihren Mitarbeitern erzählen?«

»Gar nichts«, sagte sie rundheraus. »Wenn es dort draußen wirklich einen unbekannten Indianerstamm gibt, tun wir gut daran, alles, was wir darüber erfahren, vorerst für uns zu behalten. Denken Sie daran, was mit den Yanonamí passierte, als die Zeitungen anfingen, in aller Welt über sie zu berichten. Heute sitzen sie in Jeans vor ihren Hütten und drehen an ihren Walkmen.«

»Sie haben recht«, sagte Sander. »Lassen Sie sich nur etwas Vernünftiges für den Colonel einfallen. Der Mann ist nicht dumm; wahrscheinlich nimmt er uns nicht einmal meine Ausrede mit dem versehentlich berührten Hauptschalter ab.«

»Wahrscheinlich nicht«, stimmte sie zu. »Aber solange er uns nichts beweisen kann, wird er nichts riskieren; er weiß, daß es ihn die Karriere kosten kann, wenn er uns ohne triftigen Grund bei unseren Forschungsarbeiten behindert. Venezuela ist ein sehr zivilisierter Staat, und die Kollegen von der Universität in Caracas haben beste Beziehungen zum Präsidenten; was wir hier machen, kann große Bedeutung für die Zukunft des Landes haben.«

»Davon bin ich überzeugt«, sagte Sander.

»Sie können sich ja schon mal überlegen, wie wir ein bißchen schneller in den Wolkenwald kommen«, sagte sie. »Sobald es etwas Neues gibt, sage ich Ihnen Bescheid.«

Sander ging in die Kantine, ließ sich ein Steak und zwei Büchsen Bier geben, zog sich damit in seinen Container zurück und studierte seine Karten. In dieser Nacht fand er nur schwer in den Schlaf, denn seine von dem ungewöhnlichen Erlebnis angespannten Nerven konnten sich lange Zeit nicht beruhigen. Und nach den ersten Tiefschlafstadien, als die REM-Phasen mit den gefühlsbetonten bildhaften Träumen immer länger wurden, drängten sich die Schreckensszenen der Vergangenheit von neuem in sein Bewußtsein, diesmal aber nicht differenziert durch den vom Licht des Tages gespeisten Verstand, sondern auf diffuse, schwer faßbare Weise verstärkt durch das Dunkel, das die atavistischen Urängste in seiner Seele förderte. Als hätten sich die von Goldgier und menschenverachtender Grausamkeit gespeisten Mordgedanken der Konquistadoren ebenso wie die panische Furcht und die im millionenfachen Leiden und Sterben wurzelnde Verzweiflung der Indianer als rätselhafte Form negativer Energie durch die Jahrhunderte im Urwald erhalten und nun miasmatisch in die elektromagnetischen Prozesse seines Gehirns integriert, sah Sander im Traum die Greueltaten der weißen Eroberer des Amazonas, als habe er sie selbst erlebt, verübt oder erlitten. Er sah die blutigen Leichname der Erschlagenen, hörte das Röcheln der

Sterbenden, die gellenden Schreie der Vergewaltigten und das verzweifelte Kreischen der Kinder, als sich der Stahl der Lanzen durch die kleinen Bäuche bohrte. Er sah die Fackeln in die Hütten fliegen und die Brände lodern, hörte das triumphierende Gebrüll der Mörder, fühlte die Hitze des Feuers auf seiner Stirn und roch das verbrannte Fleisch der Opfer, als sei er selbst Mittäter des Massakers. Er spürte aber auch den lähmenden Schrecken, der jede Flucht unmöglich machte, das Grauen, das die Füße wie mit Eisenringen fesselte, das Entsetzen, das wie ein Bleigewicht auf ihm lastete und das er vergeblich abzuschütteln versuchte. Der Schock trieb ihm den Schweiß aus den Poren, und er zitterte am ganzen Leib. Vergeblich versuchte sein Selbsterhaltungsimpuls den schlummernden Verstand zu wecken, damit er die grausigen Traumbilder mit der scharfen Klinge der Ratio vertreibe; der Wächter seines Wesens kehrte nicht auf den Posten zurück, und Sanders Seele sah sich schutzlos den Alpträumen ausgeliefert, die aus der abgründigen Finsternis seines Stammhirns stiegen wie Urerfahrungen aus jahrmillionenalter Reptilienzeit.

Maria Behring schlief überhaupt nicht, sondern saß die ganze Nacht an ihrem Computer und faxte über ihre eigene Satellitenleitung eine Reihe von Anweisungen und Fragen an mehrere Abteilungen ihres Unternehmens. Um zwei Uhr morgens trafen die ersten Antworten ein; sie lasen sich so interessant, daß die nun doch in ihr aufgekommene Müdigkeit rasch wieder verflog. Sie schickte verschiedene Zusatzfragen hinterher; bald begann auch ihr Bildempfangsgerät zu arbeiten. Fast eine halbe Stunde lang betrachtete sie die Satellitenaufnahmen auf ihrem Monitor in verschiedenen Vergrößerungen. Dann ließ sie mehrere Abzüge ausdrukken. Kurz vor fünf Uhr rief sie Sander an.

Sander sah im Traum lange Reihen gefesselter Sklaven vorüberziehen, von Menschenjägern im Urwald gefangengenommen und auf die Märkte Brasiliens verschleppt, frische Ware für die Besitzer der großen Plantagen, die aus der billigen Arbeitskraft einige Jahre lang ihren Gewinn ziehen würden, ehe die schwere Fron in dem mörderischen Klima die letzte Kraft aus den Unglücklichen herausgepumpt hatte und sie starben, wie Tiere den Mund auf die bloße Erde gelegt. Während sie sich in ihren Ketten vorwärtsschleppten, ahnten sie noch nichts von diesem Schicksal, hatten aber auch keine Hoffnung, jemals in die Heimat zurückzukehren. Ihre Toten blieben unbestattet in der Asche der Hütten zurück, erst den Pekaris, dann den Geiern, später den Ameisen und zum Schluß den Mikroorganismen zum Fraß, bis sie, in ihre winzigsten Bestandteile zerlegt, wieder an den Anfang der Nahrungskette zurückkehren würden, den Grundstoff für neues Leben zu geben. Das Klirren der eisernen Kettenglieder tönte als gespenstische Begleitmusik um den Todeszug der Gefangenen und dröhnte immer lauter in Sanders Ohren, bis sein Verstand endlich erwachte, die wirkliche Geräuschquelle identifizierte und dem Bewußtsein klarmachte, daß das Telefon klingelte.

»Sie haben aber einen guten Schlaf«, hörte er am anderen Ende Maria Behring sagen.

»Wie? Ja. Geht so. Was ist denn?« Er war noch ganz benommen.

»Die Satellitenfotos sind da«, sagte sie. »Ich glaube, ich weiß jetzt auch, was für ein Steinwall das war. Kommen Sie rüber und sehen Sie sich das an.«

»Jetzt?« fragte er blöde.

»Haben Sie etwas Besseres vor?« spottete sie.

Er riß sich zusammen. »Ich bin schon auf dem Weg«, sagte er und legte auf. Zehn Minuten später klopfte er vorsichtig an ihre Tür. Sie öffnete und schaute sich vorsichtig um. Draußen ging ein schweres Gewitter nieder.

»Die schlafen alle«, sagte Sander beruhigend.

»Dann herein mit Ihnen!« Sie zog ihn ins Innere, schloß die Tür und schob ihn zu ihrem Computer. Gespannt betrachtete er das Bild auf dem Monitor.

»Das sind ein paar von den neuesten Aufnahmen amerikanischer Satelliten«, erklärte sie. »Landsat und so weiter. Hier oben ist der Neblina. Darunter die Wolkenwaldregion.«

Sander beugte sich vor. »Von einem Ring ist hier nichts zu sehen«, stellte er fest.

»Natürlich nicht«, sagte sie. »Nicht aus achthundert Kilometern Höhe, in einem Gebiet mit derart starkem Pflanzenwuchs. Aber jetzt schauen Sie mal hierher!« Sie beugte sich über seine Schulter und drückte einige Tasten. Das Satellitenfoto verschwand und machte einem Bild Platz, das auf den ersten Blick wie eine Computergrafik wirkte.

Maria Behring tippte mit dem Fingernagel auf die Scheibe des Monitors. »Sehen Sie diesen roten Ring? Das ist unsere Formation. Ein Krater. Durchmesser fünftausendvierhundert Meter. Vulkanischer Ursprung. Sehen Sie diesen Punkt in der Mitte? Das ist der Rest des ursprünglichen Vulkankegels.«

»Ein Vulkan?« fragte Sander verwundert. »Hier im Amazonasgebiet?«

»Warum nicht?« sagte sie. »Die Welt ist voller Vulkane. Es gibt sie überall. Sogar in Deutschland. Die Frage ist nur, wie alt sie sind. Dieser hier ist sehr alt.« Sie zeigte auf die Schrift am rechten Rand der Aufnahme. »Letzter Ausbruch vor hundertfünfundzwanzig Millionen Jahren«, las sie vor. »Haben Sie gewußt, daß die Eifelvulkane noch vor elftausend Jahren aktiv waren? Vor hundertfünfundzwanzig Millionen Jahren gab es die Eifel überhaupt noch nicht. Damals gab es noch nicht einmal den Atlantik, denn Südamerika hatte sich gerade erst von Afrika getrennt.«

Sie drückte wieder Tasten, und auf dem Bildschirm erschien eine Grafik mit den Umrissen der Erdteile nach dem Zerfall des Riesenkontinents Pangäa. Fasziniert sah Sander zu, wie sich die Umrisse Südamerikas von denen des Schwarzen Erdteils entfernten; jeder millimetergroße Ruck bedeutete fünf Millionen Jahre.

Maria Behring schaltete auf das grafikähnliche Computerbild mit dem roten Ring zurück und sagte: »Das ist eine Aufnahme von ERS-1. Europäischer Forschungssatellit. Er sendet Radarstrahlen mit einer Wellenlänge von sechsundfünfzig Millimetern unter einem Winkel von dreiundzwanzig Grad schräg nach unten aus. SAR. Synthetic Aperture Radar.«

»Soso«, sagte Sander hilflos.

Sie lächelte. »Ich habe das vorher natürlich auch nicht gewußt«, gab sie zu. »Alles heute nacht angelesen. War sehr interessant.«

»Sie haben die ganze Nacht durchgearbeitet?« fragte Sander verblüfft.

»War ja nicht die erste«, wehrte sie ab. »Also weiter: Das von der Erde zurückgeworfene Echo der Radarstrahlen informiert nicht nur über die Entfernung zwischen Satellit und Reflexionspunkt, sondern gibt auch Aufschluß über die Beschaffenheit des betreffenden Materials. Kurz gesagt: Auf SAR-Bildern aus der Polarregion können zum Beispiel Wissenschaftler zwischen hundert verschiedenen Arten Eis und Schnee unterscheiden.«

Sander schwieg beeindruckt.

Maria Behring fuhr fort: »Über Kalifornien hat der Satellit die Deformationsfelder der letzten Erdbeben aufgespürt und vermessen. Er erkannte sie am unterschiedlichen Material. So ähnlich funktioniert die Sache auch bei unserem kleinen Neblinavulkan: Unter den Rändern des Kraters und dem Kegelstumpf ist das Erdreich sehr stark verdichtet. Außerdem lassen sich noch

Reste des Schlotes feststellen, durch den einst das Magma aus dem Erdinneren nach oben drang. Sie haben recht: für diese Gegend sehr erstaunlich. Die Kollegen von der Geologischen Fakultät der Humboldt-Universität waren genauso verblüfft wie Sie.«

»Ach, Sie haben schon mit ihnen gesprochen?« fragte Sander verdutzt. Dann schlug er sich an die Stirn. »Entschuldigung«, murmelte er, »man vergißt die Zeitverschiebung total, wenn man so lange nicht mehr über den Atlantik geflogen ist.«

»Ich habe ihnen natürlich nicht gesagt, auf was wir hier gestoßen sind«, erklärte sie. »Sie hätten es mir wohl auch kaum geglaubt. Praktisch das ganze Amazonasbecken besteht aus alluvialem Schwemmland, das alle älteren Strukturen überdeckt. Nur eben diese nicht. Warum, weiß ich nicht. Aber sie ist da.«

»Interessant«, sagte Sander. »Aber was hat das nun eigentlich für uns zu bedeuten? Hat es irgendwas mit dem ... mit diesem Indianer zu tun?«

»Gute Frage«, sagte sie. »Ich habe mich auch danach erkundigt. Natürlich ganz vorsichtig. Ethnologische Fakultät. Zentrum für Indianerforschung. Institut für Kolonialgeschichte. Ich habe sämtliche Archive abgeklappert. Nichts.« Sie drückte wieder ein paar Tasten, und eine weitere Karte erschien. »RÄUMLICHE VERTEILUNG INDIANISCHER STÄMME IN AMAZONAS UND RORAIMA «, stand darunter.

»Es gibt noch einhundertdreißig Stämme im Amazonasgebiet«, sagte sie. »Sehen Sie? Arawak, Je, Carib, Pano, Tupi ... Aber nicht im Neblinagebiet. Dort leben ausschließlich Yanonamí. Schon immer. Jedenfalls, so weit man es zurückverfolgen kann. Sie haben aber gesagt, der Indianer im Paranußbaum sei kein Yanonamí gewesen.«

»Da bin ich mir absolut sicher«, sagte Sander. »Schon vom Körperbau her ist das ganz unmöglich. Man müßte sich den Jungen natürlich noch einmal genauer ansehen.«

»Genau das werden wir tun«, sagte sie. »Sicherheitshalber habe ich mir schon einmal ein paar aktuelle Forschungsarbeiten überspielen lassen.« Sie zeigte auf einen Stapel Disketten. »Ich muß zugeben, daß mich die Chance, einen neuen Indianerstamm zu entdecken, nicht weniger motiviert als die Aussicht auf eine bisher unbekannte Bromelie«, fügte sie lächelnd hinzu. Dann wurde sie wieder ernst und sagte: »Wir müssen natürlich vorsichtig sein. Nicht nur wegen unseres Colonels. Die Brasilianer sind gegenüber ausländischen Forschern sehr mißtrauisch und voreingenommen. Ich habe da so meine Erfahrungen. Im Indianerschutzgebiet sind sie besonders heikel. Wenn sie uns auf die Schliche kommen, müssen wir mit allerhand Unannehmlichkeiten rechnen.«

»Um das mindeste zu sagen«, stimmte Sander zu.

»Außerdem bin ich eine Anhängerin der ökologischen Forschung«, sagte sie. »Ich hasse nichts mehr als diese Idioten, die sofort das ganze Biotop zertrampeln, wenn sie einen neuen Wasserfloh gefunden haben. Wenn es im Neblinagebiet wirklich einen unentdeckten Indianerstamm gibt, sollten wir uns ganz vorsichtig annähern, am besten so, daß wir gar nicht bemerkt werden.«

»Verstehe«, sagte Sander leicht sarkastisch. »Und das Luftschiff?«

»Wir werden auf keinen Fall ein zweites Mal mitten über den Wolkenwald donnern«, sagte sie energisch. »Sondern wir werden uns ganz vorsichtig von Süden her an den Krater heranpirschen und erst mal von dort aus unser Glück versuchen. Ich habe das entsprechende Gerät schon angefordert. Fernrohr, Hochleistungskamera, Richtmikrophon, Restlichtaufheller, Infrarotkamera, das ganze Programm.«

»Restlichtaufheller?« wiederholte Sander. »Infrarotkamera? Wollen Sie etwa nachts dort hinaus?«

»Vielleicht«, sagte sie. »Sie werden staunen, was sich mit den heutigen technischen Mitteln alles machen läßt.«

»Verstehe«, sagte Sander noch einmal. »Alles ganz ökologisch.«

»Ja, natürlich«, sagte sie und sah ihn ein wenig seltsam an. »Gefällt Ihnen das nicht? Wollen Sie lieber wie ein Elefant durch den Wald stampfen? Glasperlen austeilen und den lieben Gott spielen? Wenn das wirklich ein unbekannter Indianerstamm ist, kann er ja wohl mit Weißen noch nicht viel zu tun gehabt haben, oder? Da können Sie sich vorstellen, was es für die Leute bedeutet, wenn wir plötzlich mit einem Luftschiff einschweben. Es wird sein, als würde vor dem Brandenburger Tor ein Ufo landen.«

»Der Indianer gestern hat bestimmt nicht für sich behalten, daß er uns gesehen hat«, sagte Sander.

»Natürlich nicht«, sagte sie. »Aber es haben ja auch schon eine ganze Menge Leute überall auf der Welt erzählt, sie hätten ein Ufo gesichtet. Und? Kein vernünftiger Mensch glaubt ihnen. Es ist ein Riesenunterschied, ob man von einer Sache hört oder sie mit eigenen Augen sieht.«

»Und wie wollen Sie dem Oberst erklären, daß wir über Nacht draußen bleiben?« erkundigte sich Sander.

»Sie scheinen sich ja richtig daran zu ergötzen, immer neue Schwierigkeiten vorherzusagen«, antwortete Maria Behring verdrossen. »Aber der Colonel ist das geringste Problem. Ich werde ihm sagen, daß wir ein Bromelienparadies gefunden haben und nicht mehr täglich zweihundert Kilometer fliegen wollen, nur um mit Air-conditioning zu schlafen.«

Sander schaute sich noch einmal die Bilder an. Als sie herzhaft gähnte, stand er auf und sagte: »Jetzt müssen Sie sich aber endlich ausruhen, sonst sind Sie morgen nicht fit. Ich meine, heute.«

»Machen Sie sich darum keine Sorgen«, sagte sie. »Wir werden heute nur ein bißchen in der Gegend herumgondeln, da kann ich vielleicht zwischendurch ein Nikkerchen machen. Wir holen uns ein paar Bromelien, damit es nicht so auffällt, und fertig.«

Drei Tage später landete ein Charterflugzeug der Avensa auf der kleinen Piste. Seine vier Passagiere ließen niemanden an die beiden großen Holzkisten heran, die sie mit viel Mühe aus dem Rumpf der Propellermaschine hievten und durch den strömenden Regen in Maria Behrings Container schafften, in dem es nun sehr eng wurde. Zu den Geräten, die sie Sander aufgezählt hatte, waren noch einige andere gekommen, darunter ein kleiner, mobiler Satellitenempfänger und ein Ersatzgenerator.

»Sieht aus, als hätten Sie wirklich einen längeren Ausflug vor«, sagte Sander.

»Mein Sternzeichen ist Jungfrau«, sagte sie. »Ich bin gern auf alle Eventualitäten vorbereitet. Was sind Sie eigentlich?«

»Keine Ahnung«, sagte er.

Sie schaute ihn ungläubig an. »Aber Sie müssen doch wissen, was Ihr Sternbild ist!« protestierte sie.

Sie sah, wie einer der Männer einen mattgrauen Kasten mit einem teleskopähnlichen Fortsatz auspackte. »Was ist denn das?« fragte sie.

»Der Spektralanalysator«, sagte der Mann.

»Ach so«, sagte sie.

»Spektral ... was?« fragte Sander.

»Spektralanalysator«, sagte sie. »Damit kann man aus der Ferne die Zusammensetzung von Luft und anderen gasförmigen Stoffen ermitteln.« Sie zwinkerte ihm zu.

»Ach so«, sagte nun auch Sander und dachte an das schwarze Gewölk unter den riesigen Bäumen.

Maria Behring ließ sich die Handhabung jedes einzelnen Apparats genau erklären; auch Sander sah aufmerksam zu. Die Unterrichtung dauerte bis zum Abend. Dann ließen die Männer Bedienungsanleitungen zurück und kletterten wieder in ihr Flugzeug.

»Wir halten uns in Caracas zu Ihrer Verfügung«, sagte einer von ihnen beim Abschied.

»Ja«, sagte Maria Behring. »Ich melde mich.«

Das Flugzeug hob ab und verschwand.

Sander fühlte sich wie bei einer nachrichtendienstlichen Operation; um nicht mit Wahrheiten in Berührung zu kommen, an denen ihm nichts lag, stellte er keine Fragen.

Zwei Tage später luden Maria Behring und Sander im Morgengrauen die Kamera und das Richtmikrophon in die Gondel.

»Es geht mich zwar nichts an«, sagte der Ingenieur, »aber wozu brauchen Sie das eigentlich?«

Maria Behring blickte ihn fest an und log: »Wir glauben, daß die Enzyme in der Bromelienzisterne entgegen dem bisherigen Kenntnisstand eben doch auch auf lebende Organismen wirken, allerdings nur im sublethalen Bereich und so minimal, daß es mit bloßem Auge nicht feststellbar ist. Deshalb werden wir die Bewegungen von Insekten und Gliedertieren im Bromelienwasser filmen und mit dem Verhalten der Kleinstflora in Regenwasser vergleichen.«

»Aha«, meinte der Ingenieur. »Das leuchtet ein. Und diese Insekten produzieren natürlich auch Geräusche.«

»In der Tat«, sagte Maria Behring. »Allerdings vorzugsweise in Schwingungsbereichen, die für unser Ohr schon aus wenigen Metern Entfernung kaum noch hörbar sind. Deshalb dieses Spezialmikrophon.«

Sie kletterten in die Gondel, meldeten sich beim Tower ab, winkten dem Ground-crew-Chef zu und stiegen rasch auf zwölfhundert Meter. Sander lenkte das

Luftschiff erst genau nach Osten. Nach einer Dreiviertelstunde, als in der Ferne schon der Cerro Cupi aufragte, drehte er nach Süden, folgte dem Lauf des Canal Maturaca und überquerte im Quelltal des Flusses die niedrige Hügelkette, die Venezuela an dieser Stelle von Brasilien trennt. An ihrer höchsten Stelle fuhr das Luftschiff kaum vierzig Meter über dem Boden dahin. Danach überquerten sie einen Teil der riesigen Insel zwischen Río Negro, Casiquiare und Cauaburi, die von den Brasilianern zur Erinnerung an ihren letzten Kaiser »Ilha Pedro II« genannt wird, und änderten ihren Kurs wieder auf Ost. Ab und zu fuhren sie unter großen Gewitterwolken hindurch. Die ganze Zeit über versuchten sie möglichst unbefangen über Bäume, Bromelien und Enzyme zu plaudern.

»Noch ein paar Fahrten mit Ihnen«, sagte Sander, »und ich kann über Epiphyten eine Doktorarbeit schreiben.«

»Übernehmen Sie sich nur nicht«, erwiderte Maria Behring lachend.

Hinter dem Cauaburi stieg das Gelände an. Sander ging tiefer und verringerte die Geschwindigkeit auf fünfundvierzig Stundenkilometer. Halblinks vor ihnen ragte der Cerro de la Neblina über das Hügelland; im Lee des Hochplateaus hing eine kilometerlange Wolkenfahne.

Das Luftschiff fuhr nun nur etwa dreißig Meter über dem Kronendach nach Osten. Sander schob die Gashebel noch etwas weiter zurück. Dann sahen sie den Wall. Er begann sanft wie eine Düne, wurde dann aber rasch steiler und türmte sich am Schluß fast senkrecht empor. Die Bäume endeten gut fünfzig Meter vor dem oberen Rand; oberhalb dieser Grenze wuchs so dichtes Gestrüpp, daß man den Boden darunter kaum erkennen konnte.

Sander reduzierte die Geschwindigkeit auf Fußgängertempo und lenkte das Luftschiff vorsichtig über den Kraterrand. Die höchsten Felsen der Formation lagen kaum fünfzehn Meter unter der Gondel.

Auch auf der Innenseite war der Krater mit Büschen und kleinem Gehölz überwuchert. Am Fuß, etwa sechzig Meter entfernt, versank das Grün der Vegetation in einer grauen Fläche, die Sander zuerst für den Spiegel eines Schwarzwassersees mit besonders hohem Huminstoffanteil hielt. Erst nach einigen Sekunden wurde ihm bewußt, daß dort unten das dunkle Gewölk hervorquoll, das sie bei ihrer ersten Fahrt unter den Bäumen gesehen hatten. Die vordersten Riesenbäume standen noch etwa hundert Meter entfernt.

Maria Behring klopfte Sander fest auf die Schulter und zeigte mit dem Daumen nach hinten. Er stellte die Propeller um und lenkte das Luftschiff zurück, bis es wieder hinter dem Kraterrand stand, gerade hoch genug, daß sie über die Felsen hinweg auf das Kronendach schauen konnten.

Maria Behring nickte zufrieden, hob ihr Fernrohr vor die Augen und suchte die Bäume ab. Sie begann bei den Paranußbäumen, die etwa achthundert Meter entfernt standen, und überprüfte danach systematisch einen Baum nach dem anderen. Sander bemühte sich indessen, das Luftschiff möglichst ruhig zu halten. Da es fast windstill war, mußte er dazu weder Ruder noch Blower benutzen; nach einer Weile schaltete er sogar die Motoren aus, so daß ihr Schiff still wie eine weiße Wolke über dem Kraterrand hing.

In so geringer Höhe über dem Erdboden wurden sie nun allerdings zum Zielobjekt von Stechmücken und anderen Insekten. Maria Behring ließ sich davon nicht stören; als sie merkte, daß Sander immer öfter nach Moskitos schlug, zog sie ein Glasfläschchen aus ihrer Brusttasche und gab es ihm. »Nehmen Sie zwei Stück«, sagte sie. »Schlucken, nicht kauen.«

Sander gehorchte; wenige Minuten später hörten die Insekten auf, ihn zu belästigen.

»Unglaublich«, sagte er erleichtert. »Was ist das denn für ein Zeug?«

»Neuentwicklung«, antwortete sie, ohne das Fernglas sinken zu lassen. »Darf noch nicht verkauft werden. Keine Zulassung vom Bundesgesundheitsamt. Müssen erst noch verschiedene Testreihen machen. Ist aber ungefährlich. Habe das Zeug schließlich selber mitentwickelt.«

»Kompliment«, sagte Sander. Sein Respekt vor ihr stieg immer mehr. »Und was ist da drin?«

Sie lächelte kurz, löste die linke Hand für einen kurzen Augenblick vom Fernglas und zeigte auf das Funkgerät. »Betriebsgeheimnis«, sagte sie. »Sie wissen doch, wir Pharmazeuten nehmen es damit sehr genau.«

Sander nickte und konzentrierte sich wieder auf die Armaturen. Maria Behring korrigierte die Schärfeneinstellung des Feldstechers und suchte weiter die Bäume ab. Plötzlich stieß sie ein scharfes Zischen aus. Sander drehte den Kopf und sah, daß ihre Hände zitterten. »Was ist?« fragte er.

Sie gab keine Antwort, denn noch weigerte sich ihr wissenschaftlich geschulter Verstand, das unglaubliche Bild zu akzeptieren, zu dem sich die Nervenimpulse aus ihrer Netzhaut in ihrem Sehzentrum zusammengefügt hatten. Aber je länger sie ihre Zweifel aufrechtzuerhalten suchte, desto klarer wurde ihr, daß das, was sie sah, keine Täuschung war: Durch das wuchernde Grün, das alles Land am Amazonas als Ausdruck eines wilden, frei, ungebändigt und in amorpher Vielfalt wachsenden Lebens bedeckte, zogen sich nie zuvor gesehene, regelmäßige Strukturen, als hätte sich über ein abstraktes Gemälde eine geometrische Schablone mit Kurven und Geraden gelegt. Hellere und dunklere Töne verbanden sich plötzlich zu Bogen und Parallelen, Auf- und Abschwüngen, regelmäßigen Linien und gleichförmigen Mustern, die alle auf geheimnisvolle Weise zusammenzuhängen schienen wie Knoten und Zwirn eines riesigen Netzes.

»Was ist denn?« fragte Sander noch einmal.

Warnend legte sie den Zeigefinger an die Lippen und reichte ihm das Glas. Sander drehte an der Feineinstellung; zuerst konnte er nichts Auffälliges entdecken, aber dann erkannte auch er es: Überall zogen sich wie nach geheimem Plan Lianen und andere Ranken durch das Blattwerk, kreuzten und vereinten sich, schlangen sich umeinander und trennten sich wieder, die Kronenregion wie ein riesiges grünes Spinnengewebe durchziehend. Selbst aus der Entfernung wirkten die luftigen Gebilde erstaunlich stabil; es war, als seien die Wipfel sämtlicher Baumriesen in großer Höhe durch eine atemberaubende Konstruktion aus Hunderten von kühnen Seilbrücken und hölzernen Stegen, Leitern, Hochwegen und Überführungen miteinander verbunden.

Sander setzte das Fernglas ab.

»Das sollten wir uns in Ruhe ansehen«, sagte Maria Behring.

Er nickte, stellte die Propeller auf Rückwärtsfahrt und ließ das Luftschiff ganz langsam hinter den Kraterrand sinken. Um besser nach hinten sehen zu können, beugte er sich weit aus dem Fenster. Maria Behring schaute zur anderen Seite hinaus »Gut so«, sagte sie. »Immer schön langsam.« Die Büsche unter ihnen wurden größer. »Noch zehn Meter«, sagte sie, »acht, sechs. Langsam!« Dann schrie sie: »Halt! Halt! Hoch!«

Rasch ließ Sander Luft aus den Ballonetts. Das Luftschiff stieg ein, zwei Meter und bewegte sich noch etwas zurück. Nun sah auch Sander, was Maria Behring so erschreckt hatte: Unter ihnen gähnte ein schwarzes Loch, das bis in die tiefsten Eingeweide der Erde zu reichen schien.

»Keine Angst«, sagte er beruhigend. »Das kriegen wir schon hin.« Er ließ das Luftschiff noch einige Meter rückwärts treiben. Dann schob er die Gashebel ein Stückchen nach vorn und steuerte das Gefährt an einen jungen Mahagonibaum. Langsam schloß sich die Halterung um den Stamm. Maria Behring setzte den Helm ab, ergriff ein Stativ, eilte in die Gondel und winkte ungeduldig. Sie ließen sich auf den Boden hinunter, acht Meter tief. Sander verankerte den Kohlefaserkorb an einer mächtigen Wurzel. Maria Behring lief inzwischen zu dem Loch und schaute fasziniert hinein.

»Was ist das?« fragte sie, als er sie eingeholt hatte.

»Cerro Impacto«, sagte Sander. »Diese Löcher sind manchmal dreihundert Meter tief.«

»Unheimlich«, sagte sie. »So etwas habe ich noch nie gesehen.« Sie musterte die Ränder des Schachtes. »Vulkanisch?« fragte sie. »Oder Erosion?«

Sander zuckte mit den Schultern. »Keine Ahnung«, gestand er.

Sie ging um das Loch herum und kletterte den steilen Abhang zum Kamm des Kraters hinauf. Sander hatte Mühe, ihr zu folgen.

Einige Minuten später standen sie auf dem Kraterrand. Maria Behring stellte das Stativ auf und befestigte ihr Fernglas. Sander keuchte; er war völlig durchgeschwitzt.

»Sie sind doch nicht so gut in Form, wie ich dachte«, sagte sie und schaute durch das Okular.

»Jedenfalls nicht so wie Sie«, antwortete er schnaufend, »Sie sind hier hinaufgaloppiert wie eine Bergziege.«

»Das nehme ich als Kompliment«, versetzte sie. Sie richtete das Glas wieder auf die merkwürdigen Strukturen in der Kronenregion. »Die sind nicht von selber gewachsen«, stellte sie fest. »Die sind künstlich angelegt. Unglaublich. Es sieht aus, als hätten diese Indianer sämtliche Bäume miteinander vernetzt. Sie können praktisch von jedem Baum zu jedem anderen gehen, ohne zwischendurch erst wieder zum Boden hinuntersteigen zu müssen. Aber wie haben sie das nur fertiggebracht? Und wozu?«

Sie gab das Fernglas frei und winkte Sander. Da sie beide nahezu gleich groß waren, brauchte er sich nicht zu bücken, um hindurchzuschauen.

»Tatsächlich«, sagte er nach einer Weile. »Es ist künstlich. So etwas habe ich noch nie gesehen.«

»So etwas hat wohl überhaupt noch niemand gesehen«, verbesserte sie. »Also, was meinen Sie dazu?«

Sander kratzte sich am Kinnwinkel. »Ist mir unerklärlich«, gestand er. »Dieser Aufwand! Das muß Jahre gedauert haben. Auch wenn es die ganze Sache erleichtert hat, daß hier die Bäume so unglaublich eng zusammenstehen. Und was ist das für ein schwarzes Gewölk?«

»Das möchte ich auch gern wissen«, erwiderte sie. »Ist Ihnen aufgefallen, daß diese Luftbrücken alle mindestens zehn Meter höher sind als diese Wolken?«

Verblüfft drehte sich Sander wieder zu dem Fernglas auf dem Stativ und schaute hindurch.

»Sie haben recht«, sagte er nach einigen Minuten. »Es gibt keine einzige Stelle, an der das anders wäre.«

»Holen Sie mal den Spektralanalysator«, sagte sie. »Die Kamera können Sie gleich mitbringen. Und das Mikro auch.«

Vorsichtig stieg Sander den Abhang hinunter. Zehn Minuten später kehrte er schwerbeladen zurück und legte die Geräte vorsichtig in das struppige Gras.

»Ich habe noch etwas herausgefunden«, sagte Maria Behring. »Schauen Sie noch mal durch. Ich habe es jetzt auf den großen Axtbrecherbaum da drüben eingestellt. Merken Sie was?«

Sander spähte durch das Okular. Dann fuhr er überrascht zurück. »Das sind ja Palmenzweige!« entfuhr es ihm.

»Exakt«, sagte Maria Behring. »Und zwar im Wipfel einer Rutazee, eines Rautengewächses! Verstehen Sie? Diese Bäume haben kleine, runde Blätter. Ganz anders als die Palmen. Wie sind die Dinger also dorthin gekommen? Wenn ich mich nicht sehr irre, handelt es sich um das Dach einer Hütte.«

»Ich habe noch nie gehört, daß Indianer Baumhäuser bauen«, entgegnete Sander verwundert. »Pfahlhäuser, ja, oben am Meer. Aber doch nicht hier! Um nach dort oben zu kommen, müssen sie ja jedesmal mindestens eine halbe Stunde klettern!«

»Ich frage mich, wie sie überhaupt da hinaufkommen«, sagte sie. Sie hob den Spektralanalysator, brachte ihn in Position und drückte die Aufnahmetaste. Danach nahm sie die Videokamera, ließ den Zoom bis zum Anschlag fahren und zeichnete die Krone des Axtbrecherbaumes auf. Plötzlich rief sie aufgeregt: »Ich sehe einen!«

Sander sprang zu dem Fernrohr. Unter den Palmenzweigen kam ein alter Mann hervor. Sein weißes Haar an Kopf und Kinn leuchtete durch das grüne Blättergewirr. Staunend sahen die Beobachter zu, wie der Indianer behend über federnde Äste zu einer Lianenbrücke balancierte, die sich in kühnem Bogen um den Axtbrecherbaum wand und dann zu einem benachbarten Tibouchina hinüberführte.

»Da kommt noch einer!« rief Sander. »Eine Frau. Nein, ein Kind. Ein Mädchen, vielleicht neun oder zehn Jahre alt.«

»Übernehmen Sie die Kamera«, sagte Maria Behring, die durch das Objektiv bei weitem nicht so viel erkennen konnte wie Sander durch das Hochleistungsfernglas, und schob ihn zum Okular.

Sander gehorchte. Maria Behring korrigierte die

Schärfeneinstellung. »Tatsächlich«, sagte sie. »Eine kleine Indianerin. Sie scheint irgend etwas zu sagen.« Prüfend blickte sie auf den Aufnahmeanzeiger des Richtmikrophons, der schwache Ausschläge zeigte. Sekunden später drang der entfernte Ruf eines Brüllaffen an ihre Ohren.

»Das wird wohl nichts«, sagte sie bedauernd. »Die Indianer sind viel zu weit entfernt. Wir werden nur Tierstimmen auf dem Band haben.«

Sander starrte angestrengt durch den Sucher der Kamera. »In diesem Ding kann man kaum was erkennen«, beschwerte er sich. »Wir müßten viel näher ran!«

»Sie werden sich wundern, was der Computer da noch alles herausholt«, beschwichtigte sie ihn. »Jetzt kommt eine Frau. Etwa dreißig Jahre alt. Vermutlich die Mutter. Und noch jemand. Der Vater. Nein, das ist der Junge vom letztenmal!«

»Tatsächlich?« fragte Sander. »Dann haben wir ja die ganze Familie.«

»Das glaube ich nicht«, sagte sie. »Der alte Mann kann unmöglich der Vater sein. Der ist mindestens sechzig Jahre alt. Erstaunlich für dieses Klima. Noch verblüffender finde ich, daß diese Indianer sich auf diesen wackligen Lianenbrücken bewegen, als hätten sie ihr ganzes Leben in den Bäumen verbracht.«

Plötzlich umklammerte sie das Stativ mit beiden Händen; der Schweiß brach ihr aus allen Poren, als sie sah, wie der Indianerjunge übermütig von der Brücke sprang. Er landete auf einem fünf Meter tieferen Ast, balancierte einige Schritte auf dem schmalen Holz und schwang sich dann wie ein Turner mit einer Kippe auf die schaukelnde Konstruktion zurück.

»Was ist?« fragte Sander.

»Unfaßbar«, murmelte Maria Behring. »Eben sah es so aus, als würde der Junge abstürzen. Dabei hat er nur Spaß gemacht. Sprang einfach auf den nächsten

Ast und wieder zurück. Dreißig Meter über dem Erdboden. So etwas habe ich noch nie gesehen. Noch nicht mal im Zirkus. Ich kann es einfach nicht glauben!« Wie gebannt schaute sie durch das Glas, bis der Junge hinter seiner Familie im Blattgewirr des nächsten Baumes verschwunden war. Ein paarmal sah sie das weiße Haupthaar des Alten aufleuchten.

»Wohin gehen sie?« fragte Sander.

»Nicht zu erkennen«, antwortete sie. »Jetzt habe ich sie verloren. Sie wollen offenbar nach Norden.« Sie blickte über das Fernglas hinweg. Zweieinhalb Kilometer entfernt ragte der neunzig Meter hohe Stumpf des Vulkankegels über den Wald.

Sie schaute wieder durch das Okular und suchte die benachbarten Bäume ab. Nach einer Weile stieß sie erneut heftig die Atemluft aus. »Da ist noch eine«, sagte sie. »Und noch eine. Mein Gott, diese Bäume sind voller Hütten!« Vorsichtig drehte sie das Fernglas auf dem Stativ. »Und die Hütten sind voller Indianer. Hier sitzt eine Mutter mit einem kleinen Kind auf dem Arm in der Tür. Hier spielen zwei größere Kinder Fangen – der Ast ist nicht dicker als ein Ofenrohr! Unglaublich, diese Gewandtheit! Man könnte sie wirklich mit Affen verwechseln! Da kommen Männer mit großen Körben auf dem Rücken. Irgendwelche Früchte. Moment mal.« Sie drehte wieder an der Schärfeeinstellung. »Das müssen Juvianüsse sein. Bertholletia excelsa. Wie riesig die sind! Mindestens doppelt so groß wie normal! Alles scheint hier viel größer als sonst.«

»Nur die Menschen nicht«, bemerkte Sander.

»Richtig«, sagte sie. »Zeichnen Sie auch alles auf?«

»Ich sehe leider nur winzige Schemen«, sagte Sander. »Aber die habe ich drauf.«

Sie beobachteten und filmten noch eine gute Stunde. Dann sagte Maria Behring: »Das muß fürs erste reichen. Wir werden mindestens drei Tage brauchen, um

das alles auszuwerten. Dann kommen wir wieder her.«
Sie luden die Geräte in das Luftschiff und fuhren auf demselben Weg zurück, den sie gekommen waren.

Als sie in Cocuy landeten, hatte die kurze Dämmerung der Tropen schon begonnen; die Lichter des Flughafens brannten. Vor der Tür des Eingangscontainers wartete Oberst Gómez.

Die Sonne stand senkrecht über dem Paradies. Die heißeste und stillste Stunde des Tages hatte begonnen. Unter dem wolkenlosen Himmel wogte die Flut des Lichtes bis in die verborgensten Winkel der sichtbaren Welt. Die Kleinen Brüder hatten sich in den Schatten der dichtesten Baumkronen zurückgezogen und schliefen; auch die Fliegenden Vettern verkrochen sich jetzt unter das grüne Laub. Nichts war zu hören außer dem Brummen und Summen, Schwirren und Brausen der unzähligen Insekten, denen der Garten Gottes in dieser Stunde ganz allein gehörte. Das Geräusch vieler Milliarden rasend schnell schlagender Flügel erfüllte die Luft wie das Rauschen ferner Wasserfälle; es schien aus jeder Astgabelung, aus jeder Ritze in der Rinde der Bäume, ja selbst aus jedem eingerollten Blatt zu dringen, als habe der ewige Wald einen Choral angestimmt, die Vielfalt des Lebens zu preisen und damit die Allmacht des Schöpfers zu ehren.

Wolkenfänger hockte mit seiner Familie auf den obersten Ästen des achtzig Meter hohen Torbaums und winkte seinem Vater fröhlich zu. Sein Großvater saß neben ihm, seine Mutter und seine kleine Schwester einen Ast tiefer, zusammen mit zwei Dutzend anderen Bewohnern des Paradieses; sie alle hatten die rätselhafte Himmelserscheinung sechs Tage zuvor gesehen und sich nun versammelt, um Wissen darüber zu geben und zu erlangen.

Wolkenfängers Vater stand breitbeinig auf dem Lianensteg, der vom Torbaum zur Wohnung des Herrn im Paradiesberg führte. Mit seinen einhundertfünfzig Zentimetern überragte der Erzengel die anderen Männer beträchtlich. Durch die an Schultern und Ellenbogen befestigten blauroten Handschwingen des Großen Botenvogels wirkten seine kräftigen Arme wie Flügel. In seiner Haltung lag Würde, in seiner Miene Entschlossenheit; dennoch versagte er es sich nicht, dem Sohn heimlich zuzuzwinkern.

Hinter dem Erzengel führte die aus meterdicken Rankenbüscheln gebildete, von Orchideen und anderen Epiphyten bunt überwucherte Brücke auf einen kleinen Felsvorsprung, den golden blühende Sträucher wie eine Balustrade umstanden. Über ihr öffnete sich das aus Palmenzweigen geflochtene Tor zur Wohnung des Herrn. Hinter einer Mauer lugte der Baum des Lebens hervor.

Aus der Höhle des Allerheiligsten drang der dumpfe Ton einer Trommel. Der Wächter hob ehrerbietig sein Schwert; die gelbroten Federn an der Waffe wehten, als schlügen Flammen aus dem Holz. Die Pforte aus Palmenzweigen öffnete sich, und der Herr des Paradieses trat heraus, von einem zweiten Erzengel gefolgt.

Die Menschen auf den Ästen des Torbaumes falteten die Hände vor der Brust und sangen voller Freude den Psalm der Begrüßung. Der Herr des Paradieses hörte freundlich lächelnd zu. Ein leichter Wind zauste seinen langen, schneeweißen Bart. Um seinen Hals lag eine Kette aus Orchideen; seine Hände spielten versonnen mit den goldenen Blüten der üppig sprießenden Brüstung um seinen Felsenbalkon. Als seine Besucher geendet hatten, dankte er ihnen und begann sie eingehend über ihre Beobachtungen zu befragen. Aufgeregt berichteten die Menschen von einer Wolke aus Donner, die schnell wie ein Adler über den Himmel gezogen sei. Sie habe Flügel gehabt wie der Panther Daniels und Hörner wie das Tier mit den Eisenzähnen, das dem Propheten in den Tagen des Königs Belschazzar von Babel erschien. Als der Herr das hörte, wurde er sehr ernst.

Auch Wolkenfänger durfte erzählen. »Es war weiß wie Kokosmilch und sah aus wie ein großes Ameisenei«, sprudelte er hervor, »in seinem Bauch saßen Teufel und schauten mich an. Ich hatte solche Angst, daß ich fast gefallen wäre. Meine Augen waren geblendet, und die Ohren taten mir weh.«

»Teufel?« fragte der Herr verwundert. »Hast du wirklich Teufel gesehen, Wolkenfänger? Niemand außer dir hat das berichtet!«

»Es waren zwei«, sagte der Junge, stolz darüber, daß der Herr ihn beim Namen genannt hatte. »Sie hatten fahles Haar und große, schwarze Augen. Ihre Köpfe waren wie die von Wespen, und einer schrie so hell wie die Kleinen Brüder.«

»Du wirst doch nichts dazudichten?« mahnte der Herr mit sanfter Stimme. »Du weißt, daß du nicht schwindeln darfst, schon gar nicht in einer so wichtigen Sache!«

Die anderen blickten den Jungen vorwurfsvoll an.

»Aber ich habe sie wirklich gesehen!« erwiderte Wolkenfänger eifrig. »Ich schwindle nicht. Ganz bestimmt nicht!«

»Der Junge sagt nichts anderes, als er auch uns erzählt hat, gleich nach der Erscheinung«, sagte sein Großvater. »Er hat nicht geträumt.«

»Er ist gut, Senex«, sagte der Herr. »Außerdem ist er ja Gabriels Sohn.«

Wolkenfängers Vater verzog keine Miene, aber in seinen dunklen Augen leuchtete heimlicher Stolz.

»Doch auch wenn die Lüge im Paradies keinen Platz hat«, fuhr der Herr fort, »der Irrtum sucht sogar die Heiligen heim.«

Wolkenfänger schüttelte heftig den Kopf. »Ich irre mich nicht«, rief er mit heller Stimme.

»Glücklicher Mensch, der so etwas von sich sagen kann«, seufzte der Herr und lächelte mild. »Aber das Rätsel soll Rätsel bleiben. Wenn es an der Zeit ist, werdet ihr mehr erfahren. Geht nun hin, meine Kinder! Sorgt euch nicht und seid ohne Furcht!«

Er segnete sie mit erhobenen Händen, winkte ihnen freundlich zu und kehrte in seine Felsenwohnung zurück. Gabriel hob sein Flammenschwert. »Geht und kehrt wieder, wenn der Herr euch ruft!« befahl er mit lauter Stimme.

Die Menschen erhoben sich, sammelten sich auf dem Hochweg, der vom Torbaum über die Himmelsbäume zurück in den Paradieswald führte, und machten sich auf den Heimweg. Die aus der Gegend des Gihon im Norden beeilten sich; sie würden fast den ganzen restlichen Tag unterwegs sein, um die zwei Kilometer durch die Baumkronen zu ihren Hütten zurückzulegen. Aber das machte ihnen nichts aus. Wie alle anderen waren sie froh, daß sie angehört und getröstet worden waren. Niemals, niemals würde das Paradies oder auch nur ein einziger seiner Bewohner in Gefahr sein; denn über alle wachte der Herr.

Der uralte Mann in der Höhle aber blies Staub von einem Buch tief unten in einem Regal aus Palmenholz, öffnete es und begann zu lesen. Auf seinem Antlitz lag ein Ausdruck tiefer Sorge.

»Was für eine nette Überraschung, Herr Oberst«, sagte Maria Behring, nachdem sie den Colonel höflich in den Konferenzcontainer gebeten hatte. »Was verschafft uns die Ehre Ihres Besuchs? Es ist doch hoffentlich nicht etwas Unangenehmes passiert?«

»Leider doch«, sagte der Oberst und blickte begehrlich auf die Kassetten, die Sander der Kamera, dem Tonbandgerät und dem Spektralanalysator entnommen hatte. »Mit Rücksicht auf Ihre knapp bemessene Zeit will ich nicht lange um den heißen Brei herumreden.

Seit einigen Tagen habe ich einen Teniente mit vier Mann zum Cerro de la Neblina abkommandiert. Sie sollen von dort oben kontrollieren, ob die Garimpeiros in Grenznähe Lager oder Landepisten anlegen. Nun haben meine Männer heute gemeldet, sie hätten heute gegen acht Uhr fünfundvierzig etwa zwanzig Kilometer südlich des Cerro ein Luftschiff beobachtet.«

Er sah Maria Behring abwartend an, aber ihr Gesicht zeigte keine Regung.

»Zwanzig Kilometer«, wiederholte der Oberst. »Das heißt: auf brasilianischem Territorium.«

Sie lächelte ihn freundlich an. »Ich danke Ihnen für die Sorgen, die Sie sich um uns machen, lieber Herr Oberst«, sagte sie. »Bei jedem anderen würde ich allerdings vermutet haben, daß er auf diese Weise herausbekommen will, wo genau unser Forschungsgebiet liegt.«

Der Colonel hob protestierend die Hände. »Sie wissen, wie fern mir das liegt«, sagte er entschieden.

»Natürlich«, sagte Maria Behring, und Sander hörte bewundernd zu, wie sie sich daranmachte, den Oberst zu bestricken. »Ich bin froh, daß die Armee bei dieser Aktion einen derart verantwortungsvollen Offizier einsetzt.«

»Ich danke Ihnen«, erwiderte der Colonel, »aber ...«

»Nein, sagen Sie jetzt nichts«, unterbrach sie ihn. »Lassen Sie mich bitte ohne weitere Aufforderung offiziell erklären, daß wir zwar im Neblinagebiet waren, aber die brasilianische Grenze meines Wissens zu keinem Zeitpunkt überquert haben. Genügt Ihnen das? Sie können es zu Ihren Akten nehmen, in genau diesen Worten.«

Der Oberst rutschte auf seinem Stuhl hin und her. »Verstehen Sie doch, Frau Doktor«, sagte er. »Es ist wirklich nicht so, daß ich auch nur das geringste Interesse daran hätte, mehr über Ihre Forschungstätigkeit zu erfahren. Es sind allein Sicherheitsprobleme, die mich mit Sorge erfüllen.« Er sah sie fast flehend an. »Glauben Sie mir: Die Interessen meines Landes werden so gut wie überhaupt nicht in Mitleidenschaft gezogen, wenn Sie ohne Paß- und Zollkontrolle nach Brasilien ausreisen. Für meine Regierung würde es sich lediglich um einen Verstoß gegen eine Verwaltungsvorschrift handeln. Eine Ermahnung würde genügen. Für die Brasilianer sähe das allerdings etwas anders aus. Illegale Einreise, noch dazu in ein Sperrgebiet. Sie müßten mit ernsten Schwierigkeiten rechnen. Wenn Sie Pech haben, werden Sie sogar festgenommen, mit allen dabei üblichen Unbequemlichkeiten.«

»Ich bin mir sicher, daß die brasilianische Polizei weder über einen so fähigen noch über einen so gebildeten und höflichen Offizier verfügt, wie Sie es sind«, sagte sie. »Aber Sie sorgen sich völlig umsonst, glauben Sie mir.«

Der Oberst blickte hilfesuchend zu Sander. »Señor«, sagte er. »Ich bitte Sie!«

Sander zuckte mit den Schultern.

»Herr Sander ist nicht ermächtigt, für unser Unternehmen zu sprechen«, sagte Maria Behring. »Aber ich bin mir sicher, daß es auch in Zukunft keinerlei Probleme mit uns geben wird.«

Der Colonel drehte die Mütze zwischen den fleischigen, behaarten Händen. »Ich will ganz offen sein«, sagte er. »Was mich besonders nervös macht, sind die langen Funkpausen. Manchmal dauert es Stunden, bis man wieder ein Signal von Ihnen empfängt. Und auch dann funken Sie nur sehr, sehr wenig. Bei den Franzosen war das ganz anders.«

»Wir Deutsche sind nun mal nicht sehr unterhaltsam«, sagte Maria Behring. »Ich fände es aber auch nicht sehr fair, wenn Ihre Leute unser Entgegenkommen dazu benutzten, Funkpeilungen vorzunehmen.«

»Wo denken Sie hin!«, rief der Oberst. »Ich denke nicht im Traum daran, Ihnen nachzuspionieren! Aber als ich heute vormittag diese Meldung vom Cerro de la Neblina erhielt und danach fast drei Stunden lang keinen Ton von Ihnen hörte, ist es mir eiskalt den Rücken hinuntergelaufen. Ich habe die ganze Zeit daran denken müssen, was passiert sein könnte, falls Sie in Brasilien gelandet und dabei irgendwelchen Strolchen in die Hände gefallen wären.«

Maria Behring wollte widersprechen, aber er hob schnell beide Hände und fuhr fort: »Nein, lassen Sie mich das noch sagen: Wenn wir davon erfahren würden und die Brasilianer nicht rasch genug einsatzbereit wären, würde ich Ihnen selbstverständlich persönlich zu Hilfe kommen, auch auf brasilianischem Gebiet, notfalls sogar ohne Einwilligung der dortigen Behörden. Aber die Voraussetzung dafür wäre natürlich, daß ich es sofort erfahre, wenn Sie in Schwierigkeiten sind.«

»Ich bin Ihnen sehr dankbar, Herr Oberst«, sagte Maria Behring. »Und ich verstehe vollkommen, daß Sie sich Sorgen machen. Bitte glauben Sie mir aber, daß wir uns notfalls ganz gut zur Wehr setzen können.«

»Sie kennen diese Kerle nicht«, erwiderte der Colonel seufzend. »Der Garimpeiro ist doppelt so gefährlich wie der Jaguar und dreimal so heimtückisch.«

»Wir werden auf der Hut sein«, sagte sie. »Sorgen Sie nur dafür, daß die Kerle nicht über Ihre Grenze kommen!«

Der Oberst stieß zischend die Luft aus und hob hilflos die Hände.

Maria Behring schenkte ihm ein weiteres Lächeln. »Wir sind am Himmel unterwegs, nicht auf dem Erdboden«, sagte sie. »Und ein paar Gewehrkugeln machen unserem Luftschiff nichts aus. Sie können also ganz beruhigt sein.«

»Bitte, denken Sie trotzdem noch einmal darüber

nach«, sagte der Oberst. »Mir wäre wirklich wohler, wenn einer meiner Leute mitfahren könnte.«

»Aber das geht nun mal leider nicht«, sagte sie. »Übrigens ist unser Projekt in einigen Tagen ohnehin abgeschlossen.«

»Wirklich?« sagte der Oberst erfreut. »Das ist einmal eine gute Nachricht!«

»Ja«, sagte sie. »Zehn, zwölf Tage noch, dann sollten wir fertig sein. Wir wollen es jedenfalls versuchen. Aber das geht natürlich nur, wenn wir die Sache etwas beschleunigen.« Sie beugte sich ein wenig vor und dämpfte die Stimme, als fürchte sie, unbefugte Ohren könnten mithören. »Wir haben im Neblinagebiet eine höchst interessante Ansammlung seltenster Bromelienarten entdeckt«, fügte sie hinzu. »Wenn wir die Fahrzeit einsparen und ein paar Tage am Stück draußen bleiben, sind wir vielleicht schon übernächste Woche fertig.«

Der Oberst, der sich ebenfalls vorgebeugt hatte, fuhr ein wenig zurück. »Draußen bleiben?« fragte er ernüchtert. »Sie meinen, im Dschungel biwakieren?«

»Ja«, sagte sie. »In der Gondel. Auf irgendeinem Baum. Sechzig Meter über dem Erdboden.«

Der Oberst begann trotz der Klimaanlage zu schwitzen. »Das ist keine gute Idee, fürchte ich«, sagte er. »Das erhöht das Risiko ganz beträchtlich. Ich weiß nicht, wie ich das verantworten soll.«

»Das müssen Sie gar nicht«, sagte Maria Behring beruhigend. »Die Verantwortung liegt ganz bei mir. Und die erforderlichen Genehmigungen liegen ebenfalls vor. Sie tragen die Unterschrift des Innenministers, wie Sie wissen.« Burschikos fügte sie hinzu: »Damit sind Sie aus allem raus.«

Der Oberst seufzte. »Wann werden Sie endlich einsehen, daß es mir allein um Ihre Sicherheit geht?« klagte er.

»Bei der geringsten Unklarheit setzen wir sofort einen Funkspruch an Sie ab«, sagte sie. »Das verspreche ich Ihnen. Außerdem wird Herr Sander den Bordcomputer so programmieren, daß er ständig automatisch die Position speichert und sie im Notfall automatisch abstrahlt.«

Der Oberst erhob sich. »Ich danke Ihnen«, sagte er. »Ich bin sehr traurig, daß ich Sie nicht zu mehr Zugeständnissen bewegen konnte. Verzeihen Sie bitte meine Zudringlichkeit.«

»Sie tun nur Ihre Pflicht«, sagte Maria Behring und reichte ihm die Hand.

Sander begleitete den Oberst vor die Tür. »Passen Sie gut auf sie auf«, sagte Gómez, als sie allein waren. »Sie kennen dieses Land. Diese Europäer glauben immer, alles sei hier wie bei ihnen zu Hause. Nur grüner.«

»Ich weiß«, sagte Sander. »Sie können sich auf mich verlassen.«

»Das tue ich«, sagte der Oberst und sah ihn durchdringend an. Dann setzte er sich in seinen Jeep; der Fahrer gab Gas und lenkte das Gefährt über die kleine Wiese unter den Jakarandabäumen auf die Straße.

Sander wartete, bis die Rücklichter in der Dunkelheit verschwunden waren. Dann kehrte er in den Konferenzcontainer zurück.

»Nun? Wie war ich?« fragte Maria Behring aufgeräumt.

»Großartig«, erwiderte er anerkennend. »Das mit dem Biwak haben Sie genial verkauft. Natürlich glaubt er Ihnen trotzdem kein Wort.«

»Natürlich nicht«, meinte sie lächelnd. »Aber er konnte nicht gut etwas einwenden, ohne sehr unhöflich zu wirken.«

»Ja, das haben Sie gut hingekriegt«, sagte er. »Trotzdem sollten wir morgen früh gleich mal nach Wanzen Ausschau halten. Ich fürchte, unser guter Oberst ist mit seiner Geduld ziemlich am Ende.«

»Ach was! Der wagt es im Leben nicht, uns abzuhören. Er weiß ganz genau, etwas passiert, wenn das herauskommt.«

»Ab sofort müssen wir mit allem rechnen«, sagte Sander. »Ich fürchte, Sie haben es zu weit getrieben. Wenn wirklich was passiert, kann er sich seine Epauletten sonstwohin stecken.«

»Machen Sie sich mal keine Sorge«, sagte sie. »Außerdem haben wir uns jetzt genug mit diesem Oberst befaßt. Machen wir uns lieber an die Arbeit!«

Sie brachten die Bromelien, die sie auf dem Rückweg abgeschnitten hatten, ins Labor und gingen dann in Maria Behrings Container. Dort legte Maria Behring zuerst die Videokassette aus der Digitalkamera ein. Auf dem Monitor erschien der Axtbrecherbaum. Kurze Zeit später sahen sie den alten Indianer mit dem Korb aus Palmengeflecht aus der Hütte treten.

»Mit dem fangen wir an«, sagte sie, drückte die Stopptaste, stülpte sich die Mikrophonhalterung über den Kopf und notierte: »Erstes Exemplar. Männlich. Alter etwa sechzig Jahre. Größe ...« Sie betätigte einige Tasten, und auf dem Bildschirm erschien eine Skala; geschickt führte Maria Behring die Maus des Computers an der Markierung entlang, bis diese sich genau mit den Umrissen der Gestalt deckte. »... einhundertvierundvierzig Komma drei sieben Zentimeter. Gewicht ...« Wieder drückte sie einige Knöpfe und wartete, bis der Computer gerechnet hatte. »... dreiundvierzig Komma fünf acht Kilogramm.« Ihre Finger fuhren flink wie die einer Stenotypistin über die Tastatur; Sander schaute ihr fasziniert zu. Die Skala veränderte sich; ihre weißen Linien umhüllten den alten Mann nun wie ein Netz. »Schulterbreite fünfunddreißig Komma zwei fünf Zentimeter«, las sie ab. »Brustumfang vierundachtzig Komma zwei acht Zentimeter.« Der blinkende Cursor wanderte tiefer. »Beckenbreite dreiundzwanzig Komma fünf sieben Zentimeter. Athletischer, fast pyknischer Typ. Mal sehen, was Professor Sarosi noch so alles haben will.«

»Wer?« fragte Sander.

»Professor Sarosi«, wiederholte sie. »Er leitet das Ethnologische Zentrum am Frobenius-Institut. Hat mir heute nacht schnell ein Schema zur Identifizierung indianischer Populationen geschrieben und über Modem in meinen Computer gesendet. Dauerte fast drei Stunden. Die Universität arbeitet immer noch mit lausigen zwölfhundert Baud. Stellen Sie sich das mal vor – das ist ja noch wie in der Steinzeit.«

»Soso«, sagte Sander, der kein Wort verstand.

»Baud ist eine Einheit für die Geschwindigkeit beim Telegrafieren«, erklärte sie. »Mein Modem hier hat achtundzwanzigtausend Baud. Das ist wie ein Porsche gegen einen Ochsenkarren. Und wenn beide zusammengeschaltet werden, bestimmt natürlich der Ochsenkarren das Tempo. Aber egal, nun haben wir es ja.« Auf dem Monitor erschien jetzt ein detaillierter Fragebogen mit zahlreichen Grafiken.

Sie trug die Zahlen ein, und das Programm begann zu rechnen. Auf einem grünen Leuchtstreifen erschienen Anmerkungen. Als sie die Größe eingab, erschien eine Schrift mit dem Hinweis: »PYGMÄISCHES MASS«.

»Kann man wohl sagen«, murmelte Maria Behring.

Danach trug sie Brustumfang, Schulter- und Becken breite ein. Sofort blinkte die Anzeige »EINGABE FEHLERHAFT!« auf.

»Nee, nee«, sagte Maria Behring und drückte energisch die Bestätigungstaste, »die Werte sind korrekt, auch wenn du dich noch so sehr wunderst!«

Die Schrift verschwand; statt dessen erschien nun »EINGABE BESTÄTIGT«. Sekundenbruchteile später meldete der Computer: »RELATION SCHULTERBREITE/BRUSTUMFANG UND BECKENBREITE NICHT MENSCHLICH«.

»Ja, das denkst du«, sagte Maria Behring munter und führte den Cursor zur Rubrik »Hautfarbe«. Das Programm bot zwei Tafeln an. Unter der einen stand »HAUTFARBENSKALA VON FROES/KRUSE«. Maria Behring wählte die Nummer fünf, ein helles Gelb. Auf der »HAUTFARBENTABELLE VON BROCA« entschied sie sich für Nummer dreiundzwanzig, ein schmutziges Weiß. Wieder blinkte eine Eintragung auf dem grünen Band: »ACHTUNG! FARBEN BEI AMAZONISCHEN INDIANERSTÄMMEN NICHT BEKANNT!«

»Das habe ich mir schon gedacht«, meinte sie. Sie ließ die beiden Tabellen verschwinden und zoomte sich das Gesicht des Alten so nahe heran, wie es die Auflösung zuließ. Der Mann sah sie mit einem Ausdruck friedlicher Unschuld an.

»Wenn der wüßte«, konnte sich Sander nicht enthalten zu sagen.

»Das ist ja gerade das Schöne an der modernen Ethnologie, daß die Betroffenen nichts bemerken«, sagte Maria Behring. »In freier Wildbahn würde der wohl kaum so lange stillhalten, bis wir ihn vermessen haben.«

Sie kehrte in den Fragenkatalog des Professors zurück und tippte die nächste Rubrik an: »KOPFFORMEN«. Sogleich erschien eine Schautafel mit einer Fülle verschiedener Schädel. Maria Behring ließ den Computer einen nach dem anderen über das Haupt des Alten legen. Beim vierten Versuch leuchtete das grüne Band auf, und die Anzeige »MESOKEPHAL« erschien.

»Fragen Sie mich nicht, was das bedeutet«, sagte Maria Behring und ging in die Rubrik »PHYSIOGNOMIE«. Eine größere Ansammlung von Stirn- und Augenpartien, Nasen und Mündern erschien. Der Computer übertrug sie auf das Gesicht des Alten und ließ die Ergebnisse aufleuchten. Maria Behring las sie laut vor: »Mittelgesichtsindex achtzig Komma drei sieben. Euryprosop. Weißes, ziemlich stark gewelltes Haar. Haaransatz achtundfünfzig Millimeter über den Augenwülsten. Augen ein wenig schräggestellt. Lederhaut des Auges schmutzfarben. Augen blau. He, das ist aber sehr ungewöhnlich! Haben Sie schon einmal von Indianern mit blauen Augen gehört?«

»Kommt schon mal vor«, sagte Sander, »aber meistens nur bei kleinen Kindern; wenn sie größer werden, dunkeln die Augen nach.«

»Die hier nicht«, sagte Maria Behring. »Sie sind blau wie die Donau ...« Sie verzog den Mund. »... früher mal war«, ergänzte sie.

»Wirklich ungewöhnlich«, gab Sander zu. »Übrigens gibt es auch Indianerkinder mit blondem Haar.«

»Tatsächlich?« sagte sie. »Na ja, bald überrascht mich gar nichts mehr.« Sie las weiter die Ergebnisse der physiognomischen Analyse vor: »Deckfalte des Oberlids geht bogenförmig in die Haut der seitlichen Nase und des Unterlides über. Verdeckt dabei inneren Lidwinkel (sogenannte Mongolenfalte). Nase breit und flach. Nasenöffnungen senkrecht zum Septum. Nasenindex einundachtzig Komma fünf eins. Mesorrhin. Jugomandibularindex einundsiebzig Komma fünf null. Lieber Himmel, was ist das denn schon wieder! Ohrläppchen mäßig entwickelt. Schütterer weißer Bart. Ja, also für mich ist es ein Indianer, und wenn die Hautfarbe noch so hell ist.«

»Mongolenfalte?« sagte Sander verblüfft.

»Die Indianer stammen von den gleichen Vorfahren ab wie die Mongolen«, erklärte sie. »Wußten Sie das nicht?«

Sie speicherte die Informationen ab und ließ den Computer danach erst den Brustkorb und dann die Arme des alten Mannes vergrößern, deren Beugemuskeln sich deutlich wölbten. »Korb aus Palmengeflecht«, notierte sie dann, »vermutlich Pijiguaopalme. Guilielma gasipaes. Fassungsvermögen etwa fünfzehn Liter. Inhalt nicht erkennbar.«

Sie ließ das Computerbild langsam nach unten wandern. »Keine Brustbehaarung«, stellte sie fest. »Trotz des fortgeschrittenen Alters immer noch enorme Muskulatur an Oberarmen und Schultern. Trapezförmiger Oberkörper. Keinerlei Anzeichen von Ernährungsproblemen. Meine Güte, der Kerl sieht aus, als würde er noch immer jeden Tag turnen! Hüften extrem schmal. Trägt einen Lendenschurz, offenbar aus Baumrinde. Rötlich, faserig, wohl weichgeklopft oder irgendwie anders bearbeitet. Habe so was noch nie gesehen. Untere Extremitäten schlank, aber nicht schwächlich.« Sie stieß Sander mit dem Ellenbogen an. »Sehen Sie mal: sechs Zehen!«

»Tatsächlich«, sagte Sander. »Das ist ziemlich selten.«

»Um das mindeste zu sagen«, erwiderte sie und tippte ein paar Tasten. Auf dem Bildschirm erschien »HUMANBIOLOGISCHES ARCHIV«. »Habe ich mir vorsichtshalber über Satellit einspeichern lassen«, erklärte sie. Sie fuhr mit dem Cursor zum Stichwort »SKELETT« und dann zu »ZEHEN«. Nach einer Weile konnten sie lesen: »Zahl: fünf. Ausnahme: sechs. Polydaktylie. Häufigkeit: eins zu zweitausendfünfhundert«.

»Tja«, sagte Sander. »Ganz so selten kommt das wohl doch nicht vor.«

»Nein«, sagte Maria Behring. »Ein Fall auf zweitausendfünfhundert Geburten ist wirklich nicht besonders wenig.« Sie lasen weiter: »Entfernung überzähliger Finger und Zehen in der Regel unmittelbar nach der Geburt. Historisches Beispiel für Polydaktylie: Anne Boleyn besaß an jeder Hand einen voll ausgebildeten sechsten Finger.«

»Gucken Sie mal«, sagte Maria Behring amüsiert. »Heinrich der Achte stand auf Mißgeburten!«

Sie kehrte zu den Händen des Alten zurück, fand sie aber so von dem Geflecht des Korbes verdeckt, daß sie keine Anomalien feststellen konnte. Daraufhin widmete sie sich wieder den Füßen. »Ausgesprochen groß«, vermerkte sie. »Zehen ungewöhnlich lang. Deutlich erkennbarer Abstand zwischen erster und zweiter Zehe.«

Als sie alle Werte abgespeichert hatte, holte sie die Frau auf den Schirm. Am besten war die Indianerin in dem Augenblick zu beobachten, als sie gerade die Lianenbrücke zehn Meter über dem dunklen Gewölk betrat; Maria Behring schaltete auf Standbild.

»Zweites Exemplar. Weiblich. Alter etwa dreißig Jahre«, sprach sie in das Mikrophon und kontrollierte, ob der Computer ihre gesprochenen Worte korrekt in die Schriftform übertrug. »Größe einhundertsechsunddreißig Komma acht neun Zentimeter. Gewicht: fünfunddreißig Komma sieben fünf Kilogramm ...« Die Proportionen der Frau wirkten weitaus weniger ungewöhnlich als die des alten Mannes, und diesmal leuchtete keine zweifelnde Anmerkung aus dem ethnologischen Programm auf. »Schlanker, fast leptosomer Typ«, fuhr Maria Behring fort und begann, Maße und Hautfarbe einzutragen. »Beträchtliche körpertypische und physiognomische Unterschiede zwischen dem männlichen und dem weiblichen Exemplar«, stellte sie fest. »Die Frau wirkt insgesamt viel weniger kräftig, in den Proportionen sehr harmonisch, hat feinere, wirklich anmutige Gesichtszüge –« Sie blickte zu Sander. »Oder finden Sie das nicht?« fragte sie.

Sander nickte. »Doch, doch«, bestätigte er. »Eine sehr attraktive Frau. Ehrlich gesagt, ich habe noch nie eine so hübsche Indianerin gesehen. Als junge Mädchen sind sie oft sehr anziehend, aber das läßt später schnell nach.« Er räusperte sich. »Schönheit ist natürlich immer relativ«, fügte er wie entschuldigend hinzu.

»Ja«, sagte Maria Behring. »Aber die hier würde überall auf der Welt ihre Verehrer finden, meinen Sie nicht?« Sie konzentrierte sich wieder auf den Computer und fuhr fort: »Guter Ernährungszustand. Arme schlank, aber nicht mager. Trägt eine Art Poncho aus Baumrinde. Höchst ungewöhnlich. Brüste unter dem Material erkennbar groß und wohlgeformt. Flacher Bauch. Gürtel aus Bast oder Lianenfaser, geschmückt mit blauen, roten und gelben Federn. Hände ...« Sie atmete schneller. »Sechs Finger!« Rasch holte sie die Füße in den Mittelpunkt des Bildes und vergrößerte sie. »Beide Füße mit sechs Zehen!«

»Wirklich erstaunlich«, bemerkte Sander. »Vielleicht vererbt?«

»Weiß nicht«, sagte Maria Behring. »Vielleicht.« Sie ließ das Videoband weiterlaufen, bis das Mädchen und der Junge ins Bild kamen, und zoomte nacheinander Hände und Füße der beiden heran. »Tatsächlich«, sagte sie dann. »Sie haben alle sechs Finger an jeder Hand und sechs Zehen an jedem Fuß. Alle ungewöhnlich lang. Alle mit deutlichem Abstand zwischen erster und zweiter Zehe. Das ist wirklich verblüffend. Bin mal gespannt, was Sarosi dazu sagt.«

Sie vermaß nun auch den Jungen und das Mädchen, füllte Sarosis Checkliste aus, aktivierte das Modem und schaute auf die Zeitangabe des Computers; sie zeigte 21.32 Uhr an. »Halb zehn«, sagte Maria Behring. Sie hatten gar nicht gemerkt, wie schnell die Zeit vergangen war. »Dann ist es in Berlin jetzt halb vier Uhr morgens. Der Professor ist zwar Frühaufsteher, aber sechs Stunden werden wir wohl mindestens warten müssen, ehe er das durchgearbeitet hat. Mal sehen, was wir bis dahin sonst noch herausfinden können.«

Sie ließ die Gestalten des Jungen und des Mädchens verschwinden und wartete, bis das Videoband wieder eine Totale zeigte. Dann ließ sie das Bild einfrieren, vergrößerte es und drückte die Colortaste, bis in dem leuchtenden Grün der Kronenregion allmählich Farbkontraste sichtbar wurden; nach einer Weile verengten sie sich zu schmalen, gewundenen Linien. Bald sah es aus, als sei die gesamte Blätterschicht von einem Netz solcher Erscheinungen durchzogen.

»Sehen Sie sich das an«, sagte Maria Behring; vor Erregung klang ihre Stimme heiser. »Es ist einfach unfaßbar.« Sie suchte nach Worten; schließlich sagte sie: »Ich kann es immer noch nicht glauben. Der Wissenschaft ist zwar schon lange klar, daß die Kronenregion kein wildes Durcheinander von Ästen, Zweigen und Blättern ist, sondern ein perfekt ausgeklügeltes System von Wegen und Trampelpfaden. Aber eben doch nur für Tiere, für Hörnchen, Mäuse oder meinetwegen auch Affen; sie trampeln das Moos auf den Ästen nieder, und mit der Zeit bilden sich richtige kleine Alleen zwischen Gräsern und Epiphyten. Wenn ein Hörnchen vor einer Harpyie flieht, benutzt es immer einen solchen Weg. Vögel und Fledermäuse haben sogar ihre eigenen Flugkorridore im Blätterdach. Aber ich hätte niemals gedacht, daß Menschen sich dort oben ein richtiges Wegenetz aus Astpfaden, Hochwegen, Leitern und Lianenbrücken anlegen!«

»Ich auch nicht«, sagte Sander kopfschüttelnd.

»Und warum hat das keiner vor uns entdeckt?« meinte sie grüblerisch.

»Vielleicht existieren diese ... diese Verbindungen erst seit kurzer Zeit«, vermutete Sander.

»Nein, das kann nicht sein«, widersprach sie. »Sehen Sie sich diese Hängebrücken an! Die Lianen sind dick wie Schiffstaue, die müssen Jahrzehnte alt sein. Und die vielen Orchideen und anderen Epiphyten! Also, dieses ganze System ist nach meiner Schätzung mindestens hundert Jahre alt, wenn nicht noch älter. Jetzt wollen wir uns mal die Hütten anschauen.«

Sie veränderte die Szene auf dem Monitor mit der Einzelbildschaltung, bis die Palmendächer auf dem riesigen Axtbrecherbaum sichtbar wurden. Eine Zeitlang studierte sie alle Details; dann blickte sie prüfend auf Sander und fragte: »Was sagen Sie dazu?«

»Jedenfalls sehen sie nicht so aus wie Malocas«, sagte er vorsichtig. »Sie wirken irgendwie viel stabiler, obwohl sie auf dem Baum stehen und nicht auf dem Boden.«

»Genau«, sagte Maria Behring. »Das sind keine primitiven Palmenhütten nomadisierender Indianer, sondern richtige kleine Gebäude. Das heißt, diese Leute leben nicht mehr wildbeuterisch, sondern sind offenbar seßhaft geworden. Aber wovon leben sie dann? Pflanzungen sind hier weit und breit nicht zu sehen!«

Sie zoomte den Eingang einer der Hütten heran. Bald konnten sie im Halbschatten verschiedene Gestalten unterscheiden. Zwischen den Türpfosten spielten zwei kleine Kinder; hinter ihnen ruhte ihre Mutter in einer Hängematte. Es war ein Bild völliger Harmonie und tiefsten Friedens.

»Womit spielen die denn?« fragte Sander. Er beugte sich vor und kniff die Augen zusammen.

»Mit einem Tier«, sagte Maria Behring. »Sogar einem ziemlich großen.« Sie betätigte den Kontrastregler.

»Ja, jetzt sehe ich es auch«, sagte Sander. »Meine Güte, das ist ein Greifstachler!«

»Tatsächlich«, sagte sie. »Und was für ein prächtiges Exemplar! So eins habe ich zuletzt im Zoo von Belém gesehen!«

Sie betrachteten das stachlige Nagetier, das friedfertig zwischen den beiden Indianerkindern lag und ab und zu nach Blüten grapschte, die ihm die Spielgefährten vor die Nase hielten.

»Wie zahm es ist!« meinte Sander erstaunt. »Das sind doch sonst so scheue Tiere, und außerdem nachtaktiv.«

Maria Behring vergrößerte das Bild, bis der Greifstachler den gesamten Monitor ausfüllte. Die dunkelbraunen Stacheln lagen glatt an dem dachsgroßen Körper an, der fast fünfzig Zentimeter lange Greifschwanz war verspielt um den Fuß eines der beiden Indianerkinder geschlungen, die Äuglein über der fleischigen Nase funkelten unternehmungslustig.

»Merken Sie was?« fragte Maria Behring. »Keine Leine. Kein Halsband. Keine Fessel. Der Greifstachler kann jederzeit fort, wenn er will. Aber offensichtlich will er nicht.«

»Verrückt«, murmelte Sander. »Ich habe noch nie gehört, daß jemand Greifstachler dressiert. Aber bei den Indianern muß man mit allem rechnen. Obwohl ich eher gedacht hätte, daß sie Greifstachler in den Kochtopf tun, statt sie ihren Kindern als Spielkameraden zu geben.«

»Das kommt vielleicht noch, das mit dem Kochtopf«, sagte sie. »Sehen Sie dort drüben!« Sie nahm die nächste Hütte ins Bild; vor ihr spielten drei Mädchen mit einem possierlichen Totenkopfäffchen und einem jungen Wickelbären. Auch diese beiden Tiere trugen keinerlei Fessel; sie rauften mit den drei Indianerkindern, als seien sie ihresgleichen. Ein schwarzweißer Riesentukan flog immer wieder kreischend über die fröhliche Gruppe hinweg, als wolle er bei der Balgerei mitmachen; als die anderen ihn nicht beachteten, landete er auf einem nahen Ast und bewarf die Spielenden mit Beeren.

Schweigend sahen sie der Szene zu. »Das ist ja wie im Paradies«, murmelte Sander. »Die scheinen überhaupt keine Angst vor Menschen zu haben. Dabei sind das sonst die scheuesten Tiere! Was geht da eigentlich vor?«

»Das mit dem Paradies ist vielleicht gar nicht so falsch«, sagte Maria Behring und holte die nächsten Hütten auf das Bild. Überall bot sich der gleiche Anblick: Männer, Frauen und Kinder in geradezu elysischem Einklang mit Vögeln, Affen, Nagern und anderen Tieren aus den Wipfeln des großen Waldes.

Staunend betrachteten Maria Behring und Sander nun immer neue Szenen unwirklicher Harmonie. Es war, als ziehe diese unbegreifliche Welt auch die Betrachter am Computer mit magischer Macht in ihren

Bann, der aus elektrischen Impulsen gewebten, eindimensionalen und nur eindeutigen Fakten offenstehenden Struktur der Maschine trotzend.

Erst nach einer ganzen Weile löste sich Maria Behring von den Bildern wie aus einer Verzauberung, und ihr Verstand fand in die vertraute Welt wissenschaftlicher Tatsachen zurück. »Fällt Ihnen auf, wie eng die Bäume beieinanderstehen?« fragte sie. »Normalerweise klafft zwischen Kronen verschiedener Bäume ein Aggressionsspalt von mindestens einem Meter. Er wächst niemals zu, weil sich die Kronen bei starkem Wind aneinander reiben und dadurch alle neuen Triebe abgescheuert werden. Die Bäume schützen sich durch diesen Abstand vermutlich vor Raupenbefall. Hier aber sind die Kronen so eng miteinander verfilzt, daß man sie kaum voneinander unterscheiden kann. Also gibt es in diesem Wald entweder keine Stürme oder keine Schädlinge. Anders kann ich mir das nicht erklären.«

Sie aktivierte den Scroller und ließ die Baumwipfel über den Bildschirm gleiten, als fliege sie in ihrem Luftschiff über das Kronendach hinweg. »Sehen Sie? Fast nirgendwo eine Lücke«, sagte sie.

»Was ist mit dem schwarzen Gewölk?« wollte Sander wissen, dessen praktischer Verstand wieder eingesetzt hatte.

»Das werden wir gleich sehen«, sagte Maria Behring. »Erst mal hören, was uns das Mikro liefert.«

Sie legte die Tonbandkassette aus dem Richtmikrophon in das Abspielgerät, startete und schob den Lautstärkeregler nach vorn. Ein lautes Gebrumm und Gedröhn füllte den Raum, unterbrochen durch ferne Schreie.

»Brüllaffen«, sagte Sander.

»Ja«, sagte sie enttäuscht. »Wir müssen viel näher an die Leute heran.«

»Ohne daß sie uns sehen?« fragte Sander.

»Übermorgen ist Neumond«, beschied sie ihn knapp. »Selbst wenn einer von diesen Baumindianern aufwacht, wird er nur eine dunkle Wolke sehen und ein bißchen Donner hören.«

»Es ist ziemlich gefährlich, in der Dunkelheit über dem Dschungel zu fliegen«, warnte Sander.

»Nicht, wenn man Restlichtaufheller hat«, widersprach sie. »Sie können sie ja vorher ausprobieren. Auch die Infrarotgeräte werden Sie überzeugen, da bin ich mir ganz sicher.«

»Was ist mit dem schwarzen Gewölk?« beharrte er.

»Richtig, das nehmen wir uns jetzt mal vor«, sagte sie, legte die Diskette aus dem Spektralanalysator in die Diskettenstation des Computers und lud die Dateien. Nach einer Weile erschien eine Grafik auf dem Monitor, und Maria Behring las vor: »Stickstoff vierundsiebzig Komma null neun Prozent. Sauerstoff zwölf Komma neun fünf Prozent. Argon null Komma neun drei Prozent. Kohlendioxid vierzehn Komma null drei Prozent. Neon null Komma null null null eins acht Prozent. Helium null Komma fünf Prozent ... So sagt mir das nichts.« Sie drückte einige Tasten. »Ich werde das mal von unseren Chemikern untersuchen lassen«, erklärte sie.

Sander gähnte unauffällig, aber sie bemerkte es trotzdem. »Wie spät ist es denn?« erkundigte sie sich.

»Gleich halb zwölf«, antwortete er.

»Dann sollten wir jetzt schlafen gehen. Hauen wir uns für ein paar Stunden aufs Ohr! Ich rufe Sie, wenn es was Neues gibt.«

»Gute Nacht«, sagte Sander und ging in seinen Wohncontainer. Dort holte er sich ein eiskaltes Bier aus dem Kühlschrank und trank es in kleinen Schlucken; trotzdem begann sein Magen zu schmerzen. Verdammt, dachte er, bald bin ich wirklich ein Fall für lauwarmen Tee.

Er rekapitulierte die verblüffenden Bilder, die er in den letzten Stunden gesehen hatte, und versuchte sich einen Reim darauf zu machen, fand aber keine Erklärung. Schließlich gab er es auf, stellte sich unter die Dusche, legte sich dann in sein Bett und schlief ein.

Maria Behring sandte noch einige Computerbriefe ab und legte sich kurz nach Mitternacht schlafen. Ihre Gedanken kreisten noch lange um die Paradiesvorstellungen, die sie aus der Bibel und humanistisch-gymnasialen Unterrichtsstunden über griechische Philosophie kannte; die Szenen aus dem Wolkenwald entsprachen bei aller Fremdartigkeit auf verblüffende Weise dem christlich-abendländischen Ideal einer himmlischen Jenseitswelt: Entrücktheit von allen irdischen Dingen, insbesondere Freiheit von Nahrungs- und Existenzsorgen, dazu ein immer gleiches, warmes Klima, üppiger Pflanzenwuchs und eine fast unwirklich anmutende Harmonie zwischen Mensch und Tier. Das Verhalten der sonst so scheuen Vögel und Vierbeiner schien zu zeigen, daß sie im Wolkenwald nicht nur den Menschen nicht zu fürchten hatten, sondern offenbar überhaupt keine Feinde besaßen.

Während Maria Behring darüber nachdachte, fiel ihr auf, daß sie über dem riesigen Kraterrund weder einen der von allen Tieren der Kronenregion gefürchteten Harpyienadler noch irgendeinen anderen Raubvogel gesehen hatte. Mit diesem Gedanken sank sie in einen tiefen, traumlosen Schlaf.

Ein leiser Piepton des Computers weckte sie. Es war kurz vor zehn Uhr. Sie sprang auf und schaltete den Monitor ein. Eine Zahlenkolonne erschien.

Sie wählte Sanders Nummer. Verschlafen meldete er sich. »Schnell«, sagte sie, »es kommt etwas herein!«

Dann drückte sie auf eine der Speichertasten. Dreißig Sekunden später ertönte ein Freizeichen. »Sarosi«, meldete sich eine Stimme.

»Sind Sie das da auf meinem Computer, Herr Professor?« fragte sie. »Hier ist Behring. Im Dschungel.«

»Liebe Frau Doktor Behring«, kam die Antwort, »was machen Sie denn da mit mir? Wollen Sie einen alten Mann veräppeln?«

»Moment, Herr Professor«, sagte sie und eilte zur Tür, »muß nur gerade meinen Mitarbeiter hereinlassen. Haben Sie etwas dagegen, wenn ich auf Lautsprecher gehe? Herr Sander ist genauso gespannt wie ich.«

»Wer?« fragte der Professor am anderen Ende der Leitung.

»Herr Sander«, wiederholte sie.

»Meinetwegen«, sagte der Professor. »Ich habe nichts dagegen. Aber ich warne Sie: Für Sie kann das recht peinlich werden. Wenn ich Sie nicht so gut kennen würde, müßte ich annehmen, daß es sich um einen törichten und albernen Studentenulk handelt. Was durchaus nicht dasselbe ist. Wissenschaftlich gesehen.«

»Tut mir leid«, sagte Maria Behring. »Ich bin selber verblüfft. Was sagen Sie denn nun zu der Sache?«

»Meine Analyse läuft gerade durch«, sagte Sarosi. »Also in kurzen Worten: Quatsch, absoluter Quatsch! Quatsch und auch noch Blödsinn dazu. Was durchaus nicht dasselbe ist. Wissenschaftlich gesehen.«

Sander mußte grinsen.

»Schon die Relation zwischen Schulterbreite beziehungsweise Brustumfang und Beckenbreite bei dem älteren männlichen Individuum ist ein Stück aus dem Tollhaus«, sagte der Professor. »Es sei denn, Ihre Neuentdeckungen bewegen sich per Brachiation durch den Urwald.«

»Per was?« fragte Maria Behring.

»Brachiation!« bellte der Professor. »Hangeln von Ast zu Ast.«

»Sie meinen, wie die Gibbons?« fragte Maria Behring. »Nein, habe ich noch nicht beobachtet. Hören Sie, Herr

Professor, wir stehen hier ganz am Anfang. Vielleicht handelt es sich nur um ein paar seltene Mißbildungen.«

»So kommen wir der Sache schon näher«, sagte der Ethnologe. »Also lassen wir die Maße erst einmal beiseite; vielleicht ziehen Sie da lieber einen Fachmann hinzu. Nun zur Hautfarbe. Es ist Ihnen doch hoffentlich klar, daß es so gut wie keine weißen Indianer gibt!«

»So gut wie?« fragte Maria Behring. »Heißt das, ein paar gibt es eben doch?«

»Vielleicht in irgendwelchen Rückzugsgebieten. Aber nur mit ganz geringer Wahrscheinlichkeit«, sagte Sarosi. »Chafanjon berichtet achtzehnhundertneunundachtzig von sehr kleinen Indianern am oberen Orinoco mit fast weißer Haut. Aber die waren brachykephal, also kurzköpfig, mit Frauen von tierischer Häßlichkeit, wie er sich ausdrückt. Dickey stieß neunzehnhundertachtundzwanzig am Casiquiare auf einen Yanonamí, der fast so weiß war wie er selbst. Vermutlich ein Albino. Gheerbrant hörte neunzehnhundertdreiundfünfzig in der Nähe der Orinocoquellen von extrem kleinwüchsigen weißen Indianern. Die hatten aber krauses Haar. Also das paßt alles nicht recht zusammen, meine Liebe. Weiße Indianer, hellhäutige Indianer – was durchaus nicht dasselbe ist. Wissenschaftlich gesehen.«

»Gewiß nicht«, sagte Maria Behring.

»Wenn überhaupt, ist am ehesten noch an Abkömmlinge der lagiden Rasse zu denken«, fuhr der Professor fort. »Paläoamerikanisch. Lagide nennt man die ältesten südamerikanischen Populationen, nach dem Fundort Lagoa Santa in Minas Gerais, einige hundert Kilometer nördlich von Rio. Achtzehnhundertvierzig entdeckte dort ein dänischer Naturforscher namens Lund in einigen Höhlen menschliche Überreste. Etwa zehntausend Jahre alt. Diese Leute waren vermutlich Nachkommen der allerersten Einwanderer, die damals über die Landenge von Panama nach Südamerika vorstießen. Sie siedelten erst in den Savannen am Orinoco. Dann drängten jüngere Stämme von Norden nach, und die Ureinwohner mußten weichen. Es war ungefähr wie bei der Völkerwanderung in Europa. Aber durchaus nicht dasselbe. Wissenschaftlich gesehen. Diese Lagiden zogen sich dann nach Westamazonien zurück. Männer zumeist mesokephal und athletisch, Frauen leptosom, wie von Ihnen beschrieben. Ich möchte wirklich zu gern wissen, was Sie dort unten eigentlich treiben. Pfuschen Sie uns bloß nicht in die Ethnologie hinein! Am besten wird sein, ich komme Sie schnellstens besuchen.«

Das könnte dir so passen, dachte Maria Behring und antwortete: »Vielen Dank, Herr Professor, aber das wird sich kaum lohnen. Um die Wahrheit zu sagen: Es handelt sich lediglich um eine Familie von vier Personen, die ich in einer Missionsstation hier in der Nähe angetroffen habe. Wahrscheinlich durch vererbte Mißbildungen entstellt.«

»Das ist eine Möglichkeit«, sagte Sarosi. »Körperliche Mißbildungen oder Entstellungen. Was durchaus nicht dasselbe ist. Wissenschaftlich gesehen. Also weiter: Die Physiognomie ist typisch lagidisch, besonders der Jugomandibularindex –«

»Das habe ich nicht verstanden«, sagte Maria Behring schnell.

»Das Verhältnis von Kiefer- zu Jochbogenbreite«, erklärte Sarosi. »Sie ist bei den lagiden Rassen etwas zugunsten des Jochbogens verschoben. Man könnte auch sagen, daß die Kinnpartie etwas weniger stark ausgeprägt ist als bei uns. Was allerdings durchaus nicht dasselbe ist. Wissenschaftlich gesehen.«

»Gibt es denn heute noch lagide Völker?« fragte Maria Behring.

»Höchstens in Ostbolivien«, sagte der Ethnologe. »In Ihrer Gegend mit Sicherheit nicht. Seit ungefähr dreihundertfünfzig Jahren nicht mehr, als die Omagua ausstarben.«

»Die Omagua?«

»Haben Sie schon mal von Manoa gehört?« fragte Sarosi. »Vom ›Timbuktu des Amazonas‹? Unermeßliche Schätze, märchenhafte Kunstwerke und eine Kultur, der ägyptischen ebenbürtig? Natürlich alles Ammenmärchen. Tatsache ist immerhin, daß die Omagua vor achthundert Jahren auf dem fruchtbaren Schwemmland Zentralamazoniens eine intensive Agrikultur begründeten, mit dörflichen Zentren, vielleicht sogar städtischen Ansiedlungen. Damals müssen im Amazonasgebiet ungefähr sechs Millionen Indianer gelebt haben.«

»Sechs Millionen!« wiederholte Maria Behring staunend. »Das ist ja unvorstellbar!«

»Francisco de Orellana hat sie als erster aufgesucht«, sagte der Ethnologe. »Im Jahr fünfzehnhunderteinundvierzig, als er mit Gonzalo Pizarro die Zimtwälder gefunden hatte und dann von Ekuador aus auf dem Amazonas nach Osten fuhr. Die Inkas hatten den Spaniern erzählt, im Dschungel liege die Heimat El Dorados. Wahrscheinlich hofften sie, die goldgierigen Kerle auf diese Weise loszuwerden. Orellana schaffte es nach vielen Kämpfen, bis zur Mündung des Stroms vorzudringen. El Dorado fand er nicht, aber einige recht gut entwickelte und auch ziemlich wehrhafte Indianervölker, vor allem eben die Omagua. Sie waren hellhäutig und blauäugig wie Ihre vier Individuen, aber groß und kräftig. Was durchaus nicht immer dasselbe ist. Wissenschaftlich gesehen.«

»Dann gibt es wohl keinen Zusammenhang«, sagte Maria Behring etwas enttäuscht.

»Vielleicht doch«, sagte Sarosi. »Die letzten Omagua, vielleicht noch einige hundert Individuen, verschwanden sechzehnhundertneununddreißig in den Ketten portugiesischer Sklavenhändler, die von Belém aus den Amazonas hinaufgefahren waren. Eine ziemlich wüste Geschichte. Wenn Sie wollen, gebe ich Ihnen eine Übersetzung auf den Schirm.«

»Bitte«, sagte Maria Behring.

»Versprengte Nachkommen der Omagua könnten in weit vom Strom entfernten Rückzugsgebieten überlebt haben«, fuhr der Professor fort. »Sie waren zweifellos lagiden Typs. Vielleicht sind sie durch dauernde Unterernährung degeneriert. Nach Ihrer Beschreibung handelt es sich allerdings um wahre Muskelpakete. Das läßt eher an Menschen denken, die zu den Affen auf die Bäume zurückgekehrt sind.« Er lachte erheitert.

»Ich denke doch eher an erbliche Mißbildungen«, sagte Maria Behring vorsichtig.

»Mehr läßt sich aus Ihrem Material nicht ersehen«, sagte Sarosi. »Ich bräuchte Tonbandaufnahmen von ihrer Sprache. Worte. Was durchaus nicht immer dasselbe ist. Wissenschaftlich gesehen. Die Besiedlung des Amazonasgebiets erfolgte, wie gesagt, von den Orinocosavannen her, nach Überwindung der Wasserscheide am Casiquiare, und setzte sich stromabwärts fort. Die Omagua benutzten also vermutlich ein ähnliches Idiom wie heute die Indianer an der Amazonasmündung. Lassen Sie die Leute einige Sätze auf Tonband sprechen und überspielen Sie mir die Aufzeichnung, dann sehen wir weiter.«

»Das werde ich tun«, sagte sie. »Vielen Dank, Herr Professor.« Sie beendete die Verbindung. »Was halten Sie davon?« fragte sie Sander.

»Sieht aus, als ob Sie bald berühmt werden«, sagte Sander. »Entdeckerin der letzten Nachfahren von El Dorado. Ja, das klingt gut.«

»Hören Sie auf mit diesem Unsinn«, sagte sie. »Hier geht es um wissenschaftliche Arbeit, nicht um billige Sensationshascherei.«

»Darum sollten Sie den Job Fachleuten überlassen«, sagte Sander. »Sie sind Botanikerin, keine Ethnologin.«

»Das könnte Sarosi so passen«, sagte sie. »Das hier ist meine Expedition, und was wir finden, ist erst einmal meine Sache. Die anderen werden davon schon noch früh genug erfahren! Trotzdem ist klar, daß wir so schnell wie möglich Stimmen aufnehmen müssen. Also Nachtfahrt über den Bäumen! Ich werde dem Colonel mitteilen lassen, daß wir drei Tage am Stück draußen bleiben. Das sollte erst einmal genügen.« Sie schaute auf die Uhr. »Pakken Sie Ihre Sachen! Ich stelle mich schnell noch mal unter die Dusche. Wir treffen uns dann am Schiff.«

»Und das Gewölk?« fragte Sander.

»Ach, machen Sie sich da keine Sorgen«, erwiderte sie. »So schlimm kann das doch nicht sein! Sicher, der Kohlendioxidgehalt ist ein bißchen hoch. Aber die Leute dort in den Bäumen scheinen jedenfalls keine Probleme damit zu haben. Sobald ich die Analyse habe, sage ich Ihnen Bescheid.« Sie gab ihm einen aufmunternden Klaps auf die Schulter. »Und nun packen Sie! Verpflegung lasse ich in der Küche zusammenstellen. In einer Stunde legen wir ab.«

Die hellen Töne der Rindentrompeten hallten wie Jubelklänge von Engelchören durch den nächtlichen Wolkenwald; die rhythmisch geschwungenen Baumkürbisrasseln gaben den Tänzern auf den hohen Bäumen den Takt vor. Männer, Frauen und Kinder trugen Masken aus dünnem Balsaholz mit den Zügen ihrer Mitbewohner im Paradies, der Kleinen Brüder und der Fliegenden Vettern; Gummiharz hielt die bunten Federn und Haare an ihrem Platz. In langen Reihen wippten groß und klein auf den riesigen Ästen der drei gewaltigen, über und über von Orchideen und anderen Epiphyten bedeckten Zedrachgewächse, die südlich des Torbaumes achtzig Meter hoch in den Himmel ragten; der Widerschein des großen Feuers auf dem Vulkankegel glänzte auf den nackten, mit duftendem Palmöl eingeriebenen Armen und Beinen der Feiernden.

Wolkenfänger stand im Wipfel des vordersten Baumes und genoß den Blick auf das Fest, das an die Rückkehr ins Paradies erinnerte; es war das drittheiligste im Jahreskreis, nach dem Fest der Geburt des Erlösers und dem Fest der Auferstehung des Herrn, die beide noch viel länger zurücklagen und doch von den Bewohnern des Paradieses niemals vergessen würden.

Als der Ton der Rindentrompeten verklang, sprang der Junge in kühnen Sätzen hinab und hangelte sich mit großer Kraft und Geschicklichkeit an einem Ast bis zu der Stelle, unter der seine Mutter mit Senex und Blaukrönchen saß und auf seinen Vater, den Erzengel, wartete. Sie hörte über sich den Kletterer herankommen und blickte lächelnd nach oben; er nutzte ihre Aufmerksamkeit, um einen gespielten Sturz behende wie ein Wollaffe an einer armdicken Feuerliane abzufangen und mit ungestümem Schwung zwischen seinem Großvater und seiner Schwester zu landen.

»He!« sagte Blaukrönchen, die sich hinter der aus gelbem Bast geflochtenen Maske eines Löwenäffchens verbarg. »Paß doch auf! Mußt du immer so wackeln?« Obwohl der starke Ast nur wenig vibrierte, hielt sie sich, betont Halt suchend, mit einer Hand im Geflecht einer mächtigen Würgfeigenranke fest, die das Holz wie eine grüne Polsterung umschlang.

»Hab dich nicht so«, sagte Wolkenfänger übermütig und rückte seine durch die Landung verrutschte schwarzweiße Nachtaffenmaske wieder gerade.

»Blaukrönchen hat ganz recht«, sagte seine Mutter tadelnd, aber er konnte ihre Augen hinter der Maske eines Weißnasensakis lächeln sehen.

Senex, der sich als Kaisertamarin verkleidet hatte, strich respektheischend über den mächtigen weißen

Schnurrbart der Maske. »Du wirst noch hinfallen«, mahnte er. »Als kleiner Junge hattest du fast jeden Tag eine blutige Nase.«

Wolkenfänger wollte sich verteidigen, aber in diesem Augenblick drang ihm vom Feuer her der köstliche Duft der gekochten Palmenfrüchte in die Nase. Wie alle Nachbarn und Bekannten, die mit ihnen auf den Ästen saßen, sog er die Luft ein und begann genießerisch zu schmatzen; es klang wie das Gezwitscher balzender Trupiale.

Der Erzengel auf der Brücke winkte den Wartenden zu. Rasch erhoben sie sich und wanderten in einer langen Reihe zu der Hochbrücke. Von der anderen Seite kamen ihnen zwei weitere Engel mit dem großen, aus Palmbast geflochtenen Korb der heiligen Speisung entgegen. Als sie den Torbaum erreicht hatten, stellten sie ihre Last auf die hölzernen Planken und begannen damit, die Hungrigen zu verköstigen.

Die Menschen hatten die Masken abgelegt und sich um den Hals gehängt; alle aßen mit ebensoviel Frömmigkeit wie Appetit. Wolkenfänger aber biß so kräftig in seine Frucht, daß ihm der süße Saft übers Kinn lief; schnell fing er ihn mit der Hand auf und leckte ihn auf, damit ihm ja keiner der köstlichen Tropfen entgehe. Er war glücklich,, denn bald würde er volljährig sein und zum erstenmal das heilige Pulver schmecken. Die Tochter des Wassers würde vor dem Lebensbaum tanzen und über die sechsbeinigen Ungeheuer der Tiefe siegen, wie jedes Jahr seit der Erschaffung des Paradieses. Zum Schluß würde der Herr sie alle segnen. Die wespenäugigen Teufel in dem riesigen fliegenden Ameisenei aber waren verschwunden; niemals würden sie wiederkehren.

Sander verstaute seine Kuraruholzkiste hinter dem Sitz und zurrte sie mit einem starken Gummiseil fest. Der Ingenieur und seine Mitarbeiter füllten Kerosin in die beiden Tanks. Als sie fertig waren, kam Maria Behring über den Platz gelaufen. Erstaunt sah Sander, daß sie kein Gepäck bei sich trug. Ungeduldig winkte sie ihm; nach einer Weile begriff er, kletterte aus der Gondel und ging zu ihr.

»Was ist?« fragte er von weitem.

Sie winkte wieder und wartete, bis er aus der Hörweite der anderen getreten war. Dann sagte sie: »Ich habe mir die Sache doch noch mal überlegt. Dieser Oberst ist wirklich zu allem fähig. Wir werden lieber Experten aus Caracas kommen und das Schiff untersuchen lassen, ehe wir damit losfahren.«

»Ist doch meine Rede«, sagte er.

Sie zuckte mit den Schultern. »Vielleicht bringt es ja wirklich was«, sagte sie. »Vielleicht auch nicht. Aber dann sind wir wenigstens sicher. Ich habe keine Lust, diese Typen unfreiwillig zu unseren neuen Freunden zu führen. Verstehen Sie? Die Venezolaner würden die Neuigkeit vermutlich sofort ausposaunen. Und dann kommen die Amis mit ihren Dollars und machen daraus eine Art Dschungel-Disneyland. Nein, danke. Ich werde von jetzt an nicht mehr das geringste Risiko eingehen.«

»Das klingt vernünftig«, sagte Sander. »Kommen Ihre Elektronikspezialisten aus Caracas?«

Sie nickte und sah auf ihre zierliche Luxusuhr. »Sie werden gegen drei Uhr landen, schätze ich. Dann rauschen wir ab. Darauf wird der Oberst nicht gefaßt sein.«

»Nein«, meinte Sander lächelnd, dem die Sache nun wieder etwas besser gefiel.

»Kommen Sie«, sagte sie. »Trinken wir erst mal einen anständigen Kaffee! Den haben wir uns wohl verdient.«

Später aßen sie gemeinsam zu Mittag. Danach sagte Maria Behring: »Ich glaube, ich lege mich noch ein Stündchen aufs Ohr. Und Ihnen empfehle ich das gleiche. Das wird noch ein anstrengender Tag. Ich lasse uns um Viertel vor drei wecken, okay?«

Sander nickte; er spürte die Anstrengungen der vergangenen Tage in den Knochen und war längst alt genug, den Wert einer Pause zu schätzen. Gleich nach dem Essen ging er in seinen Wohncontainer und legte sich auf sein Bett. Bald schlief er tief und fest.

Kurz nach drei Uhr landeten zwei der verschwiegenen Herren, die das elektronische Gerät gebracht hatten. Maria Behring nahm sie allein in Empfang.

»Wo ist Ihr Pilot?« fragte der ältere der beiden.

»Der macht ein Nickerchen«, erwiderte Maria Behring lächelnd.

»Wollen Sie ihn nicht wecken?«

»Jaja«, sagte sie. »Gleich. Kümmern wir uns erst mal um die Wanze.«

Die Männer hoben zwei olivgrüne Kisten aus dem Laderaum. Auf einer stand »Schlauchboot«, auf der anderen »Filtrieranlage.«

»Recht so?« fragte der Ältere.

»Sehr gut«, sagte Maria Behring. Gespannt sah sie zu, wie die Elektronikexperten die Kiste, die angeblich einen Wasserfilter enthielt, öffneten und ein kleines schwarzes Kunststoffkästchen hervorholten. Schon nach wenigen Minuten hatten sie einen kleinen Sender lokalisiert; er klebte an der Unterseite eines der Wasserkanister.

»Was schlagen Sie vor?« sagte Maria Behring.

»Auf keinen Fall zerstören«, riet der ältere der beiden Experten. »Lassen Sie lieber den ganzen Wasserkanister hier. Dann werden die Venezolaner nicht wissen, ob Sie den Sender entdeckt oder den Behälter aus einem anderen Grund zurückgelassen haben, vielleicht weil er undicht war.«

»Gut«, sagte sie und deutete auf die andere Kiste. »Verstauen Sie die hinten in der Gondel. Möglichst weit unten. Mein Pilot muß auch nicht immer gleich alles wissen.«

»Verstehe«, sagte der jüngere der beiden, und sie machten sich an die Arbeit.

Als Sander aus dem Camp über das Flugfeld auf das Luftschiff zulief, luden sie die Kiste mit dem angeblichen Wasserfilter schon wieder in ihr Flugzeug, stiegen ein und starteten.

»Die haben es aber eilig«, sagte Sander etwas ärgerlich, weil er zu spät gekommen war. »Warum haben Sie mich denn nicht geweckt?«

»Hat man das vergessen?« fragte Maria Behring unschuldig. »Tut mir leid. Der Oberst hat uns tatsächlich einen kleinen Sender untergejubelt, an einem der Wasserbehälter; wir haben den Kanister daraufhin als undicht deklariert und lassen ihn hier stehen.«

»Das ist schlau«, sagte Sander. »War es wirklich nur ein einziger Sender? Ich habe keine Lust, nach Ihrer Abreise aus Venezuela von der Geheimpolizei vorgeladen zu werden.«

»Keine Angst«, sagte sie munter. »Wenn Sie wollen, schließe ich noch schnell einen Beratervertrag mit Ihnen ab. Für das nächste Jahr. Dann bleiben Sie unser Mitarbeiter, und die Kerle trauen sich nicht so leicht an Sie heran.«

»Keine schlechte Idee«, sagte Sander. »Also, wann wollen Sie los?«

»Sobald Sie fertig sind«, antwortete sie.

»Na denn«, sagte er und kletterte in die Gondel.

Sie schnallte sich auf ihrem Sitz fest. »Ehe ich es vergesse«, sagte sie, »wir haben noch knapp fünfzig Kilo Zuladung aufgenommen. Neue Meßgeräte und so was, Zelt, Kocher. Und ein Schlauchboot.«

»Wozu denn das?« fragte Sander verblüfft.

»Nur so. Für alle Fälle. Man weiß nie, wann man so ein Ding braucht.«

»Wieviel wiegt denn die Zuladung genau?« fragte Sander und blickte prüfend auf die Armaturen.

Sie zog einen Zettel aus der Brusttasche. »Fünfundfünfzig Komma fünf Kilogramm«, sagte sie. »Dafür zwanzig Liter Wasser weniger.«

»Na, das geht ja«, sagte Sander. »Wo ist das Zeug verstaut?«

»Hinten in der Gondel. Ich habe die Verladung selbst überwacht. Es ist alles okay.«

»Gut.« Er meldete sich beim Tower, startete die Motoren, winkte dem Ground-crew-Chef zu und löste das Luftschiff vom Mast. Wenige Minuten später waren sie auf dem Weg zu dem Wald zwischen den schwarzen und den weißen Wolken. Sie fuhren wieder mit großer Vorsicht über die Ilha Pedro II und erreichten den Krater am frühen Nachmittag. Langsam bugsierte Sander die Hülle unter die Äste der großen Bäume neben dem Schlund des Cerro Impacto und verankerte sie sturmsicher zwischen zwei mächtigen Piquiábäumen; die Stämme besaßen an der Basis einen Durchmesser von mehr als vier Metern.

»Bringen Sie schon mal unsere Apparate nach oben«, schlug sie vor, »ich kümmere mich um das Lager.«

Keuchend schleppte Sander Kamera, Fernrohr und Richtmikrophon die steile Böschung empor.

Sander kletterte wieder in die Gondel, schaltete das Funkgerät aus, holte seine Kiste hinter dem Sitz hervor und schaffte sie in das Zelt. Maria Behring hatte ihren Schlafsack schon ausgerollt; er warf seine Decke auf die gegenüberliegende Seite.

»Kommen Sie«, hörte er sie rufen. »Wir wollen mal sehen, was unsere Freunde jetzt machen.«

Leichtfüßig eilte sie die Böschung hinauf; wieder hatte er Mühe, ihr zu folgen. Oben schaute er zu, wie sie sich an dem Fernrohr zu schaffen machte, und wartete, bis sich sein Atem wieder beruhigt hatte.

»Ihre Kondition ist wirklich nicht berühmt«, konnte sie sich nicht enthalten zu sagen.

»Warten Sie mal, bis Sie so alt sind wie ich«, versetzte er. »Ich bin keine zwanzig mehr, müssen Sie wissen.«

»Das ist mir nicht verborgen geblieben«, erwiderte sie lachend. »Aber ein Mann, der in der Wildnis lebt –«

»Ich lebe keineswegs in der Wildnis«, unterbrach er sie, »sondern in einer Millionenstadt. Ich bin Pilot und kein Sherpa. Wenn Sie einen Bergführer suchen, rufen Sie am besten beim Alpenverein in Caracas an.«

»Nun seien Sie doch nicht gleich eingeschnappt«, sagte sie. »Sie gehören längst noch nicht zum alten Eisen. Ich finde, Sie machen hier einen sehr guten Job.«

Sander gab sich damit zufrieden und stellte sich wieder hinter die Kamera. Sie spähten zu dem Axtbrecherbaum und den anderen Urwaldriesen, konnten aber keinen Menschen entdecken.

»Seltsam«, sagte Maria Behring schließlich. »Sie scheinen alle fortgegangen zu sein.« Sie lauschte in den leichten Wind und fragte dann: »Hören Sie das auch?«

»Was?« fragte Sander und horchte ebenfalls. »Ja. Komisches Geräusch. Wie ein Wasserfall.«

»Nein, viel höher«, sagte sie. »Eher wie eine Kreissäge.«

Sie lauschten beide. »Ich bin wahrscheinlich verrückt«, sagte Sander nach einer Weile, »aber für mich klingt das wie Trompeten oder Posaunen.«

»Ja, für mich auch«, sagte sie zu seiner Überraschung. »Wie irgendwelche Signale. Haben Indianer Trompeten?«

»Nicht daß ich wüßte«, meinte Sander. »Ich habe sie nur ab und zu auf Flöten spielen hören. Außerdem haben sie Kürbisrasseln.«

»Es kommt aus Nordnordost«, stellte sie fest. »Aus der Gegend des Vulkankegels. Kann es sich um ein Naturphänomen handeln? In bestimmten Felsformationen gibt es manchmal einzigartige Windgeräusche.«

»Halte ich für ausgeschlossen«, sagte Sander. »Der

Wind hat höchstens Stärke zwei, und der Kegel ist dicht bewachsen.«

»Nun, wir werden es schon noch herausfinden«, sagte sie hoffnungsvoll. »Die Tiere sind noch da. Sehen Sie die Tamarine auf dem obersten Ast? Sie sitzen da wie Dackel, die auf Herrchens Heimkehr warten.«

Sander mußte lachen. »Sie haben recht«, meinte er. »Wie Haustiere. Kaum zu glauben.«

Sie filmten und beobachteten noch eine Zeitlang, dann kehrten sie zu ihrem kleinen Camp zurück und machten sich mit den Infrarotgeräten und den Restlichtaufhellern vertraut. Danach stellten sie das Landelicht auf und befestigten das Richtmikrophon an der Gondel. Als sie mit allem fertig waren, bereitete Sander mit geübten Griffen Tee; sie tranken und warteten, bis es dunkel wurde. Große Motten und andere Insekten umflogen die kleine Petroleumlampe vor dem Zelt.

Maria Behring reichte Sander noch einige Pillen gegen Moskitos und sagte: »Also los jetzt!«

Sie kletterten in die Gondel, setzten die großen Infrarotbrillen auf und schalteten sie ein. Schlagartig schien es, als erhellte gespenstisches grünes Licht die Umgebung.

»Phantastisch«, hörte Sander sich in die Stille hinein sagen. »Mit diesen Dingern könnte man jetzt ein Buch lesen.«

»Schauen Sie mal hier durch«, sagte Maria Behring und reichte ihm die Infrarotkamera.

Er hielt das Auge an das Okular. »Donnerwetter«, entfuhr es ihm. »Hell wie ein Scheinwerfer!«

»Wir werden diesen Indianern schon auf die Schliche kommen«, sagte sie aufgeräumt.

Sander startete die Motoren; ihr Lärm erfüllte den nächtlichen Urwald, und Tiere flohen in alle Richtungen. Das Luftschiff löste sich aus den Halterungen, drehte die Nase in den Wind und fuhr langsam steigend nach Westen. Nach einigen Minuten änderte Sander den Kurs auf Nord. Sie überquerten den Kraterrand; die Luft war schon ziemlich kühl.

Sander betätigte das Mikrophon. »Wir fahren erst mal zum Nordrand und drehen dann mit dem Wind«, sagte er. »Dann lassen wir uns ohne Motor über den Kegel treiben.«

Er sah sie im grünen Schein seines Infrarotgeräts nicken; mit den Okularen vor den Augen wirkte sie wie eine große grüne Fliege.

Minuten später erreichten sie den nördlichen Kraterrand. Sander fuhr ein Stück darüber hinaus, drehte das Schiff dann in den Wind, ließ es auf achtzig Meter sinken und steuerte es auf den Vulkankegel zu, der sich in der Ferne über den Wald erhob wie ein Pistazieneis über ein Pfefferminzsorbet. Die Propeller drehten sich langsamer, und das Geräusch der Motoren wurde so schwach, daß sie die Kopfhörer absetzen konnten.

Der Wind trug das Schiff mit einer konstanten Geschwindigkeit von zwölf Stundenkilometern über die Bäume hinweg. Sander spähte aufmerksam nach vorn, damit nicht einer der besonders hohen Paranußbäume in ihre Bahn geriet; Maria Behring beobachtete das in dem unwirklichen Licht noch wirrer erscheinende Geäst unter der Gondel, sah aber nur große Vögel und einmal eine schlafende Brüllaffenhorde.

Als der Kegel vor ihnen größer wurde, rüttelte Maria Behring Sander plötzlich am Arm und deutete auf ihr rechtes Ohr. Sander lauschte; dann hörte auch er den seltsamen Ton. Diesmal klang es wirklich wie ein fernes Trompetenkonzert. Dann wichen die letzten Bäume, und sie sahen das riesige Feuer, umringt von vielen hundert Gestalten, Männern, Frauen und Kindern, vereint in ekstatischem Tanz.

Sofort drückte Sander die Aufnahmetaste des Richtmikrophons; fasziniert starrte er auf die starken Ausschläge des Anzeigers. Ein an- und abschwellendes Geräusch vermischte sich mit den Trompetenstößen. »Sie singen!« sagte Sander halblaut. »Mein Gott, es klingt wie ein gregorianischer Choral!«

Maria Behring preßte den Finger so fest auf die Aufnahmetaste ihrer Infrarotkamera, daß ihn unter der übermäßigen Beanspruchung bald ein fibrilläres Zittern befiel und sie den Druck ein wenig lockern mußte. Nie hätte sie geglaubt, daß sie jemals so etwas zu sehen bekommen würde; ihr war, als sei sie mit einer Zeitmaschine in frühe Tage der Menschheitsgeschichte zurückgekehrt, um aus sicherer Höhe einem Beutezauber jungsteinzeitlicher Horden oder einem Stammesritual wandernder Mammutjäger beizuwohnen.

Während alle Aufnahmegeräte liefen, schob sich das Luftschiff zwanzig Meter über die Kronen der drei Zedrachbäume hinweg. Staunend registrierte Maria Behring im Sucher ihrer Infrarotkamera die Hängebrükke, die vom Torbaum zu dem Vulkankegel führte, und den im Vergleich zu den anderen ungewöhnlich hochgewachsenen Mann mit dem Schwert, dann die Männer in den weiten Gewändern am Feuer, den Korb mit den gekochten Palmfrüchten und schließlich die vielen hundert Menschen im dichten Geäst der mächtigen Meliazeen; sie saßen darin wie ein Schwarm großer Vögel, die sich versammelt haben, um gemeinsam zu einer weiten Reise aufzubrechen.

Die Überquerung der Bäume dauerte kaum drei Sekunden; trotzdem hatten Sander und Maria Behring in dieser Zeit so viele Eindrücke registriert, daß es ihnen vorkam, als hätten sie minutenlang über dem urzeitlichen Fest geschwebt. Als der Wind ihr Schiff nach Süden davontrug, rangen beide nach Worten.

»Ich kann es nicht glauben, daß es so viele sind«, platzte Maria Behring schließlich heraus. »Es müssen Hunderte sein. Ein ganzer Stamm auf den Bäumen! Wie machen sie das? Wie kommen sie alle da hinauf, mit den kleinen Kindern? Wovon leben sie dort oben? Es ist wie eine ganz neue Kultur!«

»Haben Sie gesehen, wie sie auf den Ästen tanzten?« rief Sander. »Sechzig Meter über dem Erdboden, und sie tanzten! Als hätten sie ihr ganzes Leben auf diesen Bäumen verbracht. Aber das ist unmöglich!«

»Denken Sie an die Legende vom Hombrecillo«, sagte sie. »Ich glaube, wir haben den wahren Kern dieser Sage gefunden. Es gibt ihn wirklich. Es gibt wirklich Menschen, die auf Bäumen leben. Mit allen Tierarten, die in der Kronenregion zu Hause sind. Es ist wie ein Paradies!«

Sie redete noch eine ganze Weile, von ihren Emotionen völlig übermannt. Erst nach Minuten bekam sie sich wieder in die Gewalt. »Wir fahren eine zweite Runde«, befahl sie. »Versuchen Sie, diesmal noch langsamer zu sein. Wir müssen möglichst viele Einzelheiten dokumentieren. Obwohl uns das kein vernünftiger Mensch jemals glauben wird.«

Sander nickte, startete die Motoren und steuerte das Luftschiff erst nach Westen, dann wieder nach Norden. Der Wind hatte nachgelassen, und sie kamen gut voran. Gegen neun Uhr hatte das Schiff zum zweitenmal den Nordrand des Kraters erreicht. Sander blickte zu dem Kegel in der Ferne, steuerte einige hundert Meter nach links, stellte dann die Triebwerke ab und arbeitete nur noch mit den Seitenrudern. Träge trieb das Schiff nach Süden; es hatte nun kaum noch Fußgängertempo. Die Bäume glitten unter ihnen vorbei wie Algen unter dem Bauch eines Korallentauchers.

Diesmal dauerte es fast eine halbe Stunde, bis der Kegel vor ihnen lag. Sander korrigierte leicht mit den Pedalen und steuerte das Schiff wieder zu den drei auffällig hohen Zedrachbäumen. Sie hörten keine Trompeten mehr und erkannten schon von weitem, daß der

Tanz beendet war. Männer, Frauen und Kinder des Wolkenwaldes standen in einer langen Reihe, die aus dem Geäst bis auf die Hängebrücke reichte, und nahmen aus den Händen der beiden seltsam gekleideten Männer Früchte entgegen. Der auffallend große Mann mit dem Schwert stand wachsam daneben; für einen Augenblick war es, als blicke er nach oben. Maria Behring hielt unwillkürlich die Luft an, filmte aber weiter, darauf vertrauend, daß sie für den Mann unsichtbar waren und die Infrarotkamera fast völlig geräuschlos arbeitete.

Sander hatte sich wieder die Kopfhörer des Richtmikrophons übergestülpt und lauschte. Ein Wirrwarr verschiedenster Stimmen, die ihn entfernt an indianische Dialekte erinnerten, drang an seine Ohren. Er versuchte sich zu konzentrieren, aber obwohl ihm manche Worte bekannt vorkamen, konnte er nichts verstehen.

Sehr langsam schwebten sie über die unwirklich anmutende Szenerie hinweg. Selbst als sie schon wieder mehrere hundert Meter von dem Kegel entfernt waren, konnten sie den Blick noch nicht lösen von dem fremdartigen Menschengewirr.

Der Wind frischte nun etwas auf und wehte bald mit fast zwei Metern pro Sekunde. Trotzdem beschlossen sie, eine dritte Runde zu fliegen. Wiederum dauerte es annähernd eine halbe Stunde, bis sie an den nördlichen Kraterrand kamen. Dort aber fiel plötzlich schwerer Regen auf das Luftschiff und das unter ihm liegende Land. Als sie den Kegel erreichten, durchzuckten Blitze den Himmel, und das Krachen des tropischen Donners dröhnte ihnen in den Ohren.

»Es hat keinen Zweck mehr!« rief Sander und startete die Motoren.

Das Feuer brannte noch; die Feiernden hatten sich unter das dichte Laubdach der Mahagonibäume zurückgezogen, die selbst der jetzt einsetzende wolkenbruchartige Regen nicht zu durchdringen vermochte; die großen, kräftigen Blätter absorbierten so viele Tropfen, wie sie tagsüber durch die Verdunstung verloren hatten, und leiteten das überschüssige Wasser zu den zahllosen Epiphyten, die ihren Anteil in ihren Zisternen, ihren schwammigen Blättern und ihren verästelten Wurzelgeflechten speicherten. Der Rest benetzte das Blattwerk tieferer Zonen der Kronenregion, die weit weniger Wasser brauchten, da sie der Sonne längst nicht so stark ausgesetzt waren. Nur wenige Tropfen erreichten den Boden.

Sander warf einen letzten Blick auf die Wolkenwaldmenschen, die in dichten Gruppen zusammengekauert auf den hohen Ästen ruhten, als lägen sie in den weichen Betten eines Luxushotels, der Sicherheit von Betondecken und Blitzableitern vertrauend; viele schienen sogar zu schlafen. »Unglaublich«, sagte er kopfschüttelnd, während ein neuer Donnerschlag die Luft um das Schiff erbeben ließ wie der Hieb eines Trommelschlegels das Innere einer Kesselpauke. Als Sander sah, daß Maria Behring besorgt zu ihm herüberblickte, winkte er ihr beruhigend zu. Dann steuerte er das Funkfeuer ihres Camps an, das alle vierfünftel Sekunden in der Ferne aufblinkte. Einige Minuten später überquerten sie den südlichen Kraterrand. Sander trat kräftig in die Pedale und steuerte so geschickt mit den Seitenrudern, daß ihr Schiff genau zwischen den beiden großen Piquiábäumen zur Ruhe kam. Rasch fuhr er die hydraulischen Halterungen aus, verankerte den Rumpf sicher zwischen den mächtigen Stämmen und stellte die Motoren ab.

»Geschafft«, sagte er zufrieden.

»Respekt«, sagte Maria Behring. »Das war gekonnt. Ich muß gestehen, daß ich diesmal ein bißchen nervös war. Was passiert eigentlich, wenn ein Blitz in den Rumpf einschlägt? Geht dann das Helium mit uns hoch?«

»Nein«, sagte Sander lächelnd. »Der Blitz wird abgeleitet wie bei einem Flugzeug. Sonst wäre ich bestimmt nicht in das Gewitter hineingeflogen, das können Sie mir glauben.«

»Tue ich«, sagte sie, löste die Gurte und kletterte aus ihrem Sitz. Sie nahm die Infrarotkamera so vorsichtig in den Arm, als trage sie ein Baby. »Die kommt heute nacht mit ins Zelt«, sagte sie.

Sander entlud den Recorder des Richtmikrophons, sicherte gewohnheitsgemäß die Zündung auf dem Armaturenbrett, schaltete die Beleuchtung ab und arbeitete sich, den ständig wiederkehrenden Schein des kleinen Funkfeuers nutzend, zu dem Zelt vor.

Maria Behring war schon hineingeschlüpft und hielt ihm die Taschenlampe entgegen. Er ging zu dem Funkfeuer, stellte es ab, kehrte zurück und kroch vorsichtig unter die Plane, sorgsam vermeidend, Maria Behring dabei zu berühren, da er fürchtete, sie könne dies als plumpen Annäherungsversuch auffassen.

Sie schien aber an nichts dergleichen zu denken, sondern sagte aufmunternd: »Nur nicht so schüchtern! Ich werde Sie schon nicht beißen. Es ist zwar etwas eng hier drin, aber für uns beide wird es reichen. Hauptsache, Sie schnarchen nicht.«

»Nur wenn ich getrunken habe«, alberte er, um auch seinerseits zur Entkrampfung der Situation beizutragen, und hängte die Taschenlampe an den vorderen Zeltpfosten.

»Dazu werden Sie wohl kaum kommen«, gab sie zurück, »jedenfalls nicht hier und heute. Was allerdings schade ist, denn an sich hätten wir uns jetzt einen anständigen Schluck verdient.«

»Ich weiß nicht, was man in Kreisen der deutschen Pharmaindustrie trinkt«, erwiderte Sander, »aber wenn dort auch ein Kentucky Bourbon als anständig gilt, sind wir vielleicht doch nicht so arm dran, wie Sie denken.«

»Da bin ich aber gespannt«, sagte sie.

Er kramte in seiner Kiste und zog eine Flasche Jack Daniels hervor. »Was halten Sie denn davon?« fragte er.

»Meine Güte!« sagte sie erfreut. »Sie haben tatsächlich was dabei! Scotch wäre mir lieber gewesen, dieser Bourbon ist ein Rachenputzer, aber besser als nichts. Her damit!«

Sander löste den Verschluß, goß zwei Zentiliter ein und reichte ihr das winzige Gefäß. Sie nahm es mit einem vorsichtigen Feingriff, hielt es einen Augenblick an die Lippen, um den Duft auszukosten, kippte den Inhalt dann in den Mund, schluckte und stieß genießerisch die Luft aus.

»Gut?« fragte Sander und goß sich selbst einen ein.

»Sogar sehr gut«, sagte sie. »Das war eine großartige Idee von Ihnen. Sie sind überhaupt in Ordnung, Sander, das wollte ich Ihnen schon lange mal sagen. Ich bin sehr froh, daß ich Sie angeheuert habe.«

»Man tut, was man kann«, sagte Sander. »Noch einen?«

Sie tranken einen zweiten Becher. »Wir haben allen Grund zum Feiern«, sagte sie im Überschwang stolzer Gefühle. »Das ist ein wahrhaft großer Tag. Für uns und für die Wissenschaft. Nach Lage der Dinge gibt es keinen Zweifel mehr daran, daß wir nicht nur einen bisher unbekannten Stamm, sondern eine völlig neue Rasse mit einer bisher nicht für möglich gehaltenen Lebensweise entdeckt haben. Menschliche Baumbewohner, stellen Sie sich das einmal vor!«

Sie streckte fordernd die Hand aus; gehorsam goß Sander nach. »Schon der Wald an sich ist eine Sensation«, fuhr sie fort. »Ausschließlich Bäume der größten Arten, sämtlich riesenwüchsige Exemplare, zwanzig bis dreißig Prozent höher als normal, in unglaublicher Vielzahl auf engstem Raum zusammengewachsen und fast alle fruchttragend. Haben Sie die Palmfrüchte gesehen?

Groß wie Melonen! Die Kronen ineinander verfilzt wie ein riesiger grüner Boucléteppich; man hat das Gefühl, man könnte barfuß über sie hinwegspazieren. Und erst die Epiphyten! Die Orchideen und die Bromelien stehen hier so dicht wie Streusel auf dem Kuchen; so etwas habe ich noch nie gesehen.«

»Ich auch nicht«, stimmte Sander zu und schenkte wieder ein; eine wohlige Wärme breitete sich in seiner Brust aus, und die Anspannung der Fahrt begann sich zu lösen.

»Und dann die Tiere«, sagte sie begeistert. »Hier sind praktisch alle Arten versammelt, die in der Kronenregion heimisch sind. Es wirkt fast wie ein Zoo. Aber diese Tiere sind zahm! Sie scheinen überhaupt keine Angst vor den Menschen zu haben. Unerklärlich! Dabei wären sie doch eine wichtige Nahrungsquelle! Es sieht fast so aus, als hätten die Menschen in diesen Bäumen so etwas wie tierisches Eiweiß überhaupt nicht nötig.«

»Auch wie im Paradies«, sagte Sander.

»Ach, wirklich?« sagte sie. »Ich bin nicht so religiös. Steht das in der Bibel?«

Sander zuckte mit den Schultern. »Keine Ahnung«, gestand er. »Ich habe die Bibel nie gelesen. Aber ich war in einer katholischen Schule. Mit Religionsunterricht. Adam und Eva waren genauso Vegetarier wie Noah und seine Sippe.« Er lachte kurz auf. »Es hätte dem Frieden des Paradieses und auch dem in der Arche wohl nicht gutgetan, wenn die Leute ab und zu ein Kälbchen abgestochen hätten, um sich ein Steak in die Pfanne zu hauen.«

Sie kicherte. »Ja, das hätte nicht recht in diese heiligen Geschichten gepaßt. Vor allem nicht zu Noah. Erst rettet er die Tiere, und dann grillt er sie, aber auf ganz kleiner Flamme.« Sie beobachtete, wie er vorsichtig Whiskey in das Becherchen füllte. »Übrigens, ich habe nichts dagegen, mit Ihnen aus einer Flasche zu trinken«, sagte sie. »Sie sind ein hygienischer Mensch, und bevor Sie noch einmal so viel verschütten wie eben –«

»Tut mir leid«, brummte er schuldbewußt und reichte ihr den Whiskey. Sie setzte ihn gekonnt an und ließ sich einen tüchtigen Schluck durch die Kehle fließen, ehe sie absetzte.

»Sie haben einen tüchtigen Zug«, sagte Sander bewundernd und nahm seinerseits einen weiteren Schluck.

»Lernt man alles beim Studium«, sagte sie. »Da versuchen dauernd irgendwelche bebrillten Typen, ihre Kommilitoninnen abzufüllen.«

»Wundert mich nicht, so, wie Sie aussehen«, sagte Sander.

»Danke«, erwiderte sie und schaute ihn prüfend an, aber das diffuse Licht der Taschenlampe erlaubte keine genaue Einschätzung seines Gesichtsausdrucks. »Haben Sie auch studiert?«

»Nein«, sagte Sander. »Das hätte sonst bestimmt in meinen Unterlagen gestanden.«

»Woher in Deutschland stammen Sie denn eigentlich?« bohrte sie nach.

»Haben Sie das denn nicht gelesen?« fragte er verwundert zurück.

»Diesen Teil nicht so genau«, gab sie zu. »Mich interessierten mehr die Daten aus Venezuela. Die aus der Zeit davor waren sowieso ziemlich spärlich.«

»Sind inzwischen auch ziemlich veraltet«, sagte er. »Wie ich. Auslaufmodell.«

»Fischen Sie nicht so plump nach Komplimenten«, ermahnte sie ihn. »Also, raus mit der Sprache!« Sie hielt ihm die Flasche hin.

Er nahm einen Schluck. »Wissen Sie, wo Bromberg liegt? In Westpreußen. Heute polnisch. Die Stadt heißt jetzt Bydgoszcz ... keine Ahnung, wie man das ausspricht. Dabei war mein Vater Pole.«

»Und Ihre Mutter?«

»Deutsche. Arbeitete in einer Textilfabrik. Wie mein Vater auch. Erst hatten sie kein Geld zum Heiraten. Als sie genug zusammengespart hatten, kamen die Nazis, und dann gab es natürlich keine Heiratserlaubnis mehr. Wegen Rassenschande oder wie das damals hieß. Meinen Vater haben die Deutschen neunzehnhundertfünfundvierzig erschossen, bei irgend so einem Aufstand, ich glaube, in Warschau. Meine Mutter hat mir das nach dem Krieg mal erzählt.«

»Was ist aus ihr geworden?« fragte Maria Behring.

»Sie ist gleich danach mit mir vor den Russen getürmt«, berichtete Sander. »Sie hatte eine solche Heidenangst vor dem Iwan, daß sie nicht anhielt, bevor sie im Saarland war. Sie hatte da irgendwelche Verwandte, ich erinnere mich nicht mehr so genau. Mit sechzehn bin ich zur Fremdenlegion gegangen, die nahm damals jeden, weil es in den französischen Kolonien schon ziemlich unruhig wurde. Vor allem in Indochina. Die Einheimischen hatten mitgekriegt, wie ihre vorgeblich unbesiegbaren Kolonialherren plötzlich von den Japanern zu Paaren getrieben wurden. Da haben sie sich natürlich gesagt: Das können wir auch. Schließlich hatte Ho Chi Minh die Vietminhbewegung schon neunzehnhunderteinundvierzig gegründet, und dem hatten selbst die Japse nicht beikommen können. Neunzehnhundertdreiundfünfzig rissen sich die Schlitzaugen Laos unter den Nagel, neunzehnhundertvierundfünfzig kesselten sie uns in Dien Bien Phu ein, und die Sache war gegessen.«

»Sie waren in Vietnam?« fragte Maria Behring beeindruckt und nahm noch einen Schluck.

Sander nickte. »Bis zum bitteren Ende«, sagte er. »Jedenfalls bis zum Ende des Vietnamkriegs, französische Ausgabe. Bei der amerikanischen Version war ich dann schon weit weg. Kam neunzehnhundertvierundfünfzig mit der Legion nach Guayana. Kurz darauf lief meine

Dienstzeit ab, und als ich hörte, was am Orinoco los war, bin ich natürlich hin.«

»Sie haben allerhand mitgemacht«, sagte sie. »Sind Sie auch verwundet worden?«

»Ein Beindurchschuß und ein Schultersteckschuß, aber die Narben sind nicht besonders attraktiv. Die meisten Leute wissen nicht, daß in einem modernen Krieg nur jede zweihunderttausendste Kugel trifft. Wenn man immer schön in Deckung bleibt, kann einem eigentlich nicht viel passieren.«

»Vielen Dank für den Tip«, sagte sie. »Ich für meinen Teil ziehe friedliche Weltgegenden vor. Für eine Frau ist es sowieso schwer zu verstehen, warum die Kerle immer gleich aufeinander ballern müssen, wenn sie Meinungsverschiedenheiten haben.«

»Liegt uns vielleicht so im Blut«, sagte Sander, der sich darüber nicht streiten wollte.

»Kommen Sie mir bloß nicht mit ›Männer sind nun mal Kämpfer‹ und diesem Quatsch«, sagte sie.

Sander zog es vor, zu schweigen und noch einen Schluck zu nehmen. Die Flasche war schon fast halb leer, und er begann die Wirkung des Alkohols zu spüren.

Auch Maria Behring war nun nicht mehr ganz nüchtern. »Wenn die Frauen an der Macht wären, gäbe es bestimmt keine Kriege«, stichelte sie.

»Bestimmt nicht«, sagte Sander, der sich auf nichts mehr einlassen wollte, was die Harmonie stören konnte. »Und Sie? Woher sind Sie?«

»Aus Berlin natürlich«, sagte sie. »Was haben Sie denn gedacht?«

Er hielt ihr die Flasche hin.

»Danke, im Moment nicht«, sagte sie.

»Und was sind Sie nun ganz genau bei BPW?« fragte er, um das Gespräch in Gang zu halten; das Blut in seinen Adern wurde immer wärmer.

»Ich leite unsere Entwicklungsabteilung«, sagte sie. »Wir bringen jedes Jahr fünf bis zehn neue Medikamente heraus, medizinische und veterinärmedizinische; da ist eine Menge zu tun.«

»Kann ich mir vorstellen«, sagte er, obwohl er überhaupt nichts verstanden hatte. »Diese ganzen Tests und so ...«

»Jaja«, sagte sie. »Vor allem das ›und so‹, das macht immer die meiste Arbeit.«

Obwohl sie ihn dabei freundlich anlächelte, fühlte er sich nicht mehr ganz ernst genommen und schwieg verstimmt. Sie schien sich daran nicht zu stoßen.

»Haben Sie was dagegen, wenn ich rauche?« fragte er nach einer Weile.

»Jetzt lieber nicht«, sagte sie so sanft wie möglich, »hier, trinken Sie lieber einen Schluck.«

Er stopfte die Zigaretten umständlich in seine Brusttasche zurück. »Darf ich noch was fragen?« brachte er dann etwas verdrießlich hervor.

»Nur zu«, sagte sie.

»Was haben Sie eigentlich in dem Beutel da?«

Sie griff nach dem Ledersäckchen, das ihr an einer Kette vom Hals hing. »Meinen Sie das? Es ist eine Pille. Für alle Fälle.«

»Für welche Fälle denn?« fragte er blöde.

Sie seufzte ein wenig genervt. »Na, Sie wissen schon«, sagte sie.

»Ich weiß gar nichts«, erwiderte er trotzig.

»Nun seien Sie doch nicht so dumm«, sagte sie. »Für den Fall, daß ... nun, wenn überhaupt keine Hoffnung mehr besteht.« Sie lächelte ein wenig gequält. »Damit man schneller in den Himmel kommt.«

»Ach so«, sagte er. »Todespille, was?« Er goß sich einen tüchtigen Schluck in die Kehle.

»Sie sollten nicht mehr so viel trinken«, mahnte sie. »Morgen ist auch noch ein Tag.«

»Ich weiß schon, was ich mir zumuten kann«, sagte er eigensinnig. »Also eine Todespille. Das ist ja interessant. Übrigens, in Vietnam hatten wir die auch. Die Vietminh gingen nicht besonders rücksichtsvoll mit ihren Kriegsgefangenen um, wissen Sie. Für schwache Naturen oder empfindliche Gemüter war es besser, gleich ganz auszusteigen, bevor sie erwischt wurden. Die meisten hatten Zyankali dabei.«

»Das ist genau das Richtige«, sagte sie, als wolle sie ihm nicht widersprechen.

Mit dem oft unnütz feinen Ohr des Betrunkenen registrierte er den leicht ungeduldigen Unterton sofort. So plump wollte er sich nicht abhängen lassen. »Also haben Sie auch dieses Zeug da drin?« bohrte er.

»Ja«, sagte sie. »In einer kleinen Kapsel aus Stärke, wenn Sie es genau wissen wollen. Die Hülle schmilzt in fünfundvierzig Sekunden. Wer es ganz eilig hat, kann die Dinger natürlich auch zerbeißen. Der Tod tritt innerhalb von fünf Sekunden ein.«

»So was muß ich mir auch mal besorgen«, sagte er in der Hoffnung, ihre Aufmerksamkeit wachzuhalten. Jetzt nur keine langen Pausen!

»Zyankali können Sie nicht einfach so kaufen«, erklärte sie. »Da müssen Sie schon Pharmakologe sein. Und jetzt sollten wir endlich schlafen. Machen Sie die Lampe aus.«

»Schade«, sagte er. »Ich hätte mich gern noch ein bißchen mit Ihnen unterhalten.« Einen Sekundenbruchteil durchzuckte ihn die wahnwitzige Idee, diese schöne junge Frau einfach an sich zu reißen und ihren Widerstand mit Küssen zu brechen, bis sie ihm zu Willen sein würde. Er spürte, wie das Blut in seinem Geschlechtsorgan zu pulsieren begann.

Maria Behring richtete sich in ihrem Schlafsack auf, griff nach der Taschenlampe und schaltete sie aus. »Gute Nacht«, sagte sie. »Schlafen Sie gut!«

»Ja«, sagte Sander ernüchtert. »Gute Nacht!«

Er lag noch eine Weile wach; immer wieder sah er ihren Mund vor seinem inneren Auge und war versucht, sich ihre nackten Brüste und Lenden vorzustellen; zwei- oder dreimal gab er der Versuchung nach und merkte sofort, wie sein Sexualtrieb wiedererwachte. Er zwang sich, die verlockenden, aber gefährlichen Regungen zu unterdrücken; es fiel ihm jedesmal schwerer. Da er sich nicht anders helfen konnte, leerte er im Dunkeln unauffällig die Flasche und schlief schließlich ein.

Maria Behring hatte die ganze Zeit gelauscht; es war so finster, daß man die Hand nicht vor den Augen sehen konnte. Erst war sie ein wenig beunruhigt, als sie Sander stoßweise atmen hörte; dann hörte sie das leise Gluckern und dachte bei sich: O Gott, hoffentlich säuft der Knabe nicht die ganze Pulle aus. Der Gedanke an den Elektrostab in ihrem Schlafsack beruhigte sie kaum; sie hätte Sander nur äußerst ungern gleich mit fünfzigtausend Volt malträtiert. Nach einer Weile aber, als sie seine regelmäßigen Atemzüge hörte, entspannte sie sich und schlief beruhigt ein.

Sie erwachte, als sie etwas Hartes an der Wange fühlte. Zunächst glaubte sie, ein Käfer habe sich dort niedergelassen, doch als sie mit der Hand an die schmerzende Stelle fuhr, stieß sie gegen Metall. Ihr erster Gedanke war: Sander! Was ist das jetzt schon wieder für ein Blödsinn? Dann öffnete sie die Augen. Es war heller Tag. Das Stück Metall, auf dem ihre Finger lagen, war glatt und kühl, und erst jetzt erkannte sie, daß sie in den Lauf eines Gewehrs blickte. Dahinter sah sie ein wildes, von einem wuchernden schwarzen Bart bedecktes Gesicht. Von Nikotin geschwärzte Zähne standen wie die Pfähle eines windschiefen Zauns in einem höhnisch grinsenden Mund.

Neben sich hörte sie Sander stöhnen. Ohne den Kopf

zu bewegen, schielte sie zu ihm; sein graues Haar war rot von Blut.

»Schnell, kommt mal her«, rief der Fremde auf portugiesisch.

»Ich glaube, wir haben hier zwei Turteltäubchen gefangen!«

Der Mann packte Maria Behring an den Haaren und zerrte sie so grob aus dem Zelt, daß sie vor Schreck und Schmerz einen lauten Schrei ausstieß. Sie strampelte mit den Beinen, um sich von dem Schlafsack zu befreien und mit den Füßen Halt zu finden; gleichzeitig versuchte sie mit beiden Händen, den brutalen Griff zu lockern. Aus den Augenwinkeln sah sie, daß Sander regungslos auf dem Boden lag; sein Kopf war blutüberströmt. Der Fremde lachte höhnisch und schlug ihr den Lauf des Gewehrs über beide Schienbeine. Der scharfe Schmerz raubte ihr den Atem und lähmte ihren Widerstandswillen. Sie spürte, wie sie mit dem Rücken an einen Baum stieß und ihr die Arme nach hinten gebogen wurden. Eine Hand öffnete ihren Gürtel und zog ihn mit einem heftigen Ruck aus den Schlaufen des Overalls; dann wurden ihr mit dem Riemen die Hände so fest zusammengebunden, daß das Leder in die Haut an ihren Handgelenken drang.

Benommen fühlte sie Hände auf ihren Brüsten; Wut stieg in ihr auf, und sie rief auf portugiesisch: »Was fällt Ihnen ein! Hören Sie sofort auf damit und binden Sie mich los, sonst werden Sie großen Ärger bekommen!« Mit funkelnden Augen starrte sie den Fremden an. Er war mittelgroß und sehr hager, wirkte dabei aber zäh und gewandt; eine zerschlissene Uniform umhüllte seinen knochigen Körper.

»He, sie spricht portugiesisch!« rief er.

»Was ist mit dem Kerl?« hörte sie eine andere Stimme. »Hast du ihn erledigt?«

»Er schläft heute ein bißchen länger als sonst«, sagte der Schwarzbärtige und tätschelte ihren Bauch. »Nur ruhig, du kleine *puta*«, sagte er. »Du kriegst schon noch, was du brauchst!«

»Hände weg!« schrie sie empört. Sie versuchte sich aus den Fesseln zu winden, aber der Ledergürtel schnitt nur noch tiefer ein.

»Nun hab dich mal nicht so, du kleine *americano-puta*«, sagte der Mann und griff ihr hart zwischen die Beine. »Nur nicht so ungeduldig. Oder bist du schon heiß?« Er lachte wieder.

»Laß das, Roberto!« befahl eine dritte Stimme. »Wir wollen alle ran, nicht nur du! Aber jetzt erst mal umschauen.«

Maria Behring versuchte den Kopf in die Richtung zu drehen, aus der die Stimme kam, schaffte es aber nicht ganz; immerhin sah sie über ihre linke Schulter schemenhaft zwei weitere Männer aus dem Dschungel stapfen; sie kamen aus der Richtung des Luftschiffs.

»Jaja, schon gut, Lomeo«, sagte Roberto einlenkend, fuhr mit seinen schmutzigen Fingern noch einmal über die Brüste seiner Gefangenen und ging durch den vom Regen aufgeweichten Boden der kleinen Lichtung zum Zelt. Die beiden anderen Männer halfen ihm, Sander herauszuziehen und zum nächsten Baum zu tragen. Roberto schnitt ein Stück Zeltschnur ab und band den Besinnungslosen so geschickt an den Stamm, daß er aufrecht in seinen Fesseln hing.

»Los jetzt!« sagte Lomeo und umkreiste das Zelt, die Augen aufmerksam auf den Boden gerichtet.

»Sie sind nur zu zweit, ich sage es dir«, meinte Roberto.

»Trotzdem«, beharrte Lomeo. »Man kann nie wissen.«

Maria Behring wartete, bis die Männer hinter einigen rot blühenden Helikonien verschwunden waren. Dann rief sie halblaut: »Sander! Wachen Sie auf!«

Nach einer Weile kam Sander zu sich. Er stöhnte vor

Schmerzen und zwinkerte heftig, um das in die Augen gelaufene Blut loszuwerden. »Was ist passiert?«, brachte er gequält hervor. »Sind wir abgestürzt?«

»Garimpeiros!« sagte Maria Behring.

Sander hob mühsam den Kopf und sah sich um. Nur langsam kehrten seine Sinne zurück. »Wie viele sind es?« fragte er schließlich.

»Bisher drei«, antwortete sie. »Sie haben Sie im Schlaf bewußtlos geschlagen. Jetzt schauen sie sich um. Was haben die Kerle vor?«

»Sie werden uns umbringen, das ist so sicher wie das Amen in der Kirche«, murmelte Sander. »Das heißt, nachdem sie ...«

»Ja?« fragte sie.

»Nachdem sie uns ausgefragt haben«, vollendete er den Satz. Er hatte nicht das Herz, ihr zu sagen, was sie sonst noch tun würden.

Sie starrte ihn an. »Sie werden uns umbringen?« fragte sie. »Einfach so? Ich werde ihnen Lösegeld anbieten. Das muß doch funktionieren!«

»Zwecklos«, ächzte er. »Diese Kerle sind Desperados, sonst waren sie nicht in dieser Gegend. Wenn die Polizei sie erwischt, werden sie wie Tiere abgeknallt. Wir sind hier im Sperrgebiet, und wer weiß, wie viele Verbrechen die Burschen schon auf dem Konto haben. Wahrscheinlich können sie längst nicht mehr in die Zivilisation zurück.«

»Aber es muß doch einen Ausweg geben!« rief sie.

Sander schüttelte resigniert den Kopf. »Wir hätten auf den Colonel hören sollen«, meinte er seufzend.

Sie zerrte an ihren Fesseln, aber der Schmerz wurde schnell zu groß, und sie gab bald wieder auf. »Können Sie sich irgendwie losmachen?« fragte sie Sander.

Sander spannte seine Muskeln an, merkte aber rasch, daß er ohne fremde Hilfe nicht freikommen konnte. »Aussichtslos«, sagte er mit schmerzverzerrter Stimme.

»Die Kerle sind Jäger, die verstehen sich auf das Fesseln, denen entkommt keiner.«

Allmählich wurde Maria Behring der ganze Ernst ihrer Lage bewußt. »Aber das ist doch unmöglich!« sagte sie. »Wir leben doch nicht mehr im Mittelalter!«

»Hier schon«, sagte Sander. »Hier ist immer noch Konquistadorenzeit. Habgier und Gewalt. Sie werden uns bis aufs Hemd ausplündern und dann kaltblütig abmurksen.« Er preßte die Lippen zusammen. »Dschungelgesetz«, fügte er bitter hinzu. »Ich hätte nicht so viel trinken dürfen. Wahrscheinlich hätte ich die Kerle rechtzeitig bemerkt.«

»Selbstvorwürfe helfen uns jetzt am wenigsten«, rief sie schneidend. »Lassen Sie sich lieber etwas einfallen, bevor die Typen zurückkommen! Sie waren doch mal Dschungelkämpfer! Oder sind Sie auch einer von diesen alten Säcken, die immer nur große Sprüche klopfen, mit Heldentaten prahlen und sich dann in die Hosen machen, wenn es wirklich mal gefährlich wird?«

Sander verteidigte sich nicht; deprimiert über sein Versagen und voller Angst um ihrer beider Leben hing er in dem Seil, das ihm den Brustkorb zuschnürte.

Sie schwiegen eine Weile. Dann sagte Maria Behring: »Könnten wir nicht versuchen, sie zu bequatschen, daß sie uns zum Schiff bringen? Wir können behaupten, daß wir dort Geld versteckt haben, und dann unauffällig die Funkanlage einschalten!«

Sander dachte nach. »Versprechen Sie sich nicht zuviel davon«, sagte er. »Diese Kerle sind schlau wie Raubtiere. Sie werden uns bei der geringsten Gefahr sofort erschießen. Das tun sie wahrscheinlich sowieso, wenn sie die Gegend untersucht und festgestellt haben, daß wir allein sind. Die gehen bestimmt kein unnötiges Risiko ein.«

»Wissen Sie was Besseres?« sagte sie unwillig. »Mein Gott!« Seufzend ließ sie den Kopf auf die Brust fallen.

Dabei verfingen sich einige kleine Nackenhärchen in der Kette um ihren Hals. Plötzlich blickte sie wieder auf. »Oder so«, sagte sie. »Wenn nichts anderes übrigbleibt!«

»Was meinen Sie?« fragte er gespannt.

Das wirst du schon noch sehen, alter Knabe, dachte sie. »Nichts«, sagte sie. »Sehen Sie nur zu, daß Sie bald wieder auf die Beine kommen! Kann vielleicht doch noch wichtig werden.«

»Vielleicht versuchen wir es doch, das mit dem Geld im Luftschiff«, sagte er etwas lahm. »Was Besseres fällt mir auch nicht ein.«

»Jaja«, sagte sie ungeduldig; die andere Idee, auf die sie Sekunden zuvor durch die Kette gekommen war, ließ sie nicht los. Aber wie konnte sie einen der Garimpeiros dazu bringen, zu tun, was sie wollte? Es würde nur möglich sein, wenn einer allein und die beiden anderen möglichst weit entfernt waren.

Aus dem Wald drangen die lauten Schreie der Brüllaffen, die sich wie jeden Morgen gegenseitig über ihre Positionen informierten, damit sich die Horden bei der Futtersuche nicht in die Quere kamen. Große Zebrafalter flatterten über das feuchtglänzende Gras zu den Helikonien.

Die drei Garimpeiros kamen zurück. »Sieht aus, als wären sie wirklich allein«, sagte Lomeo und rieb sich die Raubvogelnase.

»Sage ich doch«, meinte Roberto triumphierend und leckte sich aufgeregt die Lippen. »Also, worauf warten wir noch, *companheiros*?«

»Ich will erst wissen, was sie dort oben am Krater zu suchen hatten«, sagte Lomeo.

»Was schon!« sagte Roberto ungeduldig.

»Dummkopf«, sagte Lomeo. »Und wenn sie dort oben ein Funkgerät aufgestellt haben? Wenn du zu faul bist, werden Pepe und ich uns dort oben mal umsehen. Paß du solange auf die Gringos auf. Und daß du die Gringa nicht anrührst, bevor wir zurück sind!«

»Geht nur«, sagte Roberto grinsend. »Ich werde sie schon nicht kaputtmachen. Beeilt euch aber! Ich weiß schon gar nicht mehr, wie sich eine Frau anfühlt. Und auf so eine *americano-puta* war ich schon immer scharf!«

»Da bist du nicht der einzige«, versetzte Lomeo. »Los, gehen wir!«

Er suchte auf dem Boden, bis er die Stelle wiederfand, an der Maria Behring und Sander auf den Rand des Kraters geklettert waren, und machte sich an den Aufstieg. Der andere Mann folgte ihm; er war untersetzt und von Blatternarben entstellt.

Maria Behring wartete, bis von den beiden nichts mehr zu sehen war. Dann sagte sie leise zu Sander: »Ich habe noch einen anderen Plan. Passen Sie auf! Wenn ich Ihnen zuzwinkere, fangen Sie an, den Kerl zu beschimpfen, aber kräftig! Sie müssen ihn mindestens zehn oder zwanzig Sekunden lang ablenken.«

Sander nickte; er wagte nicht zu fragen, was sie vorhatte.

»He, Roberto!« rief sie.

Der Garimpeiro, der es sich auf einem von Schlingpflanzen überwucherten Baumstamm bequem gemacht hatte, drehte sich um. »Was willst du, *puta*?« fragte er. »Kannst es wohl nicht erwarten?«

»Ich will nicht sterben«, sagte Maria Behring. »Laß mich laufen! Dann darfst du vorher alles mit mir machen, was du willst.«

Sander traute seinen Ohren nicht. Der Garimpeiro lachte höhnisch. »Das machen wir sowieso!«

»Und wenn du beim Würfeln verlierst?« sagte sie. »Jetzt kannst du mich noch ganz allein für dich haben. Und ich werde es dir besonders gut machen. Ich werde alles tun, was du verlangst. Ich werde mich nicht wehren. Aber laß mich hinterher laufen!«

Sie wußte, daß er niemals so dumm sein würde, sie loszuschneiden.

Roberto stand auf und kratzte sich am Kinn. Er spürte, wie das Blut in seinen Penis strömte.

»Denk nicht so lange nach«, sagte sie und fuhr sich mit der Zunge über die Lippen. »Sonst sind deine Kumpane zurück, und dann ist es zu spät. Dann mußt du alles mit ihnen teilen. Jetzt hast du mich allein. Komm! Ist es nicht viel schöner für einen Mann, wenn die Frau ihn will?«

Roberto kam langsam auf sie zu.

Sie blickte zu Sander, der sofort reagierte. »Laß meine Frau in Ruhe, du Schwein!« rief er und ließ ein paar Schimpfwörter folgen.

»Oho!« versetzte der Garimpeiro lachend und ging auf ihn zu. »Eifersüchtig! Aber für dich alten Mann ist sie viel zu schade. Ich werde ihr zeigen, was ein richtiger Kerl ist!«

Maria Behring ließ die linke Schulter hängen, bis die Kette ein Stück auf der schweißnassen Haut hinabrutschte, beugte den Kopf, so tief sie konnte, spitzte den Mund, hob dann schnell die Schultern und bekam das Metall glücklich zwischen die Lippen.

Der Garimpeiro stellte sich vor Sander auf und schlug ihm die Faust ins Gesicht. Maria Behring transportierte hastig die Kette zwischen Lippen und Zähnen, bis sie endlich den kleinen Lederbeutel in den Mund bekam.

Sander hob mit Mühe den Kopf. »Dreckschwein«, stieß er zwischen blutenden Zähnen hervor.

»Nur weiter so!« rief Roberto hohnlachend, holte aus und schlug wieder zu, diesmal so heftig, daß Sanders blutiger Kopf gegen den Baum knallte. Maria Behring wurde übel. Sie nahm alle psychische Kraft zusammen und schob die Zungenspitze in die Öffnung des Beutels, um sie zu erweitern. Ihr Mund war trocken wie Staub.

»Hund!« hörte sie Sander keuchen. Wieder schlug der

Garimpeiro zu. Diesmal blieb Sanders Kopf unten; er hatte das Bewußtsein verloren.

Maria Behring fühlte, wie ihr die Zyankalikapsel in den Mund glitt. Rasch schob sie sie mit der Zunge in die linke Backentasche und begann die Sekunden zu zählen: *einundzwanzig, zweiundzwanzig ...*

»Bist du endlich soweit?« rief sie Roberto zu.

»Du kleines Luder«, sagte der Garimpeiro. »Gefällt dir wohl, wie ich deinen Alten vermöbelt habe. Jetzt werde ich dir's besorgen!« Er spürte, wie sich Speichel in seinem Mund sammelte, und spie aus; die Erregung schnürte ihm die Kehle zu. Er würde so tun, als hätte er ihren läppischen Versuch, ihn hereinzulegen, nicht durchschaut, und zum Schein auf ihr Spiel eingehen; die Vorstellung, was sie sich noch alles einfallen lassen würde, um ihn scharfzumachen, erregte ihn. Wenn er es nicht mehr aushielt, konnte er ihr immer noch den Overall vom Körper reißen. Die anderen mochten später sagen, was sie wollten. Vielleicht würde er ihnen als Sühne anbieten, die beiden Gringos zu verscharren, wenn sie erledigt waren; um diese schwere Arbeit riß sich keiner.

Maria Behring zählte weiter. Bei »fünfundsechzig« würde sie die Kapsel ausspucken müssen; dann war alles vorbei. »Worauf wartest du dann noch!« rief sie und drückte die Brüste heraus; mit Mühe vermied sie, auf das Messer in seinem Gürtel zu starren, von dem alles abhing. *einunddreißig, zweiunddreißig ...*

»Das gefällt mir bei euch *americano-putas*«, keuchte Roberto erregt. »Mit euren blonden Haaren seht ihr unschuldig wie die Engel aus, aber in Wirklichkeit seid ihr heiß wie die Teufel!« Breitbeinig baute er sich vor ihr auf; seine rechte Hand ruhte auf dem Griff des Messers.

»Küß mich«, sagte sie. *Achtunddreißig, neununddreißig ...*

Sein grinsendes Gesicht kam näher; als sie die fauligen Zähne sah, hätte sie sich fast übergeben. *Dreiundvierzig, vierundvierzig* ... »Küß mich«, sagte sie und spitzte die Lippen.

Er keuchte erregt, drückte seine Hände auf ihre Brüste und rieb seine Hüften an ihrem Schoß.

*Vierundfünfzig, fünfundfünfzig, sechsundfünfzig* ... Sie stöhnte und bewegte ihren Körper, als gefalle ihr die aggressive Liebkosung.

Sander war wieder zu sich gekommen, ließ den Kopf aber unten und schielte durch die blutigen Haare vor seiner Stirn zu Maria Behring; neues Adrenalin ließ sein Herz rasend schlagen, als er begriff, was sie plante.

*Einundsechzig, zweiundsechzig* ... »Ich will, daß du mich wie eine Geliebte behandelst und nicht wie eine Hure«, sagte sie.

Der Garimpeiro lachte höhnisch und riß das Oberteil ihres Overalls auf, um ihre Brüste ohne störende Hülle betasten zu können. Die Erregung begann vollends Besitz von ihm zu ergreifen.

*Achtundsechzig, neunundsechzig* ... »Küß mich endlich«, sagte sie. »Oder weißt du nicht, wie man eine Frau küßt?«

»Das wirst du gleich sehen«, stieß der Garimpeiro hervor, preßte seinen stinkenden Mund auf den ihren und wollte ihr die Zunge zwischen die Zähne schieben; zu seinem Erstaunen war sie schneller und kam mit der ihren in seinen Mund. *Zweiundsiebzig, dreiundsiebzig,* Ende. Sie zog ihre Zunge zurück; als er die seine begierig hinterherschob, biß sie kräftig zu.

Der Garimpeiro stieß einen lauten Schrei des Schmerzes und der Wut aus und schluckte das Blut, das sich in seinem Mund sammelte, mitsamt dem Zyankali hinunter. »*Puta*!« brüllte er und schlug ihr roh ins Gesicht. Dann hielt er inne, faßte in seinen Mund und starrte staunend auf die Reste der Kapsel zwischen den Fingern. »Was ist das?« fragte er drohend. »Was hast du da gemacht?«

Maria Behring gab keine Antwort; aus ihrer Nase lief Blut.

Plötzlich begann der Garimpeiro am ganzen Leib zu zittern. »*Puta*!« schrie er noch einmal. Dann brach er in die Knie, fiel zu Boden und wälzte sich in krampfhaften Zuckungen auf der Erde. Sekunden später lag er still.

»Schnell«, sagte Sander, »das Messer!«

»Ja«, sagte sie, rutschte an dem Baumstamm herunter, bis sie auf dem Boden saß, und streckte die Beine aus. Als sie die Füße zusammenpreßte und langsam anzog, löste sich das Messer jedoch nicht aus dem Gürtel; jetzt erst bemerkte sie, daß es von einer kleinen Sicherheitsschlaufe gehalten wurde.

Rasch zog sie die Beine an, stellte den Absatz des linken Stiefels auf den rechten Knöchel und versuchte den Fuß aus dem engen Leder zu ziehen.

»Schnell«, sagte Sander. »Sie werden gleich wieder da sein!«

Quälend langsam löste sich der Fuß aus dem Stiefel. Sie stieß das Schuhwerk zur Seite, fuhr mit der Spitze des linken Stiefels unter den oberen Rand der Socke und streifte sie ab. Dann streckte sie wieder beide Beine aus und versuchte mit der großen Zehe die Schlaufe zu lösen. Blut lief ihr in den halbgeöffneten Mund, und sie mußte husten.

»Olá, Roberto!« hörten sie es rufen. »Wir sind wieder da!«

Die kleine Lederschlaufe glitt zurück. Maria Behring nahm den Messergriff zwischen die Zehen und zog die Waffe langsam aus dem Gürtel des Toten. Dann winkelte sie das rechte Bein so eng an, wie sie konnte, ließ das Messer los, schob sich mühsam an dem Stamm in die Höhe, drehte sich stehend um ihn herum und ließ sich wieder hinunter auf den Boden, so daß sie das Messer mit den Händen zu fassen bekam.

»He, Roberto!« rief es erneut. »Bist du eingepennt?«

Maria Behring versuchte den Ledergürtel durchzutrennen, aber das Messer war ziemlich stumpf, und sie kam nur langsam voran.

»Was ist denn?« fragte Sander ungeduldig.

»Scheißmesser!« rief Maria Behring und säbelte wie besessen; dicke Schweißperlen liefen ihr übers Gesicht. Endlich löste sich die Fessel. Maria Behring sprang auf und befreite Sander. »Nehmen Sie das Gewehr«, befahl sie. »Ich schalte die Funkanlage an.«

»Nein«, sagte Sander. »So entkommen wir denen nicht. Das sind Killer. Ich weiß was anderes. Legen Sie sich unter Roberto und tun Sie so, als ob ... na, Sie wissen schon.«

Sie warf einen angeekelten Blick auf den Toten.

»Es wird sie in Sicherheit wiegen«, sagte Sander. »Ich werde so tun, als wäre ich noch gefesselt. Sie werden sich nicht um mich kümmern, sondern gleich zu Ihnen gelaufen kommen. Dann bin ich hinter den Kerlen. Das ist das sicherste.«

»Gut«, sagte Maria Behring. Sie legte sich auf den Boden und zog Roberto auf sich, bis sein Körper sie bedeckte. Sander half ihr dabei. »Bewegen Sie sich ein bißchen und schreien Sie recht laut«, sagte er. Dann nahm er Robertos Gewehr, hastete zu dem Baum zurück, stellte die Waffe hinter den Stamm, wickelte sich die Zeltleine um die Brust und hielt die Enden fest.

»Nein!« begann Maria Behring zu schreien. »Du Schwein! Laß mich!« Dabei stemmte sie unter der Last des Leichnams immer wieder die Hüften in die Höhe, so daß es aussah, als bewege sich der Garimpeiro auf ihr.

Lomeo brach krachend aus dem niedrigen Buschwerk. »Roberto!« brüllte er erbost. »Hör sofort auf damit!«

»Das habe ich mir gedacht, daß er wieder mal nicht

warten kann, dieser Hund!« schimpfte Pepe und rannte hinter Lomeo her.

Sander wartete, bis die beiden vorübergeeilt waren; dann ließ er die Leine fallen, packte das Gewehr und eilte ihnen nach.

»Du verfluchter Hurenhund!« rief Lomeo und trat kräftig gegen das Gesäß des Toten. Sander hielt die Mündung des Gewehrs in Pepes Rücken und drückte ab. Der Garimpeiro wurde nach vorn geschleudert; sein Blut spritzte auf die Leiche. Er war tot, bevor er den Boden berührte.

Lomeo war herumgefahren, aber noch ehe er erkennen konnte, was geschehen war, schoß Sander zum zweitenmal. Die Kugel fuhr dem Garimpeiro in die Brust und warf ihn zu Boden.

Maria Behring kroch unter Robertos Leichnam hervor, stützte sich auf alle viere und übergab sich.

»Schon gut«, sagte Sander beruhigend. »Ich habe sie erwischt.«

Als sich der Pulverdampf verzog, sah er, daß Lomeo noch lebte. Rasch beförderte er mit einem Fußtritt das Gewehr aus der Reichweite des Schwerverletzten.

»Du Hund«, röchelte der Garimpeiro. »Verrecke!«

»Vorsicht«, sagte Sander zu Maria Behring. »Halten Sie sich die Ohren zu.«

Sie gehorchte. Er richtete den Lauf auf den Verwundeten.

»Drück schon ab!« sagte Lomeo, der wußte, daß er so oder so sterben mußte. »In der Hölle sehen wir uns wieder!«

Sander zielte auf den Kehlkopf des Garimpeiros und schoß. Die Kugel zerfetzte Lomeos Hals.

»O Gott!« rief Maria Behring; ein neuer, heftiger Anfall von Brechreiz schüttelte ihren Körper.

Sander setzte sich auf den von Schlingpflanzen überwucherten Baumstamm und holte eine Zigarettenschachtel aus der Brusttasche seines Overalls. Er nahm eine Zigarette heraus, aber seine Finger zitterten so heftig, daß sie ins Gras fiel; erst beim zweiten Versuch gelang es ihm, sie anzuzünden. Er rauchte mit tiefen Zügen.

Als sich Maria Behring wieder einigermaßen in der Gewalt hatte, setzte sie sich auf und sah Sander an. »Wir sollten hier so schnell wie möglich verschwinden«, sagte sie. »Vielleicht treiben sich noch andere hier in der Gegend herum und haben die Schüsse gehört.«

»Jetzt haben wir Gewehre«, sagte Sander.

»Ja. Aber mußten Sie die Kerle gleich abknallen?«

»Was dachten Sie denn?« sagte Sander unwirsch. »Daß die sich vielleicht von uns gefangennehmen lassen? Und im Luftschiff nach Venezuela transportieren? Die hätten in jedem Fall sofort auf uns geschossen, wenn sie die Chance dazu gehabt hätten.«

Sie holte tief Luft. »Sie haben recht«, sagte sie dann.

»Den ersten haben Sie übrigens selber umgebracht«, erinnerte er sie.

Sie senkte den Kopf. »Ich weiß. Es tut mir leid.«

»Braucht es nicht«, sagte er. »Das waren keine Menschen. Sie hätten Sie der Reihe nach vergewaltigt und dann zu Tode gefoltert. Vielleicht hätten sie Ihnen Ameisen zwischen die Beine gesteckt.«

»Hören Sie auf«, sagte sie leise.

Sie schwiegen einen Augenblick. Dann wischte Maria Behring sich wieder Blut aus dem Gesicht und schaute auf ihren Handrücken. »Es will einfach nicht aufhören«, sagte sie. »Hoffentlich ist die Nase nicht gebrochen.«

»Halten Sie mal still«, sagte Sander. Er trat neben sie und nahm sorgfältig Maß. Dann schlug er ihr zweimal schnell mit der flachen Hand vor die Stirn und gleichzeitig mit der Handkante der anderen Hand in den Nacken. Die Schläge unterbrachen für eine Sekunde den Kreislauf, und das Nasenbluten hörte auf.

»Glück gehabt«, sagte er. »Die Nase ist nicht gebrochen.«

»Danke«, sagte sie. »Wo haben Sie das gelernt?«

»Weiß ich nicht mehr«, sagte er. »Irgendwann. Ist schon lange her.« Er hockte sich neben sie ins Gras. »Sagen Sie ...«

Sie wartete eine Weile. »Ja?« fragte sie dann.

Er suchte nach den passenden Worten. »Das mit der Zyankalikapsel«, sagte er schließlich. »Wenn das nicht geklappt hätte ... was hätten Sie dann getan? Ich meine, Sie sagten was von fünfundvierzig Sekunden, bis die Kapsel schmilzt. Aber mir schien das viel länger zu dauern.«

»Es waren genau achtundfünfzig Sekunden«, sagte sie. »Aber ich hatte die ganze Zeit über einen sehr trokkenen Mund. Keine Angst, ich hätte es schon noch rechtzeitig gemerkt, wenn es gefährlich geworden wäre, und das Zeug dann immer noch schnell ausspucken können.«

»Ja, das denke ich mir«, sagte er. »Aber hätten Sie das auch getan? Ich meine, wenn der Kerl nicht auf den Trick reingefallen wäre?«

Sie zuckte mit den Schultern. »Weiß nicht. Wahrscheinlich nicht. Sie haben recht, die wollten uns so oder so umbringen.«

»Mein Gott«, sagte er erschüttert. »Wir haben wirklich Glück gehabt. Wahrscheinlich waren das die Burschen, die neulich die beiden Indianerdörfer niedergebrannt haben.«

Sie gab sich einen Ruck. »Was machen wir nun mit ihnen? Wir können sie doch nicht einfach hier liegen lassen.«

»Wir werfen sie in den Cerro Impacto«, sagte Sander. »Da findet sie keiner.« Er dachte kurz nach. »Und da gehören sie auch hin«, schloß er. »In die Hölle.«

Er stand auf, packte Lomeos Leichnam an den Füßen und schleifte ihn hinter sich her. Danach beförderte er auch die beiden anderen zu dem riesigen Erdloch.

Maria Behring stand auf, trat auf wackligen Beinen an den Rand des Intrusivkraters und starrte in die schwarze Tiefe. Trotz der Hitze lief es ihr kalt über den Rücken. »Wollen Sie das wirklich tun?« fragte sie.

»Haben Sie eine bessere Idee?« gab Sander zurück. »So wird jedenfalls niemand von dieser Sache erfahren, und wir können nicht damit in Verbindung gebracht werden.«

Er rollte zuerst den toten Roberto über den Rand und ließ ihn in die Tiefe fallen. Dann schickte er Pepe und zum Schluß Lomeo hinterher. Der letzte der drei Leichname verfing sich jedoch nach wenigen Metern in einer Wurzel, und Maria Behring hielt entsetzt den Atem an.

»Mist!« fluchte Sander. Er lief zu einem Trompetenbaum, brach einen starken Ast ab und stocherte nach dem Toten, konnte ihn aber nicht aus dem Wurzelgeflecht lösen.

»Das hat noch gefehlt«, sagte Sander wütend. Dann ging er zu dem Luftschiff. Nach einer Weile kehrte er mit einem Seil zurück, verknotete es sorgfältig an einem mittelgroßen Rauhblattbaum, schlang sich das andere Ende um die Hüften und kletterte langsam in den Krater.

»Seien Sie nur vorsichtig«, warnte Maria Behring; ihr Atem ging flach. Besorgt sah sie auf sein blutiges Haar.

Sander ließ sich ein Stück an der schrägen Kraterwand hinunterrutschen, stützte sich dann mit dem linken Stiefel auf dem Wurzelgeflecht ab, packte den Arm des Leichnams und zog ihn in die Höhe, bis er sich löste. Dann hob er ihn zu der anderen Seite und ließ los; wie ein Stein stürzte der tote Lomeo in die lichtlose Tiefe.

Maria Behring griff nach dem Seil und ging damit

auf die andere Seite des Baumes, bis es gespannt war. »Kommen Sie«, sagte sie. »Ich halte Sie fest.«

Sander spuckte in die Hände, packte das Seil und kletterte daran in die Höhe, während er sich mit den Füßen an der felsigen Wand des Cerro Impacto abstieß.

»Das war's«, knurrte er, als er wieder auf sicherem Boden stand. »Und jetzt ab nach Hause.«

»Lassen Sie uns darüber erst noch mal nachdenken«, sagte Maria Behring.

»Was?« fragte er erstaunt. »Eben konnte es Ihnen nicht schnell genug gehen!«

»Ja«, gab sie zu. »Aber da war ich in Panik. Jetzt kann ich wieder einigermaßen klar denken. Und nun finde ich das mit dem Heimfahren nicht mehr so gut. Stellen Sie sich mal vor, was in Cocuy los ist, wenn wir jetzt dort landen, so, wie wir aussehen. Sie mit Ihrer Kopfwunde, ich mit meiner Nase.«

»Wir können sagen, daß wir eine harte Landung hatten und gegen die Armaturen gesaust sind«, schlug er vor.

»Ach ja? Und warum ist dann an den Armaturen kein Blut? Oder wollen Sie sich jetzt die Wunde vielleicht noch mal öffnen? Und selbst wenn keiner von unseren Leuten Verdacht schöpft: Was ist mit dem Colonel? Wenn der erst sieht, daß wir verletzt sind, ist er nicht mehr zu halten! Am Ende sperrt er den ganzen Flugplatz, nur damit wir nicht mehr rauskommen. Ich habe keine Lust, wochenlang herumzuhängen und zu warten, bis meine Anwälte die Sache mit der Regierung in Caracas geregelt haben.«

»Was schlagen Sie denn vor?« fragte Sander, obwohl er die Antwort bereits kannte.

»Wir werden hier alle Spuren beseitigen«, sagte Maria Behring, »und dann so tun, als wäre nichts geschehen. Einfach weitermachen. Erst schauen wir unsere Aufnahmen durch. Und heute nacht fahren wir wieder über den Wald. Nach Cocuy gehen wir erst wieder, wenn ich alles im Kasten habe: Videos, Tonbänder, das volle Programm.«

Sander seufzte. »Gut«, sagte er dann. »Sie müssen es ja wissen. Sie sind der Boß.«

»Eben«, sagte sie. »Aber trotzdem danke. Ohne Sie wäre ich aufgeschmissen gewesen.«

»Man tut, was man kann«, erwiderte er. »Ohne Sie wäre ich tot.«

Sie sahen einander an; dann nickte Maria Behring ernst. »Bringen wir uns erst einmal wieder in Form«, sagte sie.

Sander holte Wasser aus dem Luftschiff, und sie wuschen sich die Gesichter.

»Zu dumm, daß Sie die ganze Flasche ausgetrunken haben«, sagte sie.

»Ja«, sagte er schuldbewußt. »Sonst hätte ich vielleicht rechtzeitig –«

»Nein, das meine ich nicht«, sagte sie. »Ich meine, wenn Sie mit dem Whiskey etwas zurückhaltender umgegangen wären, hätten wir jetzt noch was übrig. Mir ist gerade nach einem guten Schluck, wenn ich ehrlich bin.«

Sander zuckte mit den Schultern. »Ich mache uns einen Tee«, schlug er vor. »Aber erst werde ich die Gewehre unter den Helikonien verstecken; vielleicht brauchen wie sie ja noch einmal.«

Sie nickte und ging zur Gondel, um sich im Camp zu melden. Schon nach kurzer Zeit kam sie zurück. »Sie haben sich schon Sorgen gemacht, weil so lange Funkstille war«, sagte sie, »aber ich habe sie beruhigt. Doktor Meybohm meckert, weil er keine Bromelien mehr kriegt. Sorgen haben diese Leute!«

»Bis vor ein paar Tagen waren das auch Ihre Sorgen«, sagte Sander sanft.

»Wie? Ach so. Ja, da haben Sie recht.« Sie lächelte ein

wenig. »Dieser Wald«, sagte sie. »Er ist irgendwie ... wie ein Wesen. Ich habe das Gefühl, daß er alles beobachtet, was wir tun. Es ist fast, als wolle er Besitz von uns ergreifen.«

»Das ist nur Ihre Phantasie«, sagte Sander. »Ihre Nerven sind total überreizt.« Er reichte ihr einen Becher Tee. »Trinken Sie das. Vorsicht, es ist sehr heiß.«

Sie schlürfte mit gespitzten Lippen. »Das tut gut«, sagte sie nach einer Weile. »Übrigens, es tut mir leid, daß ich vorhin so häßlich zu Ihnen war. So alt sind Sie noch gar nicht. Ich meine, Sie wirken nicht so ...«

»Sie meinen, ich wirke nicht so alt, wie ich bin«, half er.

»Ja«, sagte sie verlegen. »Ich weiß nicht, wie ich mich ausdrücken soll. Jedenfalls – danke!« Sie hob den Becher.

»Ich glaube, wir sind quitt«, sagte er. »Ich habe Sie anfangs für eine dumme Gans gehalten. Sie redeten so, als gehöre BPW Ihnen.«

»Wenn wir schon ›Sag die Wahrheit‹ spielen: BPW gehört tatsächlich mir«, sagte sie. »Jedenfalls zum größeren Teil. Fünfzig Prozent plus eine Aktie.«

»Wirklich?« versetzte er erstaunt.

»Das bleibt aber unter uns«, sagte sie. »Ich will das nicht an die große Glocke hängen. Heute steht ›BPW‹ für ›Berliner Pharma-Werke‹. Bis zum Zweiten Weltkrieg waren es die ›Behring Pharma-Werke‹. Gegründet achtzehnhundertvierundsiebzig von meinem Urgroßvater Jakob Behring. Dann kamen noch drei Jakobe, dann Hugo, mein Vater. Er starb, bevor er einen Sohn zeugen konnte. Glück für mich. Ich habe die Aktien letztes Jahr von meiner Mutter geerbt.« Befriedigt trank sie einen großen Schluck Tee. »Der tut wirklich gut«, wiederholte sie.

»Ihre Eltern sind beide tot? Das tut mir leid.«

»Bin schon drüber hinweg. Über Mutters Tod. Vater

habe ich nie gekannt. Er starb, als ich noch ein Baby war.«

Sie schwiegen eine Weile. Dann gab sich Sander einen Ruck. »Und wieso treiben Sie sich dann in der Wildnis herum, statt gemütlich in Ihrem Büro zu sitzen und Geld zu zählen?« fragte er, auch, um sie auf andere Gedanken zu bringen.

»Weil ich Wissenschaftlerin bin und kein Koofmich«, erwiderte sie. »Das Geldzählen besorgen andere für mich. Solche Flanellos mit schwarzen Aktenköfferchen, die alle gleich aussehen, genau wie die Typen, von denen sie herumgetragen werden.«

Sander mußte schmunzeln. »Die sehe ich richtig vor mir«, stimmte er zu. »Eine wahre Pest.«

»Ja«, sagte sie. »Unerträglich.«

Energisch stellte sie die Tasse auf die Erde. »Nun aber an die Arbeit«, sagte sie. »Wir haben eine Menge zu tun. Die Akkus müssen aufgefüllt werden.«

Gehorsam nahm er die Akkumulatoren aus den verschiedenen Geräten und schloß sie in der Gondel an die Ladestation des Generators an. Erst jetzt spürte er, wie seine innere Anspannung etwas nachließ.

»Geben Sie mir auch mal eine Zigarette«, rief Maria Behring.

Er ging zu ihr, reichte ihr die Schachtel, gab ihr Feuer und zündete sich auch eine an. Dann lief er wieder zum Luftschiff.

Als Maria Behring den Rauch inhalierte, mußte sie husten. Enttäuscht warf sie die Zigarette ins Gras. »Das nützt auch nichts«, sagte sie. Dann ließ sie sich zu Boden sinken und begann haltlos zu schluchzen.

Sander lief rasch zu ihr, hockte sich neben sie ins Gras und schlang die Arme um sie. »Weinen Sie sich nur aus«, sagte er.

Sie schluchzte an seiner Schulter, immer wieder von

Krämpfen geschüttelt. Er streichelte sie, konnte sie aber nicht beruhigen. Schließlich hob er sie auf und trug sie ins Zelt. »Ich hole Ihnen was«, sagte er, »bin gleich wieder da.« Er lief zum Luftschiff, zog hinter Maria Behrings Sitz den Erste-Hilfe-Kasten mit der Aufschrift »Tropenapotheke« hervor, öffnete ihn und studierte den Inhalt, bis er Beruhigungstabletten gefunden hatte. Er eilte zu Maria Behring zurück, löste drei Tabletten in einem Becher mit Wasser auf, hob ihren Kopf und hielt ihr den Rand des Bechers an den Mund. »Trinken Sie«, befahl er. »Gleich geht es Ihnen besser.«

Gehorsam schluckte sie die bittere, weißliche Flüssigkeit und ließ sich auf ihren Schlafsack zurücksinken.

»Gehen Sie nicht weg«, flüsterte sie.

»Nein«, sagte er. »Ich bleibe bei Ihnen.«

Als sie eingeschlafen war, verstaute Sander die Geräte in der Gondel. Dann hob er Maria Behring vorsichtig aus dem Zelt, trug sie zum Luftschiff, legte sie auf ihren Sitz und schnallte sie sorgfältig fest. Danach nahm er das Skalpell aus der Tropenapotheke, löste die aseptische Plastikhülle und schnitt sich in die Kuppe des linken Zeigefingers. Der Schmerz ließ ihn nach Luft schnappen. Er wischte das Skalpell an seiner Hose ab und legte es in den Kasten zurück. Das Blut quoll dick und reichlich aus der dicht von Kapillaren durchzogenen Fingerspitze, und Sander begann, verschiedene Armaturen damit zu beschmieren, erst auf seiner, dann auch auf Maria Behrings Seite.

Es dauerte lange, bis er mit seinem Werk zufrieden war. Immer wieder blickte er besorgt auf Maria Behring, aber ihre regelmäßigen Atemzüge zeigten, daß sie tief und fest schlief.

Sander klebte ein Pflaster über seine Wunde, schnallte sich auf seinem Sitz fest und startete die Motoren. Ein Moskito stach ihn in den Nacken; fluchend hieb er nach dem Insekt und fühlte befriedigt, daß er es zerquetscht hatte. Er streifte die Überreste an seinem Overall ab, überprüfte das Barometer und ließ etwas Luft aus den Ballonetts, bis das Helium das Luftschiff trug und die Gondel sich vom Boden hob. Dann startete er die Motoren, löste die Haltevorrichtungen an Bug und Heck, schaltete auf Rückschub und rangierte das Schiff vorsichtig unter den Bäumen hervor. Langsam glitt es über den Cerro Impacto, der selbst jetzt, in der grellen Vormittagssonne, wie ein schwarzer Höllenschlund unter ihnen lag. Der dichte Bewuchs an den Rändern des Intrusivkraters verhinderte, daß das Tageslicht ihn erhellte; erst die senkrechten Strahlen der Mittagssonne würden auf seinen Grund dringen, für einige Minuten mit Licht und Wärme beschenkend, was immer dort unten leben mochte.

Als die kleine Lichtung vor ihm lag, gab Sander Vollschub und drehte das Höhenruder mit aller Kraft. Das Luftschiff fuhr über den Cerro Impacto hinweg, hob die Nase und stieg steil wie ein Düsenjet in den wolkigen Himmel.

Sander ließ den Wolkenwald an der Steuerbordseite liegen und nahm Kurs nach Westen. Als er die Grenze überquert hatte und wieder über venezolanischem Gebiet fuhr, schaltete er die Funkanlage ein, ging auf Companyfrequenz und rief die Bodenstation. Sie meldete sich sofort, und er erkannte die Stimme des jungen Mannes aus dem Funkraum.

»Wir hatten einen Unfall«, meldete er. »Frau Behring ist verletzt.«

»Um Himmels willen«, sagte der Funker aufgeregt.

»Holen Sie den Arzt«, befahl Sander.

Wenige Sekunden später meldete sich eine andere Stimme. »Weber. Was ist passiert?«

»Eine Bö hat uns gegen ein paar Bäume geworfen«, log Sander. »Wir sind gegen die Armaturen geknallt. Frau Behring hat sich die Nase aufgeschlagen. Sie hatte einen Schock und starke Schmerzen. Ich habe ihr Beruhigungspillen gegeben. Aus ihrer Tropenapotheke. Jetzt schläft sie.«

»Was für Pillen?« fragte der Arzt.

Sander versuchte sich zu erinnern. »Aus einer roten Packung«, sagte er dann. »Irgendwas mit BPW-X hundert oder tausend oder so.«

»Wie viele?« wollte der Arzt wissen.

»Drei«, sagte Sander.

»Dann wird sie eine Weile schlafen«, sagte der Arzt. »Schätzungsweise achtundvierzig Stunden lang. Ist die Atmung stabil?«

»Ja«, sagte Sander. »Sie atmet ganz ruhig.«

»Was ist mit der Nase? Gebrochen?«

»Nein, ich glaube nicht. Die Blutung hat bald wieder aufgehört. Wahrscheinlich nur eine Prellung.«

»Das Gefährlichste ist der Schock«, sagte der Arzt. »Beeilen Sie sich!«

»Ich bin in neunzig Minuten da«, sagte Sander und griff automatisch nach den Gashebeln, aber sie waren schon bis zum Anschlag nach vorn geschoben.

Mit dröhnenden Motoren und fast einhundertzehn Stundenkilometern donnerte das Luftschiff unter knapp dreitausend Meter hohen Kumulonimben nach Westen. Argwöhnisch äugte Sander zu den riesigen Gewitterwolken, hoffend, sie würden ihre nasse Last noch so lange bei sich behalten, bis er gelandet war.

Nach einer Viertelstunde sah er unter sich den Río Cauaburi; blinkend reflektierte das bräunliche Wasser das Sonnenlicht. Die schwarze Wolkenwand schob sich langsam näher; besorgt versuchte Sander abzuschätzen, wann die Gewitterfront seinen Kurs kreuzen würde. Maria Behring schlief tief und fest; über der aufgeplatzten Haut auf ihrer Nase hatte sich etwas Wundschorf gebildet.

Kurz darauf steuerte Sander das Luftschiff an den

Kumulonimben vorbei nach Norden und atmete erleichtert auf. Als er sich umdrehte, sah er, wie sich die Wolken genau an der Stelle, über die er Minuten zuvor hinweggefahren war, entluden. Der Regen fiel in dichten Schleiern nieder.

Sander griff nach Maria Behrings Hand und fühlte ihr den Puls; er schlug langsam, aber kräftig. Beruhigt konzentrierte sich Sander wieder auf seine Instrumente. Der Felsen von Cocuy war nur noch wenige Kilometer entfernt.

Maria Behring seufzte im Schlaf und drehte den Kopf zur Seite. Sander beugte sich zu ihr und prüfte die Gurte. Dann stellte er die Füße wieder auf die Pedale, reduzierte die Geschwindigkeit und legte die Hände auf das Höhenruder.

Der Flugplatz kam in Sicht. Sander schwebte dreißig Meter über den letzten Baumwipfeln auf die Landebahn und steuerte auf die große schwarzweiße Flagge des Ground-crew-Chefs zu. Zu beiden Seiten der Gondel erschienen Männer, hängten sich an die Aluminiumstange des Handlaufs und zogen das Luftschiff zu Boden, bis das Rad das Gras berührte und sich quietschend zu drehen begann. Eine halbe Minute später rastete die Feststellvorrichtung am Haltemast ein. Der Arzt riß die rechte Tür der Gondel auf. Hinter ihm standen zwei Männer mit einer Trage. Vorsichtig hoben sie Maria Behring von ihrem Sitz und betteten sie auf das Gestell. Dann brachten sie die Schlafende in die Krankenstation.

Dr. Weber untersuchte Sanders Kopf. »Kommen Sie mit«, befahl er dann. »Das muß genäht werden.«

Als seine Wunde versorgt war, nahm Sander die Disketten und die Kassetten aus den verschiedenen Geräten, brachte sie in Maria Behrings Wohncontainer, schloß die Tür sorgfältig ab, ging in seine Schlafkabine und legte den Schlüssel unter das Kopfkissen. Dann trank er ein Bier, ließ sich auf die schmale Pritsche fallen und schlief augenblicklich ein.

Als Maria Behring erwachte, schien die Nachmittagssonne durch die halbgeöffneten Jalousien, und die Klimaanlage arbeitete auf vollen Touren. Sie benötigte einige Sekunden, um zu erkennen, wo sie sich befand. Dann tastete sie am Kopfende ihres Bettes umher, bis sie den Knopf der Rufanlage fand. Eine halbe Minute später stand Dr. Weber an ihrem Bett.

»Guten Morgen«, sagte er. »Oder vielmehr guten Nachmittag. Wie fühlen Sie sich?«

»Lassen Sie mich nachdenken, Doktor«, sagte sie. »Eigentlich ganz gut. Was ist passiert?«

»Sie hatten einen Unfall«, sagte der Arzt. »Schlugen mit dem Kopf gegen das Armaturenbrett. Erinnern Sie sich nicht?« Prüfend leuchtete er mit einer kleinen Stablampe in ihre Augen.

»Doch, doch«, sagte sie schnell. »Wo ist Sander?«

Dr. Weber zuckte mit den Schultern. »In seinem Zimmer, nehme ich an. Ich mußte ihm versprechen, daß ich ihn sofort anrufe, wenn Sie aufgewacht sind. Er versucht schon seit gestern, zu Ihnen vorzudringen.«

»Seit gestern?« meinte sie erstaunt. »Wie lange bin ich denn schon hier?«

»Sie haben genau achtundvierzig Stunden und dreißig Minuten geschlafen«, sagte der Arzt.

»So lange?« Sie konnte es kaum glauben.

»Ihr Pilot hat Ihnen BPW-XX-Hundert verabreicht«, erklärte der Arzt, »und zwar drei Stück.«

»Der meint es ja besonders gut mit mir«, entfuhr es ihr. »Drei BPW-XX, das haut sogar ein Nashorn von den Hufen.«

»Es hat Ihnen nicht geschadet«, sagte der Arzt lächelnd. »Im Gegenteil. Wie ich Sie kenne, hätte ich Sie sonst kaum so lange hier festhalten können.«

»Allerdings, Doktor«, sagte sie und richtete sich auf.

»Und jetzt ist damit auch schon gleich wieder Schluß.« Sie befühlte ihre Nase. »Ist es schlimm?« fragte sie. »Sehe ich jetzt aus wie ein Boxer?«

»Sie haben nur eine leichte Läsion am oberen Os nasale, rechtsseitig«, sagte der Arzt. »Das dürfte in ein paar Tagen verheilt sein.«

Sie verzog das Gesicht. »Narbe?« fragte sie.

»Keine Angst«, sagte der Arzt beruhigend. »Es ist wirklich nur eine Prellung; heute in einer Woche sieht man nicht das geringste mehr.«

»Gott sei Dank«, seufzte sie. Wie flackernde Neonröhren aktivierten sich nach und nach alle Regionen ihres Gedächtnisses, und die Erinnerung an den Überfall traf sie mit einer Wucht, die ihr den Atem nahm.

»Was ist?« fragte der Arzt und beugte sich besorgt über sie. »Ist Ihnen nicht gut? Müssen Sie sich übergeben?«

Sie holte tief Luft und atmete einige Male kräftig durch. »Nein, ist schon gut«, sagte sie. »Ich bin okay.« Sie fühlte fordernde Signale ihres leeren Magens. »Ich habe Hunger. Gibt es hier denn nichts zu essen?«

»Ich lasse Ihnen erst mal eine Suppe machen«, sagte der Arzt. »Essen Sie aber schön langsam, sonst sind Sie alles gleich wieder los.«

»Ich pfeife auf Ihre Suppe«, sagte sie energisch und schlug die Decke zurück. Erst jetzt bemerkte sie, daß sie nur einen Krankenkittel trug. »Ich will sofort meine Sachen haben!«

»Natürlich«, sagte der Arzt. »Wollen Sie nicht wenigstens schnell noch Ihren Besuch empfangen?«

»Besuch?« fragte sie.

»Oberst Gómez. Er wartet schon seit zwei Stunden. Ich wollte ihn gerade fortschicken, als ich Ihr Signal hörte.«

Maria Behring überlegte. »Vielleicht ist es wirklich besser, wenn ich ihn gleich hier abfertige«, entschied sie dann. »Ich werde mich ein bißchen krank stellen;

vielleicht schnüffelt dieser Mensch dann eine Weile nicht mehr so penetrant hinter uns her.«

»Ich sage ihm Bescheid.«

»Ja. Und Sander auch! Er soll sofort zu mir kommen. Vielleicht werde ich den Oberst dann schneller los.«

Als sich die Tür wieder öffnete, bemühte sie sich, möglichst leidend auszusehen. Der Colonel hielt ihr einen riesigen Blumenstrauß entgegen. Sie streckte ihm die Hand hin; er ergriff sie mit einer tiefen Verbeugung und applizierte gekonnt einen angedeuteten Handkuß.

»Sie ahnen nicht, wie glücklich ich bin, Sie wieder einigermaßen wohlauf zu sehen«, sprudelte er hervor. »Ich habe mir große Sorgen gemacht. Wie leicht hätte noch Schlimmeres geschehen können!«

»Es ist ja noch einmal gutgegangen«, sagte sie. »In Zukunft werden wir noch vorsichtiger sein.«

»Ich bin Ihnen sehr dankbar, daß Sie das sagen«, erklärte der Oberst. »Es war wirklich ein Schock, als ich von dem Unfall hörte. Die Vorstellung, daß Sie irgendwo im Dschungel festsäßen und ich nicht augenblicklich zu Hilfe eilen könnte, war schrecklich für mich.«

»Ich danke für Ihre Anteilnahme, Colonel«, sagte sie. »Aber wie Sie sehen, haben wir es auch allein geschafft. Es war ja auch kein richtiger Unfall. Nur eine etwas harte Annäherung.«

»Bei der Heiligen Jungfrau!« rief der Oberst. »Das ganze Armaturenbrett ist voller Blut.«

»So?« fragte sie und schaute zur Tür, die sich gerade öffnete. Sander trat ein und zwinkerte ihr zu.

»Ja, natürlich«, fuhr sie fort. »Der Aufprall war ganz schön heftig.«

»Sie waren bewußtlos«, sagte der Oberst.

»Nein«, sagte sie. »Ich hatte nur eine Beruhigungstablette genommen und war dadurch eingeschlafen. Wie Sie sehen, bin ich wieder wohlauf. Nur meine Nase nicht.« Sie lächelte etwas gequält.

»Wo hat der Unfall sich denn ereignet?« fragte der Oberst wie beiläufig. »Ich meine, es würde mich nachträglich beruhigen, wenn ich wüßte, daß es in der Nähe war, so daß wir auf einen Funkspruch rasch hätten reagieren können. Im Dschungel können auch kleine Verletzungen schnell sehr gefährlich werden, wie Sie wissen.«

»Ja, natürlich, das wissen wir«, sagte Maria Behring.

»Es war in der Neblinaregion, ungefähr zwanzig Kilometer nördlich der Grenze«, sagte Sander. »Ja, Sie haben recht, es hätte problematisch werden können.«

»Verstehen Sie mich recht«, sagte der Oberst, »solange Sie in der Luft sind, ist alles halb so schlimm. Wenn Sie aber notlanden müssen oder aus irgendeinem Grund am Boden festgehalten werden ...« Er beugte sich ein wenig vor. »Unsere brasilianischen Freunde sind immer sehr zugeknöpft, wenn es um Regierungsangelegenheiten geht«, sagte er in vertraulichem Ton. »Denn wenn auf dieser Ebene etwas schiefgeht, ist es für die Verantwortlichen natürlich immer ziemlich peinlich. Darum versuchen sie möglichst alles immer unter der Decke zu halten. Wir wissen inzwischen aber trotzdem, wer das Massaker bei den Indianern angerichtet hat. Es waren entlaufene Sträflinge. Sie sind vor zwei Wochen aus der Polizeistation von Tupurucuara, unten am Río Negro, geflüchtet. Straffällig gewordene Goldsucher. Nicht daß die anderen Garimpeiros besser wären! Aber diese drei sind wohl besonders gefährlich. Haben ihren eigenen Kumpanen die Hälse durchgeschnitten, um an ihr Gold zu kommen. Auf der Flucht haben sie zwei Polizisten ermordet. Deshalb ist jetzt die Bundespolizei hinter ihnen her. Mit Hubschraubern.« Er lächelte freudlos. »Wir hören natürlich den Funkverkehr in der Provinz Amazonien ab. Und dabei ist es praktisch nicht zu vermeiden, daß meine Leute ab und zu auch etwas von unseren brasilianischen Freunden aufschnappen.

Vorgestern hat die Besatzung eines Hubschraubers gemeldet, sie hätten Spuren am Boden untersucht und dabei aus Richtung des Cerro de la Neblina Schüsse gehört. Demnach besteht leider eine gewisse Wahrscheinlichkeit, daß sich die Kerle in das Neblinagebiet geflüchtet und dort vielleicht erneut auf Indianer geschossen haben.«

Er sah erst Maria Behring und dann Sander an, als erwarte er einen Kommentar. Die beiden tauschten Blikke, zogen es aber vor, nichts zu sagen.

»Und das«, fuhr der Oberst fort, »bedeutet zu meinem großen Leidwesen auch, daß die Verbrecher möglicherweise die Absicht haben, auf venezolanisches Gebiet zu entkommen.« Er räusperte sich. »Deshalb ist es meine Pflicht, Ihnen um Ihrer eigenen Sicherheit willen alle weiteren Fahrten in das Neblinagebiet bis auf weiteres zu untersagen. Ich bitte um Ihr Verständnis. Es ist zur Zeit dort einfach zu gefährlich für Sie.«

»Ich schlage vor, daß wir Caracas darüber entscheiden lassen«, sagte Maria Behring.

»*Con permiso*«, sagte der Oberst höflich, »aufgrund der Dringlichkeit habe ich mir bereits erlaubt, den Innenminister zu informieren. Er ist ganz meiner Ansicht und läßt mir freie Hand.«

Maria Behring wollte auffahren, aber Sander gab ihr einen beruhigenden Wink und fragte: »Wie lange kann es dauern, bis Sie die Kerle haben?«

»Das kann ich nicht sagen«, erwiderte der Colonel. »Vielleicht ein paar Tage. Vielleicht ein paar Wochen. Vielleicht erwischen wir sie nie.« Er beugte sich wieder ein wenig vor. »Vielleicht sind sie auch schon tot, wer weiß? Die Yanonamí sind ziemlich wehrhaft, wenn sie ihre Gegner rechtzeitig bemerken und sich auf sie einstellen können. Nach diesem Massaker sind die Indianer gewiß auf der Hut.«

»Hören Sie«, sagte Maria Behring zornig, »wir können nicht eine Expedition abbrechen, die bisher drei Millionen Dollar gekostet hat, nur weil Sie Ihren polizeilichen Aufgaben nicht in einem angemessenen Tempo nachkommen können!«

»Wir tun, was wir können«, sagte der Oberst. »Aber wir sind hier nicht in Europa. Hier ist der Regenwald. Millionen Quadratkilometer Dschungel. Hier könnte sich eine Saurierherde herumtreiben, und kein Mensch würde es merken. Glauben Sie mir, wir alle tun unser Bestes, und in meiner Einheit dienen erfahrene Männer, die einen großen Teil ihres Lebens in der *Selva* verbracht haben. Drei von ihnen sind sogar Indianer und im Urwald geboren. Nun ruhen Sie sich erst einmal aus! In einigen Tagen wissen wir vielleicht schon mehr.«

Er erhob sich und streckte die Rechte aus, aber Maria Behring ließ sich zurücksinken und zog ihre Hand unter die Bettdecke. »Auf Wiedersehen, Oberst!« sagte sie wütend.

Sander stand auf, packte demonstrativ die dargebotene Hand des Colonels und schüttelte sie heftig. »Die Enttäuschung ist natürlich groß«, sagte er beschwichtigend, »aber ich bin mir ganz sicher, daß Sie Ihr Verbot bald wieder aufheben können.«

»Das hoffe ich auch«, sagte der Oberst. »Bitte halten Sie sich an meine Anweisungen, Herr Sander. Es ist zur Zeit wirklich zu unsicher am Neblina.«

Sander begleitete ihn vor die Tür und kehrte dann in die Krankenstation zurück.

»Ob er ahnt, was wirklich passiert ist?« fragte Maria Behring.

Sander schüttelte den Kopf. »Natürlich denkt er, daß wir lügen«, sagte er. »Aber er traut uns bestimmt nicht zu, daß wir ohne Waffen mit drei Garimpeiros fertig geworden sind.«

»Ja«, sagte sie. »Ich glaube es selber nicht.« Sie schluckte, als sie versuchte, aufsteigende Erinnerungen ins Unterbewußtsein zu verbannen. Dann gab sie sich einen Ruck. »Sie haben doch hoffentlich unsere Aufzeichnung in Sicherheit gebracht«, sagte sie.

»Klar«, sagte er. »Und zweimal abgeschlossen.« Er hielt ihr den Schlüssel hin. Begierig griff sie danach.

»Kommen Sie in zwei Stunden zu mir«, sagte sie. »Wir werden die Zeit schon irgendwie nutzen.«

Sander kehrte in sein Zimmer zurück, räumte seine Seekiste auf, brachte seine Sachen zur Wäscherei und verzehrte in der Kantine ein Steak. Nach genau zwei Stunden klopfte er an ihre Tür.

Sie öffnete in Jeans und einem leichten Kaschmirpullover. »Kommen Sie herein«, sagte sie. »Sehen Sie sich das an.«

Sie setzten sich vor den Computer. Der Monitor zeigte ein Bild aus der Infrarotkamera. Über dreihundert Bewohner des Wolkenwaldes, Männer, Frauen und Kinder jeden Alters, saßen dicht zusammengedrängt auf den Ästen der drei großen Zedrachbäume.

»Passen Sie auf«, sagte Maria Behring, führte den Cursor mit der Maus zu einer der Gestalten in der untersten Reihe und klickte sie an. Sofort erschienen Zahlen auf dem Monitor: »Größe 143,75 Zentimeter. Gewicht 42,78 Kilogramm. Schulterbreite 34,95 Zentimeter. Brustumfang 83,47 Zentimeter. Beckenbreite 22,98 Zentimeter. Mittelgesichtsindex ...«

»Gut, was?« sagte sie. »Habe ich heute morgen im Postfach gefunden. Wunderte mich schon, warum das Modem blinkte. Neues Programm. Hat mir Professor Sarosi vorgestern nacht über Satellit eingespielt. Jetzt brauche ich die einzelnen Personen nur noch anzuklikken. Der Computer mißt dann selbständig die physikalischen Eigenschaften, setzt sie in Relation zu den Daten im Entfernungsmesser der Kamera und errechnet die Werte.«

»Erstaunlich«, sagte Sander.

Sie klickte die nächste Gestalt auf dem Standbild an. Wieder erschienen Zahlen. Auch die Durchschnittswerte auf einer Tabelle am rechten Rand des Monitors änderten sich ständig, bald aber nur noch im Millimeterbereich.

»Wie fühlen Sie sich denn so?« fragte Sander.

»Ganz gut«, sagte sie. »Habe ja auch lange genug geschlafen. War aber gar nicht nötig, daß Sie mir gleich drei Stück von unseren stärksten Schlaftabletten verabreicht haben. Das hat uns einen ganzen Tag gekostet.«

»Sie hatten einen Weinkrampf«, sagte Sander. »Erinnern Sie sich nicht? Ich hatte Angst, daß Sie einen Nervenzusammenbruch bekommen.«

»Schon gut«, sagte sie. »Ich wollte Ihnen keinen Vorwurf machen. Sie haben aus Ihrer Sicht bestimmt richtig gehandelt.«

»Danke«, sagte er.

»Nun werden Sie doch nicht gleich sarkastisch«, sagte sie lächelnd. »Sehen Sie mal, alle diese friedfertigen Gesichter. Ich glaube, die haben in ihrem ganzen Leben noch nie etwas Böses getan. Weder einem Menschen noch einem Tier. Sie leben wirklich wie im Paradies. Wahrscheinlich wissen Sie noch nicht einmal, was eine Waffe ist.«

»Der hier schon«, sagte Sander und zeigte auf den Mann, der mitten auf der Hängebrücke stand. »Das ist ein Schwert. Aus Holz, aber ein Schwert.«

Sie holte die Gestalt in die Mitte des Schirms und vergrößerte sie. »Meinen Sie wirklich?« sagte sie zweifelnd. »Es könnte auch ein Stab sein, für irgendeine Zeremonie.«

»Nein«, sagte Sander. »Sehen Sie doch, wie er es hält! Eine Ritualwaffe ist das bestimmt nicht. Von diesem Mann geht irgendwie etwas Bedrohliches aus.«

»Auch das wäre wie im Paradies«, sagte sie. »Jedenfalls nach dem Sündenfall. Gab es da nicht diesen Erzengel, der Adam und Eva hinausführte und dabei ein Flammenschwert trug?«

Sander zuckte mit den Schultern. »Weiß ich nicht«, gestand er. »Mit der Bibel habe ich mich nie so richtig befaßt.«

»Ich leider auch nicht«, sagte sie. »Nur im Kindergarten.«

»Das ist ja noch nicht so lange her«, sagte er.

Sie lachte und boxte ihn gegen die Brust. »He«, sagte sie, »was erlauben Sie sich!« Dann wurde sie wieder ernst und sagte: »Seltsam, daß man über solche Sachen so wenig weiß. Ist uns wohl irgendwie total aus dem Blick geraten. Aber das macht nichts.« Sie betätigte das Modem und drückte einige Tasten. Nach wenigen Sekunden erschien eine Schrift: »INTERNATIONALES PRESSEARCHIV BERLIN«.

»Wir haben einen Vertrag mit dem größten Zeitungshaus Deutschlands«, erklärte sie, »und dürfen dort die Dokumentation nutzen. Ist vielleicht nicht die seriöseste, aber auf jeden Fall die schnellste.«

Sie drückte verschiedene Kodes, die auf langen Wortreihen über den Monitor liefen, bis endlich die Schrift »DIE BIBEL« erschien. Die Unterzeile lautete »Altes und Neues Testament in der Einheitsübersetzung«. Dann folgten die Namen der Bücher: »Genesis. Exodus. Levitikus ...«

»Wahrscheinlich Genesis«, sagte Maria Behring und drückte wieder eine Taste. Zu lesen war: »Genesis 1. Genesis 2. Genesis 3 ...«

»Ja, wenn ich das jetzt wüßte«, murmelte sie. »Also tippen wir doch mal auf die Drei.« Ein Text erschien. »Treffer«, sagte sie und las vor: »Hören Sie zu. Vers zweiundzwanzig: ›Dann sprach Gott, der Herr: Seht der Mensch ist geworden wie wir; er erkennt Gut und Böse.‹ Schön wär's! Weiter: ›Daß er jetzt nicht die Hand ausstreckt, auch vom Baum des Lebens nimmt, davon ißt und ewig lebt!‹ Ja, das wäre was. Vers dreiundzwanzig: ›Gott, der Herr, schickte ihn aus dem Garten von Eden weg, damit er den Ackerboden bestellte, von dem er genommen war.‹ Sagen die das nicht immer bei Beerdigungen: Aus Staub bist du geschaffen, zu Staub sollst du zerfallen oder so ähnlich? Vers vierundzwanzig. Jetzt kommt die Stelle: ›Er vertrieb den Menschen und stellte östlich des Gartens von Eden die Kerubim auf und das lodernde Flammenschwert, damit sie den Weg zum Baum des Lebens bewachten.‹ Moment mal! Flammenschwert!« Sie drückte eine Taste. Der Bibeltext verschwand, und das Standbild der Infrarotkamera kehrte zurück. »Da, sehen Sie nur: die Federn an seinem Schwert! Wenn die gelbrot oder orangefarben wären, könnte das aussehen, als schlügen Flammen aus der Schneide.«

Sander hätte am liebsten gesagt, daß er diese Vorstellung für die Phantasie eines von einem schweren Schock noch nicht ganz wieder genesenen Gehirns hielt; statt dessen fragte er: »Sie glauben, daß das ein Erzengel ist?«

Sie schnalzte ungeduldig mit der Zunge. »Natürlich nicht in Wirklichkeit, aber vielleicht in den Augen dieser Menschen. Wir wissen doch noch überhaupt nichts über ihre Gedanken, Gefühle oder gar ihren Glauben!«

»Christen können sie jedenfalls nicht sein«, meinte Sander. »Sie müßten dann doch irgendwie Kontakt mit ihrer Umwelt haben.«

»Ist nicht gesagt«, entgegnete sie. »Wenn sie vor vielen Jahren getauft wurden und sich dann in den Dschungel zurückgezogen haben ...« Sie holte das Schwert vergrößert auf den Bildschirm. »Sehen Sie sich mal die Federn näher an. Schade, daß die Infrarotkamera keine Farbbilder liefert. Aber es gibt im Regenwald schließlich genügend Vögel mit gelbroten oder orangefarbenen Federn. Den Orangetukan zum Beispiel. Oder den Arassari. Den Felsenhahn nicht zu vergessen; ach nein, der kommt ja nur im Andengebiet vor.« Sie musterte Sander, der sie ungläubig ansah. »Was ist denn?« fragte sie.

Zögernd erwiderte er: »Sie glauben wirklich, da steht ein Erzengel und bewacht einen Lebensbaum?«

»Das würde mir jedenfalls gut gefallen«, sagte sie. »Stellen Sie sich das mal vor: ein Baum mit Früchten, die das Leben verlängern.« Sie lächelte. »Sie vergessen, daß Sie mit einer Pharmaproduzentin sprechen. Aber keine Angst, ich bin nicht verrückt. Immerhin muß diese Waffe irgendeine Bedeutung haben. Vielleicht finden wir etwas darüber heraus, wenn wir uns die Tonbänder anhören. Aber jetzt wollen wir erst mal diesen Teil hier vernünftig zu Ende bringen.«

Sie führte den Cursor zur Tabelle und klickte das Wort »ADDITION« an. Sekunden später blinkte die Angabe »Durchschnittliche Körperhöhe 144,55 Zentimeter«.

Sander beobachtete Maria Behring von der Seite; durch die Arbeit am Computer schien sie wieder richtig aufzublühen. Das ist ihre Welt, dachte er, überschaubar, kontrollierbar, und wenn böse Überraschungen auftreten – Escapetaste!

»Da haben wir es«, sagte sie. »Nun wollen wir mal vergleichen.« Sie holte eine Skala auf den Monitor; die Überschrift lautete »DURCHSCHNITTLICHE KÖRPERHÖHEN KLEINWÜCHSIGER INDIANERSTÄMME SÜDAMERIKAS«. Darunter stand: »Tembé 151,4 cm. Guayaki 151 cm. Guajiro 150,9 cm. San Blas 149,9 cm. Carib 149,8 cm. Tucuna 149 cm. Chipaya 145,4 cm. Aruaki 145 cm.«

»Die sind also die Kleinsten. Das sind wirklich pygmäische Maße, da hat Professor Sarosi wohl ganz recht, oder?«

Sander zuckte wieder mit den Schultern.

»Das werden wir gleich haben«, sagte sie. Auf dem

Bildschirm erschien abermals die Schrift »INTERNATIONALES PRESSEARCHIV BERLIN«. Maria Behring blätterte eine Weile im Verzeichnis, bis sie auf den Suchbegriff »Pygmäen« stieß. Ein Tastendruck holte den Text auf den Bildschirm: »BROCKHAUS ENZYKLOPÄDIE«. Sie las wieder vor: »›Pygmäen. Zu griechisch pygmaios, eine Faust lang‹. Das interessiert uns jetzt mal nicht so sehr. Aber hier: ›Kleinwüchsige Menschen in den äquatorialen Regenwäldern Afrikas, von Kamerun im Westen bis zu den ostafrikanischen Seen, 1980 etwa 100 000 Menschen‹. Wann kommt denn nun endlich die Größe? Aha, hier steht es: ›Die mittlere Körperhöhe liegt für die Ost-Pygmäen bei 137 cm für die Frauen und 145 cm für die Männer, während die Werte bei den West-Pygmäen mit 144 cm für die Frauen und 154 cm für die Männer etwas höher liegen.‹ Na bitte. Unsere Wolkenwaldmenschen sind also noch kleiner als Pygmäen.«

»Vielleicht infolge dauernder Mangelernährung«, schlug Sander vor.

»Machen Sie sich nicht lächerlich«, sagte Maria Behring. »Sehen diese Leute etwa aus, als hätten sie Hunger? Die wissen gar nicht, was das ist. Schauen Sie sich doch mal die Gesichter an: Pausbacken! Und die Körper: runde Bäuche, pralle Hintern! Nein, die haben alle genug zu essen.«

»Und warum sind sie dann allesamt Zwerge?«

»Ja, wenn ich das wüßte. Vielleicht Evolution? In der Kronenregion ist es ein großer Vorteil, wenn man nicht so groß ist. Denn dann ist man auch leichter. Man benötigt weniger Nahrung. Man hat eine größere Reichweite, weil man zur Fortbewegung dünnere Äste benutzen kann als die größeren Arten. Man kommt viel schneller voran. Dazu würden auch die sechs Finger und die sechs Zehen passen. Und die Lücke zwischen der ersten und der zweiten Zehe. Wie bei den Affen.« Sie zog die Nase kraus. »Leider hilft uns das im Moment auch nicht recht weiter«, gestand sie. »Denn die Evolution benötigt ziemlich lange, um solche physischen Unterschiede zwischen einzelnen Rassen erkennbar zu machen.«

»Vielleicht leben die ja schon seit tausend Jahren hier«, meinte Sander.

Sie schüttelte den Kopf. »Das halte ich für ausgeschlossen«, sagte sie. »Aber vielleicht hilft uns ja die Sprache weiter.« Sie löschte das Bild, verkabelte das Abspielgerät des Richtmikrophons mit dem Computer und drückte die Starttaste.

Nach einem kurzen Rauschen füllte ein seltsames Stimmengewirr den Raum. Erst nach einer ganzen Weile ließen sich Rhythmen und Melodien unterscheiden.

»Großer Gott«, sagte Maria Behring. »Das klingt fast, als ob sie singen!«

Sander nickte. Angestrengt bemühte er sich, Worte aus den ihm bekannten Urwaldidiomen zu rekapitulieren und mit den Geräuschen aus dem Computer zu vergleichen, aber er fand keinerlei Übereinstimmungen.

Maria Behring schob den Kontrastregler nach vorn. »Das ist Guaraní«, stellte sie fest. »Aber doch nicht ganz – irgendwie anders.«

Sie hörte wieder zu, angelte nach einem Notizblock und warf Anmerkungen in einer Schrift auf das Papier, deren Unleserlichkeit die professionelle Vielschreiberin verriet. Nach einigen Minuten drückte sie die Stopptaste.

»Es ist tatsächlich Guaraní«, sagte sie. »Irgendein altertümlicher Dialekt. So, als läse man die Nibelungensage in Mittelhochdeutsch. Klingt alles irgendwie vertraut, aber dann doch ein bißchen anders. So, als hätte die Sprache sich Hunderte von Jahren lang nicht mehr weiterentwickelt.«

»Isolation«, sagte Sander.

»Genau. Genau das ist es.«

»Wo haben Sie denn Guaraní gelernt?« wollte Sander wissen.

»Auf der Insel Marajó. Einige Stämme dort sprechen ebenfalls Guaraní. Es gibt auch welche im Quellgebiet des Xingu. Und noch andere im ostbolivianischen Regenwald. Sehr alte Völker. Lagide, wie Professor Sarosi sagen würde. Obwohl das nicht ganz genau dasselbe ist. Wissenschaftlich betrachtet.« Sie grinste und drückte wieder auf die Abspieltaste.

Das Band lief weiter; Maria Behrings Hand flog mit dem Stift über das Papier. Dann stellte sie das Gerät ab und schaute auf den Zettel.

»Das ist ein Guaraníwort für ›Freunde‹«, erklärte sie. »Das hier bedeutet ›Garten‹, und das hier ist eine Bezeichnung für ›Wolken‹ oder ›Himmel‹. Mit diesem Wort bezeichnen sie die Früchte der Pijiguaopalme. Das Lied hat einen Refrain; darin geht es um Regen und Sonne.«

»Also ein Fruchtbarkeitsfest«, sagte Sander erstaunt.

»Oder ein Dankesfest«, sagte Maria Behring. »Die Pijiguaofrüchte sind wohl in diesen Tagen reif geworden; auf Marajó lag die Erntezeit immer so zwischen Mitte März und Mitte April. Dann feiern die Indianer ein Dankesfest.« Sie schnitt ein Gesicht. »Die Gesänge kommen dort allerdings schon von Kassettenrecordern«, fügte sie hinzu.

Sie ließ das Band weiterlaufen, bis das fremdartige Lied verklungen war.

»Komisch«, sagte Sander. »Als wir mit dem Luftschiff über sie hinwegfuhren, hörte sich der Gesang an wie gregorianischer Choral.«

»Wirklich?« sagte sie. »Das ist ja merkwürdig. Warten Sie mal.« Sie spulte das Band zurück und startete es von neuem. »Jetzt mache ich mal was ganz Verrücktes«, sagte sie. »Ich schalte einfach den Voice-Receiver ein.«

»Den was?« fragte Sander.

»Stimmempfänger«, sagte sie. »An diesem Computer kann man gewisse Programme auch mit mündlichen Befehlen steuern. Das Gerät hat einen Prozessor, der gesprochene Worte erkennt und in elektromagnetische Impulse umsetzt. In sechs Sprachen.«

»Aber bestimmt nicht in Guaraní!« sagte Sander, der sich nicht auf den Arm nehmen lassen wollte.

»Nein, natürlich nicht«, sagte sie. »Aber in Deutsch, Englisch, Französisch, Spanisch, Portugiesisch und Latein.«

»Lateinisch?« fragte er. »Braucht das heute überhaupt noch jemand?«

Sie hob die Schultern. »Manchmal«, sagte sie. »Wenn Leute gern aus älteren wissenschaftlichen Werken zitieren.«

Sie drückte auf die Abspieltaste, und das Gerät begann zu arbeiten. Gespannt blickten sie auf den Bildschirm. In rasender Folge erschienen verstümmelte Schriften: »WRZX? FranzösiEnglBULLSpanHOMB ...« Es war offensichtlich, daß der Computer nichts verstehen konnte.

Sie warteten. Plötzlich erschien auf dem Bildschirm das Wort »DOMINI«.

Sofort drückte Maria Behring auf die Haltetaste. Das Wort flackerte, verlosch aber nicht.

»Merkwürdig, nicht wahr?« sagte sie und ließ das Band drei Sekunden zurückfahren. Dann startete sie es erneut; wieder erschien »DOMINI«.

»Herr im Himmel«, sagte sie. »Mitten im Urwald ein lateinisches Wort. Und dann auch noch so eins.«

Sie markierte die Stelle auf dem Band, ließ es zurücklaufen und hörte gespannt zu. Diesmal konnten sie es beide verstehen: Die Menschen im Wolkenwald sangen laut »Domini«.

Maria Behring warf Sander einen strafenden Blick

zu. »Von wegen keine Christen«, sagte sie. »Diese Missionare waren wirklich überall.«

Sie ließ den Voice-Receiver eingeschaltet und das Band weiterlaufen. Wieder erschien eine große Anzahl unsinniger Buchstabenkombinationen. Dann aber leuchteten plötzlich weitere lateinische Wörter auf, erst »AUREUM«, dann »SERVUS«, »IMMACULATUS«, »REDEMPTOR« und »TIMOR«.

»Gregorianischer Choral«, murmelte Maria Behring. »Sieht so aus, als hätten Sie recht; es klingt wie ein Kirchenlied auf Guaraní.«

Sie notierte die Wörter, schaltete das Abspielgerät aus und klinkte sich wieder über das Modem in das Berliner Pressearchiv ein. Nach einigem Suchen fand sie das Stichwort »BIBEL, LATEINISCH, BIBLIA VULGATA«. Eine Tabelle erschien, und sie wählte den Begriff »KONKORDANZ«. Auf dem Monitor erschien eine Seite aus lauter Wörtern mit dem Anfangsbuchstaben A: »Aaron, abdico, abdomen, abies, aedes ...« Daneben standen die Bibelstellen verzeichnet, die das betreffende Wort enthielten. Maria Behring gab die fünf lateinischen Begriffe aus dem Gesang der Wolkenwaldbewohner ein und drückte auf »Vergleich«. Nach wenigen Sekunden blinkte eine Schrift: »Psalmen 19«.

Maria Behring stieß zischend die Luft aus. »Da haben wir es«, sagte sie. »Ich kann es einfach nicht glauben, aber Computer irren sich bekanntlich nie. Die fünf Wörter kommen zusammen nur im neunzehnten Psalm vor.«

Sie drückte einige Tasten, und der Text des Psalms erschien auf dem Monitor: »Caeli enarrant gloriam Dei, et opera manuum eius annuntiat firmamentum ...«

»Stopp«, sagte Maria Behring und drückte rasch wieder einige Tasten. »Das ist ein bißchen zuviel Latein.« Sie holte den deutschen Text der Einheitsbibel auf den Schirm, und sie lasen: »Die Himmel rühmen die Herrlichkeit Gottes, vom Werk seiner Hände kündet das Firmament ...«

Sie lasen den Psalm zu Ende und sahen einander an. Maria Behring faßte sich als erste. »Sie haben den lateinischen Text in ihre Sprache übersetzt«, sagte sie, »und dabei einige Worte aus dem Original erhalten. Vermutlich Wörter, für die es in Guaraní keine Entsprechung gibt. So etwas wie einen ›Herrn‹ zum Beispiel kennen die Indianer nicht; ihre Götter sind Dämonen, gut oder bösartig, aber sie haben nur begrenzt Macht über die Menschen, wie etwa der Jaguar oder die Kobra. Daß der Mensch ein Diener Gottes sein soll, ist eine Erfindung der eurasiatischen Buchreligionen, des Christentums, des Islams und der jüdischen Religion.«

Sie holte die fünf Wörter zurück auf den Monitor und forderte die Übersetzung aus der Einheitsbibel an. Auf dem Bildschirm erschien: »AUREUM = Gold. SERVUS = Knecht. IMMACULATUS = unbefleckt. REDEMPTOR = Erlöser. TIMOR = Furcht.«

»Kein Wunder«, sagte sie. »Für solche Begriffe hat die alte indianische Sprache keine eigenen Wörter. Gold bedeutete den Menschen in diesem Wald nichts. Knechtschaft kannten sie nicht. Als Kinder der Natur konnten sie sich weder mit Sünden beflecken, noch benötigten sie einen Erlöser, und die Furcht des Herrn war ihnen fremd. Alles das ist erst mit den Spaniern nach Amerika gekommen.«

Sie ließ das Band weiterlaufen; nach kurzer Zeit meldete der Computer: »CALIGO«.

»Schon wieder eins«, sagte Maria Behring und schaltete das Übersetzungsprogramm ein; es antwortete: »CALIGO = 1. Nebel, Dunst, Rauch (densa, nigra Staubwolke, picea Rauchwolke). 2.a) dichte Finsternis (caeca, taetra). b) Dunkel vor den Augen. 3.a) geistige Nacht (mentis); bsd. Unwissenheit, Ungewißheit (caligo animo alcis offusa est); b) Trübsal, Elend.«

Sie holte die Konkordanz auf den Bildschirm. Unter »Caligo« erschienen drei Eintragungen: Hiob 22, 13 sowie Psalmen 18, 12 und Psalmen 77, 18. Sie prüfte alle drei Zitate; am aufschlußreichsten erschien ihr das zweite. Es lautete: »Er neigte den Himmel und fuhr herab, zu seinen Füßen dunkle Wolken.«

»Das dunkle Gewölk Gottes«, sagte sie. »Das sollen wohl diese seltsamen schwarzen Wolken sein.« Sie holte nun den kompletten Psalm auf den Monitor, und sie lasen: »Mich umfingen die Fesseln des Todes, mich erschreckten die Fluten des Verderbens. Die Bande der Unterwelt umstrickten mich, über mich fielen die Schlingen des Todes. In meiner Not rief ich zum Herrn und schrie zu meinem Gott ... Da wankte und schwankte die Erde, die Grundfesten der Erde erbebten. Sie wankten, denn sein Zorn war entbrannt. Rauch stieg aus seiner Nase auf, aus seinem Mund kam verzehrendes Feuer, glühende Kohlen sprühten aus von ihm. Er neigte den Himmel und fuhr herab, zu seinen Füßen dunkle Wolken. Er fuhr auf dem Kerub und flog daher; er schwebte auf den Flügeln des Windes. Er hüllte sich in Finsternis, in dunkles Wasser und dichtes Gewölk wie ein Zelt.«

»Warum dieser Psalm?« rätselte Maria Behring. »Wie hängt das alles zusammen?«

Sie ließ die Worte auf dem Monitor stehen, drehte ihren Sessel zu Sander und sagte: »Es ist mir egal, was der Oberst sagt; ich pfeife darauf. Mehr als eine Geldstrafe kann dabei sowieso nicht herauskommen. Oder glauben Sie im Ernst, die sperren uns ein? Dazu sind die Venezolaner doch viel zu zivilisiert! Wir müssen wieder in den Wolkenwald, und zwar so schnell wie möglich.«

»Ich weiß nicht recht«, sagte Sander unsicher.

»Haben Sie etwa Angst? Ihre Geldstrafe zahle ich, machen Sie sich darum keine Sorgen! Und ich beschaffe Ihnen auch umgehend eine neue Lizenz. Das verspreche ich Ihnen.«

Sander schüttelte den Kopf. »Das ist es nicht«, sagte er. »Mit der Fliegerei ist es sowieso bald vorbei.«

»Was ist es dann?« wollte sie wissen. »Los, raus mit der Sprache!« Plötzlich begann sie zu lachen. »Natürlich«, sagte sie. »Sie wollen mehr Geld!«

»Wenn Sie mich so einschätzen«, sagte Sander, »können wir unseren Vertrag gleich auflösen. Zahlen Sie mir das halbe Honorar, und suchen Sie sich einen anderen Piloten.«

»Nun seien Sie doch nicht gleich eingeschnappt! Tut mir leid.«

Sie schwiegen eine Weile. Dann räusperte sich Sander und sagte: »Vielleicht halten Sie mich jetzt für einen sentimentalen alten Trottel. Aber haben Sie nicht selbst von ökologischer Ethnologie geredet? Wie oft, glauben Sie, können wir noch mit dem Luftschiff über den Wolkenwald fahren, ohne daß uns diese Menschen bemerken? Einige von ihnen haben uns doch schon gesehen! Fiel Ihnen nicht auf, wie dieser Mann auf der Brücke nach oben starrte? Wir waren kaum zwanzig Meter über ihm. Gut, es war Neumond, aber dieser riesige Rumpf verdeckt einen Haufen Sterne, und ich bin mir überhaupt nicht sicher, ob er uns bei dieser Geschwindigkeit wirklich für eine Wolke halten konnte.«

Sie schwieg.

Er nutzte die Gelegenheit und fuhr fort: »Irgendwann werden sie merken, daß da was nicht stimmt. Oder uns sogar erkennen. Und dann? Haben Sie sich schon mal überlegt, was Sie dann tun werden? Sie haben es doch selber gesagt – es wird sein, als ob ein Ufo vor dem Brandenburger Tor landet!«

Maria Behring sagte noch immer nichts.

»Holen Sie mal den Film aus der Infrarotkamera wieder auf den Bildschirm, und schauen Sie sich die Gesichter an«, sagte Sander.

Sie gehorchte und sah mit erkennbar gemischten Gefühlen auf die Menschen des Wolkenwaldes.

Sander fuhr sich mit den Fingern durch das lichte Haar. »Vor allem ist mir schleierhaft, wozu Sie eigentlich immer noch mehr über diese Indianer herauskriegen wollen«, sagte er. »Etwa zum Privatvergnügen? Oder wollen Sie damit der sogenannten wissenschaftlichen Welt imponieren? Ist Ihnen denn nicht klar, was dann geschehen wird? Disneyland!«

»Schon gut«, sagte sie. »Sie haben recht. Es sind meine eigenen Worte. Ich fürchte, mit mir ist ein wenig die Begeisterung durchgegangen.« Sie preßte die Lippen zusammen und schaute auf den Monitor. Unter der Kamera erschien nun wieder die Hängebrücke. Der Mann mit dem Flammenschwert blickte nach oben; sein Gesicht zeigte eine eigentümliche Mischung von Überraschung, Furcht und Kampfeseifer.

»Da sehen Sie es«, sagte Sander. »Der hat uns entweder entdeckt, oder er ahnt instinktiv, daß seinem Paradies eine Gefahr droht.«

»Ja«, sagte sie ungeduldig. »Sie brauchen das nicht ständig zu wiederholen. Ich weiß sehr wohl, wie es endet, wenn man ein Urvolk, das noch nie einen Weißen gesehen hat, plötzlich unserer Zivilisation aussetzt. Kulturschock. Krankheiten. Rascher Zusammenbruch aller sozialen Beziehungen. Einsamkeit, Trunksucht, Tod. Ich habe die Aborigines gesehen, in Australien, und die Buschmänner in Südafrika. Aber daß die Menschen vom Wolkenwald noch nie einen Weißen gesehen haben, kann ja wohl nicht stimmen. Wer hätte ihnen denn dann die Psalmen beibringen sollen?«

»Das kann auch ein indianischer Priester gewesen sein«, beharrte Sander. »Oder es sind seither Jahrzehnte vergangen. Der Welt von heute wären diese Menschen doch überhaupt nicht gewachsen! Wir sollten sie in Ruhe lassen und nie wieder in den Wolkenwald fahren.«

»Vielleicht haben Sie recht«, sagte Maria Behring nachdenklich.

Auf dem Monitor erschien das andere Ende der Hängebrücke mit der kleinen Balustrade. Im Dunkel außerhalb des Strahlenkegels, den die Infrarotkamera auf den Wolkenwald warf, schien sich etwas zu bewegen. Maria Behring beugte sich vor, um es genauer zu sehen.

»Ich habe wirklich recht, glauben Sie mir«, sagte Sander.

Die Bewegung auf dem Monitor erstarrte. Maria Behring hatte das Band angehalten und spulte es jetzt ein Stück zurück. Dann ließ sie es in Zeitlupe laufen. Als sie merkte, was sich hinter dem kleinen Fenster der Höhle verbarg, begann ihr Herz rasend zu schlagen.

»Was ist denn?« fragte Sander. »Was sehen Sie dort?«

»Da ist eine Höhle«, erwiderte sie.

»Das hatte ich nicht bemerkt«, versetzte Sander erstaunt.

»Das ist nicht das einzige, was uns entgangen ist«, sagte Maria Behring und stellte die maximale Vergrößerung ein. »Sehen Sie? Links vom Eingang.«

Sander kniff die Augen zusammen und verwünschte die Eitelkeit, die ihn bewogen hatte, die Lesebrille in seinem Zimmer zurückzulassen. »Da ist noch eine Höhle«, sagte er. »Der Eingang ist ziemlich klein. Nein, das könnte ein Fenster sein.«

»Es ist ein Fenster«, sagte sie. »Und jetzt passen Sie genau auf!« Sie betätigte die Einzelbildschaltung und schob den Kontrastregler bis zum Anschlag.

Nun erkannte auch er, was sie meinte. Die Überraschung traf ihn, als hätte ihm jemand plötzlich einen Kübel Eiswasser ins Gesicht geschüttet. Fast eine halbe Minute lang starrte er auf den Bildschirm; seine Lippen bewegten sich, aber er brachte kein Wort heraus.

Das Standbild auf dem Monitor zeigte, durch die starke Vergrößerung ziemlich unscharf, aber doch unverkennbar, das Gesicht und den Oberkörper eines alten Mannes, der in dem kleinen runden Fenster stand und lächelnd auf die Singenden blickte. Das schlohweiße Haar fiel ihm bis auf die Schultern herab; das linke Auge fehlte, das rechte war tief in die Höhle gesunken, und ein dichter weißer Bart wuchs ihm bis auf die Brust. Er mußte wenigstens siebzig Jahre alt sein. Und er war zweifellos ein Weißer.

# TEIL DREI

## Caligo

DIE DÄMMERUNG DAUERTE nur drei Minuten; dann war auch der letzte Widerschein des gewaltigen Gasballs, der alles Leben auf dem blauen Planeten erzeugt und erhält, hinter dem Horizont verschwunden, und die tropische Nacht begann eine neue Regentschaft, die am Äquator auf die Sekunde genauso lange dauert wie die des Tages. Jene unter den vielen Geschöpfen des Waldes, die für ein Leben im Licht geschaffen waren, zogen sich nun in den Schutz ihrer vielgestaltigen Schlafplätze zurück: der Montezuma-Stirnvogel in sein Nest, das wie ein Volleyball an einem Strang aus Bast eineinhalb Meter tief unter dem höchsten Ast eines Topffruchtbaumes hing; die Baumtermite in ihren betonharten Bau in der metertiefen Astgabel eines mächtigen Wollbaumes; der buntschillernde Morphofalter in seine winzige Höhle unter der Rinde einer breitschirmigen Combretacea; und der Kahlkopfuakari mit seinem roten, wie gehäutet wirkenden Monstergesicht auf sein geselliges Ruhelager im dichten Geäst eines riesigen Hülsenfrüchtlers. Sie alle hatten die Stunden des Tages genutzt, um Nahrung aufzunehmen, ihre sozialen Bindungen zu pflegen, ihre Instinkte weiter zu schärfen und auch alles andere zu tun, was der Erhaltung und dem Vorankommen ihrer Art im weltumspannenden Konzert der zahllosen Organismen förderlich war, dem Schöpfer und seinem blinden Famulus zu Gefallen, den die Menschen »Evolution« zu nennen sich angewöhnt haben.

Statt ihrer betraten nun jene Tiere die Bühne des Wolkenwaldes, die dazu ausersehen waren, ihr Dasein im Dunkel zu führen. Der Nachtaffe kletterte gähnend aus seiner Baumhöhle und sammelte das schwache Restlicht in den Glaskörpern seiner überdimensionierten Augen, die es ihm gestatteten, auch noch bei fast völliger Finsternis mit unfaßbarer Flinkheit durch die Wipfel der Kronenregion zu jagen, mal Insekten erhaschend, mal süße Früchte erntend, mochten sie auch noch so hoch in den schwankenden Leguminosen wachsen. Der Tropenwaldkauz schwirrte in ersten, noch etwas ungelenken Probeflügen auf seinen gewohnten Luftwegen durch die Wipfel; bald würde seine Muskulatur geschmeidig genug sein für eine elegantere Bahn und schärfere Manöver, ohne die den schnellen Leguanen und anderen Baumechsen nicht beizukommen war. Langzüngige Fledermäuse folgten dem Duft der Blüten am Stamm eines Kalebassenbaumes, die mit dem Aroma reifen Camemberts lockten, krallten sich an die zwölf Zentimeter hohen Kelche und flatterten dann mit Pollen im Pelz zum nächsten Wirt, so als Bote der Befruchtung die genetische Partnerschaft zweier Pflanzen besiegelnd.

Die Ablösung der taglebenden durch die nachtlebenden Arten vollzog sich mit der routinierten Reibungslosigkeit eines Schichtwechsels in einer großen Fabrik. Schon nach wenigen Minuten waren alle frei gewordenen Räume bis zu den kleinsten ökologischen Nischen von neuen Nutzern besetzt. Das Leben in seiner nächtlichen Form, das nicht mehr des Lichtes, wohl aber noch der nur langsam weichenden Wärme aus den Strahlen des Zentralgestirns bedurfte, entfaltete sich im Wolkenwald zu besonderer Fülle, so, wie es eines Paradieses würdig war.

Wolkenfänger saß mit Mutter, Schwester und Großvater vor seiner Hütte und blickte zu den Sternen empor, die in der mond- und wolkenlosen Nacht hell wie die Fackeln frommer Prozessionen brannten. Sein Herz war frei von Furcht, denn der Axtbrecherbaum stand fest wie je, das Palmendach war frisch gedeckt, und die Volieren der Schlaflosen Wächter hingen an ihren Plätzen; bald würden die Menschen des Paradieses sich zur Ruhe betten, sorgenlos, reinen Herzens und ohne Furcht vor dem morgigen Tag.

Achthundert Meter über den Wipfeln der Bäume auf der Ilha Pedro II zog das Luftschiff seine Bahn durch die Nacht. Die Positionslichter waren gelöscht, die Funkverbindung abgeschaltet. Sander hatte das Nachtsichtgerät wieder abgesetzt; der Mond versteckte sich zwar noch immer im Schatten der Erde, aber da keine Wolken am Himmel standen, reichte das Licht der Sterne aus, den Weg über den Dschungel tief unter ihnen zu finden.

Maria Behring sah Sander nachdenklich von der Seite an. Seit ihrem Start vor einer knappen Stunde hatten sie kein Wort miteinander gesprochen. Nachdem sie den weißen Mann auf dem Monitor gesehen hatten, hatte es keinerlei Diskussion mehr über das gegeben, was nun zu tun war; es war, als treibe sie nur noch ein und derselbe Gedanke: das Rätsel des Wolkenwaldes und seiner Bewohner zu lösen. Je länger Maria Behring darüber nachdachte, was genau sie eigentlich zu dieser Entscheidung bewogen hatte, desto sicherer wurde sie, daß es ihr wissenschaftlicher Ehrgeiz allein nicht gewesen sein konnte; es war, als habe eine tiefe Sehnsucht von ihr Besitz ergriffen, eine Sehnsucht nach Erkenntnissen, die ihr die zivilisierte Welt nicht zu vermitteln vermochte. Mehr und mehr wurde sie sich darüber klar, daß sie nach etwas suchte, was tiefer reichte als das Wissen, das durch Studium und Forschung zu gewinnen war; daß sie mehr über das Leben erfahren wollte, als aus Büchern oder elektronisch gewonnenen Informationen erlernt werden konnte; daß sie auf dem Weg in eine Welt war, die nicht nur mit den fünf Sinnen, sondern mit den Gefühlen des Herzens und den Sehnsüchten der Seele entdeckt werden wollte, eine Welt, die sich nicht der Neugier, sondern allein dem Glauben erschloß, dann aber Suchende sehend, Ahnende wissend und Zweifelnde zu Überzeugten machen würde. Niemals hatte sie gedacht, daß sie so fühlen würde.

Auch Sander hing ungewohnten Gedanken nach. Ihn trieb nicht Neugier und noch weniger Ehrgeiz, sondern ein Gefühl von Verantwortung, über das er sich nun schon geraume Zeit klarzuwerden versuchte, das sich aber seinen Deutungsversuchen immer wieder entzog. Die Art, in der er sein Leben gelebt hatte, schien ihm auf einmal töricht und schal. Er empfand seine bisherige Zeit auf der Erde nur noch als eine Sammlung von Tagen, die alle geprägt waren von kleinlicher und deshalb auch klein machender Sorge um die Existenz, von Plänen nur für den nächsten Tag, von kurzfristigen, schnell abgeschmackt wirkenden Vergnügungen, von viel zu wenigen dauerhaften Beziehungen zu anderen Menschen, insbesondere zu Frauen, und von einigen Freund- und Liebschaften, die ihm weder Träume noch Tränen beschert hatten, sondern belanglos an ihm vorübergeplätschert waren. Seit einigen Jahren schon hatte er erkennen müssen, daß sein Leben vertan, ja vergeudet war; keine Familie, keine Kinder, keine Menschen, denen er etwas bedeutete oder um die er sich sorgte, beschäftigten seine Gedanken. Sicher, es war nicht seine Schuld, da ihn das Leben so umhergeworfen hatte wie so viele andere seiner Generation, denen es nun im beginnenden Alter nicht besser ging. Einmal entwurzelt, hatte er selbst zuwenig getan, um seinem Leben wieder eine feste Basis zu schaffen, ja es nicht einmal ernsthaft versucht. Wenn er gestorben war, würde er schnell vergessen sein, das wußte er; und es würde nichts von ihm zurückbleiben außer Wasser, Humus und ein paar Mineralstoffen. Er war sich darüber durchaus im klaren, und auch stets bereit gewesen, diese Aussicht zu akzeptieren. Nun aber gab es überraschenderweise doch noch einmal die Chance, etwas zu tun, was den Einsatz wert war; nicht zu seinem Ruhm, sondern zur Rettung seiner so schlecht gespielten Rolle als soziales Wesen, als Mitglied der Menschheit, die bisher vergeblich auf seinen Beitrag gewartet hatte, und als Kind der Schöpfung, die er bewunderte, auch wenn er an einen Schöpfer schon seit Kindertagen nicht mehr so recht zu glauben vermochte. Wenigstens das Rätsel des Wolkenwaldes und seiner Bewohner würde er nun zu lösen mithelfen und dann alles tun, diese Menschen zu beschützen, welche Gefahr ihrem Paradies auch immer drohte. Das war der Gedanke, der ihn bewegte; er wußte, daß nur dieses eine Ziel ihn noch davor bewahren konnte, seine Existenz mit der Frustration eines nutzlosen und überflüssigen Individuums zu beschließen.

Von solchen Gefühlen angespornt, hatten Maria Behring und Sander keine Sekunde gezögert zu tun, was sie als das nun Nötige empfanden. Sie hatten die Geräte wieder in die Gondel des Luftschiffs gebracht und dem Ingenieur mitgeteilt, daß sie zu einer Nachtfahrt aufbrechen wollten. Sie hatten das Luftschiff mit dem Spürgerät sorgfältig nach elektronischen Wanzen abgesucht und dann eine Mitteilung für Oberst Gómez aufgesetzt, daß sie ihre Forschungstätigkeit nunmehr in das unberührte Waldgebiet an den Quellen des Río Manipitari verlegen wollten, die zweihundert Kilometer nordöstlich einem flacheren Teil des großen Guayanaschildes entsprangen. Um jedes Risiko auszuschließen, hatten sie alle Bänder, Disketten und sonstigen Aufzeichnungen mitgenommen. Zum Schluß hatte Maria Behring auch ihren Computer in die Gondel geschafft. »Alles, was wir bisher über den Wolkenwald in Erfahrung gebracht haben, ist auf der Festplatte gespeichert«, sagte sie. »Das darf nicht in falsche Hände geraten. Außerdem können wir den Computer vielleicht dort noch ganz gut gebrauchen.«

Das monotone Dröhnen der Motoren konnte die Spannung nicht mindern, die Sanders Nerven in einem Zustand ständiger Angespanntheit hielten. Unablässig überquerten elektromagnetische Impulse die Synapsen seines Gehirns, als er an das dachte, was sie sich vorgenommen hatten, und sich ausmalte, was sie dabei erwarten mochte. Aus den Augenwinkeln schielte er zu Maria Behring hinüber, die ein Feuerzeug unter den Korken einer Weinflasche hielt, um sich die schwarzen Verbrennungsrückstande auf Stirn und Wangen zu reiben. Ihr blondes Haar war ganz unter dem Helm mit dem Nachtsichtgerät verschwunden; wenn endlich Wolken das Licht der Sterne absorbierten, würde sie so gut wie unsichtbar sein.

Als sie ihr Gesicht genügend geschwärzt hatte, zündete sie das Feuerzeug wieder an und reichte Sander den Korken mit neuem Ruß. Ein wenig ungeschickt begann er sich damit zu beschmieren; nach einigen Sekunden beugte sie sich zu ihm, nahm ihm den Korken aus der Hand und vollendete das Werk.

Es war schon Mitternacht, als sie den Rand des Wolkenwaldes erreichten. Die Anzeige signalisierte Stärke und Richtung des Windes; er blies mit 1,6 Metern pro Sekunde aus Nordnordost. Sander steuerte um den westlichen Rand des Kraters nach Norden, bis der Kegel des Vulkans exakt in Windrichtung lag. Dann pumpte er noch einmal Luft in die Ballonetts, schaltete die Motoren ab und ließ das Schiff von der leichten Brise nach Südwesten treiben.

Die Sterne begannen zu flackern und dann nacheinander zu verlöschen. Sander stieß Maria Behring an und zeigte nach oben. Sie sah die Wolken und nickte heftig.

Zehn Minuten später erkannte sie vor sich große Bäume, die etwa achtzig Meter von dem Vulkankegel entfernt standen. Sie fuhren langsam über sie hinweg und schauten gespannt in die Tiefe. In ihren Infrarotgeräten erkannten sie zahlreiche Brücken und Hochwege, die diese Bäume mit anderen in der Nähe verbanden; Hütten entdeckten sie nicht.

Maria Behring zeigte hinunter auf zwei Aguanobäume, die sich zum Andocken eigneten. Sander nickte und blickte prüfend auf Kompaß und Höhenmesser. Langsam trieb das Schiff über die hohen Kronen hinweg. Minuten später kam der südliche Rand des Kraters in Sicht. Als sie ihn überflogen hatten, startete Sander die Motoren, drehte das Schiff und flog auf der gleichen Strecke zurück, nun dem Wind entgegen. Über den drei hohen Paranußbäumen schaltete er die Motoren ab und ließ das Schiff treiben; das Manöver gelang ihm so gut, daß sie genau bis zu den beiden Bäumen kamen.

Sander fuhr die Festhaltevorrichtung am Bug aus und zielte auf den besonders solide wirkenden Stamm des hinteren Aguano; mit einem leichten Ruck erreichte das Schiff Tempo Null, und der Mechanismus schloß sich um die Rinde.

Maria Behring löste ihre Gurte, kletterte von ihrem Sitz und nahm den schweren Batterietornister für das UV-Gerät auf den Rücken. »Von jetzt an nur noch Helmfunk«, sagte sie und setzte dann das Mikrophon vor ihrem Mund in Betrieb. »Hören Sie mich?« flüsterte sie.

Sander nickte. »Klar und deutlich«, antwortete er. Auch er nahm sein Infrarotgerät auf; dann folgte er ihr in den Korb.

Sie öffnete die Luke und lenkte die Kohlefaserkonstruktion mit der Handsteuerung schräg nach unten; mit leichtem Schaben schlossen sich die Krallen um einen fast einen halben Meter dicken Ast.

»Wird das halten?« hörte Sander sie in seinen Kopfhörern sagen. Im Okular des Infrarotgeräts sah sie wie eine grüne Statue aus.

»Der Wetterbericht hat Windstille gemeldet«, erwiderte Sander. »Und in dieser Gegend scheint es nicht oft meteorologische Überraschungen zu geben. Die nächsten zwei, drei Stunden kann nichts passieren.«

»Gut«, sagte sie. »Länger reichen die Batterien ja auch nicht. Also verlieren wir keine Zeit!«

Sie stieg aus dem Korb und balancierte über den Ast zu dem Hochweg. Als sie ihn erreicht hatte, kletterte sie über die Lianen, die ein Geländer bildeten, und ging zwanzig Meter in nördliche Richtung.

»Wie ist die Verständigung?« fragte sie.

»Ausgezeichnet«, antwortete Sander.

»Worauf warten Sie dann noch?«

»Ich komme ja schon.« Vorsichtig hob Sander erst das rechte, dann das linke Bein über den Rand des Korbes und hielt sich an einer Verstrebung der Hydraulik fest, bis er festen Stand auf dem Ast hatte. Dann balancierte er mit ausgebreiteten Armen zu den Lianen. Aufatmend hielt er sich an ihnen fest.

»Na, sehen Sie«, hörte er sie aufmunternd sagen, »so schwer ist das doch gar nicht. Sie werden hier oben bald genauso herumspringen wie die Indianer.«

»Das glaube ich kaum«, erwiderte er. »Ich weiß, es ist nicht der glücklichste Zeitpunkt für ein solches Geständnis, aber ich leide unter Höhenangst.« Er spürte, daß ihm Schweiß über den ganzen Körper lief.

»Gütiger Himmel«, sagte sie betroffen. »Wirklich? Als Pilot?«

Er konnte sehen, wie die grüne Figur zwanzig Meter vor ihm mit den riesigen Okularen unter dem Helm und dem seltsamen Kasten auf dem Rücken den Kopf schüttelte; es war ein unwirkliches, fast gespenstisches Bild. So wird es aussehen, wenn die grünen Männchen wirklich mal auf unserem Planeten landen, dachte er.

»Meine Güte«, sagte sie. »Und ich habe Sie damals zum Spaß auf diesen siebzig Meter hohen Wollbaum genötigt!«

»Das war vielleicht der erste Schritt, mir diese Angst wieder abzugewöhnen«, scherzte er ein wenig hohl.

»Wieso sind Sie denn überhaupt Flieger geworden?«

»Damals hatte ich das noch nicht. Ich bekam das erst vor ein paar Jahren. Habe alles versucht, werde es aber wohl nicht mehr los.«

»Und warum sind Sie dann immer noch Pilot?« fragte sie.

»Wegen der Dollar«, sagte er schlicht.

»Ach so«, sagte sie. »Ja, natürlich. Entschuldigen Sie.« Sie überlegte kurz. »Hören Sie. Es ist sehr tapfer von Ihnen, daß Sie mitkommen wollen, aber ich schaffe diesen Job auch allein. Also, warum gehen Sie nicht zurück in die Gondel und lassen mich machen?«

»Vielen Dank«, sagte Sander. »Aber es geht schon. Mir war nur am Anfang ein bißchen mulmig. Ich werde eben nicht so oft nach unten schauen.«

»Sind Sie sicher?« fragte sie.

»Sicher«, antwortete er.

»Okay. Gehen Sie mir einfach nach.« Sie lief noch einige Meter auf dem Hochweg, blieb dann stehen, drehte suchend den Kopf, bis sie den Vulkankegel gefunden hatte, und bog nach rechts auf eine Hängebrücke, die sich zwischen zwei Bäumen spannte.

»Eine erstaunliche Konstruktion«, sagte sie, als sie einige Meter darauf gegangen war. »Ich hätte gedacht, daß sie wie verrückt schaukelt, aber sie bewegt sich kaum.«

»Machen Sie nur keine überflüssigen Experimente«, warnte er besorgt.

»Keine Angst«, sagte sie und ging weiter.

Auch Sander betrat nun die Hängebrücke. Er hielt sich mit beiden Händen an dem Lianengeländer fest und arbeitete sich langsam vorwärts.

Maria Behring war stehengeblieben. »Das geht ja schon ganz gut«, lobte sie.

»Danke«, sagte Sander, der genau wußte, wie lächerlich seine ängstlichen Bewegungen wirken mußten. »Man tut, was man kann.«

Die Wolkendecke wurde immer dichter; bald waren die letzten Sterne verschwunden.

»Wir haben Glück mit dem Wetter«, sagte Maria Behring. »Ohne die Infrarotgeräte könnten wir jetzt die Hand nicht mehr vor den Augen sehen.«

»Gott sei Dank«, sagte Sander ehrlich. »Die anderen Indianer dürften zwar alle tief und fest schlafen, aber bei diesem Erzengel bin ich mir nicht so sicher.«

Sie folgten wieder einem Hochweg auf einem Ast, wechselten über eine weitere Brücke und kamen nach sechzig Metern zu den drei großen Zedrachbäumen, auf denen die Wolkenwaldmenschen das Palmfruchtfest gefeiert hatten. Hinter dem Stamm einer der mächtigen Meliazeen blieben sie stehen und spähten zu dem Torbaum.

»Können Sie was erkennen?« fragte Maria Behring.

»Nein«, sagte Sander. »Wir müssen näher heran.«

Sie nickte, veränderte die Position der Gurte, die ihr in die Schultern einzuschneiden begannen, und fragte: »Ist die Infrarotkamera aufnahmebereit?«

»Ja«, antwortete Sander und klopfte auf das Gerät an seinem rechten Arm.

»Dann los«, sagte sie. Langsam stieg sie über eine kleine Treppe auf den obersten Ast des Zedrachbaumes, ging auf ihm entlang bis zum nächsten Hochweg, überquerte auf einer kurzen Hängebrücke die Kluft vor dem Torbaum und blieb an dessen Stamm stehen. Sander folgte ihr mit etwa zehn Meter Abstand. Die Hängebrücke zu dem Vulkankegel lag nun direkt unter ihren Füßen.

Sander spürte, wie Maria Behring ihn am Arm packte. »Er ist da«, wisperte sie in ihr Mikrophon. »Jetzt absolute Funkstille!«

Sander kniff die Augen zusammen. Am anderen Ende der Hängebrücke lag der Mann auf dem Boden, das Flammenschwert zwischen den Armen auf seiner Brust; er schien zu schlafen.

Sie warteten eine Weile, aber der Indianer rührte sich nicht.

Maria Behring stellte den Absatz ihres rechten Stiefels auf die oberste Sprosse der Leiter, die zu der Hängebrücke hinabführte, und zog ganz langsam den linken Fuß nach. Die hölzerne Konstruktion zeigte sich stabil, und bald hatte sie das diesseitige Lager der Brükke erreicht.

Auch Sander machte erst eine vorsichtige Belastungsprobe, denn mit seinen fünfundsiebzig Kilogramm war er mehr als doppelt so schwer wie die Menschen, für die diese Leiter gebaut war. Aber auch er fühlte sich bald sicher und holte Maria Behring ein.

Sie wartete, bis er neben ihr stand. Dann hob sie einen Fuß auf die Konstruktion. Diesmal hielt auch sie sich an den Lianen fest. Vorsichtig setzte sie Fuß vor Fuß. Sie hatte schon die Mitte der Brücke erreicht, als der Wächter sich plötzlich aufsetzte. Der Schreck fuhr Sander so in die Knochen, daß er fast einen Warnruf ausgestoßen hätte. Im letzten Augenblick beherrschte er sich; das Herz klopfte ihm bis zum Hals.

Maria Behring stand wie angewurzelt. Jetzt erst erkannte sie, daß der Erzengel den linken Fuß auf eines der Seile gelegt hatte, so daß ihn die Erschütterung aufwecken mußte.

Der Wächter spähte suchend in ihre Richtung, konnte aber in der Dunkelheit nichts erkennen. Prüfend rüttelte er ein paarmal an dem Seil, und die Lianenkonstruktion begann ein wenig zu wippen. Maria Behring versuchte, mit den Knien abzufedern, aber der Indianer schien trotzdem zu merken, daß etwas nicht stimmte. Er hob sein Flammenschwert, trat auf die Brücke und ging langsam auf Maria Behring zu, die sich genauso langsam zurückarbeitete, sorgfältig darauf achtend, daß sie immer dann einen Schritt machte, wenn auch der Indianer den Fuß aufsetzte. Als er die Mitte erreicht hatte, stand sie wieder auf dem Torbaum. Rasch zog Sander sie hinter die Leiter.

Der Wächter ging bis zum Ende, drehte suchend den Kopf, tastete mit dem Schwert in die Dunkelheit und schritt langsam auf den Hochweg zu. Er schien mit jedem Ast des Torbaumes vertraut zu sein und bewegte sich fast so sicher, als sei heller Tag. Als er sich einige Meter von der Brücke entfernt hatte, zog Maria Behring Sander am Ärmel und schlich hinter dem Wächter vorbei. Sander folgte ihr. Eilig überquerten sie den Abgrund.

Als sie sich am anderen Ende umdrehten, sahen sie, wie der Wächter kopfschüttelnd vom Torbaum auf das Lianengeflecht trat und ihnen nachkam. Sie gingen auf den kleinen Platz vor dem Eingang der Höhle. Der Wächter blieb am Ende der Brücke stehen, bettete sich wieder auf sein Lager aus Laub und legte einen Fuß auf das Lianenseil.

Sander sah Maria Behring an. Sie deutete auf den Eingang der Höhle, schob sich an ihm vorbei und blieb vor einer kleinen Tür aus Palmengeflecht stehen. Sie suchte nach einem Riegel, konnte aber keine Absperrvorrichtung entdecken. Sander behielt indessen den Wächter im Auge.

Maria Behring zog leise die Tür auf und spähte in das Innere der Höhle. Zu ihrem Erstaunen war der Raum viel größer, als sie erwartet hatte. Die Wände folgten nicht den zufälligen Formen natürlichen Steins, sondern bildeten vier große, lotrechte und glatte Flächen, als seien sie mit großer Sorgfalt gemauert worden. Die mindestens sechs Meter hohe Decke war nicht gewölbt, sondern eben wie eine Tischplatte; sie schien, wie auch die

Wände, von sehr heller Farbe zu sein. Einige Meter neben der Tür befand sich das große Fenster, in dem sie den Weißen gesehen hatte. Von außen war es ihnen rund wie eine natürliche Felsenöffnung erschienen, von innen aber war zu erkennen, daß auch hier geschickte Hände am Werk gewesen sein mußten, denn es besaß eine viereckige Fassung aus Palmenholz sowie Läden, die jetzt geschlossen waren, und einen Riegel aus dem gleichen Material.

Maria Behring drehte langsam den Kopf nach rechts und ließ den Strahl des Infrarotdetektors in ihrem Helm durch den Saal wandern. Ihr Blick fiel auf verschiedene Möbelstücke, die ebenfalls sämtlich aus Palmenholz gemacht schienen: einige Regale, Schränke und Kisten, einen Tisch und mehrere Stühle. In der gegenüberliegenden Ecke stand ein Paravent; hinter ihm drangen leise, leicht rasselnde Atemzüge hervor.

Sie zupfte Sander am Arm und schlüpfte in die Höhle. Sofort bemerkte sie, daß die Luft im Inneren viel kühler und trockener war als im Freien. Genießerisch pumpte sie sich die Lungen voll.

Sander stand hinter ihr und sah sich staunend um.

Maria Behring streckte die Hand aus und betastete die Wand neben der Tür; sie fühlte sich wie Sandstein an. Dann ging sie vorsichtig quer durch den Raum und blickte über den Paravent. Der alte weiße Mann lag in einem Bett unter einer aus grober Wolle gefertigten Decke und schlief. Sein Kopfkissen war aus dunklen Fellen zusammengenäht, die deutlich mit seinem weißen Bart und seinem weißen Haar kontrastierten.

Maria Behring winkte Sander zu sich und deutete auf den Alten. Sander hob die Kamera über den Paravent und drückte die Aufnahmetaste. Das Geräusch des kleinen Elektromotors in der Kamera war kaum zu hören.

Maria Behring inspizierte indessen die Kleidungsstücke, die säuberlich zusammengefaltet auf einem

Stuhl neben dem Bett lagen. Danach wandte sie sich den Gegenständen auf dem Tisch und in den Regalen zu. Zuerst fand sie eine Menge Gebrauchsartikel, die sämtlich aus Bast und Holz bestanden: Messer und Löffel in verschiedenen Größen, Nadeln, eine Zange, eine Schere und anderes, recht primitives Werkzeug, einen Kamm, große und kleine Bürsten aus Palmenfasern, allerlei Tücher, geschnitzte Teller und mehrere ausgehöhlte Gefäße.

Plötzlich war Sander, als höre er von draußen ein Geräusch; rasch drückte er die Pausentaste der Kamera, damit das leise Surren des Elektromotors sie nicht verriet, und lauschte in die Dunkelheit. Maria Behring schaute ihn fragend an. Nur die tiefen Atemzüge des alten Mannes waren zu hören. Nach einer Weile schüttelte Sander den Kopf, löste die Pausentaste, und die Kamera lief weiter.

Maria Behring trat zu dem hintersten der Regale. Die Vorderseite war von einer hellen Stoffbahn verhüllt; erst jetzt bemerkte sie das große Kreuz in der Mitte. Aufgeregt winkte sie Sander zu sich. Als er die Kamera vor das Auge gehoben hatte, schob sie den Vorhang langsam zur Seite, und beide hielten den Atem an. In dem niederfrequenten, vom menschlichen Auge erst durch technische Hilfen erkennbaren Licht der Infrarotstrahlung funkelten mehrere Gegenstände, bei denen es sich nur um christliche Kultgeräte handeln konnte: Ein offenbar aus massivem Gold gegossener Kelch mit dem Kreuzeszeichen stand neben einem großen, bauchigen Gefäß aus Keramik, das kunstvoll mit ungewöhnlichen, jedenfalls nicht europäischen Ornamenten bemalt war. Daneben erschienen mehrere Becher, vermutlich aus Silber, und ein wenigstens dreißig Zentimeter großes Kruzifix.

Maria Behring betrachtete alle Geräte genau und versuchte sich so viele Einzelheiten wie möglich einzuprägen. Dann nahm sie jeden Gegenstand einzeln in die Hand und schätzte sein Gewicht.

Sander wartete. Schließlich trat Maria Behring zur Seite und ließ ihn die Geräte aufnehmen. Er filmte das Regal erst in der Totale und dann jeden einzelnen Gegenstand aus der Nähe. Im Fach darunter lagen mehrere große Bücher. Sander streckte den linken Arm aus und zeigte darauf. Maria Behring nickte, schlug den ersten Band auf und hielt das Frontispiz vor das Okular der Infrarotkamera. Dann legte sie das Buch zurück und holte das nächste heraus; als sie es aufschlug, erkannte sie, daß die Seiten von Hand beschrieben waren. Sie blätterte es vor Sanders Kamera auf und legte es dann zurück. Auch die anderen Bücher waren allesamt handgeschrieben.

Sander hängte sich die Kamera über die Schulter und zeigte auf seine Armbanduhr. Maria Behring kontrollierte die Zeit auf ihrer Piaget; es war genau zwei Uhr. Sie nickte und deutete zur Tür. Doch als sie darauf zugingen, sah sie noch eine andere Tür. Sie drückte sie langsam auf und schaute in einen kleinen Innenhof von etwa zehn Meter Durchmesser, der von einer hohen Mauer umgeben war. Der Boden war völlig kahl. In der Mitte wuchs ein etwa acht Meter hoher Baum, der ganz und gar von Bromelien überwuchert war.

Maria Behring ging in den kleinen Garten hinaus und hob einen Zweig des Baumes hoch, während Sander ihn filmte; schon nach wenigen Sekunden aber spürte sie schmerzhafte Ameisenbisse und ließ den dünnen Ast wieder los.

Sander schob die Kamera in die Tasche zurück und tippte mit dem rechten Zeigefinger energisch auf seine Uhr.

Maria Behring nickte. Sie gingen zurück in die Höhle, schlossen die eine Tür hinter sich, öffneten ebenso leise die andere und gingen auf den kleinen Vorplatz hinaus. Der Wächter lag an der Brücke. Maria Behring schlich sich heran, bückte sich und schob sachte seinen Fuß von dem Lianenseil. Der Indianer tat einen tiefen Atemzug, wachte aber nicht auf.

Mit einem großen Schritt stieg Maria Behring über den Schlafenden hinweg und trat auf die Brücke. Sander folgte ihr. Eilig überquerten sie den Abgrund zwischen Vulkankegel und Torbaum; das Gewölk unter ihnen, das in der Infrarotstrahlung ebenfalls grün wirkte, schien in der Zwischenzeit etwas höher gestiegen zu sein.

Sie kletterten die Leiter hinauf, balancierten auf dem großen Ast zu dem Hochweg und langten zehn Minuten später wieder bei dem Luftschiff an. Ein leichter Windstoß ließ die Blätter rascheln. Maria Behring wartete, bis Sander in den Korb gestiegen war, und betätigte die Steuerung. In der Gondel schnallten sie sich wortlos auf ihren Sitzen fest. Sander löste die Haltevorrichtung und ließ Luft aus den Ballonetts; das Schiff begann zu steigen und trieb langsam von den hohen Bäumen fort nach Süden. Erst jetzt wagten sie wieder zu sprechen.

»Er ist ein Priester«, sagte sie. »Dem Gewicht nach müssen die Altargeräte aus Gold und Silber sein. Der Text auf dem Frontispiz war portugiesisch. Haben Sie alles drauf?« Sie rieb sich die schmerzenden Hände; die Ameisenbisse hatten große Quaddeln hervorgerufen.

»Ja«, sagte Sander. »Was war das für ein komischer Baum?«

»Cecropia«, sagte sie. »Sie haben recht, er ist wirklich ungewöhnlich. So viele Bromelien! Er war damit behängt wie ein Weihnachtsbaum mit Kugeln.«

»Dieser Wächter hat mir einen ganz schönen Schrekken eingejagt«, gestand Sander und zündete sich eine Zigarette an. »Ich dachte schon, er kann im Dunkeln sehen und erwischt Sie.«

»Keine Angst«, sagte sie und zog den kleinen Elektrostick aus der Hüfttasche ihres Overalls. »Ich war vorbereitet. Nach fünfzigtausend Volt hätte er sich bestimmt für eine Weile schlafen gelegt und später gar nicht gewußt, wie ihm geschah.«

Sander runzelte die Stirn. »Ich bin froh, daß Sie das Ding nicht einsetzen mußten«, sagte er.

»Ich auch«, sagte sie. »Glauben Sie, ich hätte es gern getan? Es scheint mir aber immer noch die humanste Methode zu sein, sich Kerle vom Leib zu halten.«

»Jetzt haben wir es ja geschafft«, meinte er erleichtert.

»Fürs erste«, sagte sie. »Aber eins ist schon jetzt klar: Wenn wir das alles ausgewertet haben, müssen wir uns überlegen, wie wir mit dem Alten Kontakt aufnehmen, ohne daß die Indianer etwas davon bemerken. Wir müssen wissen, wer der Mann ist, woher er kommt und warum er mit diesen Baumbewohnern im Wolkenwald lebt. Vielleicht braucht er Hilfe. Vielleicht können wir etwas für diese Menschen tun. Auf jeden Fall müssen wir mit ihm reden. Und zwar so bald wie möglich.«

Sander wartete, bis sie den Rand des Kraters überquert hatten, und startete die Motoren. Er steuerte das Schiff aber nicht zu ihrem alten Landeplatz an dem Cerro Impacto, sondern umrundete den Westen des Wolkenwaldes und kehrte an den Nordrand zurück. Dort mußten sie eine Weile suchen, bis sie eine geeignete Lichtung fanden. Dann pumpte Sander Luft in die Ballonetts, fuhr eine Kurve und drückte die Nase des Luftschiffs nach unten. Kurze Zeit später setzte das Rad im Gras einer schmalen Schneise dicht unterhalb des Kraters auf. Sander ging auf Gegenschub und brachte das Luftschiff kurz vor zwei stämmigen Myristikazeen zum Stehen. Nach einigen Manövern gelang es ihm, es mit den Haltevorrichtungen an Bug und Heck so unter den weit ausladenden Blätterdächern der beiden Bäume festzumachen, daß es vor Sturmböen sicher und aus der Luft nicht zu sehen war.

Sie setzten die Infrarotgeräte ab. Als sie aussteigen wollten, ging ein Wolkenbruch nieder, und sie mußten in der Gondel warten. Der Regen fiel so dicht, als hätten sie das Schiff unter einem Katarakt festgemacht. Die wasserabweisende Hülle des Luftschiffs zeigte sich den riesigen Tropfen wie immer gewachsen, aber die Luft und das Helium in ihrem Inneren kühlten stark ab, und die Kohlefaserverstrebungen begannen unter dem dadurch ansteigenden Gewicht zu ächzen. Sander öffnete die Ventile und ließ einige Kubikmeter Luft ab, bis sich die Druckverhältnisse wieder stabilisierten. Im Osten wurde es hell.

Als der Regen endlich aufhörte und Stille sich ausbreitete, schreckte Maria Behring hoch. »Habe ich geschlafen?« fragte sie verwirrt.

»Nur ein halbes Stündchen«, antwortete Sander und drückte seine Zigarette im Aschenbecher aus. »Gleich geht die Sonne auf.«

Sie schüttelte ihre Locken und öffnete den Mund zu einem herzhaften Gähnen, das sie jedoch diskret mit einer Hand verdeckte.

»Also los«, sagte sie dann munter, »ich kann es kaum erwarten, mit der Auswertung anzufangen.«

Sie kletterte in den hinteren Teil der Gondel, klappte die Notbank aus und stöpselte ihren Computer in die Bordelektrik ein. Sander nahm die Kassette aus der Infrarotkamera und setzte sich neben sie. Sie schaltete den Monitor ein, legte die Kassette in das Abspielgerät, koppelte es an den Computer an und drückte die Starttaste. Auf dem Monitor erschien der alte Mann in seinem Bett. Maria Behring schaltete auf Standbild. »Was würden Sie schätzen?« fragte sie.

»Schwer zu sagen«, meinte Sander. »Mindestens siebzig Jahre. Vielleicht achtzig. Älter wird man nicht hier in den Tropen. Man sieht nur älter aus.«

»Und?« fragte sie weiter. »Nationalität?«

Sander wiegte den Kopf. »Brasilianer europäischer Abstammung«, erwiderte er. »Oder Portugiese. Das Buch ist jedenfalls aus Lissabon.«

Sie ließ das Bild weiterlaufen, und auf dem Monitor erschienen nun der Reihe nach die verschiedenen Gegenstände. »Sauber und ordentlich«, kommentierte sie. »Entweder er hat gutes Personal, oder er versteht es, seine Sachen selber in Schuß zu halten. Würde sagen, letzteres. Typisch katholischer Priester.«

»Ach ja?« sagte Sander. »Sie kennen sich aber aus!«

»Ein Cousin von mir ist Pfarrer im Sauerland«, sagte sie. »Bei dem können Sie vom Fußboden essen.« Sie lächelte. »Manche Männer entwickeln erstaunliche Talente, wenn sie keine Frau haben, die ihnen die Hausarbeit abnimmt«, fügte sie hinzu.

Sander dachte an das Innenleben seiner Seekiste und zog es vor zu schweigen.

Als nächstes erschienen die Altargeräte. Maria Behring schaltete die Größenfeststellung ein und führte die Skala auf dem Bildschirm zu den einzelnen Gegenständen. »Kelch, vermutlich Gold, henkellos, Kreuzeszeichen auf der vorderen Rundung, Fuß achteckig«, registrierte sie, »Höhe achtunddreißig Komma fünf Zentimeter. Breite oben zwölf Komma fünf Zentimeter, unten acht Komma fünf Zentimeter.«

Der Reihe nach vermaß sie auch die anderen Gerätschaften. Dann betrachteten sie lange die fremdartigen Ornamente auf dem bauchigen Keramikgefäß, konnten sie aber nicht einordnen.

»Auch irgendwie antik«, meinte Sander.

»Finden Sie? Mir kommt das eher indianisch vor«, sagte Maria Behring.

»Vielleicht beides«, schlug Sander vor.

Sie nickte und ließ das Band wieder ein Stück weiterlaufen. Das Kruzifix erschien, und sie legte die elektronische Meßlatte an. »Einunddreißig Komma zwei Zentimeter«, meldete sie und überprüfte, ob der Computer die Information auch sicherte; ein Lichtsignal bestätigte, daß sie auf der Festplatte abgespeichert war.

Lange betrachteten sie die Gestalt des Gekreuzigten. Ausdruck und Proportionen der Figur zeigten, daß es sich um ein edles Stück aus erstklassiger Werkstatt handeln mußte.

»Mindestens hundert Jahre alt«, vermutete Maria Behring. »So etwas wird heute gar nicht mehr hergestellt.«

»Haben Sie eine Ahnung«, widersprach er. »Caracas ist voll von solchen Dingern.«

»Wirklich?« Ungläubig schüttelte sie den Kopf. »Das kann ich mir gar nicht vorstellen. Sehen Sie doch mal, wie fein das gearbeitet ist! Das war ein Künstler, kein gewöhnlicher Handwerker. Wahrscheinlich werden so prächtige Kruzifixe schon seit der Säkularisation nicht mehr gemacht.«

»Mag sein«, brummte Sander, der diesen Begriff nicht kannte, aber auch nicht fragen mochte.

Sie schaltete den Vorlauf ein und drückte erst wieder auf »Start«, als der Baum in dem kleinen Innenhof erschien. Dann stützte sie das Kinn in die Hand; auf ihrer Stirn bildete sich eine kleine Falte.

»Sehen Sie die auffällig sperrige Verzweigung? Das ist ein Imbauba. In Venezuela nennt man ihn Yagrumo oder Orumo, glaube ich.«

»Ein Ameisenbaum?« fragte Sander verblüfft.

»Ja«, sagte sie und zeigte ihm ihre Hände. »Allerdings wundern mich die vielen Bromelien. Normalerweise verteidigen die Ameisen ihren Wirtsbaum gegen alle Epiphyten und Schmarotzer; kaum fällt ein Keim auf die Rinde nieder, kommen sie gleich heraus und beißen ihn ab. Sie jäten wie Gärtner. Komischerweise halten sich auch nur Bromelien auf diesem Baum, keine Orchideen, Würgfeigenranken, Lianen oder Farne. Höchst ungewöhnlich. Es gibt eigentlich keine Erklärung dafür. Es sei denn ...«

Sander wartete gespannt.

»Es sei denn, diese Bromelien haben irgendeinen Abwehrstoff gegen die Ameisen entwickelt«, fuhr sie fort. »So, wie sich manche Pflanzen gegen bestimmte Schädlinge wehren. Zum Beispiel durch giftige Säfte. Das müssen wir unbedingt untersuchen!«

»Kennen Sie diese Bromelien denn nicht?« meinte er verwundert.

»Das ist es ja gerade«, sagte sie mit Emphase. »Die erste neue Bromelienart auf der ganzen Expedition, und sie wächst ausgerechnet im Hinterhof eines katholischen Priesters, der einen Stamm baumbewohnender Indianer kommandiert, mit einem bewaffneten Wächter vor der Tür. Aber wir kommen schon noch an den Baum heran, das können Sie mir glauben.« Herausfordernd sah sie ihn an.

»Ich habe nicht den geringsten Zweifel«, sagte Sander eilig.

Sie schaltete den Monitor ab. »He, was ist das denn?« fragte sie dann und schaltete gleich wieder ein. »Da ist was im Postfach.« Sie drückte einige Tasten. »Von Professor Sarosi. Wissenschaftlich gesehen. Hatte ich gar nicht gemerkt.« Ihre Finger arbeiteten auf dem Keyboard, bis der Text auf dem Bildschirm erschien.

»›Guten Tag, Frau Doktor Behring‹«, las sie mit. »›Hier nun die versprochenen Angaben über die Omagua. Quelle eins: Francisco de Orellana. Befuhr fünfzehnhunderteinundvierzig/zweiundvierzig als erster den Amazonas bis zur Mündung. Folgte der bekannten Legende von El Dorado, dem Indianerkönig, der sich täglich salbte und dann von seinen Untertanen mit

Goldstaub gepudert wurde, den er in einem heiligen See abwusch. Lernte von den Omagua die Verwendung von Caesalpina echinata für den Schiffsbau sowie des Saftes von Hevea brasiliensis zum Abdichten der Fugen.‹«

Da sie wußte, daß Sander die botanischen Fachausdrücke nicht kannte, erklärte sie: »Caesalpina echinata liefert das rote Paobrasil, das ›Holz der glühenden Kohle‹, vorzügliches Schiffsholz. Hevea brasiliensis ist der wichtigste Kautschuklieferant, mit zehn bis zwölf Arten im Amazonasgebiet.«

Sie las weiter: »›Die Konquistadoren bauten also ein Schiff, um märchenhafte Reichtümer zu gewinnen, und hatten keinen Schimmer, daß sie dazu einen Pflanzensaft benutzten, der ihre Nachkommen märchenhaft reich machen würde.‹ Komm, komm, Professor, keine philosophischen Exkurse, wir brauchen Fakten! Ah, hier: ›Die Omagua zeigten den Spaniern, wie man die Bäume vor dem Fällen entastet, damit sie im Stürzen nicht in anderen Bäumen hängenbleiben.‹ Das hätten sie mal lieber lassen sollen. ›Die Indianer versorgten die Weißen großzügig und halfen ihnen nach Kräften. Unter Aufsicht Orellanas hielten sich die Spanier deshalb zurück – nicht brennen, nicht morden, nicht schänden, nicht rauben, nicht plündern –, was durchaus nicht dasselbe ist. Wissenschaftlich gesehen.‹ Ich halte es nicht aus!«

Sie übersprang einige Absätze und las dann weiter: »›Orellana erreichte nach acht Monaten die Mündung des Amazonas. Damit hatte er als erster Weißer den südamerikanischen Subkontinent in West-Ost-Richtung durchquert.‹ Ja doch, nicht so feierlich! Was hat das denn mit den Omagua zu tun? Vielleicht jetzt: ›Unterwegs zahlreiche Kontakte mit Indianern am Strom. Das gesamte Amazonasgebiet offenbar dicht besiedelt. Stämme allerdings fast sämtlich untereinander verfeindet.‹ Nun, das ist mir allerdings neu. ›Größenangaben höchst unterschiedlich. Fluß hieß damals noch Marannon. Erste Nachrichten über kämpfende Frauen führten später zum Namen Amazonas.‹ Aha. Also mal wieder wirre Männerphantasien. ›Dokument: Aufzeichnungen des Orellana-Begleiters Fray Gaspar de Carvajal.‹ Also ein Mönch. ›Zitat vom zwölften Februar achtzehnhundertzweiundvierzig am Ufer des Río Napo: Vielleicht werden wir morgen schon die in der Sonne blinkenden Goldtempel am großen Strom erblicken und Schatzkammern öffnen, die voll Gold, Silber und Edelsteinen sind.‹ Feiner Priester, das! Genauso goldgierig wie die Soldateska. Das waren schon dolle Gottesmänner, die Europa damals auf die armen Indianer losgelassen hat!«

Sie übersprang wieder einige Absätze. »Hier, Ostern achtzehnhundertzweiundvierzig – das klingt auch ganz gut. ›Carvajal berichtet: Große Boote kamen auf dem Strom auf uns zu. Viele der Ruderer sprangen ins Wasser und schwammen dicht an unseren beiden Schiffen vorbei.‹ Aha, inzwischen hatten sie schon zwei Schiffe, dank der tüchtigen Omagua. ›Es war ein herrlicher Anblick. Denn der Kopfschmuck der Indianer, bunte Federkronen, blitzte wie Geschmeide in der Sonne. Wir warfen ihnen Lianentaue zu, und sie kletterten sofort an Bord. Sie waren groß und stark‹ – aha, deshalb hat Sarosi das Zitat ausgewählt – ›und nackt bis auf einen Lendenschurz. Auf dem Kopf trugen sie außer dem Federschmuck kunstvoll bearbeitete Muscheln. Ihre schwarzen Haare hingen bis auf die Schultern herab. Die Gesichter waren rot bemalt, die Runzeln um die Augen nachgezogen, dadurch wirkten die Augen wie Masken.‹ Na ja, das brauchen wir wohl nicht mehr. Federkronen! Damit war den Spaniern kaum gedient.«

Sie studierte den Text. »Hier kommt etwas über Manoa. Das ferne, reiche Manoa mit seinen goldenen Tempeln. Wurde nie gefunden. Wen wundert's. Hirngespinste. Da: ›Das Gold schien vor uns zurückzuweichen, klagte Carvajal.‹ Geschah ihnen recht. ›Bei einem anderen Stamm, den Culino an der Mündung des Putumayo, hörte Orellana von einem ›Goldland an einem großen See mit Namen Parime‹.‹ Das brauchen wir alles nicht, darüber hat AvH schon das Rechte geschrieben.«

Auf dem Schirm erschienen Ziffern. »Erstes Eindringen von Menschen in die Regenwälder Südamerikas 6000 v. Chr. Geschätzte Zahl der Bewohner des tropischen Regenwaldes in Mittel- und Südamerika vor der Ankunft des Kolumbus 7-10 Millionen. Davon im Amazonasgebiet 6 Millionen. Geschätzte Zahl der amerikanischen Regenwaldbewohner hundert Jahre nach Ankunft des Kolumbus 700 000 bis 1 Million.«

Maria Behring lehnte sich betroffen zurück. »Innerhalb eines Jahrhunderts um neunzig Prozent dezimiert! Das ist dreimal so schlimm wie die Pest!«

»Heutige Einwohnerzahl in den tropischen Regenwäldern und angrenzenden Savannen 1 Million«, meldete der Computer. »Zahl der Siedlungen 5000. Zahl der Volks- und Stammesgruppen 300. Zahl der Individuen: Yanonamí 15 000 ...«

Maria Behring schaltete auf »Pause« und rieb sich übermüdet die Augen. »Ich schlage vor, wir machen erst mal Schluß«, sagte sie und tippte sich an die Stirn. »Meine Aufnahmekapazität ist total erschöpft, ich kann hier oben überhaupt nichts mehr speichern.«

»Ich bin auch völlig fertig«, gab Sander zu. »Wenn Sie sich hier ausstrecken wollen, gehe ich wieder auf meinen Sitz.«

»Danke«, sagte sie.

Er stand auf, stellte seine Rückenlehne so weit nach hinten, wie es die Arretierung zuließ, und ließ sich mit einem wohligen Seufzer nieder. Plötzlich fühlte er, wie etwas Weiches auf ihm landete.

»Nehmen Sie eine Decke«, hörte er Maria Behring sagen. »Schließlich sind Sie ein Kulturmensch.«

»Danke«, murmelte er und schlief ein.

Als er wieder aufwachte, roch er Kaffeeduft. Er richtete sich auf und sah, wie Maria Behring im hinteren Teil der Gondel an einem Kocher hantierte.

»Ich wußte gar nicht, daß Sie kochen können«, sagte er.

»Wie? Für Kaffee reicht es gerade so. Guten Nachmittag! Haben Sie gut geschlafen?«

Seine längst aus der Mode gekommene Dugena Tropica Automatic zeigte 16.45 Uhr. »Ja«, sagte er, »gut und lange.«

»Dann können Sie ja zwei von den Verpflegungspäckchen aufmachen«, schlug sie vor. »Ich schätze, Sie haben genausoviel Hunger wie ich.«

Sie kletterte auf den Pilotensitz, setzte die Funkanlage in Betrieb, schaltete die Companyfrequenz ein und meldete sich bei der Funkstation im Camp: »Airship Delta Bravo Papa Whiskey Oscar. Position Río Manipitari, Quellgebiet. Alles okay. Gute Ausbeute. Grüße an alle.«

»Gut, daß Sie sich melden, Frau Doktor«, sagte der Funker aufgeregt. »Der Oberst ist ziemlich ungehalten.«

»Dann sagen Sie ihm ganz besonders schöne Grüße«, gab Maria Behring zurück und schaltete ab.

Sie aßen kaltes Roastbeef mit Salat aus der Kühltruhe; Sander trank eine Cola, Maria Behring ein Perrier. Dann warf sie die Reste in den Müllbehälter und sagte: »Wenn Sie nichts dagegen haben, schauen wir uns erst mal die Bibel und das andere Buch an.«

Sie ließ das Band zurücklaufen, bis es an die Stelle kam, die das Frontispiz der Bibel zeigte. Dort stand in lateinischer Sprache »Biblia sacra iuxta Vulgatam Tridentinam nova editio« und darunter »Olisipo MDXXXXVI«.

»Schönes altes Stück«, sagte Maria Behring. »Pergament. Ziemlich gut erhalten, finden Sie nicht?«

»Ja«, sagte Sander, obwohl er sich nicht im entferntesten für kompetent hielt, darüber zu befinden.

Sie holte das andere Buch auf den Monitor. Die aufgeklappte Seite war von oben bis unten eng mit einer Handschrift beschrieben, die wie gestochen wirkte.

»Ob das der Alte war?« murmelte Maria Behring. Sie vergrößerte die ersten Worte der obersten Zeile. »Hier ist wieder eine Jahreszahl. Moment ... M-D-L-I-I-I. Früher konnte ich so was lesen. Warten Sie mal. M ist tausend, D ist fünfhundert ... also, wenn mich nicht alles täuscht, heißt das fünfzehnhundertdreiundfünfzig. Stammt also wohl doch nicht von unserem seltsamen Freund.« Sie lächelte.

»Schwerlich«, stimmte Sander zu.

Sie kniff die Augen zusammen und versuchte zu lesen, konnte aber kein einziges Wort entziffern. »Ich geb's auf«, sagte sie nach einer Weile mit einem enttäuschten Seufzer. »Es muß irgendwie Portugiesisch sein, aber eben Portugiesisch von vor vierhundertfünfzig Jahren. Ganz andere Buchstaben. Schauen Sie nur mal, diese Schnörkel! Können Sie Portugiesisch?«

»Klar. Das bleibt in diesen Breiten nicht aus.«

»Aber um das entziffern zu können, muß man Romanistik studiert haben. Sieht aus wie ein Tagebuch. Wozu liegen diese alten Schwarten dort herum?«

»Vielleicht hat er sie hier gefunden?« meinte Sander.

»Wohl kaum«, entgegnete sie. »Selbst Pergament kann sich in dieser Hitze und bei dieser Luftfeuchtigkeit nicht länger als ein paar Jahrzehnte halten.«

»In der Höhle ist es kühl und trocken«, bemerkte Sander.

»Das stimmt«, gab sie zu. »Aber glauben Sie wirklich, daß dieser Saal schon länger existiert? Mir kam es eher so vor, als sei er erst vor ein paar Jahren aus dem Felsen gehauen worden. Vermutlich besteht der ganze Kegel aus Tuffstein; die Wand fühlte sich wie Sandpapier an. Sehen wir mal, was wir haben. Zweifellos handelt es sich um einen Priester. Höchstwahrscheinlich um einen Missionar. Wahrscheinlich katholisch. Vermutlich schon seit einigen Jahren im Wolkenwald tätig. Möglicherweise sogar schon seit zwei oder drei Jahrzehnten. Seine Indianer leben auf Holzkulturstufe. Offenbar überwiegend auf den Bäumen. Ganzjährig, meine ich. Population aus ungefähr dreihundert bis dreihundertfünfzig Individuen. Das von ihnen besiedelte Gebiet füllt offenbar den größten Teil des Kraters aus. Mit dem Riesenwuchs der Bäume und der Dichtheit der Bestände geht eine besondere Fertilität einher, die sich in der Vielzahl und der Größe der Früchte und Nüsse ausdrückt. Die Baumfrüchte dienen als Grundnahrungsmittel. Tierisches Eiweiß vorhanden, Nutzung allerdings fraglich. Ich halte es für wahrscheinlich, daß diese Menschen freiwillig auf das Jagen und Schlachten von Tieren verzichten. Möglicherweise aus religiösen Gründen. Anreicherung des Speisezettels vermutlich durch besonders große und proteinreiche Insekten. Zusammenleben der Menschen in Familien. Zusammenkünfte festlichen Charakters vor der Behausung des Missionars im Mittelpunkt des Siedlungsgebiets. Einfache hierarchische Strukturen mit dem Priester an der Spitze, drei oder mehr besonders großen und kräftigen Indianern als Assistenten und darunter dem Rest des Volkes. Einer der Assistenten, vielleicht der Häuptling der Eingeborenen, ist bewaffnet, führt aber offenbar die Befehle des Missionars aus. Haben wir etwas vergessen? Ja, haben wir. Sprache Guaraní, vermutlich ein alter, bei anderen Völkern heute nicht mehr gebräuchlicher Dialekt. Nur wenig Kontakt zur Außenwelt, vielleicht sogar schon seit Jahren überhaupt keine Umwelteinflüsse mehr. Erstaunliche Sicherheit bei der Fortbewegung in den hohen Bäumen durch Anlage eines verzweigten Systems aus Hochwegen, Hängebrükken und Leitern. Erstaunlich vertrauter Umgang mit Affen, Vögeln und baumlebenden Nagern. Ich finde, wir wissen schon eine ganze Menge. Aber es bleiben viele Fragen offen. Als da sind: Herkunft und ethnische Zugehörigkeit der Indianer. Ursachen ihrer Zwergwüchsigkeit. Ursachen der ausgeprägten Schulter- und Armmuskulatur sowie der Polydaktylie. Alter der Ansiedlung. Herkunft des Missionars. Gründe für den Mangel an Kontakten. Gründe für die Lebensweise überwiegend auf Bäumen. Ich finde, es gibt eine ganze Menge, was wir den Alten fragen müssen.«

Sander rutschte unruhig hin und her. »Und ich finde, daß wir darüber noch mal reden sollten«, sagte er.

»Wozu?« fragte sie. »Haben wir das nicht längst beschlossen?«

»Das haben Sie beschlossen, nicht wir«, verbesserte Sander, »und zwar unter ziemlichem Streß. Ich will Ihnen das gar nicht ausreden, aber –«

»Das können Sie auch gar nicht«, fuhr sie dazwischen.

»... aber ich finde, wir sollten trotzdem vorher noch einmal in Ruhe darüber reden. Die Vor- und Nachteile abwägen. Wie stellen Sie sich diese Operation denn eigentlich vor? Wollen wir uns wieder nachts in die Höhle schleichen, Licht machen und sagen: ›Aufwachen, Herr Pfarrer, Sie haben Besuch‹?«

»Seien Sie nicht albern«, sagte Maria Behring.

Sander fuhr fort: »Eins ist doch klar: Sobald uns die Indianer gesehen haben, und zwar die Mehrheit, nicht nur ein paar einzelne, gibt es kein Zurück mehr. Denken Sie an Ihre kleinen grünen Männchen vor dem Brandenburger Tor.«

»Wir müssen natürlich behutsam vorgehen«, räumte sie ein. »Ich habe keineswegs vor, eine Art Luftangriff zu fliegen oder den Menschen einen Kulturschock zu verpassen.«

»Aber genau das werden wir tun«, beharrte er. »Das

dort drüben ist ein kleines Paradies. Und was Sie vorhaben, wird den Frieden in diesem Paradies empfindlich stören.«

»Ich sehe nicht, wieso«, sagte sie. »Ja, wenn dieser alte Mann nicht wäre! Dann würde ich es mir wirklich überlegen, ob ich diese Indianer mit meinem weißen Gesicht erschrecken soll. Aber die hier wissen ja nun, daß es Menschen anderer Hautfarbe gibt. Sie sind mit dem christlichen Glauben bekannt gemacht worden; das heißt, sie wissen, daß die Welt nicht allein aus diesem Dschungel besteht. Wenn diese Bibel dort nicht allein nur für den privaten Gebrauch herumliegt, sondern gelegentlich auch zum Vorlesen dient, und davon gehe ich aus, dann müssen diese Leute auch schon mal etwas von Euphrat und Nil, vom Berg Sinai und vom Roten Meer, von der Wüste und von Schnee, von Babylon, Jerusalem und Rom gehört haben. Und auch von sonderbaren Fahrzeugen, die durch die Luft fliegen, wenn ich mich richtig erinnere. Swing low, sweet chariot!« Herausfordernd summte sie einige Takte der Melodie. »Denken Sie mal an den feurigen Wagen, in dem Elia herumkutschierte! Ich meine, wo Missionare hindürfen, dürfen Wissenschaftler schon lange hin. Oder denken Sie etwa, es wäre besser für die Welt, wenn wir den Priestern das Feld überließen? Dann hätten wir heute vermutlich überall so nette Gebräuche wie Ablaß, Abtreibungsverbot und Inquisition.«

»Das meine ich überhaupt nicht«, entgegnete Sander fest. »Aber wir wissen noch nicht mal, wie der Alte reagiert. Wahrscheinlich hat er noch nie ein Luftschiff gesehen. Wahrscheinlich lebt er wirklich schon seit Jahrzehnten unter diesen Indianern und weiß gar nicht, was draußen in der Welt inzwischen los ist –«

»Dann sollten wir es ihm so rasch wie möglich mitteilen«, fiel sie ihm ins Wort. »Damit er schon mal darüber nachdenken kann, was er seinen Indianern erzählt, wenn die ersten Hubschrauber der brasilianischen Bundespolizei über ihren Köpfen herumschwirren.«

»Wenn man auf alles eine Antwort hat, heißt das noch lange nicht, daß man auch recht hat«, sagte Sander ärgerlich. »Was ist, wenn die Menschen in Panik geraten und davonlaufen? Wenn sie sich vor uns so fürchten, daß sie von den Bäumen klettern und im Urwald verschwinden?«

»Das tun sie nicht, keine Bange«, sagte Maria Behring.

»Woher wollen Sie das wissen?« erwiderte er hartnäkkig. »Es kann doch ohne weiteres sein, daß sie total die Nerven verlieren und einfach davonrennen.«

»Das tun sie nicht«, wiederholte sie, »glauben Sie mir.«

»Ich möchte mal wissen, was Sie so sicher macht«, sagte er verdrossen. »Entweder Sie verstehen das Problem nicht, oder Sie wollen es nicht verstehen.«

»Ich verstehe sehr wohl«, sagte sie mit leichter Schärfe in der Stimme. »Unterstellen Sie mir bitte nicht, daß ich gegenüber den Problemen von Indianern unsensibel wäre! Das Gegenteil ist der Fall. Ich möchte Kontakt aufnehmen, weil ich glaube, daß wir hier eine Mission zu erfüllen haben.«

»Eine Mission!« wiederholte Sander ungläubig. »Das ist doch nicht Ihr Ernst! Sie wollen berühmt werden, das ist alles!«

»Jetzt reicht es aber!« rief sie heftig. »Was fällt Ihnen eigentlich ein? Ich habe es nicht nötig, mir solchen Mist anzuhören. Sie haben sich verpflichtet, während der Vertragsdauer meine Anweisungen zu befolgen, vergessen Sie das nicht! Wenn Sie nicht parieren, können Sie Ihr Honorar in den Rauchfang schreiben!«

»Darauf pfeife ich«, sagte er. »Von Ihnen lasse ich mir überhaupt nichts mehr vorschreiben! Schon gar nicht, was gut und was falsch ist! Machen Sie das mit Ihren Subalternen, aber nicht mit mir!«

Zornig funkelten sie einander an. Dann stand Maria

Behring abrupt auf, schleuderte ihren Kaffeebecher auf den Boden, stieß die Tür auf und sprang ins Freie. »Ich brauche frische Luft«, sagte sie laut.

Ziellos lief sie kleine Kreise durch den Dschungel, blieb aber immer in Sicht- und Hörweite des Luftschiffs. Sander steckte sich eine Zigarette an der anderen an.

Nach einer Stunde kam sie zurück. »Tut mir leid«, sagte sie verlegen. »Sie haben recht, wir sollten noch einmal in Ruhe darüber reden.«

»Schon gut«, sagte Sander versöhnlich. »Wir müssen aufpassen, daß wir jetzt nicht die Nerven verlieren.«

»Allerdings«, sagte sie. »Ohne Sie wäre ich hier auch völlig aufgeschmissen. Ich könnte ja nicht mal das Luftschiff zurückbringen.«

»Keine Sorge«, sagte Sander. »Ich lasse Sie nicht im Stich, nur weil wir mal verschiedener Meinung sind.« Er lächelte schief. »Außerdem will ich ja irgendwann auch wieder nach Hause. Nicht sofort, aber bald.«

»Also gut«, sagte sie. »Dann mache ich Ihnen jetzt einen Vorschlag. Wir lassen den alten Mann selbst entscheiden. Ich schreibe ihm einen Brief, in dem ich ihn um Kontaktaufnahme bitte. Wir werfen den Brief in seinen Innenhof. So, daß er ihn unmöglich übersehen kann. Wir verabreden ein Zeichen mit ihm. Gibt er uns das Zeichen, gehen wir zu ihm. Gibt er uns das Signal nicht, fahren wir nach Hause. Einverstanden?«

»Sie scheinen sich Ihrer Sache ja ziemlich sicher zu sein«, sagte Sander.

»Das bin ich auch«, sagte sie. »Wie wir sehen, reicht das ja jetzt nicht mehr. Ich muß auch Sie überzeugen. Aber das wird mir gelingen, verlassen Sie sich drauf.«

Sie öffnete die Kiste für Notfälle, nahm eine der Macheten heraus, ging zum nächsten Strauch und hieb einen kräftigen Ast ab. Dann holte sie eine der leuchtendroten Signalfahnen aus der Gondel, wickelte sie um den

Ast und befestigte sie mit der Halteschnur. Befriedigt betrachtete sie ihr Werk.

»Das ist wirklich nicht zu übersehen« gab Sander zu.

Sie holte einen Notizblock und einen Filzstift aus ihrem Gepäck. »Dann wollen wir mal. K-O-N-T-A-K-T.« Sie malte das Wort in Großbuchstaben über die ganze Seite und setzte den Stift dann eine Zeile tiefer an. »Wie reden wir den Mann an? Hochwürden? Das klingt wie aus ›Don Camillo und Peppone‹. Vater? Vielleicht ist er ein Mönch, dann wäre Bruder besser. Bruder in Christo oder so.«

»Schreiben Sie doch einfach ›Pater‹«, schlug Sander vor, »das ist nie verkehrt.«

»Okay«, sagte sie. »Also dann.« Sie sprach die Worte beim Schreiben mit. »Pater! Sie wissen nicht, wer wir sind. Aber wir sind Freunde. Wir haben Sie beobachtet und wollen Verbindung mit Ihnen aufnehmen. Wir sind Christen. Haben Sie keine Angst! Wir möchten Sie morgen um Mitternacht in Ihrer Wohnung aufsuchen. Wir werden uns so verhalten, daß wir von Ihren Indianern nicht bemerkt werden können. Wenn Sie einverstanden sind, lassen Sie die Brücke für die Zeit unseres Besuches unbewacht. Wir werden Ihnen dann alle Fragen beantworten. Danach mögen Sie selbst entscheiden, ob weitere Kontakte nützlich sind.«

Sie blickte Sander unschlüssig an. »Und wie unterschreibe ich das jetzt?« fragte sie. »Einfach mit ›Maria Behring‹? Das kommt mir irgendwie zu geschäftsmäßig vor.«

»Ihre gehorsame Tochter Maria«, schlug Sander vor. »Wenn schon, denn schon.«

»Meinen Sie das im Ernst?« fragte sie mißtrauisch.

»Warum denn nicht?« gab er zurück. »Das macht die Sache richtig rund.«

»Ich glaube, Sie wollen mich auf den Arm nehmen«,

sagte sie. »Aber vielleicht ist das mit der Tochter wirklich nicht so übel. Baut Mißtrauen ab. Erlegt ihm vielleicht sogar eine gewisse Verpflichtung auf.«

Sie riß das Papier ab, schob es in eine Klarsichtfolie, wickelte den Brief mit der Schrift nach außen um den Stecken und befestigte ihn mit einem Einweckgummi.

»Sie haben wirklich alles dabei«, meinte Sander anerkennend.

»Alte Expeditionserfahrung«, sagte sie. »Immer reichlich Einweckgummi mitnehmen, den kann man zu allem möglichen gebrauchen.« Sie wog den Stecken prüfend in der Hand. »Jetzt brauchen Sie nur noch das Luftschiff über diesen kleinen Innenhof zu fahren«, sagte sie gut gelaunt, »und die Sache ist gelaufen.«

»Für mich kein Problem«, sagte Sander. »Hoffentlich treffen Sie auch!«

»Ich war mal Charlottenburger Juniorenmeisterin im Speerwerfen«, erwiderte sie. »Vielleicht nützt mir das ja jetzt mal was.«

Sie warteten. Es regnete wieder, aber der Wind blieb schwach. Sander schaltete das Radio ein und hörte sich die Wetterberichte der Region an. Sie klangen beruhigend. Maria Behring setzte sich wieder vor den Computer und las, was Professor Sarosi ihr sonst noch an Informationen zugedacht hatte.

»He«, rief sie Sander zu. »Deutsche Entdecker waren auch mal hier in der Gegend. Schon vor AvH. Im sechzehnten Jahrhundert. Haben Sie das gewußt?«

»Ja«, sagte Sander. »Irgend jemand hat mir mal davon erzählt. Die Fugger oder irgendwelche anderen Pfeffersäcke.«

»Die Welser«, verbesserte sie. »Donnerwetter, die waren hier ganz schön unterwegs. Kamen gleich nach den Spaniern.«

»Warum sollten Kaufleute auch weniger goldgierig sein als Konquistadoren!« sagte Sander.

Sie las, bis sie müde wurde. »Macht es Ihnen etwas aus, wenn ich mich ein bißchen hinlege?« fragte sie dann.

»Schlafen Sie nur«, sagte Sander. »Ich wecke Sie, wenn es soweit ist.«

Kurz vor Mitternacht setzten sie die Infrarotgeräte wieder auf und stellten die schweren Batterietornister neben ihre Sitze. Sander startete die Motoren, manövrierte das Luftschiff unter den Bäumen hervor und nahm Kurs auf den Vulkankegel. Über dem niedrigen Kraterrand stellte er die Triebwerke ab. Sie segelten einige hundert Meter geräuschlos dahin. Plötzlich erschütterte ein heftiger Windstoß das Schiff wie mit einer riesigen Faust, und sie wurden in ihre Sitzgurte geschleudert.

»Aua!« rief Maria Behring. »Was war denn das?«

Sander schaute besorgt auf den Windmesser. Der Zeiger fiel von zwölf Sekundenmetern wieder auf 1,6 zurück.

»Ziemlich starke Bö«, sagte Sander. »Bleibt hoffentlich die einzige.«

Er hatte den Satz kaum zu Ende gesprochen, als ein neuer Stoß das Schiff traf und gut dreißig Meter nach Steuerbord schob.

»He, was soll das!« rief Maria Behring. »Tun Sie doch was!«

»Tut mir leid«, sagte Sander. »Wir kommen vom Kurs ab. Entweder schalte ich jetzt die Motoren wieder an, oder wir können die Aktion vergessen, jedenfalls solange es hier oben so unruhig ist.«

»Schalten Sie sie ein«, sagte sie. »Es ist stockfinstere Nacht; die Indianer werden denken, daß es donnert.«

Sander startete die Motoren, ließ sie aber zunächst noch im Leerlauf arbeiten. Erst nach der nächsten Bö übertrug er Kraft auf die Propeller und korrigierte den Kurs.

Maria Behring sah durch das geöffnete Seitenfenster hinunter. »Tiefer«, befahl sie über das Helmmikrophon, »wir sind viel zu hoch.«

Sander pumpte Luft in die Ballonetts, und das Luftschiff sank, bis es nur noch fünfzehn Meter über den Baumwipfeln dahinschwebte. Der Vulkankegel ragte vor ihnen auf.

»Noch etwas tiefer«, sagte sie.

»Das ist zu gefährlich«, erwiderte Sander. »Ich habe keine Lust, mit der Gondel gegen den Felsen zu krachen, auch wenn der nur aus Tuffstein besteht.«

»Wir haben noch mehr als genug Sicherheitsabstand«, sagte sie.

Sander gehorchte unwillig; die Ballonetts waren nun prall gefüllt. »Gut so?«

»Ja, so geht's«, antwortete sie. Der Felsen kam näher. Sie beugte sich mit dem Oberkörper aus dem Fenster und wog den Stecken in der rechten Hand. Als sie den Innenhof überquerten, schleuderte sie das Holzstück in die Tiefe. Durch den Fahrtwind wurde es ein wenig aus der Richtung getrieben, fiel aber in den Hof, wo es gegen die Mauer prallte und mit wehender Signalfahne im Gras liegenblieb.

»Das sieht er«, sagte Maria Behring befriedigt. »Das sieht er ganz bestimmt. Ab nach Hause!«

Sander öffnete die Ventile der Ballonetts, um Luft abzulassen und durch den Auftrieb des Heliums wieder mehr Höhe zu gewinnen. Doch das erwartete Zischen blieb aus und das Luftschiff setzte seinen Sinkflug fort. Heftig rüttelte Sander an dem Schieber.

»Was ist denn?« fragte Maria Behring nervös. »Warum steigen Sie nicht? Vorsicht, der Baum!«

Ein riesiger Wipfel raste in der Dunkelheit auf sie zu. Sander trat wild in die Pedale und schaffte es gerade noch, das Luftschiff an dem breiten Schirm vorbeizusteuern.

»Verdammt, was machen Sie denn da?« rief Maria Behring erschrocken. »Sie sollen steigen!«

»Eins von den Ventilen klemmt«, sagte Sander. »Wir kommen nicht hoch!«

»Gehen Sie auf volle Kraft«, sagte sie. »Und arbeiten Sie dann mit dem Höhenruder!«

»Nein«, sagte Sander. »Dann geht das auch noch zu Bruch. Wir landen besser und warten, bis es hell wird.«

»Schaffen wir es noch über den Rand?«

»Ausgeschlossen. Diesmal müssen wir im Krater landen. In der nächsten Lichtung. Halten Sie sich fest, ich gehe jetzt auf Gegenschub.«

»Nein«, sagte sie. »Nicht landen! Auf keinen Fall! Gehen Sie auf volle Kraft!«

»Halten Sie sich da raus!« erwiderte er. »Das ist meine Entscheidung! Ich bin der Pilot! Finger weg!«

»Nein!« rief sie heftig und klammerte sich an seinen Arm. »Nicht landen, sage ich!«

»Das ist nicht Ihre Entscheidung!« brüllte er. »Weg hier. Loslassen!« Grob befreite er sich aus ihrem Griff.

»Also gut«, sagte sie. »Wie Sie wollen!« Sie streifte den Sicherheitsgurt ab, kletterte von ihrem Sitz und eilte in den hinteren Teil der Gondel.

»Was machen Sie denn da?« fragte Sander verblüfft. »Kommen Sie sofort zurück, und schnallen Sie sich wieder an. Die Landung wird vielleicht ziemlich holprig!«

»Erst brauchen wir die Atemschutzmasken«, antwortete sie und riß den Deckel der Kiste mit der Aufschrift »Schlauchboot« auf.

»Wozu?« fragte er; er spürte, wie sich seine Nackenhaare aufrichteten. »Was ist hier eigentlich los?«

»Gas!« rief Maria Behring. »Der ganze Krater ist voller Gas. Dieses dunkle Gewölk besteht hauptsächlich aus Kohlendioxid. Vermutlich vulkanischer Ursprung. Ohne Schutzgerät überleben wir dort keine drei Minuten.«

»Gas?« wiederholte Sander erschrocken. »Und das sagen Sie mir erst jetzt? Sind Sie wahnsinnig?«

»Nein«, sagte sie. »Verlieren Sie jetzt nur nicht die Nerven! Entweder Sie schaffen es, das Luftschiff doch noch aus dem Krater zu bringen, oder Sie setzen sich dieses verdammte Ding hier auf. Und zwar sofort. Entscheiden Sie sich. Aber schnell! Wenn wir erst einmal in den Wolken sind, ist es zu spät.«

Sander riß die beiden Gashebel nach oben und drehte mit aller Kraft das Höhenruder nach oben. Die beiden Triebwerke brüllten auf; ein gewaltiger Lärmteppich legte sich auf den Wolkenwald.

»Los, komm schon!« sagte Sander. »Komm schon! Komm schon, du blödes Scheißding!«

Das Luftschiff hob träge die Nase. Wieder tauchten hohe Bäume vor ihnen auf. Sander trat wie rasend in die Pedale und zog eine Kurve, von der er nie geglaubt hätte, daß sie ihm gelingen würde. Aber das Manöver glückte ihm, und der befürchtete Zusammenstoß blieb ein zweites Mal aus. Dann tauchte endlich der niedrige Felsenwall vor ihnen auf. Sie überquerten den Kraterrand, und Sander sah den alten Landeplatz unter sich. Ohne zu zögern, ging er auf Gegenschub, bis das Schiff in der Luft stillstand; dann ließ er es langsam sinken. Wenige Meter neben dem Cerro Impacto berührte das Rad den Boden. Sander steuerte das Schiff auf die beiden großen Piquiábäume zu, verankerte es aber nur provisorisch.

Maria Behring blickte zu dem riesigen Loch. Im Strahl des Infrarotgeräts schien ihr, als steige grüner Dampf aus den Eingeweiden der Erde empor.

»Nicht hier«, sagte sie. »Fahren Sie uns woanders hin.«

Sander gab keine Antwort. Er holte einen Schraubenschlüssel aus dem Werkzeugkasten und kletterte aus der Gondel.

Maria Behring sah ihm nach und schaute dann wieder zu dem Intrusivkrater. Sie konnte nicht verhindern, daß vor dem Auge ihrer Phantasie die Gesichter der drei toten Garimpeiros erschienen.

Sander stieg auf die Abdeckung des rechten Motors. Im Okular seines Infrarotgeräts begann ein Warnsignal zu blinken: »ACHTUNG! BATTERIE! ABSCHALTEN IN FÜNF MINUTEN! ACHTUNG! BATTERIE! ABSCHALTEN IN FÜNF MINUTEN!«

»Auch das noch!« fluchte Sander. Ächzend ließ er sich auf die Knie nieder und tastete nach dem Ventilzug. Schweiß strömte ihm über das Gesicht.

Die Anzeige in seinem Okular leuchtete wieder. »ACHTUNG! BATTERIE! ABSCHALTEN IN VIER MINUTEN!«

»Jaja«, knurrte er. »Hauptsache, ihr macht nicht zu früh Schluß!« Er setzte seinen Schraubenschlüssel an und zog mehrere Muttern fester. »Schlamperei!« schimpfte er dabei. »Denen werde ich was erzählen!«

»ACHTUNG! BATTERIE! ABSCHALTEN IN DREI MINUTEN!«

Er kehrte in die Gondel zurück. »Geschafft«, sagte er.

»Mein Infrarotgerät hat keinen Saft mehr«, stellte sie fest und nahm den Helm ab. »Schalten Sie bitte die Innenbeleuchtung ein.«

Er gehorchte. Sie legten ihre Batterietornister ab. Sanders klebten die Haare auf der Stirn; Maria Behring rieb sich die übermüdeten Augen.

»Warum haben Sie mir das mit dem Gas verschwiegen?« fragte Sander.

»Tut mir leid«, antwortete sie. »Ich dachte, dann würden Sie gar nicht mehr mit mir in den Wolkenwald fahren. Ich hielt es für ausgeschlossen, daß wir jemals zu einer Notlandung gezwungen sein könnten. Was war denn los?«

»Eines der Ventile für die Ballonetts klemmte«, sagte Sander. »Ich konnte es nicht öffnen, weil ein paar Schrauben am Ventilzug nicht fest genug saßen. Schlamperei bei der Wartung. Fast wären wir gegen die Bäume gebrummt.«

»Das wird ein Nachspiel haben«, versprach sie.

»Nachspiel, Nachspiel!« wiederholte Sander ungeduldig. »Schenken Sie mir lieber endlich reinen Wein ein! Sie verlangen von mir unbedingte Loyalität und bringen mir selber nicht einmal so viel Vertrauen entgegen, mich rechtzeitig über eine solche Gefahr zu informieren!«

»Es tut mir leid«, sagte sie. »Wir wollen das gleich nachholen. Kommen Sie!«

Sie kletterte wieder in den hinteren Teil der Gondel und schaltete den Computer ein. Wieder erschien die Grafik, die sie schon nach ihrem ersten Flug über den Wolkenwald gesehen hatten: »Stickstoff 74,09 Prozent ...«

»Achten Sie auf das Kohlendioxid«, sagte sie. »Sehen Sie? Vierzehn Komma null drei Prozent. Normal sind vier bis fünf Prozent. Acht Prozent führen nach wenigen Minuten zum Tod durch Ersticken.«

»Und wie kommt das Gas in den Krater?« fragte Sander. »Dieser Vulkan muß doch schon seit Jahrtausenden erloschen sein!«

»Wahrscheinlich tritt hier das gleiche Phänomen wie am Niossee auf«, sagte Maria Behring. Sie tippte einige Befehle, und ein Computerbrief füllte den Bildschirm. »Die Antwort unserer Chemiker«, erklärte sie und las vor: »›Zusammensetzung ähnlich wie Erdatmosphäre. Unterschied: Erheblich höhere Anteile an Kohlendioxid und Helium. Verhältnis annähernd wie bei Gaseruption in Kamerun 1986. Siehe NIOS ...« Sie übersprang ein paar Zeilen, und auf dem Bildschirm stand: »NIOS«. See in Nordwestkamerun. Ausbruch am 21. August 1986. Kohlendioxid hatte sich in unterirdischer Magmakammer angesammelt, die auch Helium enthielt, und war von dort in den See gelangt, wo es zunächst in Kaltwasserschichten auf dem Grund blieb. Durch Austausch von Wasserschichten infolge starker Erwärmung gelangten plötzlich große Mengen Gas an die Oberfläche, quollen über die Ränder und flossen in die umliegenden Täler ab. Folgen: 1746 Tote, vollständige Vernichtung sämtlichen tierischen Lebens.«

Maria Behring schüttelte den Kopf. »Eine furchtbare Katastrophe. Aber nicht die einzige. Sehen Sie: ›Am 15. August 1964 erstickten 37 Anwohner des Monounsees an plötzlich aus dem Wasser aufsteigendem Kohlendioxid. Das war ebenfalls in Kamerun. Auch aus anderen vulkanischen Zonen sind solche Vorfälle bekannt.‹«

»Aber das waren Eruptionen«, sagte Sander ungläubig. »Dieses Gewölk da draußen ist ständig da. Offenbar im gesamten Krater, der immerhin einen Durchmesser von mehr als fünf Kilometern hat!«

»Das ist gar nichts«, sagte Maria Behring. »Die Wolke vom Niossee bedeckte ein Gebiet von zweiundsechzig Quadratkilometern. Sie war fünfzehn Meter hoch und bestand aus einer Milliarde Kubikmeter Gas. Erst nach Tagen wurde sie von Winden zerteilt, in einem gebirgigen, ziemlich stark zerklüfteten Gebiet. Der Boden dieses Kraters hier ist topfeben. Die Ränder sind dreißig bis vierzig Meter hoch. Kohlendioxid ist eineinhalbmal so dicht wie Luft. Hier steht es!« Sie tippte auf den Bildschirm. »Eine Gaswolke kann sich hier wochenlang, vielleicht sogar monatelang halten.«

»Aber woher soll sie gekommen sein?« fragte Sander skeptisch. »Ein See ist hier nirgends zu entdecken. Oder glauben Sie, daß er unter dem schwarzen Gewölk liegt und die Bäume hier alle im Wasser stehen?«

Sie schüttelte den Kopf. »Nein, das nicht. Aber wahrscheinlich stehen sie in vulkanischem Schlamm. Das würde auch ihre Größe und ihre Fruchtbarkeit erklären. Und den unglaublich dichten Bewuchs in diesem Krater. Vielleicht ist die Magmakammer so groß, daß immer wieder neues Gas nach oben gedrückt wird. Ich weiß es nicht.

Eins aber weiß ich genau: Diese Leute hier leben nicht nur deshalb auf den Bäumen, weil es ihnen so gefällt. Sie leben dort oben, weil sie gar nicht auf den Boden herunterkönnen. Und deshalb ist es so wichtig, mit ihnen Kontakt aufzunehmen. Denn ob jetzt Garimpeiros mit ihren Gewehren kommen oder brasilianische Bundespolizei mit Hubschraubern: Diese Menschen können nicht fort. Das Gas hält sie gefangen. Dieses Paradies besitzt kein Tor, durch das die Menschen fliehen könnten. Sie werden hier leben, oder sie werden hier sterben.«

Sander und Maria Behring schwiegen eine Weile. »Sie hätten es mir trotzdem sagen müssen«, beharrte Sander dann. »Das war lebensgefährlich!«

»Daran bin nicht ich schuld, sondern die lockeren Schrauben«, verteidigte sich Maria Behring. »Und immerhin habe ich vorsorglich Atemschutzgeräte kommen und an Bord schaffen lassen. Als Sie Ihr Mittagsschläfchen hielten. Ich gebe zu, das war vielleicht nicht ganz fair, aber ich sah keine andere Möglichkeit. Seien Sie ehrlich: Wären Sie noch einmal mit mir in den Wolkenwald gekommen, wenn Sie früher von dem Gas erfahren hätten?«

»Ich weiß nicht«, sagte Sander.

Sie lächelte. »Ich habe mich entschuldigt«, sagte sie. »Also vertragen wir uns wieder!« Burschikos gab sie ihm einen Klaps auf die Schulter.

»Also gut«, sagte Sander, noch immer gekränkt. »Aber wenn Sie noch ein einziges Mal so etwas mit mir machen, steige ich aus. Endgültig.«

»Abgemacht«, sagte sie schnell.

Sie warteten, bis es hell wurde und die ersten Brüllaffenchöre erklangen. Dann startete Sander die Motoren und steuerte das Luftschiff zu dem neuen Lagerplatz am Nordrand des Kraters. Als sie unter den beiden Myristikazeen festgemacht hatten, sagte Maria Behring:

»Am besten hauen wir uns jetzt erst mal für eine Weile aufs Ohr. Ich bin hundemüde, und Sie sehen aus, als hätten Sie drei Nächte nicht geschlafen.«

»So fühle ich mich auch«, gestand Sander.

Sie rollte ihren Schlafsack aus, machte es sich ohne weitere Umstände im hinteren Teil der Gondel bequem und schlief sofort ein. Sander war darüber einigermaßen verwundert; er hatte geglaubt, daß sie vor Gewissensbissen nicht zur Ruhe kommen würde. Seufzend stellte er die Rückenlehne bis zum Anschlag nach hinten und schloß die Augen.

Auch diesmal wurde Maria Behring vor Sander wach. Er roch den Duft von Kaffee, als er sich gähnend die Augen rieb. Es war drei Uhr nachmittags. Sie aßen von der Astronautenverpflegung und überprüften dann ihre Geräte.

Als es dämmerte, meldete sich Maria Behring wieder im Camp. »Alles verläuft planmäßig. Sehr interessante Bromelien. Sagen Sie das Doktor Meybohm!« Verschwörerisch grinste sie Sander an.

»Der Oberst ist unheimlich sauer«, sprudelte der junge Funker hervor. »Er redet schon davon, Hubschrauber loszuschicken. Am liebsten würde er uns wohl alle verhaften. Wann kommen Sie denn endlich zurück?«

»Ein paar Tage werden wir schon noch hier draußen bleiben müssen«, sagte sie. »Die Ausbeute ist wirklich erstaunlich, und ich möchte nicht auf wesentliche Forschungsergebnisse verzichten, nur weil einen Herrn von der venezolanischen Armee unnötige Nervosität plagt.«

Sander mußte lächeln, als er sich vorstellte, was Gómez für ein Gesicht machen würde, wenn er das hörte.

Um 23 Uhr warf Sander die Motoren an. Sie fuhren auf der gleichen Route wie bei der vorigen Fahrt zu dem Aguanobaum, an dessen Kronendach sie schon einmal angedockt hatten. Die ganze Zeit über redeten sie kein Wort. Hoffentlich hat der Alte den Brief gefunden, dachte Maria Behring immer wieder. Hoffentlich entschließt er sich zum Kontakt!

Sander beobachtete sie von der Seite. Auch wenn der Priester sich gegen ihren Vorschlag entschied, würde sie sich nicht davon abbringen lassen, mit den Wolkenwaldmenschen zu sprechen; da war er sich ganz sicher.

Eine Viertelstunde später standen sie wieder auf dem Zedrachriesen neben dem Torbaum und schauten zu der Hängebrücke hinunter.

»Der Wächter ist weg!« sagte Maria Behring triumphierend.

Sander hörte ihre Stimme unangenehm laut in seinen Kopfhörern. »Vorsicht«, mahnte er. »Er könnte in der Nähe sein und auf uns lauern.« Der zunehmende Mond stand als hauchdünne Sichel über den drei großen Paranußbäumen. Der größte Teil des Himmels war von Wolken bedeckt.

Maria Behring tastete nach dem Elektrostick in der Seitentasche ihres Overalls. Dann gab sie sich einen Ruck. »Gehen wir«, sagte sie.

Vorsichtig kletterte sie die Leiter hinunter und trat auf die Brücke. Sander folgte ihr. Ein leichter Wind fuhr in die Zweige der Bäume, und sie bewegten sich, als winkten sie den beiden Besuchern zu.

Maria Behring überquerte den Lianensteg und wartete, bis auch Sander das andere Ende erreicht hatte. »Er wartet auf uns«, sagte sie und zeigte auf das Fenster, unter dessen hölzernen Läden ein flackernder Lichtschein hervordrang.

»Ja«, sagte Sander und räusperte sich vorsichtig; die Spannung hatte ihm die Kehle ausgetrocknet, und er schluckte einige Male, um sie anzufeuchten.

Maria Behring ging über den kleinen Vorplatz zur Tür der Höhle und drückte sie vorsichtig auf. Der alte

Mann saß an der gegenüberliegenden Wand des in den Felsen gehauenen Saales; er schien allein zu sein.

»Also los«, sagte Maria Behring, öffnete die Tür und trat in die Höhle. Sander folgte ihr, behielt aber vorsichtshalber die Tür in der Hand.

Der alte Mann starrte die Besucher an; auf seinem faltigen Antlitz erschien erst ein Ausdruck von Verblüffung, dann von Angst und schließlich von Zorn. Heftig hob er sein Kruzifix und hielt es Maria Behring wie zur Abwehr entgegen. »Vade, Satana!« rief er, und dann auf portugiesisch: »Hebt euch hinweg, ihr Ausgeburten der Hölle! Ihr sollt verflucht sein!«

Maria Behring drehte sich verblüfft zu Sander um. Als sie ihn sah, verstand sie und riß sich den Helm mit den Okularen vom Kopf. Auch Sander erkannte die Situation und tat es ihr gleich.

»Haben Sie keine Angst«, sagte sie. »Wir sind Menschen und keine Teufel.«

Der alte Mann sah sie entgeistert an. Dann schluckte er und ließ das Kruzifix sinken, behielt es aber mißtrauisch in der knochigen Hand, um es jederzeit wieder gegen seine Besucher richten zu können. »Habt Ihr Euch verkleidet, um mich zu erschrecken?« sagte er unwillig. »Wer seid Ihr? Woher kommt Ihr?« Er sprach ein sehr altmodisches Portugiesisch.

»Verzeihen Sie, Vater«, sagte Maria Behring schnell. »Wir hatten nur vergessen, daß wir noch immer unsere ... unsere Sichtgeräte trugen. Wir können damit in der Dunkelheit besser sehen. Wir sind Forscher und kommen von weit her –«

»Aus Portugal seid Ihr nicht, das hört man«, sagte der Alte, »wiewohl Ihr die Sprache geziemend parlieret. Seid Ihr denn Spanier?«

»Nein«, sagte Maria Behring. »Wir kommen aus Deutschland.«

»Teutschland?« wiederholte der alte Mann. »So reist

Ihr für den Kaiser?« Noch immer hielt er das Kruzifix fest umklammert.

Maria Behring und Sander wechselten Blicke. »Nein«, sagte sie dann. »Einen Kaiser gibt es in Deutschland schon lange nicht mehr.«

Der Alte blickte sie staunend an. »Wie das?« fragte er. »Die Teutschen hätten keinen Kaiser mehr, sagt Ihr? Aber wie könnte das möglich sein? Hat nicht Gott der Herr ihn selbst zum Verteidiger des katholischen Glaubens bestimmt, wider die Häresie und Ketzerei, für ewigliche Zeiten?«

Maria Behring und Sander wechselten wieder Blikke. »Diese Zeit liegt schon sehr lange zurück«, sagte Maria Behring dann. »Unser letzter Kaiser ist schon lange tot.«

Der alte Mann schüttelte ungläubig den Kopf. »Seid Ihr wirklich Menschen?« fragte er. »Oder seid Ihr doch Geschöpfe des Bösen, ausgesandt, mich zu versuchen? Aber ihr werdet mich nicht täuschen!«

»Wir sind fromme Christen«, beeilte sich Maria Behring zu versichern.

Der alte Mann beugte sich etwas vor. »Wie ist Euer Name?«

»Ich heiße Behring«, sagte sie. »Und das ist Herr Sander. Wir sind aus Berlin, ich meine, ich bin aus Berlin; Herr Sander lebt in Ciudad Guayana. Wir führen gerade eine Forschungsexpedition in den tropischen Regenwald durch. Es geht um epiphytische Bromelien –« Sie verstummte, als sie merkte, daß der Alte offenbar nichts verstand.

»Berlin?« fragte er. »Diesen Namen habe ich noch niemals gehört. Wo liegt es denn? Und ist es ein Fürstentum oder eine Stadt?«

»Es ist eine sehr große Stadt«, sagte Maria Behring verwundert. »Die Hauptstadt Deutschlands.«

»So hätten die Teutschen eine Hauptstadt?« fragte der

Alte erstaunt. »Niemals hat es solches gegeben, regiert der Kaiser doch einmal hier, einmal dort, wie man liest und hört!«

»Der letzte Kaiser regierte jedenfalls in Berlin«, sagte Maria Behring geduldig.

Der Alte faßte sie scharf ins Auge und fragte: »Fromme Christen wollt Ihr sein und besitzt nicht einmal einen christlichen Namen?« zweifelte er.

Maria Behring drehte sich nervös zu Sander um. »Was meint er denn damit?« fragte sie ihn auf deutsch.

»Ich glaube, die Vornamen«, raunte er ihr zu.

Sie sah wieder den alten Mann an. »Maria«, sagte sie. »Und Josef.«

Sander hätte fast gelacht; bisher war ihm gar nicht zu Bewußtsein gekommen, daß sie wie die Eltern Jesu hießen. Es ist wirklich ein Witz, dachte er.

»Maria«, wiederholte der alte Mann. »Josef. Das sind sehr schöne Namen. So glaubt Ihr an Gott, den Allmächtigen, Schöpfer des Himmels und der Erde?«

Maria Behring nickte heftig. »Ja, das tun wir«, antwortete sie.

»Und Ihr?« fragte er Sander. »Glaubt auch Ihr?«

»Ja«, sagte Sander, obwohl er sich darüber keineswegs sicher war. »Auch ich.«

»Und an Jesum Christum, seinen eingeborenen Sohn, unseren Herrn?« fragte der Alte weiter. »Geboren aus der Jungfrau Maria? Gelitten unter Pontius Pilatus? Gekreuzigt, gestorben und begraben?«

Obwohl sie schon seit vielen Jahren nicht mehr in irgendeiner Kirche gewesen war, erinnerte sich Maria Behring an die Worte des Glaubensbekenntnisses und nickte bei jedem Satz eifrig, obwohl es ihr ziemlich makaber vorkam, in dieser geradezu überwältigend fremdartigen Welt baumlebender Menschen hoch in der Kronenregion des tropischen Regenwaldes am Amazonas nach den strafprozessualen Maßnahmen eines römischen Beamten befragt zu werden, der vor zwei Jahrtausenden im kargen Hügelland Vorderasiens über einen religiösen Streit unter den Nachfahren eines semitischen Nomadenvolkes zu richten hatte.

Bei Sander lag die Zeit, da er ernsthaft an Gott geglaubt hatte, noch länger zurück; dennoch empfand er es nicht als Lüge, nun ebenfalls immer wieder zu nikken. Er hatte dem Glauben nie abgeschworen, sondern ihn lediglich im Lauf der Zeit vergessen und Gott nur noch als ferne Kindheitserinnerung bewahrt, neben Begriffen wie »Himmel« und »Hölle«, »Engel« und »Teufel«, deren physische Existenz er sich nicht mehr vorstellen konnte, seit er erwachsen geworden war. Wie so viele Söhne seines Jahrhunderts war er jedoch all die Jahre immer davon ausgegangen, daß es irgendein höheres Wesen geben mußte, das man Gott nennen konnte. Es war durchaus nichts Ehrenrühriges, daran zu glauben, und die meisten taten es; nur mit der Kirche, der Priesterschaft oder gar dem Papst mochte er sich wie die meisten anderen nicht kritiklos abfinden.

»Abgestiegen zu der Hölle, am dritten Tage wiederauferstanden von den Toten ...«

»Ja«, murmelten beide wie im Chor.

Der alte Priester schien mit dem Grad ihrer Zustimmung zufrieden. Als er geendet hatte, verstummte er für einige Minuten und faltete die Hände; seine Gäste wagten nicht, ihn zu stören. Dann sagte er: »Nun kommt näher, damit ich Euch besser sehen kann.« Er legte das Kruzifix nieder, ließ aber die Hand darauf ruhen.

Sie gehorchten und traten zu ihm an den Tisch. Das flackernde Licht kam aus einer kleinen Holzschale voller Wachs; es fiel auf das runzlige Gesicht das alten Priesters, auf sein schlohweißes Haar und den langen Bart, die braune Kutte und das kleine silberne Kruzifix vor seiner Brust. Auf dem ungehobelten Tisch aus Palmenholz lag die Bibel.

Schweigend nahm der Alte Maria Behrings linke Hand in seine Rechte und Sanders rechte Hand in seine Linke, hielt sie mit sanftem Druck fest und schloß die Augen.

Maria Behring fühlte die knochigen Finger wie hölzerne Zangen auf Rücken und Innenfläche der Hand. Was will er denn jetzt? dachte sie. Ist das irgend so ein altes katholisches Ritual? Die Unsicherheit machte ihren Körper steif; sie half sich, indem sie lautlos die Sekunden mitzählte, und schielte immer wieder zu Sander. Nach einer Weile erwärmten sich die kalten Finger des alten Mannes, und nun schien aus ihnen eine seltsame Kraft zu fließen, die Maria Behring in den Körper drang und ihren Geist mit einem Gefühl tiefer Ruhe und Zuversicht erfüllte. Was ist das? fragte sie sich. Ist das die Kraft des Glaubens? Oder will er mich irgendwie hypnotisieren? Aber geht das denn mit geschlossenen Augen? Ihre Gedanken stolperten durcheinander wie verspätete Reisende auf einem nächtlichen U-Bahnhof.

Auch Sander empfand die Berührung des alten Priesters zunächst als unangenehm; er konnte sich nicht erinnern, jemals mit einem Mann Händchen gehalten zu haben, und die Situation kam ihm irgendwie pervers vor. Aber auch er entspannte sich nach einer Weile, wie durch eine geheimnisvolle Kraft beeinflußt; tiefe Ruhe zog in sein Herz, er konnte bald wieder klar denken und sagte sich: Das ist es wahrscheinlich, was uns modernen Menschen am meisten fehlt – die Stille; das bewußte Verstreichenlassen von Zeit; die Nähe eines Fremden; die Ferne von sich selbst; das Wiederfinden des Innersten; das Verlassen der Welt, die der Mensch sich schuf, und die Rückkehr in die Welt, die Gott schuf; der bewußte Verzicht auf den erwachsenen Zweifel und das Zurückgewinnen kindlichen Vertrauens; das Menschsein als Kindsein; und die Bejahung des Höheren, dem man sein Schicksal anvertrauen kann.

Fast eine halbe Stunde lang saßen sie so da, ein jeder seinen eigenen Gedanken überlassen. Dann löste der alte Mann seinen Griff, schaute Maria Behring an und sagte: »Euer Glaube ist wie ein Knäblein, welches zu wachsen vergessen hat. Deshalb ist es jetzt ohnmächtig, bänglich und verlassen. Gebt ihm bald Speise und Trank, damit es weiterwachse und den Platz in Eurem Herzen einnehme, der ihm gebührt!« Dann wandte er sich Sander zu und sagte: »Euer Glaube ist wie ein Knäblein, das seinen Namen vergessen hat und nicht weiß, wohin es gehört. Schon viele Jahre hat sich niemand mehr dieses Kindes angenommen. Gebt ihm bald wieder eine Heimstatt, damit er den Platz in Eurem Leben einnehmen könne, der ihm bestimmt ist!«

Danach versank er wieder in tiefes Schweigen. Schließlich fuhr er sich mit den Händen über die Augen, blickte seine Besucher nacheinander an und fragte: »Nun erzählt mir aber: Wie seid Ihr durch die Caligo gelangt?«

»Die Caligo?« wiederholte Maria Behring. »Das ist dieses dunkle Gewölk unter dem Kronendach, nicht wahr? Wir sind mit einem Luftschiff gekommen. Durch die Luft.« Sie lächelte recht freundlich, aber der Alte blickte sie wieder voller Mißtrauen an.

»Wie, durch die Luft?« fragte er ungläubig. »Seid Ihr denn wie die Vöglein geflogen?«

»Nein«, antwortete sie. »Ich sagte doch, in einem Luftschiff. Einem Zeppelin. Einer fliegenden Zigarre.« Der Gesichtsausdruck des Alten verriet ihr, daß er mit jedem Wort mißtrauischer wurde. »So helfen Sie mir doch, Sander«, bat sie.

»Ein Ballon«, schlug Sander vor. »Eine Montgolfiere. Auch nicht? Ein ... ein ...« Vergeblich suchte er nach weiteren Begriffen, aber etwas noch Altertümlicheres als Montgolfiere fiel ihm nicht ein. »Es ist ein Fahrzeug, mit dem man sich durch die Luft fortbewegen kann«, fügte er hinzu; es klang selbst in seinen eigenen Ohren nicht sehr überzeugend.

Der Alte dachte nach; gespannt warteten sie. »So meinet Ihr einen Ornithopter?« fragte er schließlich.

»Ja, so etwas Ähnliches«, sagte Maria Behring, obwohl sie keine Ahnung hatte, was der Priester meinte; sie verließ sich auf ihren Instinkt. »Man schwebt damit durch die Luft.«

»Ich habe dereinst von solchen Apparaturen gelesen«, erklärte der Alte, »aber noch niemals eine mit eigenen Augen gesehen. Zeigt mir Euren Ornithopter!«

»Gern«, sagte Maria Behring. »Gleich morgen, wenn Sie wollen ... Wann immer Sie wollen, Vater. Sagen Sie uns aber nun: Wer sind Sie? Und was machen Sie in dieser Wildnis?«

»Padre Afonso de Mesa, Societatis Jesu«, sagte der alte Mann. »Ich kam einstens hierher, vor langer Zeit schon, den Glauben zu lehren und die Völker der Neuen Welt der Finsternis ihrer Abgötterei zu entreißen.«

»Wann war das?« konnte Maria Behring sich nicht enthalten zu fragen.

»Vor vielen Jahren«, antwortete der alte Mann. »Ich war damals noch sehr, sehr jung. Die Gnade Gottes lenkte meine Schritte in diesen Wald. Doch davon zu erzählen ist später noch die Zeit. Was ist nun Euer Begehr? Warum wollt Ihr mich sprechen? Schon viele Jahre habe ich nichts mehr von den Weltläuften vernommen.«

Maria Behring überlegte kurz und wählte ihre Worte dann mit besonderer Sorgfalt. »Wir kamen in diesen Wald, um seine Früchte zu erforschen«, sagte sie. »Wir wollen erfahren, ob sie dem menschlichen Organismus zuträglich sind oder nicht; auch, wie man sie am besten pflanzt und erntet.« Sie hielt kurz inne, dann fügte sie hinzu: »Denn der Hunger ist ein gar schrecklicher Feind aller Völker.« Unwillkürlich paßte sie sich der antiquierten Redeweise des Priesters an.

Der Alte hatte aufmerksam zugehört. »Da sagt Ihr Wahres«, erwiderte er und nickte dabei mehrere Male. »Schon manches ist aus diesem Erdteil nach Europa gelangt, wie ich gehört habe; gewiß könnt Ihr noch Weiteres finden. Nun aber sagt: Was wißt Ihr von Portugal?«

Maria Behring dachte angestrengt nach, aber es fiel ihr nichts ein, was sie hätte berichten können; für die Innenpolitik anderer Länder hatte sie sich nie sonderlich interessiert.

»Wißt Ihr nicht, wie es dem König geht?« forschte der Alte. »So sagt wenigstens: Wer sitzt auf Petri heiligem Stuhle?«

»Johannes Paul der Zweite«, sagte Maria Behring schnell. »Er stammt aus Polen und reist viel.« Mehr fiel ihr dazu nicht ein; auch mit religiösen Dingen hatte sie sich nie beschäftigt.

»Aus Polen?« fragte der Priester verwundert. »Aber noch niemals gab es einen Papst aus diesem wilden und entfernten Lande! Ihr müßt mir unbedingt mehr darüber erzählen! Es ist schon lange her, daß ich mit Christenmenschen sprach. Wie lange wollt Ihr bleiben?«

»Nur ein paar Tage, Padre«, antwortete Maria Behring. »Wir möchten gern die Früchte Ihres Waldes kosten, wenn Sie erlauben, und mit den Menschen hier sprechen, um zu erfahren, welches Obst sie gern verzehren und welches sie meiden. Auch, welches hier besonders häufig wächst und welches nur selten zu finden ist.«

Der alte Priester dachte wieder lange nach. »Gut«, sagte er dann. »So seid denn unsere Gäste. Aber bevor Ihr bei uns wohnt und mit meinen Kindern sprecht, sollt Ihr schwören, daß Ihr dabei allezeit die Gebote Gottes und unseres Waldes achten wollt; schwört es auf die Heilige Schrift!«

»Schwören?« fragte Maria Behring. »Welche Gebote?« Dann besann sie sich. »Natürlich, wenn Sie es so wollen ...« Sie legte die Hand auf die Bibel.

»Und Ihr?« fragte der alte Mann Sander.

Sander beugte sich vor; Maria Behring zuckte ein wenig zurück, als seine Hand die ihre berührte.

»Schwört Ihr, daß Ihr allezeit die Zehn Gebote Gottes befolgen wollet?« fragte der Priester.

»Ich schwöre«, sagte Maria Behring; die Szenerie kam ihr nun noch unwirklicher vor, als sie es ohnehin war. Kann es sein, daß ich hier mitten im Urwald in einem Tuffsteinkegel sitze und einem offenbar geistesverwirrten Gottesmann einen heiligen Eid auf die Bibel leiste? fragte sie sich.

Sander bemühte sich angestrengt, ihre Hand nicht noch einmal zu berühren. Aus den Augenwinkeln schielte er zu Maria Behring; ihre Miene war undurchdringlich, ihr Gesicht glatt wie das einer Marmorstatue. Schwören kann man ja viel, dachte er sich, auf das Halten kommt es an; da wird der Alte wohl noch seine Überraschungen erleben.

»Schwört Ihr, daß Ihr auch die Gebote dieses Waldes haltet?« fuhr der Priester fort. »Ihr dürft kein Tier mit Fell oder Federn töten. Ihr dürft Euch den Befehlen der Männer, die ich erwählt habe, nicht widersetzen. Ihr dürft den Berg, auf dem Ihr Euch jetzt befindet, niemals ohne meine Erlaubnis betreten. Und Ihr dürft niemals von dem Baum in meinem Garten nehmen. Wenn Ihr diese Gebote befolgt, mögt Ihr bei uns bleiben, so lange Ihr wollt. Wenn Ihr aber gegen eines dieser Gebote verstoßt, sollt Ihr dafür bestraft werden.«

»Ich schwöre«, sagte Maria Sander und dachte dabei: Der kann mir viel erzählen; die Bromelien auf der Cecropia knöpfe ich mir auf jeden Fall vor, ob es ihm paßt oder nicht.

»Ich schwöre«, sagte auch Sander und blickte sie an; er wußte genau, was in ihr vorging, und dachte: Hoffentlich geht das gut.

# TEIL VIER

## Arboversum

DER MORGEN KAM mit Fluten aus Licht; sie wuschen das Dunkel der Nacht in die Tiefe des Vergessens und bereiteten die Bühne für den neuen Tag vor. Die Erde richtete in rasender Rotation jenen Teil ihrer Oberfläche, der zwischen dem vierzigsten und dem siebzigsten Längengrad lag, in den unablässigen Lichtstrom der Sonne, so, wie eine alte Frau ihren Rücken an einem Heizlüfter wärmt, wenn ihr Bauch genug Hitze genossen hat.

In dem noch immer fast ganz vom Wald bedeckten Tiefland des Amazonas, mit sieben Millionen Quadratkilometern so groß wie Europa, wirkte die Energie des Zentralgestirns wie ein gewaltiger Fön. Die Wärme trocknete riesige Wolkenfelder, bis nur noch wenige weiße Inseln das Blau des Himmels sprenkelten, und ließ auch die Nebelschwaden in den Niederungen verschwinden. Gleichzeitig leckten Myriaden glühender Zungen die Nässe der Nacht von den Blättern der Bäume, bis auch der letzte Tautropfen verdunstet war.

Der riesige Regenwald rekelte sich unter den wärmenden Strahlen wie ein gewaltiges Tier; es war, als sei das gesamte immergrüne Drittel des Erdteils von einem einzigen gewaltigen Organismus bedeckt. Wie sich der Körper eines Menschen aus Milliarden Zellen zusammensetzt, so wurde der Wald aus Abermilliarden Pflanzen gebildet, zwischen denen weitere Abermilliarden Tiere lebten, die alle in ihrem gesamten Lebenszyklus auf das engste miteinander verbunden blieben; die einen den anderen zur Nahrung dienend, hingen sie wie die Glieder einer unendlichen Kette zusammen, die an der gleichen Stelle wuchs, an der sie zerfiel, da der Tod sekundenschnell neues Leben erzeugte. Nicht einmal die winzigsten Mineralienkörnchen konnten diesem Kreislauf entkommen, denn jedes Salzmolekül, das die Sonne mit dem verdunstenden Wasser emportrug, kehrte bald in einem Regentropfen zurück und wurde oft schon fünfzig oder sechzig Meter über der Erde von einem der unzähligen Epiphyten der Kronenregion aus der Luft gewaschen.

Die nachtlebenden Bewohner des Waldes hatten sich seit Sonnenaufgang in ihre Verstecke zurückgezogen. Das Dreizehenfaultier hing an seinen rasiermesserscharfen, sichelförmig gebogenen Krallen, die sich selbst im Fall seines Todes erst nach Tagen lösen würden, unter der vierzig Meter hohen Astgabel einer Euphorbiacea. In seinem blaugrünen Fell paarten sich Kleinschmetterlinge; aus ihren Eiern würden in wenigen Tagen winzige Raupen schlüpfen und mit ihren kräftigen Kiefern die mikroskopisch kleinen Algen an den Haaren des Tieres abgrasen. Ein rotgrüner Baumsteigerfrosch bewachte geduldig das Ei seiner Partnerin in dem wasserglasgroßen Trichter einer gelbblühenden Bromelie, damit sich nicht etwa ein Raubkäfer daran gütlich tat; jetzt, da es hell geworden war, würde er seinerseits vor den großen Raubspinnen auf der Hut sein müssen. Der eulenbraune Fettschwalm schlief mit Tausenden seiner Artgenossen in einer riesigen Tuffsteinhöhle, durch deren verwinkelten Ausgang der Vogel dank seines Echolots in völliger Finsternis geflogen war, ohne auch nur ein einziges Mal anzustoßen. Die ganze Nacht über hatten er und seine Artgenossen sich den Bauch mit Palmfrüchten vollgeschlagen; nun würden sie verdauen und die mächtigen Haufen aus Abermillionen Kernen tief unter sich weiter anwachsen lassen. Sie und viele andere Tiere mieden den Tag mit seiner Hitze, seiner Helligkeit und seiner Fülle von Gefahren; ihre Plätze nahmen nun andere Geschöpfe ein, die sich schon allein durch die Pracht ihrer Farben als Augentiere auswiesen: die bunten Aras und die anderen Papageien, Sylphen und Sittiche, Kolibris und Tukane, vor allem aber der langschwänzige, schillernd gefiederte Quetzal, ein letzter Überlebender der kohlezeitalterlichen Sumpfwälder und der wohl schönste Vogel der Welt.

Maria Behring trat vor die Tür ihrer Hütte auf dem mächtigen Matamatá neben dem Axtbrecherbaum, tat einen kräftigen Atemzug und spähte unternehmungslustig in den Morgen hinaus. Von der Schwelle ihrer stabilen Behausung dreißig Meter über dem Erdboden konnte sie weit über den Wolkenwald schauen, und sie genoß diesen unvergleichlichen Blick an jedem neuen Tag.

Im Osten, wo die Sonne das unterste Himmelsdrittel durchstiegen hatte, bildeten vor allem Meliazeen die Baumbestände. Dort sah Maria Behring große Aguanos, die Könige des Waldes aus derselben Dynastie, der auch die Mahagonibäume angehören; die untersten Äste wuchsen dreißig Meter über dem Boden, und die Wipfel erreichten nicht selten siebzig Meter und mehr. Die vielen kleinen weißen Blüten auf ihren breiten Schirmen wirkten wie die Tupfen auf den Hermelinmänteln mittelalterlicher Monarchen. Neben ihnen standen andere Zedrachgewächse wie königliche Brüder um den Thron, an Wuchs und Würde den Verwandten ebenbürtig. Etwas kleiner, aber dennoch imposant reihten sich die Carapas ein, die Barone des Baumreiches, die durch ihre Vielzahl dem Hochland von Guayana den besonderen Charakter verliehen, die aber auch sonst überall in der Hyläa wuchsen, aus hartem, schwerem Holz, das den Naturvölkern das Rohmaterial für viele Schlag- und Stichwaffen lieferte. Dazu hatten sich viele Zedrelabäume gesellt, die ihre hochadlige Herrschaft nach Art edler Knappen umringte, nicht groß genug, sich mit den wirklichen Würdenträgern zu messen, aber doch zu hoch, um mit dem niedrigen Pöbel des Holzvolkes verwechselt zu werden; die schlanken, gebogenen Äste ineinander verschränkt, bildeten sie eine Phalanx, die selbst dem stärksten Sturm trotzte.

Im Süden dominierten die Leguminosen, die Hülsenfrüchtler, mit Schätzen beladen wie die weitgefahrenen Kaufleute der Konquistadorenzeit. Der Vorsteher ihrer Vereinigung war der dickleibige Kuraru, der sich oft fünfundsechzig Meter hoch über den Boden erhob; der Durchmesser seines Stammes betrug noch in halber Höhe vier Meter, und seine Äste griffen wie die Balken einer Waage aus. Sein dunkelbraunes Kernholz war so unvergänglich wie die Erinnerung eines Geldverleihers an eine Schuld, sein rosafarbenes Splintholz mit den jungen Zellen am äußeren Rand aber frisch wie der Mut eines Investors, dem ein kaiserliches Privileg garantierte, daß seine Ware mit Gold aufgewogen werde. Kaum weniger häufig traten Rivalen auf, die mit dem Riesenbaum verwandt waren, vor allem der reiche Pracuuba, der vor Urzeiten aus dem Orinocodelta in den Süden gekommen war, und der mächtige Morabukea aus dem Hochland, dessen schattige Kontore inzwischen längst auch im Alluvialgebiet der Tiefebene standen. Zu ihnen gesellten sich wie Kaufmannsgehilfen der schlanke Acapú, dessen dunkelschokoladefarbenes Gebein immer noch die Sägemühlen von Pará füllte, um dann auf europäischen Fußböden ausgelegt zu werden; und der Cumarú mit dem ölhaltigen, duftenden Samen, den Tonkabohnen, aus denen moderne Techniker immer noch Riechstoffe für Seifen extrahierten, als wäre es nicht schon längst billiger, sie im Labor herzustellen.

Die Bäume, die im Westen die Sonne wie mit ausgebreiteten Armen begrüßten, gehörten überwiegend zu dem stolzen und starken Holzgeschlecht der Lekythidazeen oder Topffruchtbäume. Ihr Anführer war der hochwachsende Matamatá, der stets weithin sichtbare

Charakterbaum der vor Überschwemmungen geschützten Tierra firme; seine Blüten hingen in gelbroten Dolden von den Zweigen. Den Norden hinter den drei besonders hoch aufragenden Paranußbäumen teilten sich Seifenbaumgewächse wie der kugelige Massaranduba, Combretazeen wie der schlanke Guarajuba und Sterkuliazeen wie der Farina, einer der Zedernbäume des Amazonas, der an Höhe mit den Riesen wetteiferte und seinen würzigen Geruch über den Wald schickte.

In einem Wald, der auf kaum zwanzig Quadratkilometern fast zweitausend verschiedene Baumarten aufwies, war jeder dieser besonders markanten Riesen von ganzen Gruppen anderer Holzgewächse umringt, von denen jedes seinen eigenen Reiz besaß und seine eigene Unverwechselbarkeit präsentierte. Besonders auffällig kontrastierten die Schmetterlingsblüten des Korallenbaumes in allen Schattierungen von Orange bis Dunkelrot mit dem wogenden Grün, aber die gelbblühenden Trompetenbäume am Fuß des Vulkankegels leuchteten ebenfalls in geradezu unwirklicher Pracht.

Auch allerlei blühende Ranken- und Schlingpflanzen trugen zu dem herrlichen Bild bei. Die Strahlen der Sonne ließen die lachsfarbenen oder kardinalroten Blüten der Drillingsblume funkeln, die sich um die starken Äste einer Ceiba pentandra gewunden hatte; die Goldtrompete daneben öffnete ihre gelben Glocken; der Eisenbahnschlinger ließ seine bläulichen Blütenstände wie eine Kaskade vom Wipfel einer starken Rutacea fallen. Gleich unter ihren Füßen sah Maria Behring Goldregen wuchern; von Ästen neben ihr verbreiteten Goldkelche den Duft reifer Aprikosen. Epiphytische Flamingoblumen hüllten den mächtigen Matamatá in ein Gewand voller weißer, orangefarbener, zinnober- und scharlachroter Hüllblätter. Daneben kletterte Dipladenia splendens, der Klammeraffe unter den Ranken, mit kräftig rosa gefärbten Blüten empor, und die Spinnenpflanze streckte ihre pinkfarbenen Blütendolden aus den extrem langen Staubblättern.

Maria Behring drehte sich um und sah Sander aus der Hütte kommen. »Ist es nicht wunderschön?« fragte sie und blickte wieder auf das Meer aus Blüten und Blättern zu ihren Füßen.

Sander nickte, streckte die Arme aus und sog tief Luft in seine Lungen. »Ja«, sagte er dann. »Man möchte gar nicht mehr weg.« Er hielt sich an dem Lianengeländer fest und beugte sich vor, bis er den Axtbrecherbaum sehen konnte. »Unsere Freunde sind auch schon auf«, sagte er, als er den alten Mann mit dem Mädchen vor der Hütte entdeckte.

»Natürlich«, sagte Maria Behring. »Hier lebt man noch im Rhythmus der Natur, und der Mensch ist schließlich ein Tagtier.«

Sie beobachteten einen Schwarm großer Grünflügelaras, die in der Krone einer nahen Palme Nüsse knackten; ihr rotes Brustgefieder leuchtete, als zerzause eine Windbö einen Rosenbusch. Auf dem Ast eines Piquiábaumes ließ ein über neunzig Zentimeter großer Hyazinthara die Sonne auf sein dunkelblaues Gefieder scheinen. Blaustirn-Rotschwanzsittiche pickten unter der Rinde einer vierzig Meter hohen Euxylophora nach Insektenlarven. Überall tauchten Kolibris ihre langen Zungen in Blütenkelche. Die Luft schwirrte von der Vielzahl der Vögel, die alle Wipfel der Kronenregion mit geschwätzigem Leben erfüllten. Spatzengroße Langzehenfaulvögel jagten riesigen Wespen nach, und Riesentukane füllten die mächtigen gelben Schnäbel mit blauschillernden Beeren.

Die Hütte war von vielen geschickten Händen gleich am Vormittag nach der ersten Kontaktaufnahme gebaut worden; als Sander das Luftschiff wie verabredet zur Mittagsstunde in den Wolkenwald gesteuert hatte, mußte die Behausung schon fertig gewesen sein. Offenbar hatte der alte Priester gleich am frühen Morgen mit den Arbeiten dafür beginnen lassen, bestrebt, seine Gäste nahe genug an dem Vulkankegel unterzubringen, um sie unter Aufsicht, aber auch weit genug, um sie notfalls auf Distanz halten zu können. Es war, als habe er Maria Behrings Pläne erraten; jedenfalls wäre sie viel lieber in unmittelbarer Nähe des seltsamen Baumes mit den vielen Bromelien geblieben. Da aber die Hütte schon fertig war, als sie eintrafen, hatte sie nicht gut ablehnen können und sich fürs erste geschlagen geben müssen.

»Schlauer alter Fuchs«, hatte sie zu Sander gesagt. »Aber das war nur die erste Runde.«

Die Wolkenwaldmenschen hatten sich auf den drei großen Zedrachbäumen versammelt, um die Ankunft der seltsamen Fremden mitzuerleben. Sander hatte rechtzeitig die Motoren abgestellt, und das Schiff war wie eine weiße Wolke zu dem Landeplatz geglitten. Als Maria Behring und Sander aus der Gondel stiegen, waren sie rasch von Männern, Frauen und Kindern umringt worden, von denen aber nur die Mutigsten gewagt hatten, sie zu berühren; manche waren sogar mit dem Finger über Maria Behrings Unterarm gefahren, um zu prüfen, ob die Haut der Fremden ihre Helligkeit einer im Wolkenwald unbekannten Pflanzenfarbe verdankte.

Da sie sich nach dem Gespräch mit dem Priester vorstellen konnte, wie streng seine Ansichten sein mußten, hatte Maria Behring ihn in dem Glauben gelassen, daß sie und Sander ein Ehepaar seien, und keine Einwände gegen die gemeinsame Unterkunft erhoben. »Sagen Sie mir nur, wenn Sie allein sein wollen«, hatte Sander gesagt, »dann verschwinde ich. Und falls es Sie stört, daß ich gelegentlich schnarche, schlafe ich vor der Tür.«

»Scheint so, als lernten wir uns nun doch etwas näher kennen«, hatte sie daraufhin gewitzelt und hinzugefügt: »Keine Angst, ich habe schon öfter mit Männern zusammen gehaust und weiß, wie das nachts manchmal klingt.«

Sie hatten das Luftschiff windsicher unter den Ästen des Matamatá befestigt und die Gondel verschlossen, auch aus Sorge, daß allzu neugierige Finger mit fatalen Folgen Knöpfe drücken könnten. Besonders für Sander war es ein beruhigendes Gefühl, unter dem Blätterdach zu seinen Füßen die riesige weiße Hülle glänzen zu sehen, und er schaute oft hinunter, obwohl er nach wie vor mit seiner Höhenangst zu kämpfen hatte.

In den vier Tagen, die sie bisher im Wolkenwald zugebracht hatten, war aus ihrem holzschnittartig groben Bild von der Kultur der Wolkenwaldmenschen ein detailreiches Mosaik geworden. Die vorher gesammelten Informationen hatten sich bestätigt, und viele waren hinzugekommen, darunter einige sehr überraschende; es war, als seien sie wirklich in einem Paradies gelandet.

Jeden Abend waren sie in die Gondel des Luftschiffs zurückgekehrt, und Maria Behring hatte über Funk eine beruhigende Meldung durchgegeben; dann hatte sie in den Computer eingegeben, was sie beide in Erfahrung gebracht hatten. Auf diese Weise hatte sich eine Fülle der verschiedensten Details angesammelt; in der von Maria Behring bevorzugten Kurzform lasen sie sich so:

»1. ETHNOGRAPHISCHE DATEN: Population: 362 Individuen, davon 109 Männer, 121 Frauen und 132 Kinder (62 männliche, 70 weibliche). Siedlungsdichte: 18,5 Einwohner je Quadratkilometer.« Das entsprach etwa der Bevölkerungsdichte Schwedens, ein für den Regenwald unglaublich hoher Wert; aus Professor Sarosis Angaben ging hervor, daß die normale Siedlungsdichte amazonischer Indianerstämme bei nur 0,5 Einwohner je Quadratkilometer lag. »Sprache: Guaraní, durchsetzt mit lateinischen Wörtern für religiöse Begriffe.« Es war für sie ziemlich ernüchternd gewesen festzustellen, daß die Bewohner dieses weltfernen Waldes mehr Worte aus der Hochsprache der antiken europäischen Zivilisation beherrschten als sie selbst, die sie doch immerhin eine gebildete Tochter des christlichen Abendlandes war.

»2. SOZIALE ORDNUNG. Großfamilien, jeweils mit Angehörigen aus mindestens drei Generationen. Monogamie. Gleichberechtigung. Arbeitsteilung.« Sie hatte aus Gesprächen mit Ani und anderen Frauen erfahren, daß die Familien stets gemeinsam auszogen, reife Früchte zu bergen und andere Nahrung zu sammeln. »Körperliche Überlegenheit der Männer befähigt sie zu schwereren Arbeiten wie Holzfällen, Hütten-, Wege- und Brükkenbau; daraus erwachsendes Sozialprestige wird aber durch größere Geschicklichkeit der Frauen bei häuslichen Arbeiten wie Zubereitung von Nahrung und Anfertigung von Kleidung kompensiert«, hatte Maria Behring geschrieben und dabei zu Sander gesagt: »Die klassische Arbeitsteilung nach körperlichen und geistigen Fähigkeiten – die Männer für das Grobe, die Frauen für die Feinarbeit.«

Der nächste Punkt hieß »3. POLITISCHE ORGANISATION«. Darunter hatte Maria Behring vermerkt: »Gottesstaatähnliche Autoritätsaufteilung. Der Priester steht an der Spitze der Hierarchie. Darunter vier besonders große und kräftige Männer, die zugleich seine Diener, Wächter und Boten sind.« Der alte Senex hatte ihr berichtet, daß er einst selbst zu diesen Helfern gehört habe, die man im Wolkenwald *arcanjos*, »Erzengel«, nannte. Der Dienst der Männer, die für diese Position ausgewählt wurden, begann, wenn ihr jüngstes Kind sieben Jahre alt war, und endete nach zwei Jahren. Sein Sohn Gabriel, so Senex, habe nur noch wenige Wochen abzuleisten; dann werde er sich wieder ganz seiner Familie widmen können.

»4 PHYSISCHE BESONDERHEITEN.« Hier hatte Maria

Behring bisher vermerkt: »Alle Individuen mit jeweils sechs Fingern beziehungsweise Zehen an jeder Hand und jedem Fuß. Extremitäten verblüffend beweglich. Auch bei den Älteren perfekt ausgebildete Muskulatur und ungewöhnlich elastische Gelenke. Körperliche Gewandtheit von Männern und Frauen wie bei Turnern, bei Kindern sogar wie bei Akrobaten. Überlänge der Zehen sowie ausgeprägter Abstand zwischen erstem und zweitem Zeh erleichtern offenbar das Klettern. Helle Hautfarbe trotz dauernden Aufenthalts in der lichtreichen Kronenregion deutet auf genetische Vererbung hin. Gesichtsschnitt und Augenform beweisen Zugehörigkeit zur indianischen Rasse.«

Unter »5. ERNÄHRUNG« hatte Maria Behring notiert: »Grundlage bilden verschiedene Baumfrüchte, die im Wolkenwald in geradezu unglaublicher Größe, Zahl und Fülle wachsen. Hauptnahrungsbäume sind: A. Pijiguaopalme. B. Melonenbaum (Carica papaya). C. Avocadobirne (Persea americana). D. Sternapfel (Chrysophyllum cainito). E. Kaschuapfel (Anacardium occidentale). F. Paranuß ...« Die Liste enthielt noch zwei Dutzend weiterer Obst- und Nußbäume wie den Kanonenkugelbaum, dessen runde Früchte direkt am Stamm in dichten Trauben herunterhingen, den Kakaobaum, dessen Hülsenfrüchte, die von den Indianern *clevo* oder *moschina* genannt wurden, und die *monama*, die wie eine Olive aussah. Es gab auch Obst, das Bananen oder Zitronen glich.

Sander hatte gefragt, ob das nicht eine ziemlich einseitige Kost sei; als er die verschiedenen Früchte jedoch probiert hatte, hatte er zugeben müssen, daß die geschmackliche Variationsbreite überraschend groß war. Außerdem verstanden es die Frauen, immer wieder neue Gerichte zusammenzustellen und mit den verschiedensten Samen und Säften zu würzen. Über den Gehalt an Kohlehydraten, Eiweiß, Fett, Vitaminen und

Mineralstoffen klärte ihn Maria Behring auf; die Früchte des Kakaobaumes zum Beispiel, so stellte sie fest, enthielten fünfundvierzig Prozent Fett, »wie man an jeder Frau sehen kann, die gern Pralinen nascht«. In ihrer Begeisterung über die ebenso schmackhafte wie ausgeglichene und leicht verdauliche Pflanzenkost hatte sie sogar ihren geliebten AvH zu Wort kommen lassen, der einst über die Kakaobohne schrieb: »... kein zweites Mal hat die Natur eine solche Fülle von Nährstoffen auf einem so kleinen Raum zusammengedrängt wie gerade bei ihr.«

Als sehr viel weniger appetitlich empfanden Maria Behring und Sander die allerdings selbstverständliche Erkenntnis, daß die Bewohner des Wolkenwaldes ihren Eiweißbedarf auch durch den Verzehr zahlreicher niederer Lebewesen wie Würmer, Maden, Engerlinge, Ameisen, Spinnen, Eidechsen und Frösche deckten; Sanders Ekel vor dieser Kost legte sich auch dann nicht, als ihn Maria Behring daran erinnerte, daß der Mensch von einem mausgroßen Insektenfresser abstammte, der gegen Ende der Kreidezeit vor fünfundsechzig Millionen Jahren in den Bäumen gelebt habe.

»Ich weiß, daß es unvernünftig ist«, gestand er, »aber ich bringe es einfach nicht über mich.«

Die Frauen des Wolkenwaldes verarbeiteten diese tierische Kost so geschickt, daß nicht nur nahrhafte und wohlschmeckende, sondern auch ungemein ansehnliche Gerichte entstanden, die Maria Behring ohne den geringsten Degout verzehrte, während Sander nur dann zugriff, wenn sie ihm so rücksichtsvoll wie unwahrhaftig versicherte, daß es sich ausschließlich um pflanzliche Nahrung handle.

Längere Zeit diskutierten sie über Sinn und Zweck des Tabus, Säugetiere und Vögel zu essen. Nur das Sammeln von Vogeleiern war erlaubt; offenbar deckten die Wolkenwaldmenschen damit ihren Kalkbedarf. Sander war der Meinung, die Jagd auf große Tiere sei zu gefährlich und auch zu wenig erfolgversprechend; wenn Affen oder Aras von Pfeilen getroffen würden, stürzten sie unweigerlich in die Tiefe und wären für ihre Jäger verloren. Maria Behring meinte dagegen, für solche Tabus seien meistens religiöse Gründe ursächlich. Um ihre Ansicht zu untermauern, holte sie einen Kommentar zum Buch Genesis auf den Monitor ihres Computers und las Sander vor, daß die Israeliten der Bibel von den Säugetieren faktisch nur Huftiere verspeisen durften, und auch davon nicht alle; Nagetiere jedoch, selbst Hasen, und viele Vögel galten vor dem mosaischen Gesetz als unrein. »Affen und größere Vögel könnte man ja auch harpunieren«, sagte sie. »Ganz abgesehen davon, daß es diesen Indianern keine Mühe bereiten dürfte, Faultiere zu erbeuten.«

Der sechste Punkt hieß »MATERIELLE KULTUR«. Genauso vielfältig wie die fruchttragenden Bäume waren auch die Holzgewächse, die das Rohmaterial für Kleidung, Hütten- und Brückenbau, Möbel und Einrichtungsgegenstände sowie die verschiedensten Geräte lieferten; auch hier schien es, als habe die Natur in diesem Wald ebenso lückenlos für die Bedürfnisse der Menschen gesorgt wie Gott einst für die Bedürfnisse Adams und Evas. Die Bäume spendeten Holz aller Härtegrade und Gewichte, aber auch Wolle zum Spinnen und zum Polstern, Bast zum Flechten, Fasern zur Herstellung von Seilen und Schnüren, Harz zum Abdichten – Maria Behring identifizierte allein im näheren Umkreis ihrer Hütte ein halbes Dutzend Heveaarten, deren Milchsaft zu Gummi verdickt werden konnte –, hartschalige Fruchthülsen, die zu Gefäßen jeder Größe taugten, ölreiche Samen zur Erzeugung von Kerzen und Seife, Rinde zum Schreiben, Blätter zur Herstellung von Tinte und Farben, Säfte zur Gewinnung von Zucker und Stärke, dazu viele andere Rohstoffe und schließlich energiereiches Brennholz. Lianen und Ranken dienten als Bau- und Bindematerial, die überall in den Bäumen hängenden Bienenstöcke lieferten Honig und Wachs, und aus Bromelien, Lianen und anderen Epiphyten wurden verschiedene Arzneimittel gewonnen.

Über all das gaben Ani, Senex und die anderen Wolkenwaldmenschen bereitwillig Auskunft, denn nachdem ihnen vom Priester erlaubt worden war, sich mit den großen, seltsamen Fremden zu unterhalten, drängte es sie, ihnen gefällig zu sein; sie schienen vor ihnen sogar eine gewisse Ehrfurcht zu empfinden, als seien sie höhere Wesen, und mühten sich um ihre Gunst. Wenn Maria Behring aber nach dem Baum im Garten des Priesters fragte, wurden Frauen und Männer auf einmal schweigsam und scheu; sie sagten, der Baum sei »verboten«, und niemand habe jemals gewagt, sich ihm zu nähern, nicht einmal die *arcanjos*.

Das Gespräch mit dem Priester bei der nächtlichen Kontaktaufnahme war viel zu kurz gewesen, denn nach zahllosen verdutzten Fragen und verblüffenden Antworten auf beiden Seiten hatte Sander warnend auf seine Uhr gezeigt; bis dahin hatten sie von dem alten Mann schon einiges über den kleinen Kosmos in der Kronenregion erfahren und ihm im Gegenzug von der modernen Welt erzählt. Von Polizeihubschraubern und Garimpeiros aber hatten sie ihm nichts gesagt und vorläufig auch nichts von den anderen Gefahren, die dem Wald und seinen Menschen drohten. Doch auch ohne diese Informationen hatte der alte Missionar beim Abschied gesagt: »All dieses zu vernehmen, was in der Welt jenseits des Waldes geschieht, würde den Menschen hier einen großen Schrecken einjagen. Schweigt also davon zu ihnen! Ich werde ihnen sagen, daß Ihr fromme Menschen aus meiner Heimat seid, gekommen, mich zu besuchen und den Wald zu erforschen, der nicht seinesgleichen besitzt. Kommt also morgen zur Mittagsstunde wieder! Dann sollt Ihr gebührend empfangen sein.«

Am nächsten Morgen hatte der Herr des Wolkenwaldes die Erzengel zu den Hütten geschickt und alle Bewohner zu den Zedrachbäumen bestellt. Dort waren sie auf die Begegnung vorbereitet worden; da der Herr des Wolkenwaldes sie stets beschützt hatte, fürchteten sie sich nicht, als die Fremden in dem seltsamen Himmelsfahrzeug eintraten, das auch den Priester in großes Erstaunen versetzte, sondern schienen den Besuch als ein Ereignis großen Glücks zu empfinden. Dazu gehörte, daß alle Bewohner des Wolkenwaldes, Männer, Frauen und Kinder, und auch die vier Erzengel den beiden Gästen sehr freundlich und mit großem Respekt, ja mit Ehrerbietung entgegentraten, genauso, wie ihre Urahnen einst den ersten weißen Entdeckern entgegengetreten waren.

Die Hütte war mit allem Komfort eingerichtet, den die kunstfertigen Hände der Wolkenwaldmenschen zu schaffen vermochten; mit Kissen ausgepolsterte Hängematten gehörten ebenso dazu wie bequeme Sitzmöbel, geflochtene Insektengitter vor den Fenstern und ein hölzerner, täglich mit frischem Wasser gefüllter Behälter auf dem Dach, der als Reservoir für eine kleine Dusche diente. Mit Nahrungsmitteln wurden Maria Behring und Sander von Ani versorgt. Die erste Mahlzeit hatten sie auf dem Axtbrecherbaum verzehrt, dabei aber die übergroße Achtung, die ihnen erwiesen wurde, als hemmend empfunden und es danach vorgezogen, in der für sie aufgestellten Hütte zu essen. Wolkenfänger war glücklich und stolz, die Speisen überbringen zu dürfen, und kam dieser Aufgabe gewissenhaft nach.

Der Punkt »7. IMMATERIELLE KULTUR« in Maria Behrings Materialsammlung enthielt nur wenige Eintragungen. Das geistige Leben der Wolkenwaldmenschen schien an einem pazifistisch geprägten Christentum orientiert, in dem sich einige wenige Elemente indianischen Naturglaubens erhalten hatten. Männer und Frauen gehorchten dem Priester wie Kinder ihrem Vater; Streitigkeiten, die sehr selten waren, wurden sämtlich auf dem Torbaum geschlichtet. Verbrechen und entsprechende Strafen waren gänzlich unbekannt. Das Verhältnis der Wolkenwaldmenschen untereinander, ob sie nun in enger Nachbarschaft oder Wegstunden voneinander entfernt wohnten, war stets von tiefem Zutrauen, großer Rücksichtnahme und geradezu geschwisterlicher Liebe geprägt. Eheleute kannten keinen Streit, Kinder keine Schläge. »Es ist die ideale Gesellschaft«, sagte Maria Behring begeistert und zählte auf: »Keine Konflikte, keine Kriminalität, keine Machtkämpfe, keine Repression, keine Kollisionen zwischen Freiheits- und Gemeinschaftsgefühl; der ganze Mist, aus dem unsere Zivilisation aufgebaut ist, fehlt hier total. Statt dessen vollkommene Gleichberechtigung aller Individuen; Unterschiede höchstens altersbedingt, dann aber vernünftig gehandhabt. Was bei uns ein Generationenvertrag regeln muß, besorgt hier allein das natürliche Liebesgefühl zwischen engen Verwandten. Die völlige Gleichheit in Versorgung und Besitz scheint jede Form von Aggressivität zu verhindern. Andere Konfliktgründe wie Sozialneid und gesellschaftlicher Ehrgeiz entfallen, weil die Machtverhältnisse durch die fast heiligmäßige Autorität des Priesters unverrückbar festliegen und die Auswahl der Erzengel offenbar allein nach der durch keine Willensanstrengung beeinflußbaren Körpergröße der Kandidaten erfolgt. Dieses eher zufällige, für die Auswahl respektabler Wächter allerdings sehr nützliche Kriterium verhindert auch die Bildung typisch patriarchalischer Vater-Sohn-Erbfolgen in diesem Amt und die daraus häufig resultierende Entstehung bevorzugter

Beamtendynastien mit den üblichen negativen Folgen wie Hochmut, Eifersucht und Korruption.«

Besonders beeindruckt waren Maria Behring und Sander vom Umgang der Wolkenwaldmenschen mit Feuer und Wasser. Das Feuer hüteten sie in ausgehöhlten Holzklötzen, konnten es aber auch ohne besondere Mühe durch Reibung aus Hölzern, Spänen und Werg entzünden; es brannte auf Tuffsteinplatten. Früchte und andere Speisen wurden in große Blätter gepackt und über den Flammen gedünstet. Es gab aber auch Töpfe und Teller für allerlei schmackhafte, oft scharf gewürzte Suppen, Trinkgefäße jeder Größe und Vorratsbehälter verschiedenster Form. Das Wasser bewahrten die Wolkenwaldmenschen in großen Fässern aus Palmenholzbrettern auf, die mit starken Lianen umwickelt und mit Gummi abgedichtet waren; sie standen dort, wo der Regen besonders reichlich durch die Baumkronen tropfte und sich bei Gewitter mitunter sogar zu kleinen Sturzbächen sammelte.

Die ungewöhnlichste Einrichtung aber bestand in großen hölzernen Käfigen, in denen die Wolkenwaldmenschen allabendlich vor Einbruch der Dunkelheit geschwätzige Sittiche in die Tiefe ließen, bis sie nur noch etwa fünf Meter über dem dunklen Gewölk hingen; sie nannten die Tiere »Schlaflose Wächter«, denn ihr leises Gezwitscher war die ganze Nacht zu hören. Wenn es einmal ausblieb, erwachten die Menschen sofort und wußten, daß die dunkle Wolke gewachsen war und Gefahr drohte; dann verließen sie ihre Hütten und brachten sich auf den höchsten Wipfeln in Sicherheit. Aber das kam, wie sie berichteten, nur sehr selten vor.

Auffällig war, daß die Wolkenwaldmenschen trotz ihres beträchtlichen Kulturniveaus zu präziseren Zeitangaben nicht in der Lage schienen. Alles hatte entweder »lange« oder »nicht so lange« gedauert; seither waren »viele« oder nur »wenige Jahre« vergangen. Tage und Monate wurden zwar mit ihren lateinischen Namen bezeichnet, spielten aber eine ebenso geringe Rolle wie die Jahre; lediglich die Kirchenfeste bildeten einige wenige Landmarken in diesem trägen Meer von Zeit, die im Wolkenwald nicht zu fließen, sondern zu stehen schien. Maria Behring erklärte dieses Phänomen mit der Gleichförmigkeit der Wochen und Monate unter einem Himmel, unter dem der Tag stets genauso lange dauerte wie die Nacht, in einem Land, in dem es weder Sommer noch Winter, weder Frühling noch Herbst gab, und in einer Gesellschaft, der politische Entwicklung völlig fehlte.

Unter »8. GEOGRAPHIE« hatte Maria Behring aufgelistet, was sie an Ortsbezeichnungen der Wolkenwaldbewohner in Erfahrung hatte bringen können: »Unterteilung der Kraterfläche nach den Himmelsrichtungen in vier Regionen. Benennung nach den Flüssen des biblischen Paradieses: Osten = Tigris, Süden = Pischon, Westen = Euphrat, Norden = Gihon. Bezeichnung des nur von den höchsten Bäumen aus sichtbaren Gebietes jenseits des Kraterrandes: ›Nod‹ oder ›Land Kains‹. Bezeichnung für den Vulkankegel in der Mitte: ›Tabor‹ oder ›Berg des Herrn‹. Benennung der Wohnbäume nach den Namen der ältesten Bewohner, z. B. ›Baum des Senex‹. Besonders wichtige Verbindungen durch die Kronenregion tragen lateinische Namen, z. B. ›via nucis‹ für einen Weg zu Paranußbäumen oder ›pons caeli‹ für die ›Himmelsbrücke‹ vom Torbaum zur Wohnung des Priesters. Die Bezeichnung unbesiedelter Regionen richten sich nach den dort vorherrschenden Bäume, z. B. ›silva salicis‹ für ein Gebiet mit besonders vielen weidenähnlichen Arten.« Sie hatte diese Angaben als Orientierungshilfe auf ein Stück Papier eingetragen; es sah wie die primitive Karte einer vorgeschichtlichen Inselkultur aus.

Weitere Rubriken behandelten die Themen »MEDIZIN«

und »GESCHICHTE«. Maria Behrings Fragen nach Heilpflanzen förderten eine Reihe interessanter Informationen zutage. Von ihrer Vergangenheit aber schienen die Wolkenwaldmenschen nur wenig zu wissen. Senex berichtete allerdings, sie lebten schon seit »Urzeiten« in der Kronenregion, nachdem sie einst »auf der Flucht vor den Söhnen Satans« in den »Garten des Herrn« gelangt seien; von Maria Behring nach den Einzelheiten dieser Legende befragt, antwortete der weißhaarige Indianer, sie möge sich an den Priester wenden, der darüber weit mehr wisse als er, da er ja auch viel älter sei. Über dieses »viel« wunderte sich Maria Behring ein wenig, da Senex sein eigenes Alter mit vierundsechzig Jahren angab, während die durchschnittliche Lebenserwartung der Ureinwohner in diesem Weltteil nur wenig über fünfunddreißig Jahren lag.

Von früh bis spät mit dem Sammeln solcher Informationen beschäftigt, kamen Maria Behring und Sander tagsüber kaum zum Nachdenken über sich und die absurde Situation, in der sie sich befanden: in eine völlig neue Welt verschlagen, die uralt schien; ohne eigentliche Verbindung zu der Welt, aus der sie kamen, da sie dorthin nur Lügen melden und von dort kaum Unterstützung erwarten konnten; mit einem Rätsel beschäftigt, das sie unbedingt lösen mußten, dessen Lösung sie dann aber niemandem verraten durften; ihr Schicksal mit dem von Menschen verknüpfend, die von dieser Verbindung nichts ahnten; angewiesen auf Informationen, die durchweg märchenhaft klangen, aber mit Hilfe modernster Computertechnik bestätigt wurden; bei einem Volk, dem seine Gefangenschaft zwischen Himmel und Wolken offenbar überhaupt nicht bewußt war, während die Gäste jederzeit in die Gondel ihres Luftschiffes steigen und davonfahren konnten, fanden sie sich nun vor die Aufgabe gestellt, etwas zu erhalten, was sich seit Jahrzehnten nicht mehr verändert zu haben schien, und zwar in einem Gebiet, das sich infolge menschlicher Einwirkung schneller und schlimmer veränderte als jede andere Landschaft der Erde.

Abends, wenn die Arbeit getan war, unterhielten Maria Behring und Sander sich vor dem Einschlafen immer noch einige Minuten lang über solche Fragen.

»Es ist ein Wettlauf gegen die Zeit, um Menschen zu helfen, denen die Zeit nichts bedeutet«, sagte Maria Behring. »Manchmal kommt es mir vor, als seien wir mit einem Raumschiff auf einem fremden Planeten.«

»Und mir kommt es vor, als versuchten wir Menschen zu helfen, die überhaupt keine Hilfe benötigen«, sagte Sander. »Alle scheinen hier vollkommen glücklich und zufrieden zu sein. Die einzigen, die so etwas wie Sorgen kennen, sind wir selber. Vielleicht sind es in Wirklichkeit wir, denen dringend geholfen werden muß. Allmählich habe ich das Gefühl, daß uns die moderne Welt mit ihrem wissenschaftlichen und technischen Fortschritt nicht ein reicheres, sondern ein ärmeres Leben gebracht hat. Emotional, meine ich. Seit wir die erstaunlichsten Kommunikationsmittel haben, reden wir nicht mehr miteinander. Seit wir in ein paar Stunden um die ganze Welt fliegen können, besuchen wir unsere alten Eltern in der nächsten Kleinstadt nicht mehr. Seit wir die Säuglingssterblichkeit erfolgreich bekämpfen können, setzen wir keine Kinder mehr in die Welt. Je mehr unsere Wissenschaftler über die Erde herausbekommen, desto weniger lernt die Jugend darüber. Seit es die moderne Eheberatung gibt, lassen sich die Leute so oft scheiden wie noch nie. Hier im Wolkenwald gibt es das alles nicht. Es gibt auch keinen Alkoholismus und keinen Drogenmißbrauch. Keine Vergewaltigung und keine Kindesmißhandlung. Keine Mörder und keine Diebe. Keine korrupten Politiker und keine verlogenen Pfaffen. Kein Werbefernsehen, keine Rush-hour und auch nicht eine Lotterie, bei der man doch nie gewinnt.«

Sie mußte lachen. »Der Pilot als Technikfeind! Das ist wunderbar. Sie haben wirklich die übelsten Seiten unserer Zivilisation beim Namen genannt. Ja, Sie haben recht, diese Menschen sind glücklich, und es scheint ihnen nichts zu fehlen, schon gar nicht diese dummen Sachen, die immer als besondere Errungenschaften des modernen Lebens gepriesen werden. Aber die Leute hier sind eben doch nur deshalb so glücklich, weil sie von jenem Leben nichts ahnen. Weil sie nicht wissen, was ihnen entgeht, fehlt es ihnen nicht; wüßten sie es, wäre es mit dem Frieden hier schnell vorbei.«

»Das glaube ich nicht«, widersprach Sander. »Diese Leute leben mit der Natur, in der Natur, von der Natur. Was kann es Besseres oder Schöneres geben?«

»Jetzt wird's lustig«, entgegnete sie. »Jahrelang haben Sie Prospektoren in den Urwald geflogen, und nun machen Sie plötzlich auf Idealist! Aber Sie können sagen, was Sie wollen: Sobald hier die erste Flasche Coca-Cola auftaucht, wird keines dieser Kinder hier jemals wieder etwas anderes trinken wollen. Sobald hier der erste Fernsehapparat auf Empfang geht, werden sich die Leute einen Dreck um die Naturschönheiten der Kronenregion scheren, sondern sich irgendwelche Action-Filme angucken. Wenn nicht gar Pornos. Und sobald jemand die ersten Nylonstrümpfe hierherbringt, werden diese wunderschönen Indianerinnen sie sich über ihre wunderschönen Beine ziehen, auch wenn sie in diesen Scheißdingern noch so sehr schwitzen. Glauben Sie mir: Auf der Insel Marajó gehen die kleinen Jungen nicht mehr mit ihren Papis auf die Jagd, sondern sitzen mit Game Boys vor ihren Malocas und machen den ganzen Tag piep-piep.«

»Ja, das ist schrecklich«, seufzte Sander. »Hier müssen wir das auf jeden Fall verhindern!«

»Allerdings«, sagte Maria Behring. »Und zwar mit allen Mitteln.«

Zufrieden mit diesem harmonischen Ende ihrer Diskussion, wünschten sie einander eine gute Nacht und schliefen, müde, wie sie waren, rasch ein. Bald aber wurden beide von Alpträumen geplagt. Maria Behring sah wieder die drei toten Garimpeiros vor sich; ihr Unterbewußtsein schien sich gegen den Versuch ihres Verstandes zu wehren, die Erinnerung an das schreckliche Geschehen in die dunkelsten Abgründe ihrer Seele zu versenken, so, wie sie die Leichen in den Cerro Impacto hinabgeworfen hatten, und würgte die grausamen Bilder wieder hervor. Und Sander träumte abermals von den Männern, die er noch nie gesehen hatte, die ihn aber nicht weniger erschreckten als die drei Garimpeiros. Diese unbekannten Männer trugen eiserne Helme und Rüstungen; in ihren Augen stand Mordlust, ihre grausamen Gesichter waren von Haß verzerrt, und ihre blutigen Hände hielten tödliche Waffen. Nichts schien sie aufhalten zu können, als sie durch den Dschungel zogen, und voller Entsetzen erkannte Sander, daß ihr Ziel der Wolkenwald war.

Von Brüllaffenchören im Morgengrauen geweckt, blieb Maria Behring wie gerädert in ihrer Hängematte liegen. Auch Sander hatte einige Mühe, auf die Füße zu kommen. »Guten Morgen«, sagte er mit gespielter Munterkeit. »Wie haben Sie geschlafen?«

»Schlecht«, antwortete sie ehrlich und erzählte ihm von ihrem Alptraum. »Es ist, als wollten diese Kerle mich bis an mein Lebensende verfolgen«, seufzte sie.

»Ich bin auch noch nicht ganz drüber hinweg«, sagte Sander. »Man muß einfach versuchen, nicht zu oft daran zu denken.« Er versuchte, tröstend zu lächeln. »Beim erstenmal ist das natürlich besonders schwer. Nach meinem ersten Gefecht in Indochina lag ich nächtelang wach. Kann mich noch genau daran erinnern. Diese Vietminh waren oft noch halbe Kinder.« Er dachte nach;

dann sagte er: »Ich allerdings auch. Vielleicht habe ich es deshalb doch etwas leichter verarbeiten können als andere. Diese drei entsprungenen Zuchthäusler hatten jedenfalls den Tod verdient. Ich bereue nicht, daß ich geschossen habe. Außerdem war es Notwehr.«

»Ich weiß«, sagte Maria Behring heftig. »Warum bleiben sie dann nicht in der Hölle, wo sie hingehören, und lassen mich in Ruhe?«

Sander deutete mit dem Kopf zum Fenster. »Stehen Sie auf und schauen Sie hinaus«, riet er. »Dann kommen Sie gleich auf andere Gedanken. In dieser kleinen Welt gibt es keine Gewalt; vielleicht ist ein Blick darauf die beste Medizin gegen die Erinnerung an die große Welt, die ganz und gar aus Gewalt besteht.«

»Später vielleicht«, sagte sie kraftlos.

Nun erzählte auch er von seinem Traum.

»Konquistadoren?« rätselte sie. »Seltsam. Es muß irgendwie mit diesem Wald zusammenhängen. Offenbar wirkt er stärker auf unsere Psyche, als uns bewußt wird.«

Er betrachtete sie nachdenklich, nickte dann und ging hinaus. Einigen Minuten später kehrte er mit einem Strauß Orchideen zurück. Verlegen streckte er ihr die Blumen hin. »Für Sie«, sagte er.

»Für mich?« fragte sie verblüfft und richtete sich auf. »Sie haben mir Blumen gepflückt?«

»Ja«, sagte er und lächelte unsicher. »Ich weiß aber nicht, ob mir das so gut gelungen ist. Floristisch, meine ich. Es ist schon eine Weile her, daß ich jemandem Blumen mitgebracht habe.«

»Die sind ja wunderschön!« sagte sie und sog den Duft ein. »Wie herrlich sie riechen!«

»So?« meinte Sander. »Darauf habe ich gar nicht geachtet. Ich habe sie nur nach den Farben zusammengeklaubt.«

Sie setzte sich auf, suchte mit den Füßen Halt auf

dem Boden und sagte: »Danke. Das ist wirklich nett.« Man kann es nicht anders sagen, dachte sie. Klettert der Mann trotz seiner Höhenangst dreißig Meter über dem Boden auf den Ästen herum, nur um mir ein paar Blumen zu pflücken!

Da Sander nichts weiter zu sagen wußte, faßte sie die Orchideen näher ins Auge und sagte: »Sehen Sie mal – eine Cattleya!« Sie zeigte auf die blaßviolette Blüte. »Wußten Sie, daß bei dieser Pflanze zwanzigtausend Samenkörner zusammen gerade ein einziges Gramm wiegen? Und hier, die Zahnzunge. Odontoglossum amabilis. Herrlich! Und ein Paphiopedilum. Venusschuh. Diese Art kenne ich gar nicht, aber in Berlin kostet so was mindestens fünfhundert Mark.«

»Hier gibt es sie umsonst«, sagte Sander, glücklich über seinen Erfolg. »Und jetzt raus aus der Matte!« fügte er in scherzhaftem Kommandoton hinzu. »Wir sind nicht hierhergekommen, um eine Schlafkur zu machen!«

»Da haben Sie recht«, sagte Maria Behring.

Diskret ging Sander hinaus und machte sich auf den Weg zu dem Axtbrecherbaum, um bei Ani das Frühstück für sie beide in Empfang zu nehmen. Auf der Lianenbrücke zwischen den beiden Bäumen, schon etwa vierzig Meter entfernt, drehte er sich verstohlen um und sah, wie sie mit dem Rücken zu ihm nackt unter der einfachen Dusche stand; der Anblick ließ sein Herz schneller schlagen. Was für eine Frau! dachte er. In dieser fremdartigen, unwirklichen Welt der hohen Bäume, vor dem exotischen Hintergrund des in allen Schattierungen schillernden, in allen Formen wuchernden Grüns der Kronenregion, das Myriaden bunter Blüten wie Pinselstriche französischer Impressionisten durchbrachen, erschien sie ihm mit ihrem blonden Haar, ihrer hellen Haut, ihren ebenmäßigen Formen und ihren geschmeidigen Bewegungen wie eine Göttin, und am liebsten wäre er stehengeblieben, um ihr zuzuschauen, sie zu beobachten und den Anblick ihres schönen Körpers auszukosten; aber im selben Moment bewegte sie den Kopf, und er drehte sich rasch wieder in die Richtung, in die er zu gehen hatte. Niemals würde er diese Sekunde vergessen.

Als er zu dem Axtbrecherbaum kam, sah er, daß Anis Hütte mit frischen Palmwedeln geschmückt war. Auch die Nachbarn und die Bewohner anderer Bäume hatten grüne Pijiguaoblätter abgebrochen und auf die Dächer ihrer Behausungen gesteckt; es sah aus, als sprössen auf den Laubbäumen epiphytische Arekazeen empor. Als er sich nach dem Grund erkundigte, fragte ihn Senex erstaunt, ob er nicht wisse, daß heute Palmsonntag sei, die Wiederkehr des Tages, an dem der Erlöser in Jerusalem einzog.

»Ach so, ja, das hatte ich ganz vergessen«, sagte Sander verlegen. Senex reichte ihm ein Tablett, auf dem warmes, appetitlich duftendes Gebäck aus dem Mehl getrockneter Bananen, Kakaopulver sowie verschiedenen Nüssen und Beeren lag; ein großer Krug enthielt ein heißes Getränk aus Wasser, Kakao und zerriebenen Hülsenfrüchten mit Milchgeschmack. Sander dankte und kehrte eilig auf den Matamatá zurück. Maria Behring hatte ihre Morgentoilette beendet, ihren Overall aber noch nicht angezogen, sondern sich in ein großes Badetuch gehüllt. Sie saß zwischen blühenden Lianen auf einem dicken Ast vor der Hütte; die Beine ausgestreckt und die nackten Arme hinter dem Rücken verschränkt, genoß sie die Kühle des Morgens. Als sie Sander kommen sah, zupfte sie rasch das Tuch an Busen und Beinen zurecht, legte die Hände in den Schoß und lächelte ihm freundlich entgegen.

»Sie haben ihre Hütten mit Palmwedeln geschmückt«, rief er schon von weitem. »Haben Sie gewußt, daß heute Palmsonntag ist?«

»Dann ist ja nächsten Sonntag Ostern«, sagte Maria

Behring. »Auf diesen Expeditionen kriegt man das meistens gar nicht richtig mit.«

»Allerdings«, sagte Sander. »Glauben Sie, daß wir dann noch hier sein werden?«

Sie zuckte mit den Schultern. »Weiß nicht«, sagte sie. »Hängt davon ab, wie schnell wir vorankommen. Hm, die Dinger duften ja köstlich!«

Er reichte ihr das Tablett, und sie begannen zu frühstücken.

»Wenn Sie mich fragen, sind wir hier noch lange nicht fertig«, sagte Sander, genüßlich kauend. »Solange wir nicht mehr über diese Leute, vor allem über den Priester, in Erfahrung gebracht haben, ist es viel zu riskant, hier irgend etwas von Hubschraubern, Bundespolizei, Garimpeiros, Brandrodung oder der brasilianischen Indianerbehörde und solchen Sachen zu erzählen; wir würden ihnen nur angst machen, ohne zu wissen, wie wir am besten helfen können.«

»Sie haben recht«, sagte Maria Behring zu seiner geheimen Freude. »Ein paar Tage müssen wir hier auf jeden Fall noch bleiben. Komisch, daß Sie es jetzt sind, der ganz scharf darauf ist.«

»Wir haben immerhin eine gewisse Verantwortung für diese Leute«, stellte Sander fest.

»Das brauchen Sie mir nicht zu sagen«, antwortete sie, lächelnd über seinen Eifer und ohne den wahren Grund dafür zu erraten. »Aber was ist mit der Crew im Camp? Und erst der Colonel! Der scheint sich schon jetzt überhaupt nicht mehr bändigen zu können. Redet sogar schon von Suchflugzeugen.«

»Ach was«, sagte Sander entschieden. »Der kann uns mal.« Er war wirklich wie umgewandelt, und Maria Behring begann sich zu fragen, was diese Veränderung bewirkt haben mochte. Am wahrscheinlichsten schien ihr, daß Sander wie viele Männer an der Schwelle des Alters plötzlich den Ehrgeiz entwickelte, seinen Namen mit irgendeiner herausragenden Tat zu verbinden und dadurch zu bewirken, daß er nicht allzu schnell vergessen würde. Sie beobachtete ihn unauffällig, während sie aßen und tranken. Sein Gesicht, etwas zu rundlich, um markant zu wirken, war offen und sympathisch, aber nicht attraktiv; sein Körper, eher mollig als athletisch, zeigte schon Spuren des langsam einsetzenden Kräfteabbaus; seine Haut war faltig, sein Haar licht und schon ergraut. Seine kräftigen Hände waren knochig und mit Altersflecken gesprenkelt, die Muskeln der Oberarme noch voll und nicht schlaff, aber auch nicht mehr präzise gezeichnet, der Bauch gewölbt von zuviel Steaks und zuviel Whiskey, die Zähne ordentlich gepflegt, aber eher gelb als weiß, der Blick noch klar und fest, aber zwischen schwerer gewordenen Lidern und größer gewordenen Tränensäcken schon etwas müde. Ein Mann in den besten Jahren, dachte sie, aber nicht mehr für lange; wahrscheinlich ein korrekter und einfühlsamer Liebhaber, aber wahrhaftig nicht der Typ, der eine Frau in seine Arme reißt. Der Gedanke erheiterte sie so sehr, daß sie lachen mußte. Verdutzt schaute Sander sie an. »Was ist denn?« fragte er.

»Nichts«, log sie schnell. »Ich mußte nur ...« Fieberhaft suchte sie nach einer unverfänglichen Erklärung. »Ich mußte nur eben daran denken, was für ein dummes Gesicht dieser Colonel machen würde, wenn er uns hier sitzen sähe.« Sie wurde wieder ernst. »Ich finde, wir sollten wieder einmal mit dem Priester reden«, schlug sie vor. Die bisherigen Gespräche mit dem alten Mann hatten kaum neue Erkenntnisse geliefert; es schien, als traue er seinen Gästen nicht und halte Informationen vor ihnen zurück. Am ersten Tag ihres Aufenthalts hatten sie nachmittags nach dem Einzug in ihre Hütte fast zwei Stunden lang mit ihm gesprochen, aber er hatte nur wenige Fragen beantwortet und auf die meisten Unverbindliches gesagt, etwa »Das ist jetzt noch zu früh« oder »Das wird sich bald finden«. Statt dessen hatte er seinerseits viel wissen wollen, über Themen, bei denen sie selber nicht sicher gewesen waren, wieviel sie ihm verraten sollten, und deshalb nur zögernd Auskunft gegeben hatten. Ähnlich unbefriedigend war das zweite Gespräch am Morgen des dritten Tages verlaufen; hinterher hatten sie sich mit dem Gedanken getröstet, daß den alten Priester wohl weniger Mißtrauen als vielmehr begreifliche Vorsicht leitete, die um so verständlicher war, als er sich immerhin für das Glück und die Sicherheit einiger hundert Menschen verantwortlich fühlen mußte.

»Ist das nicht noch etwas zu früh?« fragte Sander. »Meiner Meinung nach brauchen wir vorher Informationen. Wie sollen wir sonst wissen, ob er uns die Wahrheit sagt? Und richtig einschätzen, wann wir ihm die Wahrheit sagen können?«

»Was schlagen Sie denn vor?« fragte sie.

»Weitere Interviews mit unseren Freunden«, sagte Sander. »Auch mit den Kindern. Bei denen kriegen wir wahrscheinlich sogar am ehesten etwas heraus. Die Erwachsenen könnte der Alte notfalls zum Schweigen vergattern. Aber bei Kindern ist das ziemlich schwer. Fragen Sie die Kleinen nach ihrem Glauben. Nach ihrem Wissen über das Paradies. Nach dem lieben Gott. Einfach nach religiösen Themen! Darüber werden sie bestimmt reden. Jetzt ist die Osterwoche, da sind die Kinder sogar bei uns zu heiligen Sachen aufgelegt. Ich meine, sie verzichten dann auf Süßigkeiten und so. Beichten, büßen und beten.«

»Nicht in Berlin«, widersprach Maria Behring. »Dort drehen sie den Doofen faule Ostereier an. Außerdem verstehe ich nichts von Religion. Ich bin nicht mal getauft.«

»Ich habe auch nicht viel Ahnung von dem ganzen Zauber«, gestand Sander. »Aber an ein paar Sachen erinnert man sich dann ja doch. Außerdem sind wir Forscher und keine Missionare.«

»Gut«, sagte sie. »Versuchen wir es. Wen wollen wir uns zuerst vorknöpfen?«

»Das Mädchen«, riet Sander. »Blaukrönchen.«

»Gut«, sagte sie. »Und was nehmen wir als Wahrheitsprobe?«

»Als was?« fragte Sander.

»Als Wahrheitsprobe«, wiederholte sie. »Um festzustellen, ob sie ehrlich zu uns ist oder uns anlügt.«

»Keine Ahnung«, sagte Sander hilflos.

»Ich weiß schon was«, sagte Maria Behring. »Wir werden sie fragen, woher sie ihren Namen hat. Wahrscheinlich nach irgendeiner Blume. Wir können ja gleich mal nachschauen. Würden Sie bitte den Computer holen? Dann kann ich nachher auch die Antworten gleich hier oben eingeben. Hier ist die Luft entschieden besser als unten in dieser stickigen Gondel.«

»Klar«, sagte Sander. Er kletterte über das ausgeklügelte System der Lianenleitern hinunter, zog den Stekker des Rechners heraus, packte ihn samt dem Akkumulator in einen Tragesack und hängte sich die Last über die Schulter.

Als er zurückkam, trug Maria Behring wieder ihren Overall; sie hatte den Tisch aus der Hütte geholt und in den Schatten gestellt. »Geben Sie her«, sagte sie. Er stellte das Gerät ab, und sie baute es vor sich auf.

Sander kehrte in die Gondel zurück und holte den Monitor. Wenig später saßen sie vor dem Bildschirm, und Maria Behrings geübte Finger huschten über die Tastatur, als befinde sie sich in ihrem Büro und nicht im Wipfel eines Baumriesen mitten im tropischen Regenwald.

Nach einigen Sekunden erschien der Titel »BOTANISCHE ENZYKLOPÄDIE«. Sie fuhr mit der Maus die Stichworte ab und wählte »REGISTER, DEUTSCHE UND IN ANDEREN SPRACHEN

GEBRÄUCHLICHE PFLANZENNAMEN«. Sander schaute gespannt zu.«

»Ich denke mal, es handelt sich um eine Blume«, erläuterte sie. »Wir müssen natürlich berücksichtigen, daß wir den Namen selber aus dem Guaraní ins Deutsche übersetzt haben. Vielleicht haben wir damit ins Schwarze getroffen, vielleicht liegen wir aber auch völlig schief.«

Sie gab ein: »Gesucht: Blaukrönchen.« Der Cursor begann zu blinken; ungeduldig warteten sie. Auf dem Monitor erschien das Wort »EINGABEFEHLER«.

»Das wollen wir erst mal sehen«, sagte Maria Behring und befahl: »Alle Pflanzen mit Wortanfang BLAU!«

Auf dem Bildschirm erschien eine lange Reihe von Namen: »Blaualge. Blaubeere. Blaublatt. Blauebenholz. Blaufichte. Blaugras. Blaugummibaum ...« Nichts ähnelte »Blaukrönchen«.

»Fehlanzeige«, murmelte Maria Behring. »Also was dann? Vielleicht ein Schmetterling.« Sie drückte wieder einige Tasten, und auf dem Bildschirm erschien »ENTOMOLOGISCHE ENZYKLOPÄDIE«.

»Alle Insekten mit Wortanfang BLAU!«

Eine weitere Aufstellung erschien, die aber erheblich kürzer war. Gespannt suchten sie die Liste ab.

»Blauauge!« rief Maria Behring und holte die entsprechenden Informationen auf ihren Schirm: »Schwarzbraun mit zwei großen, blauen Augenflecken ... In Mitteleuropa, von Juli bis August.«

»Das war nichts«, sagte sie enttäuscht. »Vielleicht jetzt. Bläuling.«

Sie lasen: »3500 zumeist tropische Arten besonders der Alten Welt.«

»Tja«, seufzte Sander resignierend, »das bringt uns wohl auch nicht recht weiter.«

Auch bei anderen erfolgversprechenden Stichwörtern kamen sie schnell ans Ende; »Blaukopf« entpuppte sich als nur in Europa beheimateter Eulenspinner, »Blausieb« als mitteleuropäischer Roßkastanienschädling.

»Wonach benennt man hier ein kleines Mädchen wenn nicht nach einer Blume oder einem Schmetterling?« rätselte Maria Behring. »Nach einem Äffchen? Nein. Einem Nagetier? Einem Vogel? Einem Vogel!«

Sie holte »ORNITHOLOGISCHE ENZYKLOPÄDIE« auf den Schirm. »Bingo!« rief sie begeistert und las vor: »›Blaukrönchen. Pionus menstruus. Unterfamilie: Psittacinae – Echte Papageien. Viertens Psittacini – Stumpfschwanzpapageien. Nördliches Südamerika. Dreißig Zentimeter. Ausgezeichneter Imitator menschlicher Sprache. Beliebter Hausgenosse. Bei guter Pflege kann er sehr alt und zutraulich werden.‹ Na, das paßt doch perfekt!«

Sander nickte. »Dann werde ich die Kleine jetzt mal holen«, sagte er.

Kurze Zeit später kehrte er zurück; Blaukrönchen hopste fröhlich neben ihm her. Über ihnen hangelte sich ein goldblondes Löwenäffchen durch die Zweige. Als sie sich zu Maria Behring setzten, ließ sich das possierliche Tierchen geradewegs in Blaukrönchens Arme fallen und begann mit dem Mädchen übermütig zu schmusen. Staunend sah Sander zu; Maria Behring räusperte sich und fragte: »Du weißt, warum wir hier sind?«

Blaukrönchen nickte eifrig. »Wegen der Früchte«, antwortete sie.

Maria Behring steckte sich das Mikrophon an den Kragen ihres Overalls und übersetzte ins Deutsche. Der Voice-commander übertrug die Worte auf den Monitor, und Sander, der in Guaraní nicht besonders firm war, las mit.

»Und du weißt auch, daß du uns immer die Wahrheit sagen mußt?« fuhr sie fort.

»Ja«, sagte das Mädchen arglos. »Lügen ist eine Sünde. Nur die Teufel lügen.«

»Teufel? Gibt es denn hier Teufel?«

»Nein. Aber dort unten.« Sie zeigte auf das schwarze Gewölk in der Tiefe.

»Hast du große Angst vor ihnen?«

»Nein. Sie können uns nichts tun. Der liebe Gott beschützt uns.«

»Vor den Teufeln?«

»Ja.«

Mit leisem Zirpen speicherte der Computer die Antworten auf der Festplatte ab. Maria Behring überlegte kurz und fragte dann: »Hast du schon einmal einen Teufel gesehen?«

»Nein.«

»Weißt du denn, wie sie aussehen?«

»Ja.«

»Wie denn?«

»Sie haben zwei Köpfe und sechs Beine.«

Maria Behring und Sander sahen einander verwundert an.

»Zwei Köpfe und sechs Beine, sagst du?« wiederholte Maria Behring.

»Ja.«

»Und was weißt du noch?«

»Sie töten Menschen mit Blitz und Donner. Sie leben in den schwarzen Wolken. Ihre Haut ist härter als das Holz des Axtbrecherbaumes.«

Maria Behring schaute sie ungläubig an. »Hast du dir das nicht nur ausgedacht?« forschte sie.

»Nein«, sagte das Mädchen verwundert. »Warum sollte ich mir das ausdenken?«

»Tja, warum«, murmelte Maria Behring und sprach die Übersetzung in das Mikrophon. »Sag uns deinen Namen«, forderte sie das Mädchen auf.

»Aber den wißt ihr doch!« sagte die Kleine verdutzt.

»Wir wollen ihn aber von dir hören«, sagte Maria Behring.

»Blaukrönchen.«
»Und woher hast du diesen Namen?«
»Von meinen Eltern.«
»Und was bedeutet er?«
Das Mädchen schüttelte den Kopf. »Das verstehe ich nicht«, sagte es unsicher. »So heiße ich. Es ist mein Name.«
»Hat denn noch jemand anderes diesen Namen?«
»Nein, nur ich. Jeder von uns hat seinen eigenen Namen.«
Maria Behring dachte nach. »Aber vielleicht gibt es ein Tier, das auch so heißt«, sagte sie dann.
»Ja«, antwortete das Mädchen strahlend. »Das Blaukrönchen!«
»Und was ist das für ein Tier?«
»Einer von den Fliegenden Vettern«, sagte das Mädchen. Weil das Kind seine Aufmerksamkeit ganz auf die Fragen konzentriert hatte, fühlte sich das Äffchen in seinem Arm vernachlässigt und grapschte nach Blaukrönchens Haaren. »Aua!« rief die Kleine. »Laß das, Kleiner Bruder!«
»Fliegende Vettern«, wiederholte Maria Behring. »So nennt ihr die Vögel, nicht wahr? Warum?«
»Weil sie unsere Vettern sind«, antwortete das Mädchen, auch über diese Frage offenkundig erstaunt.
»Du meinst, sie sind mit uns verwandt?«
»Ja, natürlich.«
»So nahe Verwandte können sie aber nicht sein«, sagte Maria Behring zweifelnd. »Sie sehen uns doch nicht im geringsten ähnlich!«
»Aber der liebe Gott hat sie gleich vor den Menschen erschaffen«, beharrte Blaukrönchen. »Nur die Kleinen Brüder sind noch näher mit uns verwandt, denn sie sind am selben Tag erschaffen worden wie wir.«
Maria Behring schielte zu Sander. »Stimmt das?« fragte sie mißtrauisch.

Er zuckte mit den Schultern. »So bewandert bin ich in diesen Fragen auch nicht«, erwiderte er.

»Na fein«, sagte sie. »Dann kann die Kleine uns ja sonst was erzählen, und wir hören zu wie Blinde, wenn man über Farben spricht.«

»Wir können das nachher ja alles mit dem Computer überprüfen«, meinte Sander beschwichtigend.

»Auch wieder wahr«, sagte sie. »Aber für das Interview wäre es besser, wir würden immer gleich merken, wenn sie flunkert. Teufel mit zwei Köpfen und sechs Beinen!« Sie wandte sich wieder dem Mädchen zu. »Wann war das? Wann hat Gott die Menschen erschaffen?«

»Am Anfang«, entgegnete die Kleine.

»Natürlich«, sagte Maria Behring. »Und wann erschuf er das Paradies?«

»Danach«, sagte Blaukrönchen. Das Löwenäffchen in ihren Armen war kaum noch zu bändigen.

»Gib mal her«, sagte Maria Behring und nahm das Tier vorsichtig in die Hände. Das Äffchen zeigte keine Angst, sondern begann eifrig Maria Behrings Daumen abzulecken.

»Hu«, rief sie. »Das kitzelt! Er schmeckt das Salz!« Sie hob das Tierchen an die Grübchen ihres Halses, in denen sich Schweißperlen gesammelt hatten. »Ui! Wie das kitzelt!« schrie sie.

Blaukrönchen brach in helles Gelächter aus.

»Moment mal«, sagte Maria Behring. »Hat Gott wirklich erst den Mensch geschaffen und dann erst das Paradies? Wo haben Adam und Eva denn dann in der Zwischenzeit gehaust?«

Blaukrönchen hob eine Nuß vom Tisch auf und warf sie dem Löwenäffchen zu; geschickt fing das Tier das Geschenk und schob es sich in den Mund.

Maria Behring beugte sich vor; ihr Overall öffnete sich etwas, und das Löwenäffchen steckte neugierig das

Köpfchen in ihren Kragen. »Huh!« machte sie und zerrte das Tier zurück. »Das kitzelt wie verrückt!«

Sie hob das Äffchen hoch und gab es der Kleinen zurück; sogleich begann Blaukrönchen wieder eifrig mit dem Tier zu spielen.

»Ist der Mensch wirklich älter als das Paradies?« fragte Maria Behring.

»Natürlich«, erwiderte Blaukrönchen lachend.

»Wie hießen denn die ersten Menschen?«

»Adam und Eva.«

»Und wo haben sie gelebt?«

Blaukrönchen schaute sie verwundert an. Es erstaunte sie sehr, daß diese Menschen selbst die einfachsten Dinge nicht zu wissen schienen.

Maria Behring warf Sander einen triumphierenden Blick zu. »Jetzt werden wir sie gleich haben«, murmelte sie.

Blaukrönchen schien jedoch nicht im mindesten aus der Fassung gebracht; sie hatte ihren Zeigefinger in das Mäulchen des kleinen Tieres gesteckt, das spielerisch wie ein Hündchen auf der Kuppe herumkaute.

»Du hast nicht geantwortet«, sagte Maria Behring.

»Was?« fragte Blaukrönchen.

»Weißt du die Frage nicht mehr?«

»Nein.«

Maria Behring sah ihr in die Augen. »Wo haben Adam und Eva gelebt, ehe Gott das Paradies schuf?« wiederholte sie.

Blaukrönchen zog den Finger aus dem Mäulchen des kleinen Affen. »Dort, wo die anderen Menschen heute noch leben«, antwortete sie. Sie verstand nicht, warum die beiden Erwachsenen so taten, als wüßten sie das nicht.

»Und wo ist das?« Maria Behring ließ nicht locker.

»Im Lande Nod«, sagte die Kleine. »Wo Kain hinzog, als er Abel erschlagen hatte.«

Maria Behring blickte prüfend zu Sander, dem wieder nichts anderes übrigblieb, als mit den Schultern zu zucken. Sie wandte sich wieder dem Mädchen zu. »Und dort hat auch euer Volk einst gewohnt?« fragte sie.

»Ja.«

»Und wie ist es dann in das Paradies gekommen?«

Das Mädchen zog die Nase kraus. »Durch den Herrn«, sagte es. »Der Herr hat es geführt.«

Sander erinnerte sich an eine Stelle der Bibel, die er kannte, weil sie ihn also Kind stark beeindruckt hatte. »So, wie Moses die Israeliten aus Ägypten herausgeführt hat?« fragte er.

»Ja. So ähnlich.«

»Vom Lande Nod in das Paradies?«

Blaukrönchen dachte nach. »Nicht gleich«, sagte sie dann.

»Nicht gleich?« wiederholte Maria Behring. »Wo waren sie denn zwischendurch?«

Das Mädchen rutschte unruhig auf seinem Sitz hin und her. Dann sagte es. »In der Hölle.«

»In der Hölle? Warum? Was hatten sie getan?«

»Nichts. Die Teufel holten sie und brachten sie dorthin. Aber der liebe Gott hat ihnen geholfen und sie in das Paradies geführt.«

»Wie sieht der liebe Gott denn aus?«

»Er ist ganz, ganz alt, hat weißes Haar und einen ganz langen Bart.«

»So wie der Priester?«

»Was?«

Maria Behring sah dem Mädchen wieder prüfend in die Augen. »Sieht der liebe Gott aus wie der Priester?« fragte sie noch einmal.

Das Mädchen schüttelte verständnislos den Kopf.

»Also nicht wie der Priester?« fragte Sander.

»Doch«, sagte Blaukrönchen. »Aber er ist doch ...« Sie

schien nicht zu wissen, wie sie es erklären sollte. Sie staunte bei jeder Frage mehr.

»Ist der Priester ein guter Herr?« wollte Maria Behring als nächstes wissen.

Die Kleine nickte heftig. »Ja«, sagte sie.

»Ist er so lieb wie dein Papa?«

»Ja.«

»Ist er so lieb wie der liebe Gott?«

Wieder schüttelte Blaukrönchen entgeistert den Kopf; es schien, als würde sie die ganze Zeit nach den selbstverständlichsten Dingen gefragt, von Menschen, die nicht das geringste begriffen.

»Also ist er nicht so lieb wie der liebe Gott?« fragte nun wieder Sander.

»Doch«, sagte die Kleine. »Nein. Doch.« Sie schüttelte wieder ratlos den Kopf.

»Was denn nun?« sagte Maria Behring. »Ist euer Priester nun so lieb wie der liebe Gott, oder ist er nicht so lieb wie der liebe Gott?« In der Wiederholung kam ihr die Frage nun selber unsinnig vor.

Das Mädchen schwieg.

»Irgendwas ist da im Busche«, sagte Maria Behring. »Aber ich verstehe einfach nicht, was. Jedesmal wenn wir zu diesem Punkt kommen, gibt sie widersprüchliche Antworten oder sagt gar nichts mehr. Das ist doch nicht normal!«

»Hier stimmt eine ganze Menge nicht«, sagte Sander. »Der Mensch älter als das Paradies – das habe ich noch nie gehört; ich kann mir auch nicht vorstellen, daß das so in der Bibel steht.«

»Das werden wir gleich sehen«, sagte sie und drückte einige Tasten. Bald erschien das erste Kapitel des Buches Genesis auf dem Monitor. Blaukrönchen schaute neugierig zu.

»Da haben wir es ja schon«, sagte Maria Behring und sprach in das Mikrophon: »Kapitel zwei, Vers sieben:

›Da formte Gott, der Herr, den Menschen aus Erde vom Ackerboden und blies in seine Nase den Lebensatem. So wurde der Mensch zu einem lebendigen Wesen.‹ Vers acht: ›Dann legte Gott, der Herr, im Osten einen Garten an und setzte dorthin den Menschen, den er geformt hatte. Gott, der Herr, ließ aus dem Ackerboden allerlei Bäume wachsen, verlockend anzusehen und mit köstlichen Früchten ...‹ Die Kleine hat tatsächlich recht. Der Mensch ist älter als das Paradies.« Sie wechselte wieder ins Guaraní und bemühte sich, möglichst langsam und deutlich zu sprechen. »Weiß Gott, wie du aussiehst?«

»Natürlich«, antwortete das Mädchen.

»Er kann dich also sehen?«

»Natürlich. Er kann alles sehen.«

»Auch nachts?«

»Ja. Wenn er will.«

»Spricht er auch manchmal zu euch?«

»Ja. Sehr oft sogar!«

»Wann hat er denn das letztemal zu dir gesprochen?«

Die Kleine legte wieder die Stirn in Falten.

»Ist das schon so lange her?« fragte Maria Behring. »Also spricht er wohl doch nicht so oft zu dir?«

»Nicht nur zu mir«, sagte Blaukrönchen. »Zu uns allen.«

»Zu euch allen?«

»Ja. Und zu euch doch auch!«

Maria Behring ließ sich zurücksinken. »Jetzt geht mir ein Kronleuchter auf«, sagte sie.

Sander schüttelte ungläubig den Kopf.

»Das also ist des Rätsels Lösung«, sagte sie. Sie beugte sich wieder vor und sah das Kind ernst an. »Der liebe Gott ist also der Priester«, sagte sie.

»Ja«, sagte Blaukrönchen. »Er wohnt im Tabor, im Berg des Herrn, und bewacht das Paradies. Er sorgt dafür, daß wir immer genug zu essen haben, und beschützt uns vor den Teufeln. Er beschützt auch die Tiere.« Sie streichelte zärtlich das Löwenäffchen. »Habt ihr wirklich gedacht, daß ich das nicht weiß?« sprudelte sie in fröhlichem Stolz hervor. »Das wissen alle Kinder hier, sogar die kleinsten! Darf ich jetzt gehen? Taka hat Durst, und ich muß zum Mittagessen zu Hause sein.«

»Ja, ist schon gut«, sagte Maria Behring. Die Kleine sprang auf, hüpfte mit großer Gewandtheit auf das Lianengeländer der Hängebrücke und begann auf dem dikken Seil mit dem Löwenäffchen um die Wette zu laufen.

Als sie verschwunden war, sagte Maria Behring: »Es ist wirklich nicht zu glauben. Der Alte hält sich für den lieben Gott oder gibt sich jedenfalls dafür aus. Was hat er den Menschen hier sonst noch erzählt? Und warum hat er uns das nicht gesagt? Auch die anderen haben darüber nicht das kleinste Sterbenswörtchen verlauten lassen!«

»Wir haben sie auch nicht danach gefragt«, erklärte Sander. »Blaukrönchen war die erste. Und für sie scheint das alles ganz normal zu sein.«

»Sie ist ja auch noch ein Kind«, sagte Maria Behring. »Ich möchte zu gern wissen, was die Erwachsenen dazu sagen.«

»Fragen wir sie«, sagte Sander. »Am besten zuerst diesen Alten, Senex. Ich bin überzeugt davon, daß das nicht die letzte Überraschung in diesem Wald war.«

Sander ging wieder zu dem Axtbrecherbaum; jedesmal, wenn er die Lianenbrücke überquerte, verlor er etwas von seiner Höhenangst. Trotzdem wurde ihm mulmig, auf dem Rückweg zuzuschauen, wie Wolkenfänger vor ihm übermütig durch die Wipfel turnte, sich an Lianen über furchterregende Abgründe schwang und nach erstaunlichen Sprüngen immer wieder sicher auf schwankenden Ästen landete.

Im Gespräch bestätigte Wolkenfänger alles, was seine Schwester erzählt hatte. Auf die Frage, wie er zu seinem Namen gekommen sei, sagte er stolz, ursprünglich habe man ihn nach einem besonders hoch fliegenden Vogel benannt, der am Tag seiner Geburt am Himmel kreiste. Inzwischen habe er aber seinen Namen auch durch eigene Taten gerechtfertigt.

Worin denn diese Taten bestünden, fragte Maria Behring.

Darin, daß kein anderer so hoch in die Wipfel steige wie er, antwortete der Junge stolz.

Maria Behring suchte in ihrem Computer nach einem entsprechenden Vogelnamen, doch diesmal hatte sie keinen Erfolg und sagte zu Sander: »Kein Eintrag. Was meinen Sie – flunkert er?«

»Denken Sie an unsere erste Begegnung«, sagte er. »Da stand er auf dem höchsten Ast eines neunzig Meter hohen Paranußbaumes.«

Maria Bering nickte. Dann fragte sie: »Gibt es Vögel in diesem Wald, die denselben Namen tragen wie du?«

Wolkenfänger schüttelte den Kopf.

»Auch keine, die sehr hoch fliegen?«

»Nur diesen einen«, sagte der Junge.

»Wahrscheinlich eine Harpyie«, warf Sander ein. »Ist Ihnen aufgefallen, daß es hier keine Raubvögel gibt? Keine Affenadler, keine Geier, nicht einmal Bussarde? Sie scheinen diese Gegend zu meiden.«

»Warum gibt es hier keine Adler?« fragte sie Wolkenfänger.

»Weil wir sie schießen«, antwortete der Junge lächelnd.

»Aber es sind doch eure Fliegenden Vettern!«

Wolkenfänger mußte lachen. »Nein, das sind nicht unsere Fliegenden Vettern. Das sind die Fliegenden Vettern des Teufels.«

»Des Teufels? Warum?«

Wolkenfänger hörte auf zu lachen. Waren die Fremden wirklich so dumm? »Sie töten unsere Fliegenden

Vettern und unsere Kleinen Brüder dazu, und wenn wir nicht aufpassen, auch die kleinen Kinder, und schleppen sie in die Hölle und fressen ihr Fleisch«, klärte er sie auf.

»Die Adler rauben Kinder?« fragte Maria Behring verblüfft.

»Jetzt nicht mehr«, sagte Wolkenfänger. »Schon lange nicht mehr. Wir töten jeden Höllenvetter, den wir sehen. Und wenn einer im Wolkenwald nisten will, zerstören wir sein Nest und werfen das Gelege in die Hölle hinab.«

»Womit tötet ihr sie?«

»Mit dem Pfeil.«

»Und wer tut das?«

»Jeder von uns. Vor allem die Erzengel. Sie halten Wacht.«

»Ihr habt also Pfeil und Bogen?«

Wolkenfänger schaute sie verwundert an. »Nein«, sagte er.

»Blasrohre?«

»Ja. Sonst könnten wir doch nicht auf die Höllenvettern schießen!«

»Ich habe hier aber noch nie eine Waffe gesehen. Ich meine, außer dem Flammenschwert deines Vaters.«

»Wir haben sie nicht immer dabei. Die Höllenvettern kommen schon lange nicht mehr hierher. Aber wenn sie kommen, sind wir bereit.«

»Wir? Du auch?«

»Ja«, sagte Wolkenfänger stolz. »Wir üben oft.«

»Oft? Wo denn?«

»Beim lieben Gott.«

»Am Berg Tabor?«

Wolkenfänger sah sie wieder entgeistert an. Es gab so vieles, was die Fremden nicht wußten. »Ja«, bestätigte er.

»Und wer ist der Lehrer?«

Wolkenfänger schüttelte verwundert den Kopf. »Lehrer?« wiederholte er.

Maria Behring überlegte. Da der Junge dieses Wort nicht zu verstehen schien (vielleicht weil es bei den Bewohnern der Baumwipfel keine Schule gab), versuchte sie es mit anderen Worten. »Wer übt denn mit euch?«

»Die Erzengel. Eines Tages werde auch ich ein Erzengel sein. So wie mein Großvater und mein Vater.« Stolz streckte der Kleine die Brust heraus. Sander mußte schmunzeln.

»Du kleiner Macho!« sagte Maria Behring. »Was übt ihr denn sonst noch?«

»Alles.«

»Was denn zum Beispiel?«

Wolkenfänger seufzte. »Wie die Bäume heißen. Und die Tiere. Welche Früchte und Tiere gut schmecken und welche nicht, und welche giftig sind. Wie man zählt. Wie man betet. Wie die Welt entstanden ist.«

»Wie weit kannst du denn zählen?«

»Bis tausend.«

»Weiter nicht?«

Wolkenfänger machte runde Augen. »Geht das denn weiter?«

»Ja. Was meinst du denn, wie viele Sterne am Himmel stehen?«

»Viele.«

»Und wie viele Blätter dieser Baum hat?«

»Viele viele.«

»Und der ganze Wald?«

»Viele viele viele.«

So ging es noch eine ganze Weile weiter. Dann holte Maria Behring Fruchtsaft aus der Hütte. Während sie tranken, sagte sie zu Sander: »Also den Lehrer spielt dieser Priester hier auch noch. Bringt den Kindern aber natürlich nur das Allernotwendigste bei. War ja schon immer die Politik der Kirche, die Leute möglichst dumm zu halten.«

»Wozu sollte er den Kindern hier denn Französisch oder Algebra beibringen?«

»Ein bißchen Geschichte könnte zum Beispiel nicht schaden. Vor allem Geschichte der Demokratie. Das scheint hier ein richtiger Gottesstaat zu sein. Priester befiehl, wir glauben dir!«

»Das ist ungerecht«, sagte Sander; nie zuvor hätte er gedacht, daß er die katholische Kirche oder einen ihrer Repräsentanten verteidigen würde.

»Darauf ist doch die gesamte Autorität der katholischen Kirche aufgebaut«, sagte Maria Behring. »Sonst könnte doch der Papst nicht immer noch verkünden, daß es eine Sünde sei, die Pille zu nehmen. In der heutigen Zeit! Bei dieser Übervölkerung! Und daß es verboten ist, Verhütungsmittel zu benutzen. Als ob es so etwas wie Aids überhaupt nicht gäbe.«

Sander schwieg; gegen dieses Argument wußte er nichts zu sagen.

»Und daß Priester nicht heiraten dürfen! Und daß Frauen nicht Priester sein dürfen! Und den ganzen anderen frauenfeindlichen Quatsch!« Sie stand kurz davor, in Rage zu geraten.

»Hören Sie auf«, sagte Sander. »Das sind die Probleme unserer Welt; in dieser Welt hier bedeuten sie nichts. Oder hatten Sie den Eindruck, daß die Frauen hier unterdrückt sind?«

»Um das beurteilen zu können, wissen wir noch nicht genug«, erwiderte sie. »Aber gewisse Anzeichen von Bevorzugung männlicher Individuen sind doch wohl jetzt schon unübersehbar. Die kleinen Jungen lernen schießen. Die Erzengel sind natürlich allesamt Männer. Und der Big Boss ebenfalls.«

Am Nachmittag unterhielten sie sich mit Ani; auch sie beantwortete alle Fragen mit großer Offenheit. Ihr

Name bedeutete »Nachtorchidee«. Sie berichtete, sie stamme aus Gihon, wo ihre betagten Eltern und zwei ältere Brüder mit ihren Familien auf einem prächtigen Mahagonibaum wohnten; eine ihrer Schwestern lebe mit ihren Kindern ganz in der Nähe, eine andere im Euphratbezirk.

»Weißt du, daß der Euphrat in Wahrheit ein Fluß ist?« fragte Maria Behring.

»Ja«, sagte Ani. »In der Bibel. Aber das ist lange her. Heute können wir ihn nicht mehr sehen, weil er durch die Hölle fließt.«

»Die Hölle ist also nicht so alt wie das Paradies?«

»Doch! Sie sind gleichzeitig entstanden. Als die Teufel kamen, schloß uns der Herr die Tür zum Paradies auf.«

»Und was war hier vorher?«

Anis Gesicht verriet Verwunderung; diese Frage hatte sie sich noch nie gestellt. »Vorher gehörte der Wald zum Land Nod«, sagte sie unsicher.

»Also haben schon vorher Menschen hier gelebt?«

»Ja. Unsere Vorfahren. Aber das ist schon lange her.« Sie bestätigte nun alles, was schon ihre Kinder berichtet hatten.

»Wie habt ihr deine Hochzeit gefeiert?«

Ani erzählte von einem dreitägigen Fest, das wild und ausgelassen gewesen, aber christlichem Ritus gefolgt war; alle Bewohner des Wolkenwaldes hatten daran teilgenommen.

»Wer hat denn bei euch zu bestimmen?« wollte Maria Behring wissen.

»Der Herr«, antwortete Ani.

»Ja, natürlich. Und in deiner Ehe? Dein Mann?«

»Ja.«

»Und du mußt ihm gehorchen?«

»Ja.«

Maria Behring nickte. »In allen Dingen?« forschte sie weiter.

»In allen Dingen, die er zu bestimmen hat«, kam die Antwort.

»Also nicht in allen Dingen?« fragte Sander.

Die Indianerin schaute ihn verwirrt an.

»Übersetzen Sie ruhig«, sagte er zu Maria Behring.

Maria Behring zögerte. »Also gut«, sagte sie dann, und auf guaraní fragte sie: »Nur in den Dingen, die er zu bestimmen hat?«

»Ja«, antwortete Ani lächelnd.

»Und welche sind das?«

»Alle Dinge.«

»Die Sache ist doch eindeutig«, sagte Maria Behring zu Sander.

»Fragen Sie sie, ob sie denn zu Hause gar nichts zu sagen hat«, verlangte Sander.

»Ich weiß zwar nicht, was Sie sich davon versprechen«, versetzte Maria Behring, »aber Sie sollen mir jedenfalls nicht vorwerfen können, ich sei nicht objektiv.«

»Und du?« fragte sie Ani. »Hast du denn überhaupt nichts zu sagen?«

Anis Lächeln verstärkte sich. »Natürlich«, antwortete sie.

»Und was?«

»Alles!«

»Alles?«

»Ja, natürlich!« Belustigt blickte sie Maria Behring an; sie schien sich über die Fragerei köstlich zu amüsieren. Sander konnte sich ein Grinsen nicht verkneifen.

»Das verstehe ich nicht«, sagte Maria Behring. »Entweder hat dein Mann zu bestimmen oder du. Etwas anderes gibt es doch nicht!«

Ani suchte nach Worten; es war doch wirklich zu seltsam, was die Fremden alles wissen wollten. »Wir bestimmen beide«, sagte sie.

»Warum hast du das denn nicht gleich gesagt?« fragte Maria Behring.

»Du hast mich so komisch gefragt«, antwortete die Indianerin.

»Also ihr bestimmt immer alles gemeinsam«, wiederholte Maria Behring. »Und was ist, wenn ihr euch mal streitet?«

»Streiten?« wiederholte Ani, als sei ihr das Wort unbekannt.

»Ja«, wiederholte Maria Behring ungeduldig. »Wenn ihr euch nicht einigen könnt.«

»Nur Kinder streiten sich, weil sie noch jung und dumm sind«, kam als Antwort. »Aber Erwachsene doch nicht! Wozu denn?«

Maria Behring warf Sander einen ungehaltenen Blick zu. »Grinsen Sie gefälligst nicht so dämlich!«

»Entschuldigung«, murmelte Sander.

»Aber es muß doch auch hier ab und zu mal Reibereien geben«, sagte Maria Behring. »Auseinandersetzungen. Ehekräche. Geschlechtsspezifische Interessenkonflikte!«

»Tja«, sagte Sander, »dann übersetzen Sie das mal.«

Sie wandte sich wieder der Indianerin zu. »Und mit anderen? Gibt es mit anderen Familien Streit?«

»Nein«, sagte Ani. »Wozu?«

»Ja, wozu?« wiederholte Maria Behring. »Hier haben alle gleich viel oder gleich wenig. Und wo es keinen Streit gibt, bedarf es auch keiner Gesetze. Die Zehn Gebote reichen hier für alle Lebenssituationen aus. Vielleicht sind sogar sie überflüssig. Diese Menschen können niemandem etwas Böses tun. Wahrscheinlich sind Diebstahl, Raub oder gar Mord hier so unbekannt wie bei uns ...« sie suchte nach einem passenden Vergleich, »... wie bei uns vor zwanzig Jahren Waldsterben oder Ozonloch.«

»So sieht es aus«, stimmte Sander zu.

»Wie hast du deinen Mann gefunden?« fragte Maria Behring als nächstes.

»Beim Maskenfest«, antwortete Ani und erzählte lachend von Tänzen, Gesängen und Wein in der Nacht auf den Zedrachbäumen. Maria Behring und Sander hörten staunend zu. Wein?

»Wahrscheinlich aus dem Herzblatt der Chimapalme«, sagte Maria Behring. »Auch die Indianer auf Marajó machen daraus berauschende Getränke.« Zu Ani gewandt, fuhr sie fort: »Und wen mußtest du fragen, damit du heiraten durftest?«

»Den Herrn«, erwiderte Ani.

»Aha. Und warum?«

Ani verstand nicht.

»Was wäre denn geschehen, wenn du ohne Erlaubnis des ... äh, des Herrn geheiratet hättest?« forschte Maria Behring.

Ani schüttelte verständnislos den Kopf.

»Was hat der Herr denn zu euch gesagt?«

»Daß er unsere Ehe segnet.«

»Und daß sie unauflöslich ist?«

Darauf wußte Ani wieder nichts zu antworten.

»Es gibt doch wohl keine Scheidung bei euch, oder?« fragte Maria Behring.

»Scheidung?« Ani verstand nicht einmal das Wort.

»Was ist, wenn du dich in einen anderen Mann verliebst?«

Ani schüttelte fassungslos den Kopf. Was sollte das alles bedeuten? Nur in den Geschichten der Bibel kam so etwas vor, zum Beispiel bei König David und Bathseba, aber da war es nach Gottes unerforschlichem Ratschluß geschehen, die Menschen zu prüfen und ihnen ihre Unvollkommenheit vor Augen zu führen, damit sie sich danach um so demütiger zum Glauben bekannten. Wozu aber sollte das in Gottes Garten nötig sein?

»Und wenn dein Mann dich betrügt?« hakte Maria Behring nach.

»Das ist unmöglich«, antwortete Ani aus tiefster Überzeugung. »So etwas gibt es nur auf Erden, aber nicht im Paradies!«

»Keine Seitensprünge?« sagte Maria Behring, nun wieder zu Sander gewandt. »Keinen Ehebruch? Nicht mal einen kleinen Flirt?« Sie konnte es kaum glauben. Waren das denn alles Heilige in diesem seltsamen Wald? Dann fragte sie Ani: »Wie alt warst du, als du geheiratet hast?«

»Fünfzehn Jahre.«

»Heiraten bei euch alle Mädchen so früh?«

»Viele, aber nicht alle.«

»Und wie alt sind die Männer normalerweise?«

»Sechzehn oder siebzehn.«

»Haben Sie das gehört, Sander? Unter hiesigen Bedingungen müßten Sie bereits Urgroßvater sein.«

»Und Sie in drei Jahren Großmutter«, kam es prompt zurück.

Sie unterhielten sich nun über Schwangerschaft, Geburt und Kindererziehung. Ani gab bereitwillig Auskunft; wirkliche Probleme schienen unbekannt.

»Wir scheinen tatsächlich im Paradies gelandet zu sein«, sagte Maria Behring, als die Indianerin gegangen war. »Nichts als Friede und Harmonie, alle sind nett zueinander, kennen keine Schwierigkeiten, vertrauen einander blind. Kein Streit, keine Lügen, kein Fremdgehen, keine Eifersucht, keine mißratenen Kinder. Aber so ist der Mensch nun mal nicht gestrickt! Was sind das für Wesen? Katholische Zombies, denen man das Gehirn herausoperiert hat?«

»Vielleicht sind sie ganz einfach nur normal«, sagte Sander, »so, wie Menschen sind, wenn es keinen Existenzkampf gibt, weil jemand da ist, der für alles sorgt; wenn die Rangfolge unwichtig ist, weil jeder gleich viel besitzt und mehr nicht erwerben kann; weil es kein Machtstreben gibt und deshalb auch weder Ehrgeiz noch Stolz. Diese Menschen sind wirklich wie Brüder.

Haben Sie nicht gemerkt, wie sie über Ihre Fragen gestaunt haben? Die wußten oft nicht einmal, wovon Sie überhaupt sprachen!«

»Ja«, sagte sie, »aber das begeistert mich nicht, sondern es macht mich nervös. Auf mich wirkt das fast so, als habe der Alte sie mit irgendeiner Droge gefügig gemacht; jetzt läßt er sie wie Marionetten tanzen, als Idealtypen nach katholischer Lehre, sozusagen als wandelnde Illustrationen eines mittelalterlichen Moralkatalogs. Es ist doch gar nicht zu glauben, daß eine Frau, die so aussieht wie diese Ani ... Soll das heißen, daß hier die Mädchen allesamt jungfräulich in die Ehe gehen? Das gibt es doch gar nicht!«

»Ihr Problem ist«, sagte Sander, »daß Sie sich nicht von den Anschauungen der Welt lösen können, aus der wir kommen. Was Sie seit frühester Jugend an Wissen über die Schlechtigkeit des Menschen mit sich herumschleppen, haben diese Leute hier nie erfahren; ihr Priester hat sie davor bewahrt. Deshalb ist für sie das Gute normal, so, wie für uns das Böse alltäglich ist. Wo wir die Lüge wittern, vertrauen sie auf Wahrheit; wo wir skeptisch sind, bleiben sie arglos und behalten recht. Sie sind wie Kinder und trotzdem viel klüger als wir. Sie glauben an Gott, uns aber hat der Teufel in den Klauen.«

Sie rümpfte die Nase. »Jetzt reden Sie auch schon wie dieser Missionar«, sagte sie. »Benutzen Sie Ihren Verstand! Der Priester mag in diesem Wald große Macht besitzen – der liebe Gott ist er aber noch lange nicht! Nicht er hat diesen seltsamen Wald wachsen lassen, sondern die Natur, und zwar infolge besonderer Anreicherung des Bodens mit Mineralstoffen. Nicht er hat diese Menschen geschaffen, sondern sie sind durch Befruchtung weiblicher Eizellen mit männlichem Sperma entstanden, und zwar durch natürlichen Geschlechtsverkehr und nicht durch irgendeine frankensteinhafte

In-vitro-Operation. Er hat diese Leute weder geklont noch für sie Guaraní erfunden. Er hat auch nicht bewirkt, daß hier aus einer unterirdischen Magmakammer ständig große Mengen Kohlendioxid an die Erdoberfläche steigen. Und dafür, daß die Leute hier alle sechs Finger und sechs Zehen haben, kann er ebenfalls nichts; das ist die Folge genetischer Vererbung. Oder glauben Sie, daß er den Leuten das mit einem Zauberstab angehext hat?«

»Nein«, sagte Sander. »Aber er hat aus Bestehendem Neues geschaffen. Eine neue Gesellschaft. Er hat diese Leute den Glauben gelehrt und sie dazu gebracht, nach den Geboten Gottes zu leben. Das finde ich nicht das Schlechteste; jedenfalls scheinen sie glücklich zu sein. Alles, was uns das Leben schwermacht, ist diesen Menschen dank des Priesters unbekannt geblieben, oder sie wissen höchstens aus Erzählungen davon, zum Beispiel aus der Bibel. So würde ich auch gern leben.«

»Das kann ich mir vorstellen«, sagte sie etwas boshaft. »In Ihrem Alter werden die Leute friedfertig. Aber die Welt wäre wohl nun mal kaum weitergekommen, wenn die Menschen auf den Bäumen geblieben wären, um sich das Obst in den Mund wachsen zu lassen.«

»Jetzt reden Sie wie ein Mann«, sagte Sander.

»Und Sie wie ein altes Weib«, gab sie zurück.

Sie schwiegen eine Weile. Dann sagten sie gleichzeitig: »Ich wollte –« Sofort verstummten sie wieder.

»Nach Ihnen«, sagte Maria Behring.

»Nein, bitte Sie zuerst«, sagte Sander.

»Ich wollte Sie nicht beleidigen«, sagte sie. »Es ist mir so rausgerutscht. Paßte gerade so schön zu dem, was Sie gesagt hatten.«

»Ich habe es auch nicht böse gemeint«, sagte Sander schnell.

»Nein, lassen Sie nur«, sagte sie. »An dem, was Sie gesagt haben, ist durchaus etwas dran. Ich glaube, es hat mit diesem Wald zu tun. Ich merke, wie er uns verändert. Mich vielleicht nicht ganz so stark wie Sie, aber –«

»Wie meinen Sie das?« fragte er mißtrauisch.

»Sie sind ziemlich nachdenklich geworden, seit wir hier sind«, erklärte sie. »Sie scheinen sich für Dinge zu interessieren, um die Sie sich früher nie gekümmert haben dürften, und gleichzeitig das Interesse an Dingen zu verlieren, die Ihnen früher bestimmt wichtig waren. Sie ...« Sie zögerte kurz und fuhr dann fort: »Sie werden es mir nicht übelnehmen, wenn ich sage, daß sich auch Ihr Verhalten mir gegenüber geändert hat. Bisher war es rein geschäftsmäßig. Heute haben Sie mir Blumen geschenkt.«

»Ich wollte Sie damit nur ein wenig aufheitern«, sagte er pikiert. »Wenn es Sie gestört hat, lasse ich es in Zukunft bleiben.«

»Nein, nein«, sagte sie schnell. »Es ist schon in Ordnung, und ich habe mich darüber gefreut. Aber wir sind nicht zum Vergnügen hier. Unsere Aufgabe ist es, möglichst rasch möglichst viel über diese Leute in Erfahrung zu bringen, um herauszufinden, wie wir ihnen am besten helfen können.«

»Das brauchen Sie mir nicht zu sagen«, brummte Sander verstimmt.

»Dann ist es ja gut. Holen Sie jetzt mal diesen Senex her. Wir wissen jetzt, wie die Leute über das Leben denken. Mal sehen, was der Alte uns über den Tod zu erzählen hat.«

Sander machte sich auf den Weg und kam einige Minuten später mit Senex zurück.

Auch er antwortete ohne Zögern auf alle Fragen, die ihm Maria Behring stellte.

»Was bedeutet dein Name?«

»Alt.«

»Trugst du ihn schon, als du noch jung warst?«

»Ja.«

»Was hat er damals bedeutet?«

»Alt.«

»Warum hast du ihn bekommen?«

»Als meine Mutter mich eben geboren hatte und mit mir im Arm aus ihrer Hütte trat, fiel von einem Ast ein Stück Greisenhaar auf mein Gesicht. Es war ein Zeichen.«

»Greisenhaar?« fragte Sander.

»Tillandsia usneoides«, klärte ihn Maria Behring auf. »Ein Epiphyt mit extrem verlängerten Internodien. Hängt in Büscheln von Ästen, Felsen oder Telefondrähten herunter. Sieht aus wie weißer Bart. Oder wie Gras mit Rauhreif.« Sie fragte weiter: »Sind viele so alt wie du?«

»Nein«, sagte Senex.

»Hast du Angst vor dem Tod?«

»Nein.«

»Nein?«

»Warum sollte ich Angst vor ihm haben? Ich weiß doch, was nach ihm kommt.«

»Was kommt denn nach ihm?«

Senex schüttelte verblüfft den Kopf. »Warum fragst du mich das? Du weißt es doch selbst!«

»Ich will es aber aus deinem Mund hören.«

»Das ewige Leben.«

»Und wo wird das sein?«

»Im Himmel.«

»Ich dachte, im Paradies!«

Senex lächelte. »Das Paradies ist für die Menschen. Die Seelen wohnen im Himmel.«

Maria Behring überlegte kurz. »Hast du noch Brüder oder Schwestern?«

»Nein. Sie sind alle schon gestorben.«

»Und wo sind sie begraben?«

Senex sah sie verwundert an. »In den Katakomben«, sagte er. »Wußtet ihr das nicht?«

»Nein«, erwiderte sie. »Wo sind die denn?«

»Im Berg Tabor«, sagte Senex.

»Ja, natürlich. Wo sonst?« gab Maria Behring zurück, und zu Sander sagte sie: »Sehen Sie mich nicht so vorwurfsvoll an. Ich habe eben nicht daran gedacht, daß das hier der einzige mögliche Ort dafür ist. Wahrscheinlich in den Tuffstein gehauen. Katakomben im Regenwald! Das hört sich ja beinah an wie die Spinnereien von diesen Idioten, die am Amazonas in irgendwelchen Höhlen nach Überresten von Ufos suchen und glauben, daß die Götter Astronauten waren!« Sie wandte sich wieder dem Alten zu und fragte: »Sind dort alle eure Toten begraben?«

Senex nickte. »Ja.«

»Seit der ältesten Zeit?«

»Ja.«

»Können wir sie sehen?«

»Wir gehen nur zu Beerdigungen dorthin. Es ist ein heiliger Ort.«

»Wir wollen uns nur einmal umsehen.«

»Fragt den Herrn; wenn er es für richtig hält, wird er es euch erlauben.«

»Wir möchten ihn nicht wegen einer solchen Kleinigkeit behelligen.«

»Aber es ist ein heiliger Ort. Noch nie hat ihn jemand ohne Erlaubnis des Herrn betreten. Wir dürfen die Ruhe der Toten nicht mutwillig stören.«

Sander warf ihr einen warnenden Blick zu, aber sie sagte trotzdem: »Wir werden vorsichtig sein. Niemand wird es bemerken.«

Senex schüttelte heftig den grauen Kopf; er schien sehr besorgt. »Die Katakomben werden von den Erzengeln bewacht.«

»Hören Sie auf damit«, warf Sander ein. »Warum wollen Sie dem Alten unbedingt einen Schrecken einjagen?«

»Ich wollte nur seine Reaktion testen«, sagte Maria Behring. »Die Furcht, Verbote des Priesters zu übertreten, scheint mindestens genauso groß wie der Respekt vor den Zehn Geboten Gottes.«

»Das scheint für die Leute hier ja auch so ziemlich dasselbe zu sein«, sagte Sander, der wieder die ganze Zeit über auf den Monitor schaute, damit ihm kein Wort des Dialogs entging.

»Wie viele Tote liegen dort begraben?« fragte Maria Behring.

»Viele«, sagte Senex.

»Wie viele genau?« bohrte sie. »Hunderte? Tausende? Zehntausende?«

»Tausende.«

»Tausende?« wiederholte Maria Behring verblüfft. »Aber wie kann das sein? Ihr seid hier zusammen keine vierhundert Leute! Wie viele von euch sterben denn jedes Jahr?«

Der Alte zuckte mit den Schultern. »Weiß nicht. Vielleicht fünfzehn oder zwanzig.«

»Und wie viele werden geboren?«

»Auch fünfzehn oder zwanzig.«

»Also seid ihr immer ungefähr gleich viele?«

»Ja.«

»Und wie lange schon?«

»Schon immer.«

»Ist das nicht ziemlich ungewöhnlich?« fragte Sander. »Immer gleich viele Menschen?«

»Im Gegenteil«, antwortete Maria Behring. »Für den Regenwald ist das sogar typisch. Jedenfalls für seßhafte Populationen. Der Wald gibt eben nur genug Nahrung für eine bestimmte Anzahl von Individuen her. Vermehren sie sich zu stark, müssen Teile der Bevölkerung auswandern. Denken Sie an die europäische Geschichte. Immer wenn irgendwo das Klima für die Landwirtschaft besonders günstig war, zum Beispiel in den ersten Jahrhunderten nach Christus in Nordeuropa, und sich dann wieder verschlechterte, kam es erst zu einem starken Anwachsen der Bevölkerung und dann zu großen Wanderungsbewegungen. Aber diese Menschen hier können nicht wandern. Sie haben offenbar irgendein Regulativ, das dafür sorgt, daß nicht mehr Kinder geboren werden, als alte Leute sterben.«

»Sie meinen, die Natur balanciert das aus?«

»Ich glaube, daß sie selbst dafür sorgen. Indianerfrauen kennen sich mit Verhütungsmitteln aus.«

Sander schüttelte zweifelnd den Kopf. »Der Priester würde das nicht zulassen«, meinte er. »In dieser Frage versteht die katholische Kirche bekanntlich keinen Spaß.«

»Auch sonst nicht«, bemerkte Maria Behring. »Aber das ist es gar nicht, was mir Kopfzerbrechen macht. Überlegen Sie doch mal: Wenn hier jedes Jahr zwanzig Menschen sterben und in den Katakomben bestattet werden – wie lange dauert es dann, bis dort tausend Tote liegen?«

Sander rechnete kurz nach. »Fünfzig Jahre«, sagte er dann.

»Genau. Aber Senex sprach von Tausenden von Toten. Also nehmen wir einmal an, es sind zweitausend. Dann müssen die ersten, nach Adam Riese, wann gestorben sein?«

»Vor hundert Jahren«, sagte er.

»Eben.«

»Vielleicht hat Senex übertrieben«, sagte Sander. »Oder vor diesem Priester war schon ein anderer hier, der mit diesen Bestattungen begonnen hat.«

»Und wenn nicht?«

Sander versuchte sich um die Antwort zu drücken, aber ihr bohrender Blick ließ ihn nicht los. Schließlich gab er sich einen Ruck. »Dann ist der Priester schon seit hundert Jahren hier«, sagte er.

»Hören Sie mit diesem Unsinn auf!« sagte sie erbost. »Irgend etwas stimmt hier nicht, das merkt doch ein

Blinder mit dem Krückstock!« Wie immer, wenn sie aufgeregt war, wechselte sie aus der nüchternen wissenschaftlichen Sprache in die schnoddrige Berliner Ausdrucksweise.

»Sie glauben, der alte Indianer lügt?«

»Ach was! Dazu sind diese Wolkenwaldmenschen viel zu harmlos. Nein, es muß etwas anderes sein. Es hat mit diesem Priester zu tun, da bin ich mir ganz sicher. Aber ich werde ihm schon noch auf die Schliche kommen.«

Während sie sich unterhielten, blickte Senex zwischen ihnen hin und her; für ihn waren sie die Exoten, über deren Reden und Verhalten ein vernünftiger Mensch sich wundern mußte.

»Also gut«, sagte Maria Behring kampfeslustig, »pakken wir den Stier bei den Hörnern.« Sie beugte sich ein wenig vor und sah Senex scharf an. »Wenn in den Katakomben schon so viele Tote bestattet sind«, sagte sie, »ist denn dann dort überhaupt noch genügend Platz für neue Gräber?«

»O ja«, sagte Senex. »Es ist genug Platz für viele.«

»Ganz sicher?«

»Ja.«

Maria Behring versuchte die nächste Frage so taktvoll wie möglich zu formulieren. »Nicht nur für dich, sondern auch für die Jüngeren, die später sterben?«

»Auch für alle anderen.«

»Kennt ihr denn schon den Platz, an dem ihr ... an dem ihr eines Tages ruhen werdet?«

Der alte Mann lächelte wieder. »Ja. Ich kenne ihn.«

Nun, da die erste Klippe umschifft schien, wagte sich Maria Behring weiter auf das unbekannte Wasser dieses Frage-und-Antwort-Spiels hinaus; sie steuerte durch die Diskussion wie ein Kapitän, der zwar sein Ziel, nicht aber den Kurs kennt.

»Seit wann weißt du, wo dein Grab ist?« forschte sie weiter.

»Schon seit ich denken kann«, antwortete Senex.

»Schon als Kind? Wer hat es dir zugeteilt?«

Senex staunte auch über diese Frage. »Der Herr.« Wer sonst sollte das tun können?

»Wann hat er das getan?«

»Bei meiner Geburt.«

»Das ist ja perfekt geregelt«, sagte Maria Behring zu Sander. »Die Leute kommen zur Welt und kriegen gleich ihr Grab zugewiesen.« Sie wandte sich wieder Senex zu. »Wenn das so ist, weißt du sicher auch, wo dein Sohn seine ewige Ruhe finden wird.«

»Ja, natürlich.«

»Und deine Schwiegertochter.«

Senex nickte. »Wir alle wissen es«, bestätigte er.

»Und deine Enkelkinder?« fuhr Maria Behring fort.

Sander wurde es zunehmend ungemütlich, über den Tod kleiner Kinder zu sprechen, gerade so, als gehe es um Mastkälber oder einzuschläfernde Hunde.

»Ja«, sagte Senex. »Alle von uns wissen, wo sie einst ruhen werden.«

Maria Behring sah ihn gespannt an. »Auch der Priester?« fragte sie dann.

Senex schüttelte lachend den Kopf. Das war so ziemlich das Verrückteste, was er seit langem gehört hatte.

Sie wartete, bis er sich wieder beruhigt hatte. »Der Priester hat also kein Grab?« hakte sie nach.

Der alte Mann mußte wieder lachen. So eine seltsame Idee! Darauf mußte erst einmal jemand kommen.

»Also, was ist nun?« sagte Maria Behring leicht ungeduldig. »Ja oder nein?«

»Nein«, sagte Senex. »Natürlich nicht. Wozu denn?«

»Wozu? Nun, ich meine, daß jeder Mensch einmal sterben muß. Ist es nicht so?«

»Aber doch nicht der Herr!«

»Ist der Priester also kein Mensch?«

Senex lachte wieder. Wollte sie ihn auf die Probe stellen?

»Antworte mir«, sagte Maria Behring energisch. »Muß der Priester nicht genauso sterben wie alle anderen Menschen auch?«

Senex schüttelte wieder ungläubig den Kopf. Die Fremde schien wirklich eine Antwort zu erwarten. »Nein, natürlich nicht«, sagte er. »Denn der Herr, der schon lange war, bevor wir geboren wurden, wird noch sein, wenn wir alle längst tot sind. Er wird niemals sterben, sondern ewig leben, um unsere Kinder und Kindeskinder zu hüten bis zum Jüngsten Tag.«

Am nächsten Morgen fühlte Maria Behring im Halbschlaf einen sanften Druck auf ihrer Brust; Härchen kitzelten ihr Kinn, und eine feuchte Zunge leckte an ihrem Ohrläppchen. Sie schlug die Augen auf und erkannte, daß sie ein winziges Löwenäffchen im Arm hielt. Es war nicht größer als ein Meerschweinchen und blickte sie aus lustigen dunklen Knopfaugen an.

»Ach, bist du süß!« entfuhr es ihr. Sie hob das Tierchen an ihr Gesicht und rieb die Nase an dem goldgelben Fell; es duftete wie Nußöl. »Nein, bist du knuddelig!«

Das Löwenäffchen stieß ein fröhliches Quieken aus und fuhr mit der Zunge über ihr linkes Augenlid. »Huch!« machte Maria Behring und kniff schnell das Auge zu. »Das kitzelt!« Sie hielt das Tierchen ein wenig auf Abstand und blinzelte vorsichtig in die Runde. Mit glücklichem Grinsen stand Sander vor ihrer Hängematte.

»Guten Morgen«, sagte Maria Behring, hob das Äffchen an die Brust und begann es zärtlich zu streicheln. »Hat Blaukrönchen uns das Frühstück gebracht?«

»Guten Morgen«, sagte Sander. »Nein, das ist nicht Blaukrönchens Äffchen. Das gehört jemand anderem.«

»So?« fragte sie ein wenig verwundert. »Wem denn?« Sie versuchte das Tier am Bauch zu kitzeln; das Löwenäffchen gluckste wie ein Baby und kämpfte mit seinen vier winzigen Pfötchen gegen ihre Hand an.

»Ihnen«, sagte Sander.

»Wie?«

»Ihnen«, wiederholte er zufrieden. »Gefällt es Ihnen? Diese Äffchen sind sehr zutraulich und gewöhnen sich schnell an Menschen. Vor allem wenn sie noch so jung sind. Das hier ist acht Wochen alt. Seine Familie wohnt dort drüben in dem großen Baum mit den Blättern, die wie Federn aussehen.« Er zeigte mit dem Kopf die Richtung an.

»Ach, in der Cedrelinga catenaeformis«, sagte sie. »Ist es denn schon entwöhnt? Ich meine: Braucht es nicht seine Mutter?«

»Es kommt schon allein zurecht«, sagte Sander, froh, sich vorher erkundigt zu haben. »Klettert durch die Gegend wie ein Alter. Braucht nicht mehr gefüttert zu werden. Kann außerdem ja jederzeit zu seiner Horde zurück. Das gibt es hier nicht, daß Haustiere auf Dauer von ihren Artgenossen getrennt werden.«

»Also ist auch das viel besser als bei uns«, stellte Maria Behring fest. »Keine neurotischen Viecher, die irgendwann ausflippen, weil sie für die Jagd im Rudel geboren sind und sich statt dessen als verhätschelte Statushunde krank fressen und zu Tode langweilen müssen, in irgendeiner Zweieinhalbzimmerbude im zwölften Stock.«

»Genau«, sagte Sander eifrig. »Ich werde mich mal um das Frühstück kümmern.« Fröhlich pfeifend marschierte er über die Hochbrücke zu dem Axtbrecherbaum.

Das Äffchen an die Brust gedrückt, stieg Maria Behring vorsichtig aus der Hängematte, setzte das Tierchen auf den Tisch, zog sich rasch aus und stellte sich unter die Dusche. Dann schlüpfte sie in frische Wäsche, zog den Overall über, setzte sich mit dem Äffchen ins Freie und ließ ihr Haar von der Morgensonne trocknen.

Fröhlich wandte Sander sich dem Frühstück zu. Auch Maria Behring aß mit großem Appetit. »Herrlich«, sagte sie. »Diese Früchte. Und diese Luft. Dieses Licht! Dieser Blick!« Sie beobachtete Sander unauffällig.

»Wissen Sie, was ich glaube?« sagte sie. »Ich glaube, eines der Geheimnisse dieses Waldes liegt darin, daß er dem Paradies noch auf eine andere Weise gleicht, die mir erst jetzt klargeworden ist. Daß die Menschen hier in Eintracht und Frieden leben und daß die Natur sie mit allem Notwendigen versorgt, ist nur die eine Seite. Aber das Paradies war ja nicht nur ein Ort des behüteten Glücks in der Geborgenheit Gottes, sondern zugleich die Heimat des Menschen, der erste Platz, den er auf Erden bewohnte. Vielleicht wirkt der Wolkenwald auch deshalb so anziehend auf uns, weil wir uns unbewußt zu diesen Ursprüngen zurücksehnen.«

»Sie glauben, daß hier wirklich einmal das Paradies war?« meinte Sander erstaunt.

»Was die Bäume betrifft, könnten Sie sogar recht haben«, antwortete sie. »Denn die ersten Bedecktsamer haben sich vermutlich genau hier im nördlichen Südamerika entwickelt. Wissen Sie, was Bedecktsamer sind? Die größte, aber auch die jüngste Abstammungsgemeinschaft des Pflanzenreiches. So gut wie alle erfolgreichen Pflanzen der Gegenwart, Bäume, Blumen und was sonst noch blüht, zählen dazu; sie sind die höchstentwickelten Pflanzen, wie die Säugetiere die am höchsten entwickelten Tiere sind.«

»Und die sind alle hier entstanden?« fragte Sander verblüfft.

»Genau«, sagte Maria Behring. »Vor ungefähr einhundertsiebzig Millionen Jahren. Damals gab es hier noch riesige Sümpfe voller Saurier. Die meisten Landpflanzen waren Moose, Farne und sogenannte Nacktsamer, also Nadelbäume, Araukarien, Ginkgobäume und so weiter. Sie erzeugten Samenblätter, zum Beispiel in Tannenzapfen, aber keine Früchte. Ein veraltetes System. Es hat übrigens immer etwas mit Brutpflege zu tun, wenn fortschrittlichere Arten sich durchsetzen. Ein dürrer Tannenzapfen ist für einen Samen nun einmal eine schlechtere Wiege als ein schöner dicker Apfel für einen Kern. Es ist wie bei den Wirbeltieren: Fische, Schlangen und Reptilien legen Eier, Säugetiere aber bringen lebende Junge zur Welt.«

»Eines hat mich schon immer interessiert«, sagte Sander. »Was ist eigentlich stärker: der Fortpflanzungstrieb oder der Selbsterhaltungstrieb?«

»Das kommt darauf an«, sagte Maria Behring. »Im Individuum ist der Selbsterhaltungstrieb stärker. Denn für den einzelnen Menschen zum Beispiel ist es vor allem wichtig zu leben – für den Nachwuchs mögen notfalls andere sorgen. Nonne oder Eunuch zu sein ist nicht so schlimm wie tot zu sein, oder? In der Natur aber ist der Fortpflanzungstrieb stärker. Denn für die Evolution kommt es vor allem darauf an, daß sich die Arten erhalten und weiterentwickeln, ganz gleich, ob einzelne Individuen dabei draufgehen. Bei manchen Spinnen fressen die Weibchen die Männchen gleich nach der Zeugung auf. So einfach ist das.«

Sander schwieg; die Antwort erschien ihm plausibel, das Beispiel aber nicht eben sympathisch.

»Alle Bäume, die Sie hier sehen, sind Bedecktsamer, arbeiten also nach dem neuen System«, fuhr Maria Behring fort. »Und dieses neue System trat von hier aus seinen Siegeszug um die Welt an. Was gucken Sie denn so? Den Atlantik gab es damals noch nicht, der entstand erst später; vor dieser Zeit hing Südamerika mit Afrika zusammen.«

Sie verstummte, schloß die Augen und genoß den kühlen Hauch eines leichten Windes, der durch die Kronen strich. »Übrigens müssen wir davon ausgehen, daß wir Menschen im Unterbewußtsein noch heute Baumbewohner sind. Wir machen uns das nur nicht klar.«

»Meinen Sie das im Ernst?« fragte Sander verblüfft.

Sie nickte. »Ich glaube nur, daß bestimmte Teile unserer Triebausstattung, zum Beispiel einige unserer Instinkte, immer noch die eines Baumbewohners sind. Warum klettern kleine Kinder denn so gern? Warum werden in so gut wie allen Religionen besonders große und eindrucksvolle Bäume verehrt?«

»Es sind ja auch die imposantesten Pflanzen«, sagte Sander.

»Natürlich. Aber das kann nicht der einzige Grund sein. Wissen Sie, warum Mütter ›Schscht!‹ machen, wenn sie ihre Kinder ruhigstellen wollen?«

»Nein«, sagte Sander ratlos. Was hatten Mütter mit Bäumen zu tun?

»Ganz einfach«, erklärte Maria Behring. »Sie ahmen das Zischen von Reptilien nach. Ich glaube, ich habe Ihnen schon mal gesagt, daß der Mensch von Säugetieren abstammt, die so groß wie Mäuse waren, auf Bäumen lebten und Insekten fraßen.«

»Ja«, sagte Sander und verzog das Gesicht, als er sich an den unappetitlichen Anlaß für diese Information erinnerte.

»Diese Insektenfresser« – sie sprach das Wort so prononciert aus, als wolle sie ihn herausfordern – »lebten also auf den Ästen der Bäume in den großen Wäldern der Saurierzeit. Wenn die Riesenechsen in die Nähe kamen, liefen die Säugetiere wie Eichhörnchen durch die Wipfel davon. Ihre Jungen aber, die dazu noch nicht in der Lage waren, entwickelten wahrscheinlich wie junge Hasen einen Totstellreflex. Und was löste diesen Reflex aus? Das Geräusch, das die herannahende Gefahr verriet: das Zischen der Reptilien. Das ist zwar nicht bewiesen, klingt aber plausibel. Finden Sie nicht? Ein Reflex, den die Natur vor siebzig Millionen Jahren entwickelte, wird noch heute überall auf der Welt von den Müttern genutzt, die möchten, daß ihre Kinder still sind.«

»Wirklich erstaunlich«, pflichtete Sander bei.

»So wie dieser Reflex haben in uns vermutlich noch andere Verhaltensmuster aus der Baumzeit überlebt«, fuhr Maria Behring fort. »Warum träumt der Mensch so oft davon, daß er fällt? Wahrscheinlich übt die Natur damit noch heute bestimmte schnelle Greifreflexe, die perfekt funktionieren mußten, solange unsere Vorfahren jederzeit abstürzen konnten.«

»Und woher kommt dann meine Höhenangst?« fragte Sander.

»Es handelt sich dabei zweifellos um einen Defekt«, antwortete sie. »Bei den Sauriern hätten Sie damit keine drei Tage überlebt.«

»Dann kann ich ja froh sein, daß diese Zeiten vorbei sind«, murmelte er verdrossen.

»Nun seien Sie doch nicht gleich beleidigt«, sagte sie begütigend. »Ich rede doch gar nicht von Ihnen, sondern von einem mäusegroßen Baumtier aus der Kreidezeit!« Sie lächelte, bevor sie hinzufügte: »Und aus Insekten machen Sie sich doch auch nicht besonders viel.«

»Schon gut«, sagte er.

Um ihn aufzumuntern, sagte sie: »Ich habe aber den Eindruck, daß Ihre Höhenangst in den letzten Tagen hier oben ein bißchen nachgelassen hat.«

»Man tut, was man kann«, sagte er, nur halb getröstet.

»Möglicherweise sollten wir wirklich versuchen, so lange wie möglich hierzubleiben«, sagte sie. »Vielleicht sind Sie dann endgültig kuriert.«

Sie schwiegen eine Weile. »Arboversum«, sagte Maria Behring dann plötzlich. »Jetzt habe ich es. Die ganze Nacht habe ich gegrübelt. Mir wollte einfach kein passendes Wort einfallen.«

»Wie?« fragte Sander. »Das habe ich noch nie gehört.«

»Sonst wäre ich jetzt auch sehr enttäuscht«, versetzte sie. »Ich habe es nämlich gerade erfunden. Es ist der passende Begriff für das alles hier.«

»Und was bedeutet es?«

»So etwas Ähnliches wie ›Universum‹«, sagte sie. »›Universum‹ ist bekanntlich die Bezeichnung für das All. ›Arbor‹ ist das lateinische Wort für Baum. Paßt doch gut zusammen, oder? Arboversum. Das All der Bäume. Es ist ein Kosmos ganz für sich, hermetisch von der Umwelt abgeschlossen, und wie die Sterne das Weltall beherrschen, regieren hier die Bäume. Wir sind in ihrem Reich, in ihrer Welt, in ihrem Universum.«

»Arboversum«, wiederholte Sander. »Ja, das klingt gut.«

»Der Begriff ›Paradies‹ ist mir zu religiös«, sagte sie. »Daran knüpft sich immer eine Heilserwartung; das hat mir zuwenig mit Wissenschaft zu tun.«

Als das Frühstück beendet war, machten sie sich auf den Weg zum Vulkankegel. Als sie die drei großen Zedrachbäume erreichten, kam ihnen Gabriel entgegen; überrascht sahen sie, daß der Indianer, der auf sie bisher immer so verschlossen gewirkt hatte, ein breites Lächeln aufgesetzt hatte.

»Welch ein Glück!« rief er ihnen entgegen. »Nun muß ich euch nicht mehr suchen!«

»Du solltest uns suchen?« fragte Maria Behring erstaunt.

»Ja. Wir wollen Osterfrüchte sammeln. Alle nehmen teil. Es wird ein Freudenfest sein!«

»Wir möchten erst den Priester besuchen«, sagte sie.

»Aber das ist unmöglich«, sagte Gabriel. »Niemand besucht den Herrn in der Osterwoche!«

»Warum denn nicht?«

Gabriel sah sie verwundert an. Konnte es sein, daß die Fremden das nicht wußten? »Der Herr trauert um den Sohn Gottes«, erklärte er. »Der um unserer Sünden willen gekreuzigt wurde.«

»Wenn der Priester nicht mit uns reden will, soll er uns das selbst sagen«, verlangte Maria Behring.

»Seien Sie lieber vorsichtig«, warnte Sander.

Sie drängte sich an dem verblüfften Indianer vorbei und stieg die Leiter hinab. Als sie sah, daß auf der Brükke ein anderer Erzengel Wache hielt, blieb sie stehen.

»Wir wollen zu deinem Herrn!« rief sie hinüber.

Der Wächter schüttelte den Kopf. »Vor Ostern darf niemand mehr zu ihm«, antwortete er.

»Das wollen wir von ihm selbst hören!« gab sie zurück. Entschlossen trat sie auf die Brücke.

Der Wächter stieß ein warnendes Zischen aus und hob die Waffe.

»Bleiben Sie stehen!« sagte Sander erschrocken. »So hat das doch keinen Zweck!«

Maria Behring zögerte. »Also gut«, sagte sie dann. »Und was nun?«

»Wir müssen Geduld haben. Ostern ist schon in drei Tagen. Wir könnten die Zeit nutzen und diesen Ausflug mitmachen.« Er lächelte sie aufmunternd an. »Ich habe noch nie mit einem Erzengel geplaudert«, fügte er hinzu.

Sie zog die Nase kraus. »Aufgeben ist nicht meine Art«, sagte sie kampfeslustig. Dann holte sie tief Luft und rief, so laut sie konnte, auf portugiesisch: »Padre! Ich muß Sie unbedingt sprechen!«

Auf den Bäumen hinter ihnen raschelte es. Sander blickte sich besorgt um. In dem dichten Laub erkannte er schemenhafte Gestalten.

»Padre!« rief Maria Behring wieder. »Kommen Sie heraus, ich habe mit Ihnen zu reden!«

Sander begann zu schwitzen. »Hören Sie auf damit«, sagte er. »Wenn wir ihn jetzt bei der Andacht stören, begehen wir vielleicht ein ... ein Sakrileg oder so was.«

Er war froh, daß ihm das Wort trotz seiner Nervosität eingefallen war.

»Ach was«, sagte sie. »Sie haben zu viele billige Abenteuerromane gelesen. Wir schänden hier keine Tempel und klauen keine heiligen Diamanten, sondern bitten lediglich um eine Audienz. Und wir sind auch keine Bettler, sondern Gäste. Also zeigen Sie ein bißchen Selbstbewußtsein!«

Bevor sie ein drittes Mal rufen konnte, öffnete sich die Tür, und der alte Mann trat heraus. Verwundert sahen Maria Behring und Sander, daß sein weißes Haar dunkelgrau verfärbt war.

»Was wollt Ihr?« fragte der Priester. »Wißt Ihr nicht, daß diese Tage allein dem Glauben gehören?«

»Entschuldigung«, sagte Maria Behring. »Aber genau darüber wollten wir uns mit Ihnen unterhalten ... über das, was Sie die Menschen lehren ...« Es war ihr nun doch ziemlich peinlich.

Der Wächter sah sie zornig an.

Der alte Priester fuhr sich über die vom Weinen geröteten Lider; jetzt erst erkannten sie, daß er sich Asche auf das Haupt gestreut und tiefe Löcher in sein Gewand gerissen hatte.

»Verschwinden wir«, murmelte Sander betroffen.

»Sie haben recht. Hier ist im Augenblick wohl nichts zu holen. Aber am Sonntag ist der Alte dran, komme, was will.«

»Verzeihung!« rief sie noch einmal. »Wir haben nicht gewußt, daß wir stören.«

»Geht mit Gabriel«, sagte der Priester. »Am Tag nach der Auferstehung wollen wir reden, und dann werde ich alle eure Fragen beantworten.«

»Also dann am Montag!« sagte Maria Behring zuversichtlich.

Der Priester gab keine Antwort; statt dessen hob er wie segnend die Hand, und Sander registrierte verblüfft, daß er vor dieser Geste so etwas wie Ehrfurcht empfand, denn er senkte das Haupt und murmelte: »Danke.«

»Nun fallen Sie mal nicht gleich auf die Knie«, sagte Maria Behring, packte ihn am Ärmel und zog ihn mit sich.

Gabriel blickte ihnen ernst entgegen.

Sander versuchte zu tun, was in seinen Kräften stand, und lächelte ihn freundschaftlich an, worauf sich die Miene des Indianers ein wenig aufhellte.

»Was sind das denn nun für Osterfrüchte?« wollte Maria Behring wissen. »Von solchen Dingern habe ich noch nie gehört.« Sie zwang sich, die Aggressivität zu unterdrücken, die immer in ihr aufstieg, wenn sie sich nicht durchsetzen konnte.

»Ihr werdet sie bald sehen«, sagte Gabriel. »Es sind sehr große Früchte, grün und mit Stacheln.« Er schmatzte genießerisch, rollte die Augen und rieb sich wie ein Kind den flachen Bauch, bis sie alle drei lachen mußten.

»Und wo wachsen diese Bäume?« fragte Maria Behring, in der nun wieder das wissenschaftliche Interesse der Ethnobotanikerin erwacht war.

»Nicht sehr weit von hier«, antwortete der Indianer. »Zwanzig Bäume hinter eurem Matamatá, in Richtung Euphrat. Man sieht von weitem einen sehr hohen Sonnenuntergangsbaum, der gerade in Blüte steht; unter ihm wachsen die Osterfrüchte.«

Sander hörte neugierig zu; er mühte sich zwar seit ihrem Hiersein, seine Guaraníkenntnisse zu verbessern, hatte aber noch immer Verständigungsprobleme. Maria Behring übersetzte ihm und fügte hinzu: »Wahrscheinlich eine Annonaart; ich tippe auf den Rahmapfel. Normalerweise werden diese Bäume zwar nur zehn bis fünfzehn Meter hoch, aber in diesem Wunderwald ist alles möglich.«

Sie folgten dem Indianer in Richtung des Axtbrecherbaumes. Unterwegs schlossen sich ihnen immer wieder andere Männer, Frauen und Kinder an, die auf Gabriel gewartet zu haben schienen. Sie hatten ihren Körper mit verschiedenen Pflanzenfarben bemalt und sich Vogelfedern ins Haar gesteckt; alle trugen Körbe aus geflochtenen Palmenfasern.

Blaukrönchen und Wolkenfänger begrüßten ihren Vater mit großem Geschrei, sprangen an ihm empor und ließen sich von ihm tragen. Ani und Senex schauten lachend zu. Verstohlen beobachtete Maria Behring, wie Sander die Szene verfolgte; auf seinem leicht verwitterten Gesicht lag ein versonnener Ausdruck.

Gabriel turnte ein wenig mit seinen Kindern herum; dann schickte er Wolkenfänger zur Hütte zurück, damit er Körbe für die beiden Gäste hole. Ani und Senex begrüßten die anderen Familien. Nachbarn und Verwandte umarmten sich und begannen miteinander zu plaudern, als hätten sie sich wochenlang nicht gesehen. Auch auf dem weiteren Weg stießen immer wieder andere Wolkenwaldmenschen zu ihnen, bis eine ausgelassene Gruppe von rund vierzig Männern, Frauen und Kindern über die Hochwege und die Lianenbrücken spazierte.

Nach einer knappen Stunde, als sie gerade zwei mächtige Leguminosen passiert hatten, sah Maria Behring das Gewächs, das der Erzengel als Sonnenuntergangsbaum angekündigt hatte; seine leuchtend purpurn gefärbten Blütenstände hoben sich wie abendliche Wolken über den Wald.

»Martiusia elata«, murmelte Maria Behring beeindruckt. »Und was für ein prächtiges Exemplar!«

Sie hatte es nun eilig, auch die Osterfruchtbäume zu bestimmen, und drängte sich durch die Dahinschlendernden bis an die Spitze des Zuges; Sander hatte Mühe, ihr zu folgen. Als sie schon den Außenbereich der Pur-

purkrone durchquerten, sahen sie unter sich die buschigen Wipfel kleinerer Bäume, die aber immer noch gut fünfzehn Meter über das schwarze Gewölk hinausragten.

»Habe ich mir's doch gedacht«, sagte Maria Behring befriedigt, »es sind tatsächlich Annonabäume. Und zwar Annona cherimola. Wie nennt man die denn bei Ihnen?«

»Chirimoya«, sagte Sander. »Im Orinocodelta baut man sie in Plantagen an. Schmecken ganz ausgezeichnet.«

»Ich weiß. Meine Güte, diese Bäume sind mindestens viermal so hoch wie normal. Wenn sich der Größenwuchs auch auf die Früchte auswirkt, wiegen sie mindestens zehn Pfund. Schauen Sie mal, wie dicht sie in den Zweigen hängen! Jetzt bin ich aber gespannt, wie die Indianer an die Früchte herankommen wollen.«

Sie blieben stehen und ließen die anderen vorbei. Die Indianer gingen auf dem stärksten Ast bis zu dem mächtigen Stamm des purpurblühenden Hülsenfrüchtlers. Dort hängte Gabriel sich den Korb um den Hals, drehte das Palmenfasergeflecht auf seinen Rücken und kletterte mit dem Geschick eines Geckos an der rauhen Rinde in die Tiefe.

»Das ist ja unglaublich«, sagte Sander verblüfft. »Hat der etwa Klebstoff an den Händen?«

Als die anderen, auch Frauen und Kinder, dem Erzengel zu folgen begannen, konnten Maria Behring und Sander ihre Neugier nicht mehr zügeln. Sie stiegen ebenfalls auf den durch ein Lianengeländer gesicherten Ast und balancierten bis zum Stamm.

»Sie haben Stufen in die Rinde geschlagen, sehen Sie?« sagte Maria Behring. »Und hölzerne Haltegriffe angebracht.«

»Ja«, sagte Sander und beugte sich vor. Die Stufen zogen sich um den Stamm wie eine Wendeltreppe.

Zwanzig Meter unter ihnen trat Gabriel auf das Blätterdach der Osterfruchtbäume hinaus. Ein schmaler hölzerner Steg führte über den Abgrund zum höchsten der drei großen Rahmapfelbäume. Der Erzengel setzte vorsichtig einen Fuß nach dem anderen auf die oberen Äste. Als er sicheren Stand hatte, löste er eine der großen Beerenfrüchte vom Stiel, öffnete sie und biß hinein, so daß ihm der rote Saft über das kräftige Kinn lief.

»Das wäre jetzt genau das richtige«, seufzte Maria Behring sehnsuchtsvoll.

Als nächster erschien Wolkenfänger; weitaus weniger vorsichtig als sein Vater turnte er durch die Äste, daß sie zu schwanken begannen.

Maria Behring sah fasziniert zu. »Unglaublich«, murmelte sie. »Die bewegen sich, als hätten sie Flügel.«

Nach einigen weiteren Männern und Knaben erschienen auch Frauen und Mädchen; langsamer, aber keineswegs unsicher verteilten sie sich auf die anderen beiden Osterfruchtbäume. Während sie die frischen Rahmäpfel genossen, schwatzten und lachten sie; sie standen und saßen auf den Ästen wie Stare in einem Kirschbaum.

Maria Behring schaute lächelnd auf sie hinunter. Ein Ausdruck von Bewunderung erschien auf ihrem Gesicht, als sie sah, wie Ani mit geübten Griffen Früchte in ihren Korb packte. Neben der schönen Indianerin kletterte Blaukrönchen durch die Äste und beugte sich mit der Grazie einer Akrobatin seitwärts, um eine dort sitzende Chirimoya zu erhaschen. Die Kleine hatte die grüne, stachlige Frucht schon in der Hand, als sie plötzlich in ihrer eleganten Haltung zu erstarren schien. Wie sie schauten auf einmal auch alle anderen Kinder, Frauen und Männer zu der Rindentreppe. Maria Behring folgte ihrem Blick; als sie erkannte, was die anderen so in Erstaunen versetzt hatte, begann ihr Herz rasend zu schlagen. Denn tief unter sich sah sie Sander, der mit ausgebreiteten Armen auf dem schmalen Steg über den Abgrund balancierte.

Atemlos verfolgte sie die zehn, zwölf Schritte, die er zurückzulegen hatte, ehe er die Krone der höchsten Annonacea erreicht hatte. Als er in dem dichten Geäst stand, rief sie: »Sander! Sind Sie verrückt geworden? Was wollen Sie denn da unten? Kommen Sie sofort zurück!«

Sekunden später wurde sie von einem lähmenden Gefühl des Schreckens und des Entsetzens überflutet, als sie sah, wie Sander den Halt verlor.

Als sich Sanders Schrei zwischen den Bäumen brach, flatterten Vögel auf. Maria Behring umklammerte mit weißen Knöcheln das Geländer. Der Schock reduzierte schlagartig den Sauerstoff in ihrem Blut; ihr Körper reagierte, indem er sofort die Atmung beschleunigte und gleichzeitig Adrenalin produzierte, bis ihr Herz wie rasend schlug. Ihre Knie wurden weich, und wie bei einem Tier in Todesgefahr drängte ein natürlicher Reflex ihren Magen, sich zu entleeren. Schweißüberströmt sank sie auf den Boden der Brücke und starrte durch die Lianen nach unten.

Dreißig Meter tiefer hing Sander kopfüber in den niedrigsten Ästen der Annonacea, kaum drei Meter über dem schwarzen Gewölk, das zwischen dem Grün der Osterfruchtbäume wie eine schwarze Hexensuppe brodelte. Er hatte offenbar das Bewußtsein verloren.

Als erster kletterte Gabriel zu dem Verunglückten; mit jener perfekten Mischung aus Kraft und Gewandtheit, mit der sich sonst nur die großen Menschenaffen durch die Bäume des tropischen Regenwaldes bewegen, hangelte er sich über die Stelle, an der Sander hing. Andere Männer kamen ebenfalls zu Hilfe, kletterten in die Nähe des Verunglückten und postierten sich so auf den stärkeren Ästen, daß jeder von ihnen einigermaßen sicher stand.

Sander gab immer noch kein Lebenszeichen von sich, und Maria Behring erkannte, daß sich seine grauen Haare rasch rot färbten. Er mußte beim Sturz gegen einen Ast geschlagen sein.

Zwei Indianer kamen am Stamm des Sonnenuntergangsbaumes emporgeklettert, hasteten auf die Brükke, auf der Maria Behring hockte, lösten einige der langen Lianen, wickelten sie sich um den Oberkörper und eilten die Rindentreppe wieder hinunter.

Gabriel fing die Lianen auf, die sie ihm zuwarfen, knotete sie zusammen und prüfte ihre Festigkeit. Dann wickelte er sie in der Hälfte ihrer Länge zu einem grünen Tau zusammen, das er sich um die Hüften band. Ein plötzlicher Windstoß fuhr durch den Wald und ließ die Kronen schwanken, so daß Gabriel und die anderen sich an den Ästen festhalten mußten. Sanders lebloser Körper pendelte hin und her.

Einige Sekunden später stand Gabriel wieder frei auf dem Ast, die dicke Hälfte des Lianentaus um die schlanken Hüften geschlungen; er nahm die vier losen Enden des nicht zusammengewickelten Teils und warf sie den Männern zu, die ihm am nächsten standen. Die Indianer knoteten sie sich um die Hüften. Alles geschah völlig lautlos.

»Halten!« rief Gabriel. »Anziehen!« Die Seile strafften sich.

Gabriel setzte sich auf seinen Ast. Das schwarze Gewölk unter ihm bewegte sich wie eine riesige Amöbe, die auf eine Bakterie gestoßen ist und ihr Ektoplasma vorstülpt, um die Beute zu umschließen. Maria Behrings Herz begann wieder schneller zu schlagen, als sie sah, wie sich der Erzengel nun in den Kniehang fallen ließ. Die muskulösen Unterschenkel über dem Ast abgewinkelt, pendelte er mit dem Kopf nach unten über dem Abgrund.

»Tiefer!« rief der Erzengel. Langsam ließen die Männer die Lianenseile durch die kräftigen Hände rutschen.

Gabriel streckte die Unterschenkel; bald war er noch etwa einen Meter von Sander entfernt.

»Nachlassen!« befahl Gabriel. Obwohl er nun selbst höchst gefährdet über dem Abgrund hing, blieb seine Stimme ruhig und klar. Er hing zwischen den vier Lianenseilen wie eine Seidenspinne in ihrem Netz.

Gespannt schaute Maria Behring zu, wie Gabriel dem Verunglückten immer näher kam. Bald war er fünfzig, dann nur noch dreißig Zentimeter von ihm entfernt.

Sander erwachte, als sich Gabriels Hand wie ein Schraubstock um seinen Fuß schloß. Ein stechender Schmerz durchzuckte ihn. Als er die Augen öffnete, sah er direkt in das schwarze Gewölk drei Meter unter ihm. Ich bin abgestürzt! durchfuhr es ihn.

»Ruhig«, sagte Gabriel, der gemerkt hatte, daß Sander aus seiner Bewußtlosigkeit erwacht war. »Ich hole dich!«

»Was ist passiert?« ächzte Sander und hob mühsam den schmerzenden Kopf.

Gabriel hing über ihm und grinste ihn beruhigend an. »Ruhig«, sagte er wieder. »Gib mir deinen anderen Fuß!«

Langsam zog Sander den linken Fuß in Richtung des rechten; nach wenigen Sekunden schloß sich Gabriels andere Hand um den unverletzten Knöchel.

»Hoch!« befahl der Erzengel, und die vier Indianer zogen an. Die Äste unter ihren Füßen bogen sich unter der Last.

»Nicht so schnell!« rief der Erzengel, der die Gefahr erkannte.

Wieder fuhr ein Windstoß vom Himmel herab in die Bäume; die vier Männer hörten auf zu ziehen und balancierten das Schaukeln breitbeinig aus. Dann begann es zu regnen. Maria Behring schaute wie gebannt zu, starr vor Angst, aber auch voller Bewunderung für die geradezu artistische Körperbeherrschung der Baumindianer.

»Weiter«, sagte Gabriel, als sich der Wind erneut beruhigt hatte, und die Männer zogen wieder an. Es bereitete dem Erzengel offenbar keinerlei Mühe, Sanders gut einhundertfünfzig Pfund minutenlang zu halten; die Kraft des Indianers schien unerschöpflich.

Die Männer zogen noch einmal; als der Erzengel das Holz an seinen Kniekehlen fühlte, winkelte er die Unterschenkel an und ging wieder in den Kniehang. Beim nächsten Zug hob er Sander so hoch, daß auch der Verunglückte seine Unterschenkel um den Ast legen konnte. Mit katzenhafter Gewandtheit schwang Gabriel sich auf den Ast, bis er rittlings auf ihm saß, und zog Sander hinter sich her.

»Was ist mit deinem Fuß?« fragte er ihn. »Kannst du auftreten?«

Sander hing wie ein nasser Sack in den muskelbepackten Armen des Indianers.

»Ruh dich ein bißchen aus«, sagte Gabriel. »Dann bringe ich dich nach oben.«

Sander nickte erschöpft. Einige Minuten verstrichen.

»Wir sollten uns jetzt an den Aufstieg machen«, sagte Gabriel dann, »dein Fuß muß gepflegt werden.«

Sander nickte wieder.

»Halte dich nur gut an mir fest«, sagte der Erzengel. Er stellte sich vorsichtig auf die Füße und zog Sander zu sich herauf. Der Regen wurde dichter. Staunend sah Maria Behring, wie der Indianer mit dem um einen Kopf größeren Weißen auf den Schultern scheinbar mühelos durch die Baumkronen zu dem Steg kletterte und dann die Rindentreppe emporstieg, sorgfältig Fuß um Fuß auf die herausgehauenen Stufen und die freie Hand immer wieder abwechselnd an die Haltegriffe setzend, bis er die Lianenbrücke erreicht hatte. Dort setzte er seine Last ab; Sander hinkte auf einem Bein zum Geländer und hielt sich fest. Der Regen hörte auf.

»Sie machen ja schöne Sachen«, sagte Maria Behring

vorwurfsvoll. »Was haben Sie sich denn dabei gedacht? Sie sind doch Pilot! Haben Sie mir nicht selbst gepredigt, daß man im Urwald jedes Risiko vermeiden muß?«

»Tut mir leid«, sagte Sander zerknirscht. »Ich habe mich wohl überschätzt.«

»Das scheint mir auch so«, sagte sie sarkastisch. »Sie sind doch kein Zwölfjähriger mehr, der auf einen Baum klettert, um für seine Schulkameraden Kastanien herunterzuschütteln!«

»Ich habe schon gesagt, daß es mir leid tut«, sagte Sander. Er streckte dem Indianer die Hand hin und sagte: »Danke.«

Gabriel lächelte. »Bleib in Zukunft besser auf dem Weg«, sagte er. »Das Klettern in den Bäumen will geübt sein. Wir tun es von Kindheit an.«

Sander nickte.

»Ani wird euch nachher eine Salbe bringen«, sagte der Erzengel zu Maria Behring. »Dein Mann wird bald wieder ganz gesund sein.«

Sie eilte Sander nach.

»Tut es sehr weh?«

»Hauptsache, es ist nichts gebrochen.«

»Werden Sie die Pedale bedienen können?«

»Keine Ahnung«, sagte er zerknirscht.

Sie mußte lachen. »Das war wirklich eine tolle Nummer«, sagte sie. »Frei schwebend in der Zirkuskuppel.«

»Ja«, sagte er.

»He«, sagte sie und boxte ihn sanft in die Rippen. »Sie haben wirklich Nerven, wissen Sie das?«

»Na ja«, meinte er verlegen. »Man tut, was man kann.«

Ihre innere Anspannung löste sich, und sie lachten so laut, daß man sie bis zu den Osterfruchtbäumen hörte.

»Ich wollte Ihnen doch nur auch so eine Pomeranze holen!« rief Sander; hoch erfreut, daß die Sache so glimpflich ausgegangen war.

»Aber doch nicht gleich kopfüber!« rief Maria Behring. »Sie haben sich ja von dem Baum gestürzt wie ein Turmspringer!«

Sie alberten noch eine Weile herum, bis sich ihre Nerven wieder einigermaßen beruhigt hatten.

»Okay«, sagte Maria Behring dann. »Kümmern wir uns nun um den verflixten Fuß. Ich werde Sie stützen.« Sie nahm seinen linken Arm und legte ihn sich um die Schultern.

Eine Zeitlang genoß er die Nähe ihres Körpers, dann aber befreite er sich und sagte: »Ich glaube, allein komme ich besser voran.«

Sie ging neben ihm her bis zu ihrer Hütte auf dem Matamatá. Dort setzte er sich auf die Bank und zog die Stiefel aus. Nach einer Weile kam Ani mit einer grünen Paste. Während sie die Heilsalbe auf die Kopfverletzung und den verletzten Fuß strich, unterhielt sie sich mit Maria Behring über die Ingredienzen. Die Salbe fühlte sich kühl an und linderte den Schmerz sofort.

Nach einer Weile wurde das Gespräch zwischen den beiden Frauen plötzlich intensiver, und die Fragen, die Maria Behring stellte, klangen immer erstaunter. Sie tunkte einen Finger in die Paste, beschnupperte sie und kostete vorsichtig mit der Zungenspitze. Dann öffnete sie ihren Erste-Hilfe-Kasten, legte Mull auf Sanders Wunden und verband ihm mit geübten Griffen Kopf und Fuß.

»Ich bin wirklich sehr gespannt, wie das Zeug wirkt«, sagte sie. »Ani hat mir wahre Wunderdinge versprochen. Angeblich heilen Hautschürfungen mit dieser Salbe innerhalb von zwei Tagen.«

»Fein«, sagte Sander, der sich ein wenig als Versuchskaninchen fühlte.

»Das ist nicht nur fein, das ist eine medizinische Sensation«, bemerkte Maria Behring. »Und jetzt halten Sie sich fest: Wissen Sie, was der wichtigste Bestandteil dieser Salbe ist?«

»Keine Ahnung«, erwiderte Sander, erfreut darüber, daß seine Schmerzen durch die Behandlung schon weitgehend abgeklungen waren.

»Ein geheimnisvolles Wasser, das die Frauen von dem Priester bekommen«, sagte sie triumphierend. »Wie finden Sie das? Der alte Fuchs besitzt irgendein Wundermittel, sagt aber niemandem, worum genau es sich dabei handelt, sondern teilt es im Bedarfsfall zu. Natürlich nur in kleinen Rationen, immer nur soviel, wie gerade benötigt wird. Ist das nicht ziemlich ungewöhnlich?«

»Vielleicht wären größere Portionen zu gefährlich«, meinte Sander.

»Wahrscheinlich«, sagte sie. »Aber für wen? Für den Patienten, der dann eine Überdosis nehmen könnte? Oder für den Hersteller, der sich damit den Preis ruiniert?«

»Sie müssen es ja wissen«, sagte Sander. »Verlangt der Alte Geld dafür? Ich meine, will er dafür irgendwie beschenkt werden?«

»Denken Sie doch mal nach! Solange er allein um das Geheimnis weiß, hat er seinen Untertanen immer etwas voraus! Wahrscheinlich macht er es noch in tausend anderen Dingen so. Das sichert seine Herrschaft über diese Leute hier. Ohne ihn sind sie aufgeschmissen.«

»Sie sind zu mißtrauisch. Wie soll denn ausgerechnet ein weißer Mann, noch dazu ein alter Missionar, der wahrscheinlich immer nur betet und in der Bibel liest, in diesem Wald Heilpflanzen finden, von denen die Indianer, die hier seit Tausenden von Jahren leben, nichts wissen?«

Maria Behring zuckte mit den Schultern. »Vielleicht durch Zufall«, meinte sie. »Und außerdem: Unterschätzen Sie die Geistlichkeit nicht! Die meisten Missionare haben für das Diesseitige einen scharfen Blick. Immerhin waren es zwei Jesuitenpatres, die das Chinin aus

Ekuador nach Europa brachten. Haben Sie die Geschichte schon mal gehört? Ganz schön spannend, kann ich Ihnen sagen. Die Indianer kannten das Antipyretikum überhaupt nicht –«

»Das was?« fragte Sander.

»Antipyretikum. Fieberdämpfendes Mittel. Die Indianer hatten keinen Schimmer davon, daß die Rinde des Chininbaumes diese segensreiche Wirkung hat. Sie weigerten sich sogar, das Pulver einzunehmen, wenn man es ihnen gegen Malaria gab. Auch in ihren Gräbern wurde die rote Rinde nie gefunden; dabei haben sie ihren Toten immer alles mitgegeben, was irgendwie von Wert oder doch wenigstens von Nutzen war.« Sie machte eine Pause. »Ich bin sicher, daß dieses Wunderwasser etwas mit den Bromelien auf der Cecropia zu tun hat, die der Alte so eifersüchtig hütet«, fügte sie dann hinzu.

»Sie glauben, es hat mit irgendeinem Wundermittel zu tun?« fragte Sander; er schien von der Vorstellung, sie könne sich ernsthaft mit dem Priester anlegen, stark beunruhigt.

»Allerdings«, sagte sie. »Der Kerl hütet den Baum wie die Chinesen einst ihr Seidenmonopol, bis Leute auf die Idee kamen, ein paar Raupen in hohlen Wanderstäben außer Landes zu schmuggeln, übrigens auch wieder Jesuiten oder andere wackere Glaubensstreiter. Wie war doch gleich der Name dieses Priesters? Ich werde mal Professor Sarosi nach ihm fragen. Vielleicht ist der Mann ja früher auf irgendeinem Spezialgebiet aufgefallen.«

Sie holte Wolkenfänger, kletterte mit ihm in das Luftschiff hinab und ließ ihn die Apparate nach oben tragen. Der Junge erledigte die schwere Arbeit ohne Mühe. Sander stellte die Satellitenschüssel auf. Maria Behring justierte sie mit dem Computer. Dann klickte sie sich durch die Festplatte des Computers und suchte das

Fach, in dem die automatische Mitschrift ihres ersten Gesprächs mit dem Padre gespeichert war. Nach wenigen Sekunden erschienen die ersten Worte auf dem Bildschirm: »Vade, Satana! Hebt euch hinweg, ihr Ausgeburten der Hölle!«

»Na, das war ja eine schöne Begrüßung«, sagte sie heiter und überflog die nächsten Zeilen. »Nein, hier ist es nicht«, murmelte sie. »Hier auch nicht. Verflixt, wann hat er denn seinen Namen gesagt? Hier redet er von Teutschland und dem Kaiser. Berlin ... Das Glaubensbekenntnis ...« Sie mußte schmunzeln. »Da haben wir aber tapfer mitgebetet! Jetzt kommt das mit dem ›Euer Glaube ist wie ein Knäblein‹ ... Was ein Ornithopter ist, weiß ich immer noch nicht ... Hier ist es: ›Padre Afonso de Mesa, Societatis Jesu‹.«

Sie tippte einige Zeilen an den Ethnologen, betätigte das Modem und ging auf Sendung. Schon nach wenigen Sekunden leuchtete die Bestätigung auf.

»Angekommen«, sagte sie erleichtert. »Na, ging das nicht fix?«

»Ich staune«, sagte Sander. »Und wie kriegen wir die Antwort hierher?«

»Genauso«, antwortete Maria Behring lächelnd. »Der Satellit ist doch stationär, da ändert sich nichts, es sei denn, dieser Baum fängt auf einmal an zu wachsen wie eine Bohnenranke. Ist aber nicht zu befürchten. Der hat ungefähr fünfhundert Jahre gebraucht, um so hoch zu werden wie jetzt.«

Wolkenfänger schaute neugierig auf den flimmernden Bildschirm.

»Da staunst du, was?« sagte Maria Behring. »Bei uns sind die Jungen in deinem Alter an diesen Kisten schon perfekt. Viel klüger sind sie dadurch aber auch nicht.«

»Wann wird Ihr Professor denn antworten?« fragte Sander.

»Ich schätze, sehr bald. Es ist dort jetzt ... kurz vor

sechs Uhr abends. Da ist er meistens im Büro.« Sie schlug sich mit der flachen Hand an die Stirn. »Heute ist ja Karfreitag«, sagte sie. »Tja, dann wird das wohl so schnell nichts werden. Morgen auch nicht. Und dann ist Ostern. Pech gehabt.«

Sie überlegte kurz, dann tippte sie »PS: Fröhliche Ostern!«, aktivierte das Modem noch einmal und setzte den Zusatz ab.

In der Nacht lag Maria Behring lange wach und grübelte über Enzyme, Gene und Bromelien, bis ihr ganz wirr wurde. Es waren immer dieselben Fragen, die sie beschäftigten: War es wirklich möglich, daß dieser Priester über einen pflanzlichen Wirkstoff verfügte, der die Produktion körpereigener Eiweißstoffe so enorm beschleunigte? Die Antwort würde sich auch daraus ergeben, wie schnell Sanders Verletzungen heilten. War es möglich, daß die Enzyme, mit denen sich die Bromelien auf der Cecropia gegen die Ameisen schützten, auch kleinere Organismen bis hinunter zu Bakterien und Viren abwehrten? Auch hier würde sie mindestens so lange abwarten müssen, bis sich zeigte, ob Sanders Wunden infektionsfrei heilten, und selbst wenn, war längst noch nicht erwiesen, daß das wirklich an dem geheimnisvollen Wunderwasser des Priesters lag oder an einem anderen, vielleicht schon längst bekannten Pflanzenextrakt, den die Indianerin beigemischt hatte.

Sander schlief ohne Mühe ein. Nach Mitternacht aber kehrte der Alptraum wieder, der ihn nun immer öfter heimsuchte. Wieder zogen hagere, bärtige Männer mit furchterregenden Gesichtern an ihm vorüber; die dunklen Augen unter den rostigen Helmen glühten wie Kohlen. Diesmal ritten sie auf Pferden, und jeder von ihnen zog an einer langen Kette Dutzende gefesselter, zu Tode erschöpfter Indianer hinter sich her. Wieder packte Sander das Grauen, als er zuschauen mußte, mit welcher viehischen Grausamkeit die Weißen ihre Opfer, auch viele Frauen und Kinder, quälten. Sein Magen krampfte sich zusammen, als er abgehauene Köpfe und Gliedmaßen durch die Luft fliegen sah. Noch mehr aber erschrak er, als er unter den Männern plötzlich den alten Priester entdeckte.

Das Schreien und Stöhnen der Gefolterten drang quälend an sein Ohr; dazwischen hallten immer wieder wilde portugiesische Flüche und ein Wort, das ihm bekannt vorkam, das er aber erst nach einer Weile verstand: »Caligo! Caligo! Die Caligo kommt!« Als er merkte, daß er das Wort nicht nur im Traum, sondern in Wirklichkeit hörte, fuhr er erschrocken auf.

»Caligo!« hörte er eine helle Stimme. Dann folgten einige Worte in Guaraní: »Aufwachen! Rettet euch!«

Auch Maria Behring war schlagartig wach geworden. »Das ist Wolkenfänger. Er will uns vor dem Gas warnen!«

Sie sprangen fast gleichzeitig aus ihren Hängematten, griffen nach den Taschenlampen und eilten zur Tür. Wolkenfänger kam über die Hochbrücke gelaufen. »Schnell, rettet euch!« rief er. »Die Caligo kommt!«

Sie leuchteten in die Tiefe. Zehn Meter unter ihren Füßen wogte das schwarze Gewölk wie ein vom Sturm gepeitschtes winterliches Meer. Das Luftschiff war bereits in den Gaswirbeln verschwunden.

»Wie hoch kann es steigen?« fragte Sander besorgt.

»Das kommt wahrscheinlich darauf an, mit welchem Druck es aus dem Vulkankegel strömt«, sagte sie. »Eigentlich kaum höher als dreißig Meter, weil das Kohlendioxid schwerer als Luft ist und über den Kraterrand abfließt. Aber hier, fast in der Mitte ...« Sie leuchtete auf ihr Handgelenk. »Vier Uhr dreißig«, stellte sie fest. »Die Nacht ist sowieso gleich vorbei.«

Wolkenfänger setzte mit einem Sprung über das Lianengeländer. »Die schlaflosen Wächter«, keuchte er atemlos. »Die Caligo!«

»Ja«, sagte Maria Behring. »Danke. Sage deinen Eltern, daß wir im Wipfel bleiben werden, bis es vorbei ist.«

Wolkenfänger starrte staunend auf die seltsamen Leuchtstäbe in den Händen der Fremden. Vorsichtig tastete er in den Lichtstrahl; als seine Haut den Schein der Lampe reflektierte, zog er die Hand rasch wieder zurück. Dieses Licht war nicht warm wie das einer Fakkel, sondern kalt; auch rauchte und roch es nicht, und es wurde ohne Funken entzündet. Verwirrt kletterte er über das Lianengeländer zurück.

»Du brauchst keine Angst zu haben«, sagte Maria Behring. »Es ist elektrisches Licht. Ich werde es dir bei Gelegenheit einmal erklären. Geh nun wieder zu deinen Eltern!«

Wolkenfänger gehorchte und verschwand in der Dunkelheit.

»Also los«, sagte Maria Behring. »Holen wir uns ein paar Decken und sehen wir zu, daß wir noch den einen oder anderen Meter zwischen uns und dieses Teufelszeug bringen.«

Sie leuchtete noch einmal hinunter.

Das Gewölk war in der Zwischenzeit wieder ein beträchtliches Stück höher gestiegen.

Sie gingen in die Hütte, nahmen jeder zwei Decken unter den Arm und kletterten auf der breiten hölzernen Leiter am Stamm empor, bis sie die höchste Astgabel des Matamatá erreicht hatten. Dort hatten die Indianer für sie einen Sitz vorbereitet, der gut neun Meter breit, mit Lianen gesichert und einer halben Meter dikken Schicht abgestorbener Blätter gepolstert war. Sie legten zwei Decken darauf, setzten sich und leuchteten hinunter. Die schwarze Wolke brandete bereits gegen die Tür der Hütte.

»Gut, daß die Indianer so ein perfektes Warnsystem haben«, sagte Maria Behring.

»Nicht ganz so gut für die armen Vögel«, meinte Sander.
»Stimmt. Aber besser die Vögel als die Menschen.«
Sander schwieg.
»Ich wußte gar nicht, daß Sie so tierlieb sind«, sagte sie.
»Vögel mag ich besonders«, sagte Sander.
»Das kann ich mir denken, daß es zwischen Ihnen als Pilot und diesen kleinen gefiederten Burschen so eine Art Seelenverwandtschaft gibt«, sagte sie.
Sie leuchtete wieder in die Tiefe. Das Dach der Hütte war in der brodelnden Wolke verschwunden.
»Das wird jetzt wohl ein Weilchen dauern«, sagte sie und rutschte ein wenig hin und her, bis sie die bequemste Position gefunden hatte.
Sander zögerte; es schien ihm unangenehm, den engen Sitz mit ihr zu teilen.
»Was ist? Was hocken Sie denn so steif da?« fragte sie. »Bleiben Sie locker, ich werde Ihnen schon nichts tun.«
Widerstrebend lehnte er sich gegen die dicken weichen Lianen, die den Notsitz wie ein gut geschütztes, weiches Nest erscheinen ließen.
»Gute Nacht«, hörte er sie sagen.
Er lauschte in die Dunkelheit; nach einigen Minuten verrieten ihm regelmäßige Atemzüge, daß sie eingeschlafen war.

Als die Sonne aufging, blinzelte Maria Behring und gähnte herzhaft. »Uff«, sagte sie dann. »Das hat gutgetan. Wie war es denn für Sie?«
»Was denn?« fragte er verblüfft.
»Na, dieser Sitzschlaf«, sagte sie lächelnd. »Hoffentlich nicht allzu unbequem.«
»Nein«, sagte er schnell.
»Und das Gas?«
»Weiß nicht. Konnte mich nicht vorbeugen; Sie schliefen gerade so schön an meiner Brust.«

»Dann wird es höchste Zeit, daß ich Sie von mir befreie«, sagte sie, löste sich zu seinem großen Bedauern von ihm und schaute nach unten. Das schwarze Gewölk war wieder an seinen ursprünglichen Platz zurückgekehrt; zwischen dem Grün der Blätter sah sie das Weiß der Schiffshülle blitzen.

»Alles in Ordnung«, sagte sie erfreut.

Sie sammelten die Decken ein, kletterten zu ihrer Hütte zurück und gingen über die Hochbrücke zu dem Axtbrecherbaum. Ihre Freunde warteten schon; sie standen in Gruppen mit Nachbarn zusammen.

Als sich alle beruhigt hatten, machte Ani Frühstück, und die Versammelten reagierten ihre Angst durch die in solchen Fällen typische Ausgelassenheit ab. Auch Maria Behring und Sander wurden von der gelösten Stimmung angesteckt und unterhielten sich angeregt mit immer anderen neuen Bekannten, die einen wortreich und gewitzt, die anderen mit allen möglichen, von den Gesprächspartnern oft heftig belachten Gesten; es schien, als habe die gemeinsam überstandene Todesgefahr die letzten Barrieren zwischen den Menschen des Wolkenwaldes und ihren Besuchern beseitigt.

Am Vormittag machte sich Maria Behring mit neuem Eifer an ihre botanischen Untersuchungen in der Umgebung des Matamatá, beflügelt nicht nur von den Informationen, die sie von Ani erhalten hatte, sondern auch von einem in den vergangenen Tagen immer stärker gewordenen Gefühl der Verbundenheit mit dem Wald und seinen Menschen. Das ist mein Reich, dachte sie. Ich habe es entdeckt, und ich werde es behüten.

Sander kletterte indessen zu dem Luftschiff hinab und stellte erleichtert fest, daß das Kohlendioxid vollständig aus der Gondel abgeflossen war.

Danach saß er fast den ganzen Tag mit dem alten Senex vor dessen Hütte und bemühte sich mit vermehrtem Eifer, Guaraní zu lernen. Da er nicht besonders sprachbegabt war, erforderte der improvisierte Unterricht seine ganze Konzentration.

Als er kurz vor Einbruch der Dunkelheit auf den Matamatá zurückkehrte, winkte Maria Behring ihm schon von weitem fröhlich entgegen.

»Was ist?« fragte er. »Schon Nachricht von Ihrem Professor?«

»Natürlich nicht«, sagte sie. »Aber unseren üblichen Funkspruch habe ich schon abgesetzt. Meine Leute werden immer nervöser und der Oberst sowieso, aber das ist mir jetzt egal.«

»Recht so«, sagte er aus tiefster Überzeugung. »Was duftet denn hier so?«

»Ja, was wohl?« gab sie lachend zurück.

Er wagte kaum zu glauben, was seine Nase ihm signalisierte. »Es riecht wie ... wie ...«

»Na?« meinte sie. »Na?«

»Wie Gulasch!« platzte er heraus.

»Ich habe mir gedacht, heute koche ich selber mal was. Ist natürlich nur Astronautenverpflegung. Gefriergetrocknet. Riecht aber trotzdem ganz gut, oder?«

»Und ob«, sagte er. »Ich hatte schon fast vergessen, wie so was duftet.«

»Sagen Sie nur niemandem etwas davon«, ermahnte sie ihn. »Sie wissen doch, was das hier alles für eingefleischte Vegetarier sind. Hoppla!« Sie mußte über ihre eigene Formulierung lachen. »Das Beste kommt erst noch«, sagte sie. »Raten Sie, was in diesem Korb ist.«

Er suchte nach einer möglichst originellen Antwort. »Ostereier?«

»Etwas viel Besseres!« Sie stellte den Bastbehälter auf den Tisch, griff mit der auf Spannung berechneten Geste eines Zauberers hinein und zog ein längliches Gefäß heraus, das in ein nasses Baumwolltuch gewickelt war. »Simsalabim«, sagte sie. »Für heute abend!«

Vorsichtig nahm er das Gefäß und wog es in der Hand.

Aus dem Inneren drang ein leises Gluckern. »Das glaube ich nicht!« entfuhr es ihm.

»Doch«, sagte sie. »Es gibt hier tatsächlich Wein. Aus der Chimapalme, wie ich es mir dachte. Wir werden ihn zum Gulasch trinken.«

»Jetzt bin ich aber platt«, gestand er.

»Das ist der Tisch auch«, kalauerte sie. »Deshalb ist es am besten, Sie decken ihn gleich mal. Ich habe auch ein paar Kerzen heraufgeholt. Aus dem Notkoffer. Ich hoffe, der Pilot hat nichts dagegen.« Sie genoß es, ihn so perplex zu sehen. »Machen Sie alles nur recht hübsch, schließlich ist das die Osternacht! Ich muß mich jetzt um das Dinner kümmern.«

Sie verschwand in der Hütte. Sander spähte durch die offene Tür und sah sie an dem kleinen Gaskocher aus der Notausrüstung hantieren. Der Duft, der zu ihm hinausdrang, war geradezu überwältigend.

»He!« rief sie, als sie ihn bemerkte. »Hier wird nicht spioniert!«

»Ich brauche aber Geschirr und Besteck«, sagte er.

»Steht alles schon draußen!«

Er fand, was er gesucht hatte, und machte sich daran, den Tisch festlich herzurichten.

Als die Sonne hinter den Baumwipfeln im Westen unterging und er gerade die Kerzen in den Windlichtern angezündet hatte, kam Maria Behring mit dem dampfenden Topf. »Hoffentlich haut das einigermaßen hin«, sagte sie. »So eine tolle Köchin bin ich nämlich nicht.«

»Es ist bestimmt köstlich«, sagte er eifrig.

Sie häufte ihm eine Riesenportion auf den Teller; es war weitaus mehr, als sie sich selbst nahm. Er wickelte die erste der hölzernen Weinflaschen aus, löste die Kautschukkappe, goß einige Schlucke in sein Glas und kostete.

»Brrrr«, machte er. »Das Zeug ist vielleicht süß! Seien Sie vorsichtig, das geht vom Gaumen direkt in die Großhirnrinde!«

»Da gehört es ja auch hin«, erwiderte sie munter. »Schenken Sie nur ordentlich ein!«

Sofort wurde er mißtrauisch. »Haben wir denn was zu feiern?« erkundigte er sich. Dann schlug er sich an die Stirn. »Sie haben Geburtstag!« rief er.

Sie schüttelte lächelnd den Kopf.

Er überlegte kurz und fragte dann: »Habe ich etwa Geburtstag?«

»Ganz richtig«, sagte sie. »Mit ein bißchen weniger Glück würden Sie jetzt vermutlich nicht hier sitzen. Aber nun lassen Sie es sich schmecken!«

»*Bon appétit*!« antwortete er und steckte die Gabel in den pampigen Brei, zu dem das dehydrierte Gulasch aus der antiseptisch verschweißten Plastiktüte zerfallen war. Das Löwenäffchen auf Maria Behrings Schoß schaute ihn aus verschmitzten Knopfaugen an.

»Hervorragend!« lobte Sander kauend.

»Probieren wir mal den Wein«, schlug sie vor und hob den halbgefüllten Plastikbecher. »*A votre santé*!«

»Mindestens!« erwiderte Sander aufgeräumt.

Als sie zu Ende gegessen hatten, zog Sander Zigaretten aus der Brusttasche und hielt Maria Behring die Schachtel hin.

»Klar doch«, sagte sie. »Ich hab' mir das Rauchen zwar schon vor Jahren abgewöhnt, aber an einem solchen Tag gehört es einfach dazu.«

»Finde ich auch«, sagte er und gab ihr Feuer. Während sie genüßlich paffte, goß er Wein nach.

Der letzte Widerschein der Sonne war verschwunden, und das Licht der Sterne trat hervor wie der Schein auf einer Theaterbühne, wenn es im Zuschauerraum dunkel geworden ist. Maria Behring ließ den Kopf in den Nacken sinken und betrachtete fasziniert die verwirrende Fülle der Konstellationen, die den äquatorialen

Nachthimmel bedeckten. Das Löwenäffchen hatte das Köpfchen in ihre Armbeuge gebettet und schlief. Sander lehnte sich entspannt zurück.

Maria Behring suchte den Himmel nach einigermaßen vertrauten Sternbildern ab, konnte aber nicht einmal den Großen Wagen entdecken, denn die zirkumpolaren Konstellationen, die in Europa die höchsten Himmelsregionen beherrschten, lagen hier am Rand und deshalb hinter den Bäumen verborgen. Der zunehmende Mond stand als schmale Sichel im Süden.

Sander räusperte sich. »Sehen Sie die fünf hellen Sterne dort drüben«, fragte er und zeigte nach Nordosten, »die wie die Perlen eines Diadems aneinandergereiht sind? Das ist Corona australis, die Krone des Südens.«

Sie folgte seinem ausgestreckten Arm und sagte: »Wunderschön.«

»Und ein bißchen rechts davon«, fuhr er fort, »gleich dort über dem ... dem ...«

»Topffruchtbaum?« fragte sie.

»Ja. Das ist der Indianer.«

»Wollen Sie mich auf den Arm nehmen?« fragte sie mißtrauisch.

»Nein, es gibt wirklich ein Sternbild namens Indianer. Gleich daneben ist der Tukan. Dort drüben ist der Paradiesvogel. Dort hinten der Fliegende Fisch.«

»Sie kennen sich aber gut aus«, sagte Maria Behring und streichelte das Äffchen in ihrem Arm. »Woher wissen Sie das denn alles?«

»Ich habe mich als Junge eine Weile mit Astronomie befaßt«, sagte er, merkte aber gleich, wie großspurig das klang, und verbesserte sich: »Das heißt, ich bekam mal ein Fernrohr geschenkt und habe dann auch ein bißchen über die Sternguckerei gelesen.«

»Prost«, sagte sie und stieß mit ihrem Becher gegen den seinen. »Eine herrliche Nacht, finden Sie nicht auch?«

»Ja, wunderbar«, pflichtete er ihr bei. »Ich habe schon viele Nächte im Dschungel erlebt, aber so ein Himmel ist wirklich selten. Und wie still es ist.« Er lauschte in die Dunkelheit. »Man meint sogar, die Fledermäuse flattern zu hören.«

»Sie sind mir ja ein schöner Romantiker«, spottete sie.

Sander öffnete auch noch die dritte Flasche, und sie unterhielten sich bis tief in die Nacht, erst über die Berliner Pharma-Werke und deren wissenschaftliche Ambitionen, später dann auch über den Sinn des Lebens, über den Tod, die Religion und die Liebe, und stimmten dabei in ihren Ansichten immer wieder überein, so daß sie bald ein wohliges, vom Alkohol noch verstärktes Gefühl der Harmonie durchdrang.

Nachdem sie eine Zeitlang über diese meist von der Tagesroutine verdrängten, dafür in abendlicher Entspanntheit um so häufiger angeschnittenen Fragen theoretisiert hatten, baute der Wein ihre Hemmungen schließlich so weit ab, daß sie einander auch von privaten Erlebnissen, Erfahrungen und Vorstellungen berichteten, bis ein plötzlicher scharfer Regenguß dem Abend und der romantischen Stimmung ein jähes Ende bereitete und sie sich in die Hütte retten mußten.

# TEIL FÜNF

## Omagua

AM NÄCHSTEN MORGEN erwachte Sander mit dem sauren Mund und dem schlechten Gewissen des nur halbwegs Ausgenüchterten. Besorgt bemühte er sich, sein Erinnerungsvermögen anzustrengen, um herauszufinden, wie sein Verhalten am Abend zuvor gewesen war. Doch die elektromagnetischen Impulse, aus denen sich seine Gedanken formten, kamen auf den dafür vorgesehenen Nervenbahnen der Großhirnrinde nur langsam voran und stießen zudem in den Zellen immer wieder auf den hinderlichen molekularen Trümmerschutt des Restalkohols. Für Sander äußerte sich dessen Vorhandensein in pulsierenden Kopfschmerzen.

»Wie geht es Ihnen?« hörte er Maria Behrings Stimme.

Er stöhnte leise. »Fragen Sie lieber den Affen, der in meinem Kopf Kokosnüsse gegen das Schädeldach schmeißt«, antwortete er.

Sie lachte. »Spekulieren Sie nicht auf mein Mitleid«, sagte sie. »Sie haben sich alles selbst zuzuschreiben und keine Gnade verdient. Aber so ein Unmensch bin ich doch nicht, daß ich Ihnen nicht wenigstens einen Kaffee gönne.«

Er richtete sich mühsam auf, nahm dankbar den kleinen Holzbecher aus ihrer Hand und begann das heiße Getränk geräuschvoll zu schlürfen.

»Übrigens, fröhliche Ostern!« sagte Maria Behring aufgeräumt.

Ein heller Ton drang durch die dünnen Wände der

Hütte. Maria Behring trat vor die Tür und lauschte. »Die Rindentrompeten«, sagte sie. »Beeilen Sie sich! Das Fest fängt gleich an!«

Sander hob sein linkes Handgelenk vor die verschwollenen Augen und starrte auf seine Armbanduhr. Es war zwanzig Minuten nach acht.

»Da staunen Sie wohl«, sagte Maria Behring.

»Warum haben Sie mich denn nicht geweckt?« fragte er mürrisch. Sein Gedächtnis hatte die Tätigkeit wieder aufgenommen, aber es waren keine guten Nachrichten, die es zu melden hatte. Offenbar hatte er sich im Rausch weidlich danebenbenommen. O Gott, dachte er, das darf nicht wahr sein!

Er hielt das Gefäß in beiden Händen und schielte dabei unauffällig nach Maria Behring, in der Hoffnung, aus ihrem Gesichtsausdruck Schlüsse ziehen zu können. Daß sie ihn anlächelte, beruhigte ihn keineswegs.

»Dieser Palmwein zieht einem wirklich die Füße weg«, begann er. »Mir ist ganz anders. Ich hätte nicht soviel trinken sollen.«

»Das stimmt«, sagte sie kurz. »Nun rasieren Sie sich, und bringen Sie sich in Form. Ich habe keine Lust, zur Ostermesse mit einem Landstreicher zu erscheinen.«

»Ostermesse?« fragte er.

»Sie haben richtig gehört«, erklärte sie. »Wir gehen in die Kirche. Um zehn Uhr fängt die Show an. Wolkenfänger war schon da und wollte uns zum Frühstück abholen, aber da lagen Sie noch schnarchend in der Matte.«

Er balancierte den Becher vorsichtig mit der rechten Hand an den Mund und faßte sich mit der Linken an die Schläfe.

»Wie geht es Ihrem Kopf?« erkundigte sie sich.

»Fragen Sie nicht«, seufzte er. »Dieses Teufelsgebräu ...«

»Das meine ich nicht«, sagte sie resolut. »Ich meine Ihre Stirn. Die Wunde.«

»Ach so«, sagte er. »Moment mal.« Vorsichtig befühlte er die Stelle unter dem Verband. Obwohl er immer kräftiger drückte, spürte er keinen Schmerz. Mein Nervensystem muß total im Eimer sein, dachte er.

»Zeigen Sie mal her«, sagte sie und trat ganz dicht neben ihn. Er schloß die Augen und atmete den Duft ihres Parfüms ein, während sie sich an dem Verband zu schaffen machte. Plötzlich fühlte er, wie sich etwas Festes von seiner Haut löste.

»Aber das ist ja unglaublich!« hörte er sie sagen.

»Was ist denn?« fragte er.

»Gerade ist der Schorf abgegangen«, sagte sie. »Die Wunde ist verheilt. Ich kann es nicht fassen. Normalerweise dauert so was mindestens eine Woche. Diese grüne Salbe hat es in zwei Tagen geschafft. Ihre Stirn ist wie neu!« Sie legte ihre kühle Hand auf die Stelle. »Fühlen Sie was?«

»Ja«, sagte er.

»Und jetzt?«

»Au«, sagte er. »Ihr Fingernagel!«

»Diese Wundsalbe ist perfekt«, sagte sie. »Es muß an dem Wasser aus den Bromelien auf der Cecropia liegen.« Sie kniete sich auf den Bretterboden. »Los, Ihren Fuß«, befahl sie.

Sander lehnte sich etwas zurück und hob den verletzten Fuß. Mit geübten Handgriffen löste Maria Behring den Verband. Das Ergebnis war nun keine Überraschung mehr: Auch die Hautabschürfungen an Knöchel und Rist waren vollkommen verheilt.

»Dafür hat diese Indianerin den Nobelpreis verdient«, stellte sie fest. »Oder noch eher der alte Priester.«

»Unbedingt«, pflichtete er bei. »Ich spüre überhaupt nichts mehr.«

Sie piekste ihn mit dem Nagel ihres kleinen Fingers.

»Ich spüre es«, bestätigte er rasch.

»Laufen Sie mal ein bißchen herum«, befahl sie. »Mal sehen, wie es Ihren Bändern geht.«

Er gehorchte. »Alles in Ordnung«, sagte er schon nach wenigen Schritten. »Keine Schmerzen.«

Sie schüttelte den Kopf. »Dieses grüne Zeug ist eine Sensation! Nicht mit Gold aufzuwiegen.«

Sander nickte.

»Ach so«, sagte sie. »Sie wollen bestimmt unter die Dusche. Ich werde solange einen kleinen Morgenspaziergang machen.«

Als sie zurückkam, stand Sander rasiert und mit nassem, sorgfältig gekämmtem Haar vor der Tür.

»Na also«, lobte sie, »das sieht doch schon ganz anders aus.«

Als sie über die Hochbrücke gingen, mußte sie plötzlich lachen.

»Was ist?« fragte er mißtrauisch.

»Das hätte ich mir auch nicht träumen lassen«, sagte sie. »Da investieren die Berliner Pharma-Werke drei Millionen Dollar in die Suche nach Enzymen in epiphytischen Zisternenbromelien. Und was kommt dabei heraus? Maria und Josef gehen Ostern feiern!«

»Ja, das ist wirklich ein Ding«, meinte er zustimmend.

Ihre Freunde vom Axtbrecherbaum warteten schon; sie freuten sich sichtlich, als sie ihre Gäste in so fröhlicher Stimmung sahen. Ani trug ein knielanges Festkleid aus rotem Rindenbast, dessen Saum zur größeren Beweglichkeit an den Seiten geschlitzt war; in ihrem schwarzen Haar steckten karmesinrote Arafedern. Gabriel und Senex waren in lange weiße Gewänder gekleidet. Alle drei hatten vielfältigen Schmuck angelegt: Halsketten aus leuchtenden Orchideenblüten, Armbänder aus den bunten Häuten von Reptilien wie Stirnlappenbasilisk oder Ritteranolis sowie Ohrringe aus den auf Rinde geklebten, in metallischen Farben schillernden Flügeldecken des Riesenprachtkäfers. Auch Blaukrönchen und Wolkenfänger hatten sich nach Kräften herausgeputzt.

Als sie losgingen, sahen Maria Behring und Sander zu ihrem Erstaunen, daß Gabriel ein gut zwei Meter langes Bambusrohr vom Boden aufhob. Wolkenfänger trug einen kleinen Köcher mit spannenlangen Pfeilen.

Auf dem Weg zu den drei großen Zedrachbäumen schlossen sich ihnen wieder die Nachbarn an, die kaum weniger verschwenderisch ausstaffiert waren; die Männer trugen ebenfalls Blasrohre auf den Schultern. Andere hatten seltsame Geräte aus Rindenbast bei sich, die fast wie Tennisschläger aussahen.

Um neun Uhr hatten sich alle Bewohner des Wolkenwaldes auf den drei Zedrachbäumen versammelt; manche hatten noch vor der Morgendämmerung aufbrechen müssen, um rechtzeitig anzukommen. Maria Behring und Sander saßen mit Gabriel und seiner Familie mitten unter den anderen Indianern und blickten gespannt zu der Höhle auf dem Vulkanfelsen.

Nach einer Weile traten zwei weißgekleidete Männer mit Rindentrompeten aus der Tür, stellten sich neben einem kleinen Altar auf dem Vorplatz auf, setzten ihre Instrumente an und ließen das Signal erklingen, das den Beginn der heiligen Messe ankündigte. Sogleich verstummten die Versammelten, erhoben sich und stimmten einen Choral an, dessen fröhliche Melodie Sander bei der zweiten Wiederholung zum Mitsummen reizte; Maria Behring traute ihren Ohren kaum.

Danach erklangen die Rindentrompeten von neuem. Wieder öffnete sich die Tür, und nun trat eine kleine Prozession heraus: Ein junger, weißgekleideter Indianer trug das silberne Kruzifix voran, das Maria Behring und Sander bei ihrem nächtlichen Besuch in der Höhle gesehen hatten; ihm folgten andere Jungen, dann einer der Erzengel, der offenbar als Diakon diente, und schließlich der Priester selbst. Er trug ein weißes Meßgewand; als er sich vor dem Altar umwandte, leuchtete auf seinem Rücken ein großes rotes Kreuz.

Interessiert beobachteten Maria Behring und Sander das kirchliche Ritual. Auf den Gesichtern der Indianer lag ein Ausdruck tiefer Frömmigkeit.

Nach dem Gottesdienst kehrte der alte Priester mit der kleinen Prozession in seine Höhle zurück. Aber schon wenig später erschien er in einem schlichten weißen Gewand auf dem Vorplatz, schritt festen Fußes über die Brücke zum Torbaum und begann sich dort mit den Gläubigen zu unterhalten, die von den Zedrachbäumen herüberkamen und sich zwanglos in fröhliche Gruppen aufteilten. Die einen plauderten mit dem Priester, die anderen fingen schon an, sich an den in großen Körben dargebotenen Genüssen zu laben. Es gab natürlich Osterfrüchte, gedünstet, gekocht, gesotten und noch auf vielerlei andere Weise zubereitet; dazu Paradiesnüsse, Früchte von Moriche- und Yaguapalmen sowie Termiten in Honig, um die Sander trotz ihres köstlichen Duftes einen Bogen machte, während Maria Behring beherzt zulangte. Dazu standen in großen hölzernen Kannen verschiedene Fruchtsäfte und auch frischer Palmwein bereit; hier hielt sich Maria Behring zurück, während Sander sich gleich wieder einen Becher einschenken ließ. »Der Hund, der dich am Abend gebissen hat«, dozierte er dabei, »muß dir am nächsten Morgen die Füße lecken.« Entschlossen stürzte er sich das Gebräu in den Schlund.

Nach dem Essen maßen sich die Männer in allerlei Wettbewerben. Zuerst stellten sie in einer zwanzig Meter entfernten Astgabel die lebensgroße, täuschend echt wirkende Holzfigur eines Harpyienadlers auf und zielten mit ihren Blasrohren auf sie. Dabei bewiesen sie große Treffsicherheit, denn kaum einer der kleinen Pfeile verfehlte sein Ziel. Zu ihrer nicht geringen Verblüffung sah Maria Behring, daß auch Sander an dem Wettschießen teilnahm; er hob das Blasrohr mit geübtem Griff an den Mund, visierte den hölzernen Raubvogel an und traf mitten in einen Flügel, wofür er den Beifall der Zuschauer erntete.

»Wo haben Sie denn das gelernt?« fragte sie ihn erstaunt.

»Vor einigen Jahren saß ich mal in Santa Esmeralda mit einem Motorschaden fest«, sagte Sander. »Ein Ventil war zu Bruch gegangen, und ich mußte wochenlang auf Ersatz warten. Da habe ich ein solches Blasrohr erstanden und mir die Zeit damit vertrieben.« Er lächelte. »Am Schluß konnte ich sogar gegen die Indianer antreten, die an der Piste kampierten.«

Danach griffen zwei Männer ihre Bastschläger, nahmen auf zwei fast zehn Meter voneinander entfernten Ästen Aufstellung und spielten sich mit unerhörter Geschicklichkeit einen Kautschukball zu, wobei die Kunst darin bestand, die kleine Gummikugel möglichst oft hin und her fliegen zu lassen. Maria Behring zählte mit und kam beim ersten Paar auf einhundertvierzehn Schläge, ehe ein Ball nicht weit genug flog und sein Adressat trotz eines waghalsigen Manövers nichts mehr retten konnte, ohne selbst in die Tiefe zu stürzen. Andere Spieler schafften sogar über zweihundert Schläge. Auch Sander sah fasziniert zu und goß sich dabei immer wieder Palmwein nach, worauf Maria Behring sagte: »Daß Sie sich nur nicht einfallen lassen, auch da mitzuspielen, Sie Angeber! Wenn ich Sie erwische, kürze ich das Verfahren ab und werfe Sie eigenhändig vom nächsten Ast. Und trinken Sie nicht so viel!«

»Schon gut«, sagte er. »Indianertennis ist nichts für mich, ich habe mit Sport sowieso nichts im Sinn, außer ein bißchen Schießen natürlich, aus alter Gewohnheit. Außerdem trinke ich nicht, sondern nippe nur. Wollen Sie auch mal?«

»Igitt«, sagte sie. »Ich habe noch von gestern genug.«

Später begann ein Kampfspiel, bei dem besonders kräftige Männer einbeinig auf Ästen standen und einander mit kräftigen Stößen vor die Brust aus dem Gleichgewicht zu bringen versuchten; wer ins Straucheln geriet und sich mit den Händen festhalten mußte, um nicht abzustürzen, hatte verloren. Auch bei diesem Wettkampf zeigten die Teilnehmer eine schier unglaubliche Körperbeherrschung.

Zwischendurch feierten Frauen und Kinder den Tag immer wieder in ausgelassenen Tänzen, wobei ihnen Musikanten mit Bambusflöten, Rindentrommeln und Rasseln aus kürbisähnlichen Baumfrüchten aufspielten. Mal in einer langen Reihe hintereinander, mal wieder paarweise hüpften sie durch das Geäst, dabei mit großer Gewandtheit den Flug von Vögeln, Libellen und Fledermäusen nachahmend, so daß es Maria Behring und Sander schien, als tanzten sie nicht in der schwindelerregenden Höhe der Kronenregion, sondern auf dem sicheren Boden eines gestampften dörflichen Festplatzes.

Als es schon dunkel wurde, stellten Wolkenfänger und einige andere Jungen Windlichter in die Bäume. Die Männer setzten sich nun paarweise zusammen, und einer blies dem anderen mit einem kleinen Knochenröhrchen Paricápulver in die Nasenlöcher. Das Narkotikum, dessen wichtigster Bestandteil aus der inneren Rinde einer Mimosenart stammte, löste ähnliche Reaktionen aus wie eine perfekt gemixte Prise aus einer Schnupftabaksdose unter alpenländischen Wirtshausbesuchern.

Nach dem Schnupfen begannen die Männer heftig zu trinken. Die Kinder bekamen inzwischen von den Erzengeln Körbchen aus dem Bast der Pupunhapalme mit allerlei Leckereien aus Honig, kandierten Früchten und süßer Baumrinde. Nachdem sie auf diese Weise beschäftigt waren, zogen die Frauen ihre Männer zum Tanz.

Der alte Priester stand neben dem Ausschank und schaute dem Treiben mit heiterer Miene zu. Maria Behring richtete es so ein, daß sie neben ihn zu stehen kam, und sagte: »Ein schönes Fest, Padre. Die Leute scheinen von Herzen fröhlich zu sein.«

»Sie haben es auch verdient«, antwortete der Priester freundlich. »Sie haben fleißig gearbeitet. So mögen sie denn nun auch froh sein wie die Kindlein.«

»Ja«, sagte sie. Dann räusperte sie sich und fragte: »Wann können wir uns denn morgen sprechen?«

»Wann immer Ihr wollt«, erwiderte er. »Kommt früh. So haben wir den ganzen Tag Zeit; es gibt viel zu erklären.«

»Gut«, sagte sie. »Wir werden gleich nach dem Frühstück zu Ihnen kommen.«

Nun mischten sich laute Gesänge in die Musik, und ein wilder Chor begann die Instrumente zu übertönen; selbst dem ungebildeten Ohr mußte dabei klarwerden, daß es sich keinesfalls um Kirchenlieder handeln konnte. Die Schwünge der Tanzenden wurden noch schneller, die Griffe der Männer noch fester, das Lachen der Frauen noch lauter; dazwischen kugelten vor Freude kreischende Kinder herum. Die Szene wirkte wie eine bäuerliche Fastnacht im Mittelalter, wenn sich auf dunklem Dorfplatz Mensch und Tier zu tollem Treiben durcheinandermengten. Das berauschende Getränk schien die Baumindianer völlig enthemmt zu haben; wie entfesselt tobten sie durch die Äste der drei Bäume, so daß es Maria Behring vom Zuschauen beinahe schlecht wurde.

Plötzlich fühlte sie eine Hand auf der Schulter. Als sie sich umwandte, stand Sander vor ihr. Er schwankte leicht. »Darf ich bitten?«, fragte er grinsend.

Sie tippte an ihre Stirn. »Ich bin doch nicht lebensmüde!«

»Nur ganz langsam!« bettelte er.

Die Fahne aus seinem Mund traf sie voll ins Gesicht, und sie rümpfte die Nase. »Sie sind ja völlig betrunken!«

»Ja«, gestand er, ohne das geringste Schuldbewußtsein erkennen zu lassen, »aber die anderen auch.« Mit Mühe unterdrückte er ein heftiges Aufstoßen.

»Es ist wohl besser, wir verschwinden hier«, sagte sie. »Morgen früh sind wir bei dem Priester. Da brauchen wir einen klaren Kopf.«

»Ich bleibe noch ein bißchen hier«, sagte er.

»Aber das ist doch sinnlos!« Sie packte ihn am Arm. »Sie kommen mit!«

Er stand wie ein Baum. »Ich möchte lieber noch ein bißchen bleiben«, lallte er.

»Was um Himmels willen versprechen Sie sich denn davon?« Sie zog die Stablampe aus der Tasche und leuchtete auf den Weg. »Kommen Sie endlich!«

Gehorsam trottete er hinter ihr her. »Schade«, beschwerte er sich. »Jetzt begann gerade der gemütliche Teil.«

»›Gemütlich‹ ist gut«, sagte sie sarkastisch. »Haben Sie nicht gesehen, wie die in den Ästen herumgehopst sind, total blau, mit Frauen und Kindern? Ich weiß, die haben ihr ganzes Leben auf diesen Bäumen verbracht und klettern so sicher wie Eichhörnchen, aber normal ist das trotzdem nicht. Das ist ...« Sie suchte nach einem passenden Vergleich. »Das ist, wie wenn diese rheinischen Karnevalsjecken am Rosenmontag allesamt draußen auf dem Kölner Dom herumturnen würden.«

Darauf wußte er nichts zu entgegnen. Er torkelte hinter ihr her, bis sie wieder in ihrer Hütte auf dem Matamatá standen.

»Und jetzt ab in die Koje«, befahl sie barsch, da sie gemerkt hatte, daß sie mit dieser halbmilitärischen Ausdrucksweise am besten zu seinem benebelten Verstand durchdrang.

»Jawoll!« antwortete er prompt, machte eine tadellose Rechtswendung und marschierte kerzengerade aus der Tür.

»Halt!« rief sie. »Wo wollen Sie denn hin?« Sie überlegte; dann zuckte sie mit den Schultern und legte sich in die Hängematte. Müde, wie sie war, fielen ihr bald die Augen zu.

Sie erwachte durch den Klang einer hellen, klaren Frauenstimme, die eine wunderschöne Melodie sang. Träume ich? dachte sie und konzentrierte sich auf den Text. Kein Zweifel: Es war tatsächlich ein französisches Chanson, sogar ein sehr bekanntes.

»Das klingt wie ›Milord‹!« murmelte Maria Behring entgeistert und schlug die Augen auf. Es war stockfinster. Sie richtete sich auf und lauschte. »Es ist ›Milord‹!« sagte sie laut. »Was zum Teufel geht hier eigentlich vor?« Sie streckte den Arm aus und tastete nach Sanders Hängematte; sie war leer. »Natürlich«, sagte sie grimmig. Sie stand auf und trat vor die Tür. Aus der Tiefe klang die durchdringende Stimme Edith Piafs empor.

Sie schlug sich mit der Hand vor die Stirn. Ich werde wahnsinnig! dachte sie. Dieser Narr hat die Funkanlage eingeschaltet und hört Radio!

Rufen würde keinen Zweck haben. Sie schaute auf die Uhr. Halb eins! Sie knipste ihre Taschenlampe an, hängte sie an die Brusttasche ihres Overalls und stieg die Leiter zu dem Luftschiff hinunter. In der Gondel hockte Sander zusammengekrümmt auf dem Pilotensitz und schnarchte. Maria Behring schaltete die Funkanlage aus. Keine Reaktion. Sie nahm eine Decke und breitete sie über Sander, der wohlig grunzte.

»Gute Nacht«, sagte sie halblaut.

Sie betrachtete ihn noch einige Sekunden. Dann löschte sie die Notbeleuchtung und kehrte zu der Hütte zurück. Dort sah sie etwas blinken. Es war der Computer.

Nanu? dachte sie. Was war denn da los? Sie kletterte in den hinteren Teil der Gondel, setzte sich vor den Monitor und las.

»MESSAGE«, stand dort.

Wer hat mich denn da angemorst? fragte sie sich. Das konnte doch eigentlich nur Professor Sarosi sein. Aber jetzt, mitten in der Nacht zwischen zwei Feiertagen?

Sie drückte einige Tasten und las wieder. Die Message lag schon seit Freitag vor; das war kaum weniger erstaunlich. Sie holte den Text auf den Schirm und las.

»Verehrte Frau Doktor, was machen Sie denn schon wieder mit mir? Einen Padre Afonso de Mesa haben wir tatsächlich gefunden, aber im 16. Jahrhundert; er fuhr damals mit den ersten Portugiesen auf dem Amazonas nach Westen, einige Jahre nachdem Francisco de Orellana aus der anderen Richtung zur Mündung gesegelt war. Ich kann mir gar nicht vorstellen, wozu Sie das brauchen. Haben Sie vielleicht seine Überreste entdeckt oder sein Grab? Hier sicherheitshalber die Daten: Geboren 1516 in Sines, der Geburtsstadt Vasco da Gamas. Priesterweihe 1540. Eintritt bei den Jesuiten 1546. Er muß eines der ersten Ordensmitglieder gewesen sein. Abreise nach Südamerika 1549. Dort Mitwirkung bei der Gründung von São Salvador, der ersten Hauptstadt Brasiliens. 1553 Teilnahme an der Fahrt des Kapitäns Miguel Hernández zum Amazonas. Die vom portugiesischen König zur offiziellen Inbesitznahme des Stromtals entsandte Expedition kehrte nie zurück; bis heute weiß niemand, was aus den Leuten geworden ist. Das ist alles, was ich in der Kürze feststellen konnte. Wenn Sie mehr wissen wollen, wenden Sie sich am besten an Professor Ernesto de Carvalho an der Universität Coimbra. Er ist, soweit ich weiß, die bedeutendste Kapazität auf dem Gebiet der portugiesischen Kolonialgeschichte. Ich habe Sie vorsichtshalber schon mal bei ihm avisiert. Er freut sich auf Ihren Anruf.« Es folgte eine Telefonnummer. »Sagen Sie mir aber auf jeden Fall, was Sie herausgefunden haben«, schloß die Message. »Sie haben mich ganz schön neugierig gemacht!«

Kopfschüttelnd kehrte Maria Behring zum Anfang der Nachricht zurück und las sie ein zweites Mal. Also eine Namensgleichheit, dachte sie. Der gute alte Sarosi hat, als er den frühen Afonso de Mesa gefunden hatte, in der neueren Zeit gar nicht mehr nachgeguckt.

Am Ende des Computerbriefes stand: »PS: Mit Ihrem Osterwunsch kommen Sie leider zwei Wochen zu spät. Oder lebt man dort noch nach dem Julianischen Kalender? Ich danke Ihnen aber trotzdem.«

Verwirrt starrte Maria Behring auf die Buchstaben. Was hatte das nun wieder zu bedeuten? Sie tippte einige Tasten und holte ein Kalenderprogramm auf den Bildschirm. Tatsächlich: Ostern war schon vor zwei Wochen gewesen. Der alte Priester war in der jahrelangen Isolation offenbar mit seiner Zeitrechnung durcheinandergekommen. Sie erinnerte sich, einmal gelesen zu haben, daß die Berechnung des Osterdatums einst zu den kompliziertesten Aufgaben gehörte, die der Vatikan zu vergeben hatte.

Sie gähnte herzhaft und warf dann einen Blick auf Sander, der den Schlaf des Gerechten schlief. Sie schloß die Tür der Gondel und kletterte in die Hütte zurück.

Am Morgen duschte sie schnell, zog frische Unterwäsche an, streifte den Overall über und bereitete ein kleines Frühstück zu. Der Kaffee war gerade fertig, als sie hörte, wie Sander ächzend und keuchend die Leiter heraufkletterte.

»Na, Sie fröhlicher Zecher?« rief sie ihm entgegen. »Was war das denn für ein Auftritt heute nacht?«

»Auftritt?« wiederholte Sander blöde. »Habe ich schon wieder etwas angestellt?«

»Sie haben den halben Urwald mit Musik vollgedröhnt«, sagte sie. »Wissen Sie das etwa nicht mehr? Zum Schluß gab's ›Milord‹ von Edith Piaf. Offenbar hatten Sie Radio Cayenne erwischt, Sie alter Legionär.«

Erleichtert erkannte er, daß sie ihm offenbar nicht so

böse war, wie er nach ihren ersten Worten befürchtet hatte. Er schleppte sich zum Tisch und ließ sich auf einen Stuhl sinken. »Mit Alkohol bin ich durch«, verkündete er und hielt sich den schmerzenden Schädel.

»Wurde auch langsam Zeit«, sagte sie und reichte ihm einen Becher Kaffee. »Sehen Sie zu, daß Sie schnell wieder fit werden; der Priester wartet schon auf uns.« Dann fügte sie hinzu: »Da ist übrigens etwas Merkwürdiges passiert. Professor Sarosi hat sich gemeldet. Mitten in den Feiertagen. Die aber offenbar gar keine sind. Dieser Afonso de Mesa hat bereits im sechzehnten Jahrhundert gelebt.«

Sander glotzte sie an. »Moment mal«, sagte er. »Was war das? Das ging mir zu schnell.« Es war ihm anzusehen, wie er sich bemühte, Ordnung in seinen Schädel zu bringen.

»Also noch mal von vorn«, sagte sie. »Professor Sarosi hat mir über Satellit einen Computerbrief geschickt. Schon am Freitag. Wir haben es nicht gleich gemerkt, weil wir nicht nachgeschaut haben. Wir dachten doch, es wären Feiertage. Waren es aber nur hier. In Deutschland war Ostern schon vor zwei Wochen.«

Sander befühlte sein vom hastigen Rasieren wundgeschabtes Kinn. »Und was hat das mit unserem Afonso de Mesa zu tun?«

»Das weiß ich noch nicht. Sarosi schrieb etwas vom Julianischen Kalender. Soviel ich weiß, richten wir uns heute nach dem Gregorianischen Kalender. Haben Sie eine Ahnung, wann der eingeführt wurde?«

Sander zuckte mit den Schultern. »Irgendwann im Mittelalter, nehme ich an.«

»Wir können ja heute abend mal in den Computer gucken. Jedenfalls hat Sarosi tatsächlich einen Jesuiten mit Namen Afonso de Mesa gefunden. Der lebte aber schon im sechzehnten Jahrhundert.«

»Tja«, sagte Sander. »Dann hilft uns das wohl nicht

weiter. Ich meine, der Mann sieht ziemlich alt aus, aber ...«

»Dieser andere Afonso de Mesa wurde fünfzehnhundertsechzehn geboren«, sagte sie.

»Wahrscheinlich kommt der Name in Portugal öfter vor, so wie bei uns Fritz Müller oder Hans Meier«, warf Sander ein.

»Ganz so häufig ist er nicht«, sagte sie und überprüfte das kleine Mikrophon, das unauffällig wie der Haltebügel eines Kugelschreibers unter der zugeknöpften Pattentasche ihres Overalls hervorlugte. »Aber auch nicht besonders selten. Sind Sie fertig? Dann los!«

Sie gingen zu dem Torbaum und überquerten die Hochbrücke. Der Wächter am anderen Ende ließ sie diesmal mit freundlichem Nicken passieren. Der Priester empfing sie vor der Tür seiner Höhlenwohnung. Er bat sie, sich wieder so zu ihm an den Tisch zu setzen wie bei ihrer ersten Begegnung. Maria Behring schaltete unauffällig den kleinen Hochleistungsrecorder in ihrer Brusttasche ein.

»So ist es denn nun endlich geschehen, und der Herr hat in seiner Güte mein Flehen erhört«, sagte der Priester. »Erst bezweifelte ich, ob Ihr wirklich vom Himmel gesandt oder nicht vielmehr doch aus der Hölle gekommen wäret, ein Trugbild, um mich zu täuschen und zu verlocken wie die Dämonen den heiligen Antonius in der Wüste. Denn Ihr müßt wissen: Dieser lebte viele Jahre als Einsiedler im Lande des Nils; ich aber lebe schon viele, viele, viele Jahre einsam jenseits des Marannon.«

Maria Behring hütete sich, ihn zu unterbrechen; es war ihr klargeworden, daß der alte Mann sich tagelang auf dieses Gespräch vorbereitet hatte. Wahrscheinlich hatte die jahrelange Abgeschiedenheit mitten im Urwald und das Fehlen jeglicher Verbindung mit Europäern ihn ein wenig schrullig werden lassen. Das schloß die Gefahr ein, daß er bei Störungen ungehalten reagierte oder den Faden verlor. Sie würde später noch Gelegenheit haben, Fragen zu stellen, dachte sie; zum Beispiel war es auffällig, daß er den alten portugiesischen Namen des Amazonas benutzt hatte.

»Weil ich aber so in Zweifel war, habe ich, und Ihr möget mir das vergeben, Euch diese Woche beobachten lassen«, fuhr der Priester fort. »Ich wollte wissen, ob Ihr den Meinen Böses in die unschuldigen Herzen zu senken trachtet; auch, ob Ihr die Wahrheit sagtet, als Ihr mir erzähltet, Ihr wolltet vor allem Kenntnis von den Früchten des Waldes erlangen. Dadurch weiß ich nun, daß Ihr gute Menschen seid, und auch, daß Ihr die Wahrheit gesagt habt, und das macht mich froh.«

Er suchte nach den nächsten Worten, die er sich zurechtgelegt hatte, und sagte weiter: »Es gibt aber noch einen dritten Grund, warum ich erst jetzt mit Euch sprechen wollte, und dieser ist einer, den Ihr wohl kaum glauben werdet. Viele Jahre lang habe ich darüber nachgedacht, wie ich es erläutern solle, wenn eines Tages Fremde in diesen Wald kämen. Ich ersann viele Erklärungen und verwarf sie wieder. Schließlich beschloß ich, mich dieser Frage erst dann zu widmen, wenn sie sich stellen sollte. Nun ist diese Zeit gekommen.«

Maria Behring und Sander tauschten einen verwunderten Blick. Der Alte fuhr sich müde über die Augen. Dann sagte er: »Viele Wunder hat der Allmächtige schon gewirkt, im Himmel und auf Erden. Aus dem Nichts erschuf er die Welt, und aus einem Lehmklumpen fügte er den ersten Menschen. Er sandte die Sintflut und teilte das Meer, damit die Israeliten hindurchziehen konnten. Den Erzvätern aber schenkte er ein Leben, das länger währte als heute das Leben ganzer Völker.«

Maria Behring hörte gespannt zu; auch Sander war nun hellwach. Der Priester zog seine Bibel zu sich heran, schlug eine Stelle auf, die mit einem Palmbaststreifen gekennzeichnet war, und las: »›Und Adam war hundert und dreißig Jahre alt, und zeugete einen Sohn, der seinem Bilde ähnlich war, und hieß ihn Seth; Und lebte darnach acht hundert Jahre, und zeugte Söhne und Töchter; Daß sein ganzes Alter ward neun hundert und dreißig Jahre, und starb.‹«

Er schaute seine Besucher bedeutsam an und fuhr fort: »›Seth war hundert und fünf Jahre alt, und zeugete Enos; Und lebte darnach acht hundert und sieben Jahre, und zeugete Söhne und Töchter; Daß sein ganzes Alter ward neun hundert und zwölf Jahre, und starb. Enos war neunzig Jahre alt, und zeugete Kenan; Und lebte darnach acht hundert und fünfzehn Jahre, und zeugete Söhne und Töchter; daß sein ganzes Alter ward neun hundert und fünf Jahre, und starb.‹«

Mit den Sonnenstrahlen drang Vogelgezwitscher durch das offene Fenster herein; in der Ferne krächzten Aras. Der Priester las weiter: »›Kenans ganzes Alter ward neun hundert und zehn Jahre ... Mahelaleels ganzes Alter ward acht hundert fünf und neunzig Jahre ... Jareds ganzes Alter ward neun hundert und zwei und sechzig Jahre ... Methusalems ganzes Alter ward neun hundert und neun und sechzig Jahre ...‹«

Er schloß das Buch und blickte seine Gäste sinnend an. Dann sagte er: »Solche Wunder hat Gott an jenen Menschen getan, denen er eine besondere Aufgabe zugedacht hatte. Denn sie waren die Erzväter seines auserwählten Volkes. Und so hat Gottes Gnade auch auf mir geruht.«

Seine Besucher wechselten ungläubige Blicke.

»Ich bin Pater Afonso de Mesa, Societatis Jesu«, sagte der Priester, »geboren im Jahr des Herrn fünfzehnhundertsechzehn zu Sines, der Heimatstadt des großen Vasco da Gama, getauft dortselbst in der Kirche der Allerseligsten Jungfrau, zum Priester geweiht im Jahre fünfzehnhundertvierzig in der Kathedrale zu Évora, aufgenommen in die Societas Jesu im Jahre fünfzehnhundertsechsundvierzig. Ich bin Priester der Kirche von São Salvador da Bahía de Todos os Santos. Und ich bin mit der Gnade des Herrn vierhundertachtundsiebzig Jahre alt.«

Der Priester wartete schweigend ab, bis sich seine Besucher von ihrer Überraschung erholt hatten.

»Ich bitte Sie, mir zu verzeihen, Padre«, sagte Maria Behring dann, »aber das ist mehr, als ich glauben kann. Ich habe noch nie von einem Menschen gehört, der in unserer Zeit auch nur annähernd so alt geworden wäre, wie Sie zu sein behaupten.«

Der Priester antwortete: »Glaubt mir, auch mir erscheint oftmals ganz unwirklich, was ich Euch nun kundgetan habe. Dennoch ist es die volle Wahrheit, und wenn ich Euch meine Geschichte erzählt habe, werdet Ihr wissen, daß ich die Wahrheit sage und gänzlich bei Sinnen bin. Alles, was mir widerfahren ist, geschah nach dem Willen des Allmächtigen, dessen Wege so wunderbar sind wie seine Werke.«

»Ich wollte nicht behaupten, daß Sie die Unwahrheit sagen«, entgegnete Maria Behring schnell, »und noch weniger, daß Sie nicht bei Verstand wären. Vielleicht sind wir selbst es, deren geistige Gaben nicht ausreichen, um zu erfassen, was hier geschieht. Aber wenn wir Ihre Geschichte hören, wird uns vielleicht Erkenntnis zuteil.«

Der Alte schaute zu Sander. »Ist das auch Euer Wille?« fragte er ihn. »Ihr laßt oft Eure Frau für Euch sprechen; dieses aber möchte ich doch gern aus Eurem eigenen Munde hören, wenn Ihr erlaubt.«

»Wie?« versetzte Sander verblüfft. »Ja, natürlich. Nur zu. Ich meine, ich würde mich glücklich schätzen. Meine Frau ist sehr klug«, fügte er hinzu. Maria Behring funkelte ihn an.

Der Priester nickte; dann sagte er: »Gott der Herr allein weiß, wie viele Male ich schon darüber nachgedacht habe, wie es wohl sein würde, wenn ich meine Geschichte zu erzählen hätte, und mit welchen Worten ich dann begänne. Während der ersten Jahre in diesem Wald wollte ich mit dem tiefsten Dank an den allmächtigen Gott beginnen, der diese Menschen und mich in seiner Gnade aus den Klauen des Bösen errettet hat. Später wollte ich mich mit einem Lob der göttlichen Vorsehung begnügen, die meine Schritte in diesen Wald lenkte. Als nach vielen Jahren noch immer niemand erschien, dem ich von meinen Erlebnissen erzählen konnte, fand ich es ausreichend, Gott dafür zu preisen, daß er mich so lange leben ließ. Als ich aber nach vielen weiteren Jahren gewahr wurde, daß ich vielleicht niemals mehr einen anderen Menschen meiner Art zu sehen bekäme, dachte ich bei mir, daß es vielleicht nicht eine Gnade, sondern eine Prüfung Gottes sei, die mich in diese Wildnis verschlug. Heute, nach so vielen Jahren des Wartens, weiß ich, daß alles im Leben des Gläubigen sowohl Gnade als auch Prüfung ist. Das Glück und das Unglück, die Hoffnung und die Enttäuschung, die Prüfung und die Bewährung – sie alle gehören zusammen wie die beiden Seiten derselben Münze, und Gott ist es, der sie uns schenkt.«

Er verstummte, in tiefe Gedanken versunken; dann seufzte er und fuhr fort: »Kennt Ihr Portugal? Herrlich sind seine Länder, besonders jedoch das Land Alentejo, wo meine Eltern einen kleinen Bauernhof besaßen. Durch die Vermittlung eines Onkels kam ich nach dem Studium der Theologie auf das Priesterseminar. Das war zur Zeit König Johanns des Dritten. Mein Lehrer war Manuel de Nóbrega. Schon kurze Zeit nach meinem Eintritt in die Societas Jesu folgte ich ihm auf eines der Schiffe, die unter Führung des Generalgouverneurs Tomé de Souza nach Bahía fahren sollten. Denn seit ich zum ersten Male von den unsagbaren Greueln vernommen hatte, die unsere Leute – Christenmenschen! – unter den Eingeborenen verübten, war es mein heißes Sehnen, diesen Mördern in den Arm zu fallen und die unschuldigen Opfer vor ihrer Grausamkeit zu beschützen.«

Er schilderte nun, was sich damals in jenem Teil Südamerikas zugetragen hatte. Daß schon in den ersten Jahren nach der Entdeckung Amerikas die Sklavenjagd zu den einträglichsten Geschäften zählte und daß Portugiesen und andere Europäer die neugierigen Eingeborenen, die nie zuvor einen Weißen gesehen hatten, auf ihre Schiffe lockten, sie fesselten und mit ihnen davonsegelten. Später wurden die Unglücklichen in Lissabon oder anderswo als Arbeitskräfte verkauft und zu schwerster Plackerei auf irgendeine Plantage verschleppt, auf der sie dann bald zugrunde gingen. Der gewerbsmäßige Menschenraub hatte bald die gesamte Küste in lebensgefährliche Unruhe versetzt, unter der auch die anständigen Seefahrer zu leiden hatten, denn die Indianer rächten sich an den Europäern ohne Rücksicht auf deren persönliche Schuld, lockten ihrerseits ahnungslose Kauffahrer in den Hinterhalt und töteten sie. Die Jesuiten, berichtete der alte Priester, gingen am energischsten gegen den Sklavenhandel vor und rangen dem König immer wieder strenge Verbote ab, die freilich von den üblen Geschäftemachern in Terra Vera Cruz immer wieder unterlaufen wurden.

»Vera Cruz?« fragte Maria Behring verwundert. »In Brasilien?«

»Brasilien?« fragte der Alte ebenso erstaunt zurück. »Was meint Ihr damit?«

»Das verstehe ich nicht«, sagte sie. »Wissen Sie denn nicht, daß Sie sich auf brasilianischem Boden befinden?«

»Dieses Land heißt Terra Vera Cruz«, antwortete der Priester. »Oder hat es inzwischen einen neuen Namen bekommen? Das Wort Brasilien habe ich noch nie gehört. Es gibt aber ein Holz, das man Brasilholz nennt; es ist ein rotes Färbeholz und sehr begehrt.«

»Das Holz, aus dem Francisco de Orellana seine Schiffe baute, um auf dem Amazonas zu fahren«, erklärte sie Sander.

»Orellana?« sagte der Priester. »So habt Ihr auch von ihm vernommen!«

»Allerdings«, sagte sie. »Und Sie? Haben Sie ihn gekannt?«

»Ich werde gleich von ihm berichten«, sagte der Alte. »Erlaubt mir aber, daß ich in der Reihenfolge der Zeit bleibe. Denn seit den Tagen, von denen ich Euch erzählen will, sind schon viele Jahre vergangen, und wenn ich über die Ereignisse nicht in der Weise berichte, in der ich selbst sie erlebte, könnte ich Wichtiges vergessen. So heißt das Land heute also nach dem Brasilholze?«

»Ja«, bestätigte Maria Behring. »Und der große Strom, der durch diese Wälder fließt, heißt nicht mehr Marannon wie in alter Zeit, sondern Amazonas.«

»Amazonas?« wiederholte der Priester. »Etwa nach den kriegerischen Weibern der heidnischen Sage, von denen Pater Carvajal so beredt zu berichten wußte?«

»Ja«, antwortete sie, obwohl ihr dieser Name im Augenblick nichts sagte.

»So hat sich wohl vieles verändert seit jenen Tagen, da ich nach Terra Vera Cruz ausfuhr«, sagte der alte Priester.

»Ja«, erwiderte Maria Behring.

Der Alte schwieg eine Weile, um seine Gedanken zu ordnen; dann sagte er: »Um diesen schrecklichen Zustand der Gesetzlosigkeit und der Gewalt in Terra Vera Cruz zu beenden, beschloß unser guter Herrscher, dortselbst eine königliche Capitania einzurichten, die groß und stark genug wäre, die Gebote der Kirche und die

Gesetze Portugals durchzusetzen. Zum Generalgouverneur ernannte er den edlen Tomé de Sousa, der sich schon in Indien als Feldherr und kluger Verwalter bewährt hatte. Das Amt des Oberrichters übertrug er dem gestrengen Pero Borges. Zum Intendanten bestimmte der König den weisen António Cardoso de Barros, zum Küstenadmiral aber den tapferen Pero de Goes, zwei Männer, die schon früher in Vera Cruz Länder zu Lehen erhalten hatten.«

Unauffällig tastete Maria Behring nach dem Tonband in ihrer Brusttasche.

»Pater Manuel de Nóbrega oblag die Sorge um das Seelenheil der Ausfahrenden«, fuhr der Alte fort. »Vier Priester, unter ihnen auch ich, sollten ihn dabei unterstützen. Ach, so viele Menschen standen am Ufer des Tejo, als wir ausfuhren; auch meine Eltern winkten mir zu. Wie gern hätte ich sie wiedergesehen! Aber der Allmächtige hatte es anders bestimmt.«

Maria Behring und Sander wechselten skeptische Blicke und warteten, bis die Rührung des Alten abgeklungen war. Als sich der Priester wieder gefaßt hatte, fuhr er fort: »Achthundert Kolonisten, sechshundert Soldaten und vierhundert zur Deportation verurteilte Sträflinge teilten sich auf die einundzwanzig Schiffe auf. Am ersten Februar fünfzehnhundertneunundvierig liefen wir aus. Während der gesamten Überfahrt hielt der Herr seine schützende Hand über uns. Wir hatten guten Wind und kamen schnell voran, so daß wir bereits am neunundzwanzigsten März in der Bucht vor Anker gingen, die der große Cabral die ›Bucht aller Heiligen‹ genannt hatte.«

Nun schilderte er, wie die etwa vierzig damals schon auf der Terra Vera Cruz siedelnden Portugiesen von allen Seiten herbeigeeilt seien und die Flotte jubelnd begrüßt hätten; wie der Generalgouverneur nach einigem Suchen den Ort bestimmt habe, auf dem eine neue

Stadt – São Salvador – als Stützpunkt des Königs erbaut werden sollte; wie dort zunächst einfache Hütten aus Palmblättern, bald aber die ersten festen Häuser entstanden seien, die Kirche, das Regierungsgebäude und schließlich die Wohnhäuser, wobei die Eingeborenen fleißig Hand angelegt hätten.

An dieser Stelle konnte sich Maria Behring nicht zurückhalten und murmelte halblaut auf deutsch in Sanders Richtung: »Genau wie die armen Omagua, die diesem Orellana das beste Schiffsholz verschafften. Hätten sie gewußt, was daraus werden würde, hätten sie sich das wohl anders überlegt.«

»Omagua?« fragte der Priester erstaunt. »So habt Ihr von diesem reichen und mächtigen Volk gehört?«

Maria Behring nickte.

»Auch ich bin zu den Omagua gefahren«, sagte der Alte. »Aber das war erst, nachdem São Salvador schon eine richtige Hauptstadt war, mit einem starken Erdwall, auf dem sechs Türme standen, zwei nach der See- und vier nach der Landseite. Bald kamen weitere Einwanderer aus der Heimat, auch Haustiere. Das Land um die Stadt begann aufzublühen; vor allem bauten die Siedler Zuckerrohr an. Die Eingeborenen halfen gern dabei und hielten auch sonst Frieden mit uns; ja es gelang sogar, viele von ihnen zum Glauben zu bekehren. Denn wir erwarben mit Geschenken und allerlei Freundschaftsdiensten ihr Vertrauen, besonders das der Kinder. Vor allem unser Gesang war es, der ihre Herzen dem Evangelium öffnete, so daß der große Manuel de Nóbrega sagte, hier wiederhole sich die alte Fabel von Orpheus, dem es ebenfalls gelungen war, sich durch seine Musik die Mächte der Finsternis gewogen zu machen. So unterrichteten wir gleich von den ersten Täuflingen so viele wie möglich in unseren Kirchenliedern. Wenn wir dann mit diesen fröhlichen Sängern hinter dem Kruzifix in ein neues Dorf zogen, eilten die

Eingeborenen stets voller Neugier und Freude herbei, scharten sich um uns und hießen uns willkommen; die Kinder entliefen sogar ihren Eltern, nur um bei uns ebenfalls singen zu lernen. Auch ging einer der Unseren, Pater João de Azpilcueta Navarro, gleich an das Studium der Sprache und gewann durch das ihm von Gott gegebene große Talent rasch eine solche Gewalt über sie, daß er ein Wörterbuch für uns verfassen konnte. Er entwarf auch eine Grammatik, übersetzte die Glaubensartikel und unterrichtete uns. Auch schaute er den einheimischen Zauberern die Gesten ab, mit denen sie ihre Zuhörer zu beeindrucken wußten, und verstand mit dieser Hilfe bald auf das eindringlichste zu predigen. Darauf ließen sich nun erst recht viele Eingeborene taufen, die vorher der fremden Sprache mißtraut hatten; zum Zeichen des ewigen Friedens händigten sie dem Generalgouverneur ihre Waffen aus und ließen sich einen Landstrich zuweisen, auf dem sich vier Stämme zu einer in allen Dingen gottgefälligen Niederlassung vereinigten.«

Bei diesen Worten bemerkte Maria Behring auf dem Gesicht des alten Priesters ein Leuchten, dann aber verdüsterten sich die Züge des Alten wieder, und er fuhr fort: »Es war die Gier nach Gold, die diesen Hort des Friedens in höchste Gefahr brachte. Denn für Zucker wurden in der Heimat hohe Preise erzielt. Deshalb bauten unsere Siedler immer mehr davon an. Als sie aber nicht mehr genügend Eingeborene fanden, die freiwillig auf ihren Feldern arbeiteten, gingen sie in die Dörfer und schleppten die Unglücklichen als Sklaven auf ihre Plantagen.«

»Das mußte ja so kommen«, murmelte Maria Behring.

»Die Eingeborenen wehrten sich«, berichtete der Priester weiter. »Als sie ihre Stammesgenossen nicht befreien konnten, rächten sie sich, indem sie vier unschuldige Portugiesen fingen und ermordeten. Zum noch größeren Unglück kehrten sie auch in ihr Heidentum zurück, brieten die Leichname und verzehrten sie. Daraufhin ließ der Generalgouverneur zwei ihrer angesehensten Häuptlinge gefangennehmen, vor die Mündung einer Kanone binden und diese abfeuern, so daß die zerrissenen Glieder bis zu ihren Untertanen flogen. So gelang es ihm, im weiten Umkreis Angst und Schrecken zu erzeugen, nicht aber die Liebe zu Jesus Christus.«

»Das kann ich mir vorstellen«, sagte Maria Behring.

Der Priester nickte und berichtete weiter: »Es war Pater Nóbrega, der dafür sorgte, daß die Angelegenheit dem König gemeldet wurde. Schon bald kam aus Portugal Befehl, die Sklaven freizulassen und die Schuldigen streng zu bestrafen, was auch geschah. Außerdem erließ der König ein neues Gesetz, das die Sklaverei auf der gesamten Terra Vera Cruz verbot. So kehrte wieder Friede ein, und wir setzten unser Bekehrungswerk fort.«

Er berichtete noch eine Weile vom Aufblühen der kleinen Kolonie, die so gut gediehen sei, daß Ignatius von Loyola, der Gründer der Societas Jesu, die Terra Vera Cruz schon im Jahr 1553 zu einer eigenen Ordensprovinz erhoben habe. Kurz darauf sei aus Lissabon der Befehl gekommen, zum Rio Marannon zu fahren und seine Ufer für den König von Portugal in Besitz zu nehmen. Der Generalgouverneur habe den Kapitän Miguel Hernández mit dieser Aufgabe betraut; Manuel de Nóbrega aber habe ihn, Afonso de Mesa, als Geistlichen mitgeschickt, damit er ein Auge auf die Soldaten habe und einschreiten könne, wenn sie die Disziplin vergäßen und gegenüber den Indianern gewalttätig würden. Denn der König habe den Siedlern ausdrücklich befohlen, sich des Menschenraubes und jeglicher Gewalt gegen die Eingeborenen zu enthalten, den Jesuiten hingegen bei ihrem Bekehrungswerk auf alle Weise behilflich zu sein. Namentlich seien sie angewiesen worden, die getauften Indianer wie Glaubensbrüder zu behandeln, damit diese einsähen, daß es den Christen um ihr Seelenheil und nicht um ihr Eigentum oder ihre Länder zu tun sei.

Weitaus mehr Sorgen als um das Wohl der Indianer schien sich der König von Portugal indes um seine Rechte an den Ländern links und rechts des Amazonas gemacht zu haben, denn die Konkurrenz des iberischen Nachbarn wurde bedrohlich, wie nun auch der alte Priester bestätigte: »Zwei Jahre nach seiner Fahrt vom Oberlauf bis zur Mündung des Marannon war Francisco de Orellana vom spanischen König zu seinem Statthalter in den Ländern an beiden Ufern ernannt worden«, berichtete er. »Sie sollten fortan den Namen ›Neu-Andalusien‹ tragen. Die Kosten der Eroberung und der Kolonisation sollte der Ritter zwar selbst übernehmen, dafür aber in den ersten zehn Jahren die gesamten Einkünfte des neuen Pflanzstaates behalten dürfen. Im Mai fünfzehnhundertvierundvierzig verließ er mit vier Schiffen die spanische Küste.« Doch das Glück sei dem Spanier nicht treu geblieben. Schon auf dem Meer habe er zwei seiner Schiffe verloren; danach sei er viele Monate lang in dem riesigen Delta des Stromes umhergeirrt, ohne die Einfahrt in das Innere des Landes zu finden. Dem an der Mündung besonders verbreiteten Fieber seien viele seiner Männer und am Schluß er selbst erlegen; die letzten Überlebenden seien von portugiesischen Seefahrern, die zufällig vorüberkamen, gerettet worden. Daraufhin, so erzählte der Priester weiter, habe der portugiesische König beschlossen, das Stromtal selbst in Besitz zu nehmen. Denn am Hofe seien die Berichte des Paters Carvajal über die Wunder und Schätze, die er auf seiner Reise mit Francisco de Orellana gesehen hatte, sehr aufmerksam gelesen worden. Noch im Herbst desselben Jahres 1544 habe Johann III. den Edelmann Diego Nunes de Quesada ausgeschickt, auf dem Marannon bis zu den Gebirgen von Peru zu fahren. Die vier Schiffe seien aber niemals zurückgekehrt; Gott allein wisse, an welcher fernen Küste sie zerschellt seien.

Als nächster habe es neun Jahre später der tüchtige Kapitän Hernández versuchen sollen. »Mit ihm und mir fuhren sechs Offiziere, zwölf Seeleute und vierzig Soldaten«, berichtete der alte Priester. »Wir hatten vier Geschütze, sechs Pferde und zwei Dutzend auf Eingeborene abgerichtete Hunde an Bord für den Fall, daß wir in Kämpfe verwickelt werden sollten. Wir beteten, daß der Allmächtige uns vor den Wilden beschützen möge. Ach, hätten wir lieber gebetet, daß er die Wilden vor uns beschütze!«

Obwohl bereits Jahrhunderte vergangen waren, schien ihn die Geschichte der Expedition sehr zu bewegen, und er verstummte für eine Weile.

Als der Priester seine Gefühle wieder in der Gewalt hatte, fuhr er fort: »Am siebzehnten Januar fünfzehnhundertvierundfünfzig lief unser Schiff aus der Bucht aller Heiligen aus. Es war der Tag des heiligen Antonius des Einsiedlers. Welch ein Omen! Selbstverständlich dachte ich damals nicht daran, daß ich am Ende wie jener allein in der Wildnis zurückbleiben würde, und nicht nur für siebzig Jahre. Glaubt mir, die lange Zeit meines Lebens ist mir mehr Qual als Glück geworden. Aber so, wie ich damals mein Leben dem Herrn weihte, gehört es ihm bis heute, und er mag damit tun, was er will.« Er räusperte sich und erzählte mit einer Stimme, die nun wieder ein wenig kräftiger wurde, weiter: »Wir hatten guten Wind und kamen rasch voran, so daß wir schon nach wenigen Wochen die Mündung des großen Stromes erreichten; schon vier Tage vorher schmeckte das Meerwasser süß. Am Gestade einer großen Insel entdeckten wir die Reste eines Lagers, das Francisco de Orellana dort angelegt hatte, und die Gräber seiner Toten; sein eigenes Grab aber fanden wir nicht. Wir feierten eine Messe für die Verstorbenen und segelten weiter. Es war, als näherten wir uns der Hölle, denn die Luft wurde heißer und heißer, und eine immer größere Masse fliegenden Ungeziefers fiel über uns her, vor dem wir uns kaum zu retten wußten.«

Der Priester erhob sich, trat an das Regal aus Palmenholz und nahm das oberste der Bücher mit handgeschriebenen Notizen in portugiesischer Sprache. Er legte es auf den Tisch, öffnete es und sagte: »Dieses Buch enthielt einst das Wort Gottes nach dem Alten und Neuen Testament. Ich habe die Schrift von den Seiten geschabt, um darauf niederzulegen, was ich auf jener Reise erlebte und in den folgenden Jahren bis zum heutigen Tag. Ich benutzte das Pergament, weil es selbst in diesem Klima die Jahrhunderte überdauert; denn wenn ich auch anfangs glaubte, alsbald gerettet zu werden, so mußte ich doch schließlich einsehen, daß Gott mir viele Jahre in Einsamkeit zugedacht hatte und mich vielleicht sogar den Tag, an dem andere Christen den Fuß in diesen Wald setzen würden, nicht mehr erleben lassen wollte. Für diesen Fall schrieb ich auf, was ich getan und erfahren habe, mir zum Zeugnis, späteren Generationen zur Lehre. Doch verwendete ich die Heilige Schrift auch, weil meine Worte auf diesen Seiten so wahr sein sollten wie die Worte der Offenbarung, die ich zuvor tilgen mußte. Es ist der Wille des Herrn, daß ich Euch nun daraus vorlese.«

Die erste Eintragung in Afonso de Mesas Buch datierte vom 22. Februar 1554. Drei Tage nachdem sie Überreste der gescheiterten Expedition Orellanas gefunden hatten, waren Kapitän Hernández und seine Mannschaft zu einer Insel gekommen, deren Bewohner ihre Nahrung aus den »von Leben wimmelnden« Fluten des Stromes bezogen. Ihre Hütten hatten die Eingeborenen, die sich Arua nannten, auf einem gut zwanzig Meter hohen Hügel errichtet, da der Wasserstand bei den jährlichen Überschwemmungen im März und im April um bis zu zwölf Meter stieg. Schon die Gezeitenwelle, die beim täglich zweimaligen Wechsel von Ebbe zu Flut mit großem Getöse vom Atlantik her rund fünfhundert Kilometer tief in das Innere des Landes rollte, war drei Meter hoch und besaß eine so zerstörerische Kraft, daß sie Boote zertrümmerte, die nicht rechtzeitig in Sicherheit gebracht worden waren, Uferbäume entwurzelte und viele kleine Tiere tötete.

Als die Eingeborenen das Schiff sahen, sprangen sie in ihre Kanus und ruderten von allen Seiten heran. Der Kapitän ließ vorsichtshalber die Soldaten in Stellung gehen und die Hakenbüchsen spannen. Die Eingeborenen beherrschten das Guaraní, das von den Portugiesen »Língua Geral« genannt wurde und dem zwischen Anden und Atlantik eine ähnlich große Bedeutung zukam wie dem Latein in Europa.

Sie erklärten den Portugiesen, sie hätten noch nie einen Weißen gesehen, wüßten aber, daß es solche Menschen gebe, weil einige ihrer Nachbarn im Norden vor einiger Zeit zweimal mit ihnen zusammengetroffen seien. Beim erstenmal hätten sie die Fremden nur von ihren Stränden vertrieben, beim zweitenmal aber, vier Jahre später, hätten sie die Eindringlinge besiegt und ihren Anführer getötet, denn dieser habe die Frechheit besessen, ihnen ihr Land wegnehmen zu wollen; er habe sie zu Untertanen eines Königs weit über dem Meer machen und seine Hauptstadt auf ihrem Gebiet errichten wollen. Als der Kapitän den Dolmetscher nach Francisco de Orellana fragen ließ, sagten die Indianer eifrig, genauso habe der Anführer der Fremden geheißen; sein Grab aber sei deshalb nicht zu finden, weil seine Männer den Leichnam in ein Tuch gehüllt und ins Wasser geworfen hätten.

Kapitän Hernández erklärte darauf, sie gehörten

nicht zu dem Volk Francisco de Orellanas, sondern zu einem anderen Volk und seien in friedlicher Absicht gekommen. Die Eingeborenen freuten sich darüber sehr und luden die Portugiesen ein, bei ihnen zu wohnen. Der Kapitän nahm die Einladung an, befahl aber seinen Offizieren, mit den Soldaten in Kampfbereitschaft auf der Karavelle zu bleiben. Er selbst ließ sich an Land rudern, begleitet von Afonso de Mesa. Sie unterhielten sich lange mit den Arua und konnten sehen, daß sie mit der Harpune genauso geschickt umzugehen wußten wie die baskischen Walfänger in der Biskaya. Sie jagten vor allem einen bis zu vier Meter langen und eineinhalb Zentner schweren Süßwasserfisch, den sie Pirarucú nannten. Dazu fuhr der indianische Fischer allein auf seinem kleinen Kanu aus, befestigte eine Muschelharpune an der Bordwand seines Bootes, schleuderte die Waffe nach dem auftauchenden Fisch, so daß sie sich unter den roten Schuppen des Tieres verhakte, und ließ sich dann oft viele Kilometer weit über den Strom ziehen, bis der Pirarucú seine Kräfte erschöpft hatte. Ein Drittel des Körpers bestand aus eßbarem weißem Fleisch; außerdem enthielt der Fisch sehr viel Fett, das die Indianer zum Braten und für ihre Lampen verwendeten.

Um das Vertrauen der Amazonier zu gewinnen, nahmen der Kapitän und der Pater an einer Jagd auf »Krokodile« teil, die drei Meter lang wurden und mit einem Schwanzhieb das Bein eines Mannes zerschmettern konnten. Die Jäger schlichen sich an die Reptilien heran und warfen ihnen eine Schlinge über die Schnauze, was die Tiere augenblicklich wehrlos machte; denn sie besaßen zwar, wie der Berichterstatter feststellte, ungeheuer starke Kiefer, konnten deren Kräfte aber nur beim Zubeißen und nicht beim Öffnen entfalten. Dann warfen die Indianer die Krokodile auf den Rücken und schnitten ihnen die Kehlen durch. Der Schwanz wurde gegessen, das Fett geschmolzen und ebenfalls als Lampenöl benutzt.

Die Arua behaupteten, sie und ihre Vorfahren lebten schon seit tausend Jahren auf dem großen Erdhügel; ihre Ahnen seien einst von den Anden gekommen und auf dem Strom bis zu dessen Mündung gewandert. Sie seien aber nur ein kleines Volk, verglichen mit jenen, die weiter im Westen wohnten. Ihre meisten Gerätschaften bestanden aus den Knochen großer Fische, aus Muscheln und den Panzern von Schildkröten.

Auffällig sei gewesen, fuhr der Bericht fort, daß sich die Arua bunte kleine Tonpflöcke durch Lippen und Ohrläppchen trieben. Ihre Toten verbrannten sie und bestatteten die Asche in großen Urnen.

Als der Priester die Eingeborenen fragte, ob sie denn auch schon von dem einzigen, allwissenden und allmächtigen Gott gehört hätten, antworteten sie stolz, sie besäßen nicht nur einen einzigen Gott, sondern deren viele, die sie aber nur dann aus ihren Nischen holen würden, wenn es ihnen notwendig scheine. Sie pflegten ihnen zu opfern, was vom Fischfang übrigblieb, und sich ansonsten nur wenig mit ihnen zu befassen.

Der Kapitän erkundigte sich nach ihren Schätzen und erwirkte, daß sie ihm bereitwillig und ohne Mißtrauen vorführten, was sie als ihren wertvollsten Besitz erachteten, vor allem Messer und Beile aus Stein, darunter eine Axt, die angeblich noch aus der Zeit ihrer frühesten Vorfahren stammte und, wie der weitgereiste Hernández feststellte, den Äxten der Inka ähnelte. Außerdem besaßen sie einige Perlen und Amulette aus blaßgrünem Nephrit.

Als der Kapitän und Pater Afonso auf das Schiff zurückkehrten und sich mit den anderen Offizieren berieten, sagte Hernández, es lohne sich wohl kaum, dieses Fischervolk dem König zu unterwerfen. Sein Stellvertreter Diogo de Maciel bestand jedoch darauf und wollte selbst den Angriff führen, um, wie er sagte, seinen christlichen Degen endlich in heidnisches Blut tauchen zu können. Der Kapitän, so hieß es weiter, habe den jungen Heißsporn nur mit Mühe von dieser Forderung abbringen können. Da er keine Auseinandersetzung riskieren wollte, zog er es vor, die Inbesitznahme des Landes vor den versammelten Indianern zu erklären, aber nur auf lateinisch, und nach Ausfertigung der entsprechenden Urkunden weiterzusegeln, als wäre nichts geschehen.

Die nächste Eintragung stammte vom 28. Februar 1554. An diesem Tag befand sich die Expedition noch immer im Amazonasdelta. »Die üppig bewachsenen Ufer waren einander völlig gleich, so daß wir uns wie in einem gewaltigen Irrgarten fühlten«, hieß es, »aber der Herr war uns gnädig und führte uns auf den rechten Weg. Schon nach wenigen Tagen erreichten wir einen mächtigen Stromarm und folgten ihm in das Herz des Landes. Immer wieder spalteten sich kleinere Arme und Kanäle ab, manchmal breiteten sich riesige Inseln vor uns aus, dann wieder weitete sich der Strom wie ein Meer, so daß wir kaum das jenseitige Ufer zu erkennen vermochten; aber unser Kapitän fand immer den richtigen Kurs, und nach zwei Wochen hatten wir dieses schier unendlich scheinende Delta mit Gottes Hilfe glücklich durchquert.«

Am 2. März 1554 hatte der Priester notiert: »Viele Tage segeln wir nun schon auf diesem gewaltigen Strom. Er ist wahrhaftig so groß wie ein Meer, und seine Wogen sind nicht niedriger als die des Ozeans. Delphine besiedeln die süßen Fluten, als handle es sich um die grünen Wogen der salzigen See.«

Um die Mittagszeit waren sie auf weitere Eingeborene gestoßen; sie lebten in Dörfern nahe am Ufer, was zeigte, daß sie ebenfalls keine Angst vor Fremden hatten. Als sie das Schiff sahen, kamen die Männer von den Feldern, die Frauen und die Kinder aus ihren Hütten gelaufen. Sie winkten den Portugiesen fröhlich zu und machten freundschaftliche, einladende Gesten. Kapitän Hernández war wieder vorsichtig genug, in gebührendem Abstand zu ankern, und fuhr in Begleitung des Priesters an das Ufer.

Die Eingeborenen nannten sich ebenfalls Arua und behaupteten, sie seien Vettern der Fischer aus dem Delta. Auch sie waren geübte Fischer, außerdem sehr geschickte Jäger, die mit ihren zwei Meter langen Bogen, aber auch mit Speeren und Keulen viele Tiere erlegten: Ameisenbären, Schweine, Gürteltiere und sogar den Tapir, der so groß wie ein Keiler, aber so schwer wie eine Kuh werde und mit seinem Rüssel fast wie ein Elefant aussehe. Wenn er jung sei, habe er hübsche weiße Flecken und Streifen auf seiner dunkelgrauen Haut, wenn er aber älter werde, verwandle sich die Farbe in ein tiefes Braun, das ihn im Dunkel des Waldes so gut wie unsichtbar mache; trotz seiner plumpen Gestalt könne er so schnell laufen und springen wie ein Hase. Außerdem jagten die Indianer über vierzig verschiedene Arten von Affen, von denen die kleinsten kaum größer als Eichhörnchen waren und flink wie Vögel durch die Äste hüpften.

Abermals fragte der Priester nach dem Glauben und bekam die gleiche Antwort wie bei den Inselbewohnern; allerdings hielten die Festlandsarua ihre Götter nicht das ganze Jahr über in den Hütten, sondern trugen sie während der Zeit der Überschwemmung auf einen Platz im Freien, der an der höchsten Stelle des Steilufers stand und von drei Meter hohen Granitblöcken umhegt war. Von hier aus konnten nun auch die Portugiesen weit über den Strom blicken; dabei zeigten die Eingeborenen in die Richtung der untergehenden Sonne und sagten warnend, dorthin sollten die Fremden nicht reisen, denn einige Tage stromaufwärts wohnten die Tapajosos, die wegen ihrer Vielzahl und ihrer Kriegstüchtigkeit, vor allem aber wegen ihrer vergifteten Pfeile von allen anderen Völkern am Flußmeer gefürchtet seien.

Wie es seine Aufgabe war, erkundigte sich der Kapitän auch hier nach Gold und Silber, erhielt jedoch die wenig zufriedenstellende Auskunft, solche Stoffe seien unbekannt; gleich ihren fischenden Vettern besaßen die jagenden Arua nur einige blaßgrüne Schmuckstücke.

Die Inbesitznahme des Landes vollzog Hernández in der gleichen Weise wie auf der Insel der Fischer: Er verlas einen auf lateinisch abgefaßten Vertrag, in dem die Arua ihre Unterwerfung erklärten und versprachen, den christlichen Glauben anzunehmen, ließ die Häuptlinge ihre Zeichen auf das Dokument setzen und nahm dann inbrünstig betend an der Messe teil, die der Priester vor den staunenden Indianern las.

»Ihr Land war gut und fruchtbar«, hatte der Berichterstatter danach notiert, »ein ebenes Land, auf dem viel Weizen zu ernten wäre und wo alle Obstbaumarten gedeihen könnten; darüber hinaus wäre es geeignet, alle Arten von Vieh zu ernähren.«

Als sie weiterfuhren, befahl Hernández, zum besseren Schutz gegen Pfeile die Bordwände zu erhöhen. Offiziere und Soldaten waren, wie der Priester notierte, nun »äußerst begierig« darauf, endlich ihre Waffen zu gebrauchen, so daß selbst der besonnene Kapitän ernstlich hoffte, es möge sich bei den Tapajosos wirklich um ein so kriegerisches Volk handeln, wie ihm versprochen worden war. Denn er wußte inzwischen kaum noch, wen er mehr fürchten sollte: blutrünstige Heiden oder die nicht weniger blutdurstigen Christen an Bord seines Schiffes.

Besonders sorgfältig pflegten die Soldaten ihre Arkebusen, mit denen sie bis zu zweihundert Meter weit schießen konnten. Diese Waffe versetzte sie in die Lage, selbst einer hundert- oder tausendfachen Übermacht standzuhalten, da sie damit Angreifer bekämpfen konnten, lange bevor diese auf Pfeilschußweite herangerudert waren. Außerdem führte jeder Soldat eine Armbrust, die mit Metall beschlagen war und deren Bolzen ebenfalls wenigstens dreimal so weit flogen wie die Pfeile der Indianer, sowie einen Speer und einen Degen. Durch ihre eisernen Helme und Rüstungen waren die portugiesischen Krieger bis zu den Hüften geschützt; Handschuhe aus Eisengeflecht umhüllten ihre Finger, und wenn sie nicht gerade ein Pfeil ins Gesicht traf, waren sie so gut wie unverwundbar. Die sechs Pferde wurden besonders reichlich gefüttert und jeden Abend auf Sandbänken im Strom geritten, bis sie ihre alte Kraft und Geschmeidigkeit wiedererlangt hatten. Die Portugiesen wußten nämlich, daß viele Eingeborene noch nie Reiter gesehen hatten und sie für sechsbeinige Riesentiere mit zwei Köpfen hielten. Ihre großen Hunde indessen sperrten die Portugiesen ein und ließen sie hungern, damit sie sich um so angriffslustiger auf die Eingeborenen stürzten.

Sechs Tage später kamen sie an einen weiteren großen Fluß, dessen Wasser so klar war, daß man viele Meter weit bis auf den Grund sehen konnte. Die Kunde von ihrer Ankunft war den Portugiesen stromaufwärts vorausgeeilt, und die kriegerischen Tapajosos griffen an, wie sie schon die Schiffe Francisco de Orellanas attakkiert hatten. Der Bericht des Priesters sprach von rund dreitausend rot und schwarz bemalten Indianern, die vom Ufer oder von Booten aus ihre Pfeile auf die Karavelle schossen. Die mit Bogen und Speeren bewaffneten Tapajosos deckten sich mit hohen Lederschilden, die jedoch keinen Schutz vor Kugeln boten. Ihr Kriegsgeschrei wurde von lauten Signalhörnern und Trommeln begleitet. Die Geschosse aus Kanonen und Arkebusen lichteten rasch die Reihen der Eingeborenen, die ungläubig sahen, daß ihre Gefährten getötet wurden, bevor sie ihre Pfeile abschießen konnten. Und als Kapitän Hernández die Karavelle mitten durch die Kanus steuerte, prallten die Geschosse der Amazonier an den eisernen Rüstungen ab, in den Augen der Eingeborenen ein Zauber, der sie nicht weniger erschreckte als das donnernde Krachen der Hakenbüchsen.

Unter Führung Diogo de Maciels waren dann einige Dutzend Portugiesen in die Boote gesprungen und hatten die Eingeborenen nun auch auf dem Land attakkiert. Mit den bösartigen Hunden an der Spitze waren sie den Strand hinaufgestürmt und hatten ein schreckliches Blutbad angerichtet.

Ihre ersten Opfer waren die Verwundeten; sie wurden von gefletschten Zähnen zerrissen oder von Degen durchbohrt. Dann kamen die Frauen und die Kinder an die Reihe, die sich in den Hütten versteckt hatten. Die Frauen wurden vergewaltigt und dann erstochen; anschließend warfen sich die Mörder gegenseitig die Kinder zu und durchbohrten sie in der Luft mit ihren Speeren, wobei sie, so der Priester, »jedesmal laut ob der Sicherheit und der Genauigkeit prahlten, mit der sie ihre Waffen zu führen verstanden«.

Danach drangen die Portugiesen in die Hütten ein, um zu plündern. Da sie von den Tapajosos als einem großen und mächtigen Stamm gehört hatten, erwarteten sie bei ihnen Gold, Silber und Edelsteine. Sie mußten aber bald feststellen, daß die Indianer nicht reicher als ihre Nachbarn waren. Die Angreifer warfen daraufhin Brände in die Hütten, »bis die gesamte Ansiedlung ein Raub der Flammen geworden war«. Eine riesige schwarze Rauchwolke stieg auf und zeigte den Nachbarn, daß der weiße Mann gekommen war, ein Gotteswort zu verkünden, das er selbst nicht zu halten gedachte.

Schließlich ließ Kapitän Hernández die portugiesische Flagge aufziehen und erklärte das Land für eine Kolonie des Königs. Die Lebensmittelvorräte der Indianer, vor allem Geflügel, lebende Schildkröten und flache Brote aus einem Mehl, das die Portugiesen nicht kannten, ließ er auf die Karavelle schaffen.

Der Priester aber hatte, wie er nach diesem Überfall notierte, am Christentum der Portugiesen nun ernsthaft zu zweifeln begonnen. Auch wenn sie seine Glaubensbrüder und Landsleute waren, fühlte er sich von ihrem barbarischen Wüten abgestoßen und empfand tiefes Mitleid mit den so grausam behandelten Indianern.

Da der Passatwind stetig von Osten blies, konnte die Karavelle trotz der Strömung mühelos immer weiter in das Landesinnere segeln. Bald kamen die Portugiesen an die Mündung eines weiteren großen Nebenflusses. Danach fuhren sie an einer riesigen Insel entlang, an deren Ufer sich die Dörfer, so der Priester, »aneinanderreihten wie Perlen auf einer Schnur«. Manche beherbergten fünftausend Einwohner. Diese Amazonier betrieben eine hochentwickelte, vorzüglich organisierte Landwirtschaft. Sie bauten vor allem Mais an, den Kapitän Hernández in Peru kennengelernt hatte, ferner Knollen, aus deren Mehl Fladenbrot gebacken wurde. Außerdem pflanzten sie Süßkartoffeln sowie Bohnen und andere Gemüsearten an. Die amazonischen Töpfer stellten prächtige Gefäße her, wie man sie nach Meinung des Priesters »in Málaga nicht besser findet«. Bauern und Handwerker wohnten nicht in Hütten, sondern in festen Holzhäusern auf Anhöhen über dem Strom, so daß ihnen selbst das Hochwasser nicht gefährlich werden konnte. Große Boote mit bis zu vierzig Ruderern verkehrten zwischen den einzelnen Dörfern und transportierten Waren; manche, denen die Portugiesen begegneten, schienen von weit her zu kommen, und ihre Insassen waren hellhäutiger als alle Indianer, die sie bisher gesehen hatten.

Die erste Indianerstadt, die das Schiff erreichte, hieß Conmuta und zählte etwa achttausend Einwohner. Auch hier wurden die Portugiesen freundlich empfangen. Die Eingeborenen erklärten stolz, Francisco de Orellana habe sich bei ihnen verproviantiert. Die Aufzeichnungen berichteten von großen hölzernen, weiß getünchten Gebäuden, einer starken Befestigung aus Erdwällen und einem regen Hafenbetrieb. Aus der Beschreibung war zu ersehen, daß die Wohnviertel hinter einem Deich lagen. Auf diese Weise war Conmuta, wie es wörtlich hieß, »vor den Fluten des Stromes geschützt, der sie nährte«.

Bei den Einwohnern handelte es sich nach dem Bericht um besonders schöne und große Menschen; der kräftige Körperbau der Männer und die ungewöhnliche Anmut der Frauen zeugten nach Ansicht des Priesters von Fleiß, guter Gesundheit und göttlichem Segen, der ja »zuweilen auch auf die Heiden fällt, denen das Evangelium noch nicht gepredigt wurde und die deshalb nichts von der Herrlichkeit des Schöpfers ahnen«.

Auch in Conmuta ergriff der Kapitän die gewohnten Vorsichtsmaßnahmen und ließ in einiger Entfernung vor der Stadt Anker werfen, um einen möglichen Angriff rechtzeitig abwehren zu können. Freundlich willkommen geheißen, da die Spanier Francisco de Orellanas sich in Conmuta offenbar nicht so aggressiv und räuberisch aufgeführt hatten wie anderswo, wurden sie zum Herrscher der Stadt geführt und erlebten ihn als kultivierten Mann, der seinen Gästen freimütig antwortete und großes Interesse an Auskünften der Portugiesen über ihre Heimat zeigte.

Angesichts der großen militärischen Macht, über die der Herrscher verfügte, zog es der Kapitän vor, ihn nicht sogleich zur bedingungslosen Unterwerfung aufzufordern, sondern statt dessen einen Freundschaftsvertrag mit ihm abzuschließen. Die auf lateinisch gehaltenen

Artikel waren allerdings so formuliert, daß sich aus ihnen leicht ein Anspruch des Königs von Portugal auf die Stadt und alle zu ihr gehörenden Länder begründen ließ; dieser aber möge, so erklärte Hernández den murrenden Offizieren, von einer stärkeren Expedition als der seinen durchgesetzt werden.

In Conmuta entdeckten die Portugiesen auch einige Gegenstände aus Gold; es handelte sich um Weihegeräte in einem Tempel, der auf einer kleinen Anhöhe stand. Die Christen erkundigten sich sogleich eifrig nach der Herkunft der edlen Metalle, erfuhren jedoch zu ihrer Enttäuschung, daß es in der Umgebung weder Minen noch goldführende Flüsse gab, sondern daß die Stücke von Händlern aus dem Norden geholt worden waren, wo sich ein ebenso großes Meer erstreckte wie im Osten. Es gab also offenbar Handelsverbindungen vom Amazonas zum Golf von Mexiko.

Der Kapitän opferte ein eisernes Messer, dessen Schärfe den Herrscher der Eingeborenen staunen ließ »als wie ein Kind«, und tauschte dafür frische Lebensmittel ein; sie wurden von den Eingeborenen in einem Boot zu der Karavelle gebracht. Die Offiziere baten den Kapitän, die Stadt plündern zu dürfen. Als Hernández ablehnte, reagierten sie sehr ungehalten, denn, so hatte der Priester inzwischen erkannt, »diese Männer waren nicht von dem Sehnen getrieben, das Wort Gottes zu verkünden, sondern es gelüstete sie nur nach dem verfluchten Golde«. Der Kapitän konnte sie nur besänftigen, indem er ihnen versprach, später eine schwächer befestigte Stadt zu überfallen. »Niemand von euch«, sagte er, »soll so arm heimkehren, wie er ausgezogen ist.«

Daraufhin gaben die Offiziere und die Soldaten Ruhe. Einige Seeleute aber setzten sich nachts über den ausdrücklichen Befehl, an Bord zu bleiben, hinweg und ruderten heimlich an Land, um sich mit einigen

Frauen, die am Ufer auf sie warteten, »fleischlich einzulassen«. Die Männer der Heidinnen, so berichtete der Priester, hätten das aber bemerkt und seien über die Fremdlinge hergefallen. Dabei sei es zu einem blutigen Kampf gekommen, den die besser bewaffneten Portugiesen für sich entschieden hätten; zwei Angreifer seien tot liegengeblieben. Der Kapitän habe daraufhin befohlen, sofort die Anker zu lichten und weiterzusegeln. Die Übeltäter seien am nächsten Morgen ausgepeitscht worden, was die Disziplin aber leider keineswegs verbessert, sondern sogar noch verschlechtert habe. Denn die Seeleute seien von früheren Reisen her daran gewöhnt gewesen, »eingeborenen Frauen ohne weiteres beiliegen zu dürfen«. Da sie die Strenge des Kapitäns auf die Anwesenheit eines Gottesmannes an Bord zurückführten, sei er, der Priester, an den folgenden Tagen des öfteren Ziel finsterer Blikke gewesen; seiner Aufforderung, ihre Missetaten zu beichten, seien die Verstockten erst nachgekommen, als der Kapitän ihnen mit der Kürzung ihrer Rationen gedroht habe.

Am 21. März 1554 hatte der Priester vermerkt: »Dank der strengen Buße, die ich den Sündern auferlegte, entzog uns der Herr seine Gnade nicht, und wir segelten weiter mit günstigem Winde nach Westen. Der Marannon verbreiterte sich hier wahrhaftig zu einem Meere inmitten des Landes, und wenn wir in seiner Mitte fuhren, konnten wir weder das linke noch das rechte Ufer erkennen. Wir hielten uns aber lieber an die Ränder, denn dort war die Strömung nicht so stark.«

Am nächsten Tag tauchten wieder zahlreiche Inseln auf, zwischen denen sich der Strom in unzählige Arme teilte. Die Besiedlung wurde so dicht, daß die Ufer nach dem Eindruck der Reisenden so gut wie lückenlos bebaut waren. »Die Häuser standen so nahe beisammen«, hatte der Chronist notiert, »daß wir nicht mehr erkennen konnten, wo ein Dorf endete und das nächste begann.« Allerdings wurden die Amazonier, offenbar über die Gewalttätigkeiten der Portugiesen bereits unterrichtet, nun immer angriffslustiger. Schließlich wurde der Widerstand so groß, daß der Kapitän beschloß, auf das gegenüberliegende Ufer des Amazonas auszuweichen. Auch dort gab es viele Dörfer, in die aber noch keine Nachricht von den Portugiesen gedrungen war.

Hernández legte an und ging an Land, um Erkundigungen einzuziehen. Das erste, was ihm auffiel, als sie in ein Dorf kamen, war ein seltsames hölzernes Monument, das in der Mitte des Dorfplatzes stand. Es war etwa drei Meter hoch und stellte eine Stadt mit Mauern, Türmen und Toren dar, wie es auch Francisco de Orellanas frommer Begleiter Carvajal beschrieben hatte. Da wußten die Portugiesen, daß sie in das Land der kriegerischen Frauen gekommen waren, die Orellana im typischen Überschwang des Konquistadoren als Amazonen bezeichnet hatte. Vom Häuptling erhielten sie die Auskunft, das Holzbild sei das Herrschaftszeichen der »Frauen, die allein leben«.

Der Häuptling erklärte, mehr als siebzig Dörfer am Strom gehörten zu dem Reich dieser Frauen, und schilderte den Fremden, was auch Carvajal geschrieben hatte: daß die »Amazonen« groß, schön und hellhäutig seien; daß sie ihr Haar zu langen Zöpfen und um den Kopf geschlungen trügen; daß sie so gut mit Pfeil und Bogen umgingen, daß jede von ihnen es mit zehn Männern aufnehmen könne; daß sie am liebsten die Felle der Tiere trügen, die sie jagten; daß sie sieben Tagesreisen landeinwärts in steinernen Häusern lebten; daß sie Straßen bauen ließen, die von Mauern eingefaßt seien und an denen Wachen stünden, so daß sich niemand ihrer Stadt nähern könne, ohne ihre Erlaubnis einzuholen und Abgaben zu entrichten; daß ihre Königin Connori heiße und deren Untertanen jährlich einen bestimmten Tribut an Gold, Silber, Häuten und Federarbeiten zu leisten hätten.

Die weiteren Aufzeichnungen machten verständlich, warum sich die Sage von El Dorado auch im Amazonasgebiet festgesetzt hatte. »Die Herrscherin und ihre Gefährtinnen verfügen über einen großen Reichtum an Gold und Silber«, las der Priester vor, »und essen ausschließlich von Geschirr aus den edelsten Metallen. Auch hüllen sie sich in Gewänder aus allerfeinster Wolle, da es in ihrem Lande Schafe gibt wie in Peru. In ihrem Tempel Caranain beten sie die Sonne an; unter seinen schweren Holzdecken finden sich so viele goldene Statuen und Gerätschaften aller Art, daß die Schatzkammer des Königs von Portugal nicht reicher gefüllt sein könnte.«

Als die portugiesischen Offiziere von Gold und Edelsteinen hörten, waren sie trotz aller Ermahnungen des Priesters nicht mehr zu halten. Sie brachten Pferde und Hunde ans Ufer und machten sich ins Landesinnere auf. Nur eine Handvoll Soldaten blieb murrend zurück.

Der Marsch durch den tropischen Regenwald war mühevoll und beschwerlich. Stechmücken fielen in solchen Schwärmen über die Kolonne her, daß die Pferde scheuten und die Hunde vor Schmerzen jaulten. Während der Nachtlager war es Aufgabe der Wachen, zwischen den Schlafenden umherzugehen und die Mücken zu vertreiben.

Weitere Schwierigkeiten ergaben sich daraus, daß die Pferde das Gras nur schlecht vertrugen. Die Hunde lockten Jaguare an, und die Wachen konnten nicht verhindern, daß jeden Morgen einer der auf den Kampf gegen die Eingeborenen dressierten Vierbeiner fehlte.

Am vierten Tag stießen die Portugiesen auf einige tausend Krieger, die ihnen aus der Hauptstadt entgegengeschickt worden waren; sie wurden von sechs Frauen angeführt. Die Christen eröffneten sofort das Feuer aus ihren Arkebusen, hetzten die Hunde auf die Eingeborenen und griffen zu Pferde an, worauf die Amazonier in Scharen flohen; wen die Sieger einholen konnten, stachen sie mit ihren Degen nieder. Dabei fiel Diogo de Maciel durch besondere Grausamkeit auf. Als ihn der Priester deshalb zur Rede stellte, antwortete er, sie seien die Angegriffenen, nicht die Angreifer, »die Gottes Zorn durch meine Hand vernichten möge«.

Danach stellte sich den Eroberern niemand mehr in den Weg. Die Frauen erinnerten sich offenbar an die Verluste, die sie im Kampf gegen Francisco de Orellana erlitten hatten, und zogen es vor, hinter ihren Palisaden auf die Invasoren zu warten. Obwohl die Portugiesen in ihren Rüstungen vor Verletzungen geschützt blieben, konnten sie die Erdwälle nicht überwinden, denn als sie in den Nahkampf gerieten, prasselten Hiebe von Eisenholzkeulen auf ihre Helme und zwangen sie zurückzuweichen. Die Frauen organisierten die Verteidigung so geschickt, daß die Portugiesen den Angriff abbrechen und vor der Stadt lagern mußten.

Der Kapitän bot daraufhin Verhandlungen an. Als sich die Frauen einverstanden erklärten, ließ Hernández sich die Beichte abnehmen und ging mit dem Priester zum Haupttor der Stadt, wo er mit Königin Connori zusammentraf. Ihr erklärte er nun, er sei im Auftrag des Königs von Portugal gekommen, um das Land für seinen Herrn in Besitz zu nehmen und den Bewohnern das Heil des christlichen Glaubens zu bringen, damit sie von ihren Sünden erlöst würden. Wer sich aber dem Wort Gottes widersetze, werde bald in der Hölle schmoren, denn die gleichen gesegneten Waffen, die ihnen schon viele Male den Sieg über die Amazonier geschenkt hätten, würden auch diesmal nicht versagen.

Connori antwortete, von einem Land namens Portugal habe sie noch nie gehört, wohl aber von einem Land namens Spanien, das ebenfalls jenseits des Meeres liege. Das Heil des christlichen Glaubens aber erscheine ihr wenig anziehend, wenn es so böse Menschen hervorbringe, und wenn der Gott der Christen wirklich gütig und gerecht sei, werde er wohl eher ihnen, den Überfallenen, beistehen als den blutigen Räubern, die zu ihm beteten. »Da ihr wie Schildkröten gepanzert seid, können wir uns nicht selbst an euch rächen«, sagte sie. »Aber wenn ihr nicht schnell wieder abzieht, wird euch das Land bestrafen. Stechmücken und Ameisen werden euch peinigen, Hunger und Krankheiten werden euch schwächen, bis ihr tot auf der Erde liegt.«

Der Bericht ließ erkennen, daß der Priester diese mutigen Worte bewunderte; er gestand offen ein, daß die Königin recht hatte und die Schuld ganz bei den Christen lag. Trotzdem versuchte er, die Frauen zu »bekehren«, berichtete ihnen vom Paradies, von der Erbsünde und von Jesus, der diese Sünde durch das Sakrament der Taufe wieder von den Seelen der Menschen genommen habe. Darauf antwortete Connori: »Wenn es euer Glaube ist, daß eine Frau die Sünde zu den Menschen brachte und damit die Vertreibung aus dem Paradies bewirkte, so wird eure Religion wohl eine Religion der Männer sein, in der die Frauen unterdrückt werden. Vor unseren Göttern aber gelten die Frauen ebensoviel wie die Männer, und deshalb besitzen wir genauso viele Rechte. Ja, manchmal wird, wie ihr seht, eine Frau sogar Königin, und ihre Töchter führen das Heer; bei euch aber sehe ich keine Frau, sonst hättet ihr euch wohl auch nicht wie gewöhnliche Räuber und Mörder verhalten.«

Der Priester erwiderte, auch in christlichen Ländern gebe es Königinnen, doch sei nach der Heiligen Schrift »das Weib dem Manne untertan«, weil das die von Gott gegebene Ordnung nun einmal verlange. Er zeigte sich sehr betrübt darüber, daß die Königin und ihre Begleiterinnen das nicht einsehen wollten.

An dieser Stelle hörte der alte Priester auf zu lesen und sagte: »Ja, so habe ich damals wirklich gedacht. Hier aber, in unserem kleinen Paradies, sollen die Frauen ihren Männern gleichberechtigt sein; dafür habe ich schon vor vielen Jahren gesorgt. Denn in der Schrift steht auch, daß Gott den Menschen als Mann und Frau erschaffen hat.«

Maria Behring sah ihn skeptisch an, sagte aber nichts. Diese katholischen Pfaffen konnten noch so oft von Gleichberechtigung reden, dachte sie; solange Frauen nicht Priesterinnen werden durften, schon gar nicht Bischöfinnen, würde sich nie etwas ändern. Sie persönlich würde erst dann an die Emanzipation in der katholischen Kirche glauben, wenn der Papst eine Frau wäre.

Da Connori jede Form einer Übereinkunft mit den Angreifern, die den Tod so vieler Männer verursacht hatten, ablehnte, blieb den Portugiesen schließlich nichts anderes übrig, als den Rückmarsch anzutreten. Vorher ließ der Kapitän jedoch auf dem Platz vor dem Lager ein großes Kreuz errichten und eine Messe lesen, zur Feier der Inbesitznahme auch dieses Landes für den König von Portugal.

Nun schilderte der Priester, wie die Portugiesen zu ihrem Schiff zurückkehrten und zwei Wochen lang durch andere Länder fuhren. Am 11. Mai 1554 hätten sie bemerkt, daß der weiße Strom plötzlich zur Hälfte schwarzes Wasser führte. Drei Stunden später erkannten sie die Ursache der Verfärbung: Von Norden her mündete ein anderer riesiger Fluß, den die Spanier Río Negro genannt hatten, in den Amazonas; seine Kraft war so groß, daß sein schwarzblaues Wasser sich erst nach fünfzehn Meilen mit dem lehmig-milchigen des großen Stromes vermischte.

Hier waren die Portugiesen in das Gebiet der Omagua gekommen, und am 14. Mai hatten sie deren Hauptstadt, das sagenhafte Manoa, erreicht.

Als dieser Name fiel, beugten sich Maria Behring und Sander gespannt vor. Sander, weil er seit dreißig Jahren immer wieder phantastische Geschichten über dieses Timbuktu des Amazonas gehört hatte. Maria Behring aber ahnte, daß nun der wichtigste, der entscheidende Teil des Berichts kommen würde.

Der alte Priester fuhr fort, aus seinem Buch vorzulesen. »Manoa ist die bei weitem größte Stadt dieser Länder und scheint nicht weniger Einwohner zu besitzen als Lissabon. Als wir die Omagua fragten, nannten sie die Zahl von zwanzigtausend Menschen. Ihre schönen Häuser bedecken sieben große Hügel. Auch die Omagua sind wohlgestaltete Menschen, außerdem klug und gesittet und schließlich viel weniger kriegerisch, als man es von einem Volk erwartet, das als das mächtigste am ganzen Marannon gilt. Sie selber sagen dazu, sie hätten ihr Reich nicht mit den Waffen des Krieges, sondern mit den Werken des Friedens erbaut und wollten es deshalb auch mit friedlichen Mitteln bewahren. Denn wer seine Nachbarn ständig durch Überfälle in Furcht und Schrekken versetze, bringe dadurch nur alle anderen Völker gegen sich auf und werde am Ende besiegt, auch wenn er noch so stark sei; wer aber Taten des Friedens vollbringe, gewinne überall Freunde. Diese christliche Ansicht gefiel mir über die Maßen, und ich dachte bei mir, daß sie auch manchem im Abendlande sehr wohl anstehen würde.«

Der Bericht ließ erkennen, daß die Omagua die Portugiesen genauso freundlich empfangen hatten wie zwölf Jahre zuvor die Spanier. Zur Begrüßung überreichte Hernández den Gastgebern mit großer Geste Glasperlen und bunte Tücher. Der Priester gewahrte allerdings, daß die Omagua den geringen Wert der Gaben durchschauten und nur zu höflich waren, sich etwas anmerken zu lassen. Sie beschenkten die Portugiesen ihrerseits mit Schmuck und kostbaren Gewändern, die von den Offizieren mit großer Genugtuung über ihre vermeintliche Schläue entgegengenommen wurden.

Dann ging der Bericht ausführlich auf die Landwirtschaft der Omagua ein. Die durch die regelmäßigen Überschwemmungen angespülte fette Erde im Bereich der Várzea erlaubte jährlich zwei Ernten. Auf den weniger wertvollen Böden aber war ein kompliziertes Bewässerungssystem in Betrieb, dessen Anblick den Priester in helle Begeisterung versetzt hatte. »Der Euphrat, wie der heilige Ambrosius beobachtet, ist der Fruchtbarmachende genannt, weil seine Wasser die Fluren beglücken«, hatte er notiert. »Vom Marannon aber kann gesagt werden, daß seine Ufer ein wahres Paradies der Fruchtbarkeit sind. Die Ebenen sind voller Felder und die Bäume voller Früchte, wie die Lüfte voller Vögel, die Wälder voller Wild und die Wasser voller Fische sind.«

Die Omagua luden ihre Gäste zur Jagd ein. Dabei lernten die Portugiesen ein Tier kennen, das sie nie zuvor gesehen hatten. »Es herrscht wie ein König über die Fische«, hieß es darüber, »und wird Pegebuey oder Manatí genannt. Es ist ungefähr so groß wie ein eineinhalbjähriges Kalb, besitzt aber weder Hörner noch Ohren. Sein Körper ist ganz von Haaren bedeckt, und seine Flossen sind wie Paddel geformt. Darunter haben die weiblichen Tiere Brüste, mit denen sie ihre Jungen füttern. Es kann nicht lange unter Wasser bleiben. Sobald die Indianer es sehen, verfolgen sie es mit ihren Booten und töten es mit Harpunen. Das Fleisch schmeckt wie Rind und ist so nahrhaft, daß eine kleine Portion genauso sättigt wie die doppelte Menge Hammel. Die Omagua schneiden es auch in Scheiben und räuchern diese über Holzfeuer, um sie haltbar zu machen. Sie reiben das Fleisch mit der salpeterhaltigen

Asche einer bestimmten Palmenart ein, weil es ihnen an Salz fehlt; dann bleibt es ein Jahr lang genießbar.«

Die Gastmähler, zu denen die Amazonier ihre Besucher baten, begannen immer erst nach Einbruch der Dunkelheit. Viele Stunden lang wurden alle möglichen Speisen aufgetragen. Wenn alle gesättigt waren, wuschen sie sich die Hände, spülten sich den Mund aus und begannen in großen Tonpfeifen Tabak zu rauchen. Dann erzählten sie einander Geschichten, bis Flöten und Trommeln ertönten und sie zu singen und zu tanzen anfingen. Diese Feste dauerten oft die ganze Nacht.

Die meisten Rohstoffe fanden die Omagua in ihren riesigen Wäldern. Die Hülle ihrer Festgewänder, auf die bis zu zehntausend Vogelfedern genäht wurden, bestand aus dem in Wasser aufgeweichten und mürbe geklopften Bast einer Feigenart. Andere Bäume lieferten Gummi, Harze, Öle, Lacke, Wachs, Seife und viele Arzneien, darunter das Andirovaöl, das wertvolle Dienste als Wundsalbe leistete; die heilsame Wirkung hatte den Priester zu der begeisterten Anmerkung veranlaßt, diese Wälder bedürften eines zweiten Dioskurides oder eines dritten Plinius, damit ihre Schätze erfaßt und der gesamten Menschheit nutzbar gemacht werden könnten.

Die Häuser der Amazonier waren groß, geräumig, weiß getüncht und mit leuchtendbunten Ornamenten verziert; feinmaschige Netze aus Garn an ihren Fenstern hielten das fliegende Ungeziefer fern.

Danach schilderte der Bericht, was der Priester über das Zusammenleben der Amazonier erfahren hatte; aus den Notizen entstand das Bild einer idealen Gesellschaft ohne soziale Spannungen. Die Macht lag in den Händen einer breiten Aristokratie, die ohne den sonst üblichen Standesdünkel ein fast schon demokratisches Verhältnis zu den anderen Volksschichten pflegte. Politische Tagesprobleme entschied ein Rat weiser

Frauen und Männer, in grundlegenden Fragen aber wurde ein Volksentscheid eingeholt, an dem sich alle Indianer beteiligten. Die Beamten wurden aus einer Naturalsteuer bezahlt; unverheiratete junge Männer und Frauen hatten ein Pflichtjahr für die Gemeinschaft abzuleisten, wobei es beiden Geschlechtern freigestellt blieb, ob sie Waffen- und Wachdienste wählten oder die Zeit lieber mit Arbeitseinsätzen an Dämmen, Kanälen und anderen Gemeinschaftseinrichtungen verbrachten.

Bei den Angaben des Priesters über das Familienleben der Amazonier fiel auf, daß die Frauen ihre Kinder sehr lange stillten; nach drei Jahren wurde die Brustnahrung mit anderen Lebensmitteln kombiniert. Zwischen den Ehepartnern herrschte völlige Gleichberechtigung; Streitigkeiten schlichtete ein Gericht, das jeden dritten Tag zusammentrat und nach geschriebenen, vom Volk beschlossenen Gesetzen zu urteilen hatte. In ihrer Freizeit trafen sich die Amazonier zu verschiedenen Ball-, Brett- und Würfelspielen; es gab sogar ein Theater.

Die Priester Manoas pflegten einen Kult ohne die bei anderen Völkern üblichen Grausamkeiten. Das amazonische Pantheon bestand aus einem Sonnengott, wie ihn auch Inka und Azteken verehrten, einer Fruchtbarkeitsgöttin, einem Strom- und einem Regengott mit vielen Untergottheiten, die etwa für Feuer, Jagd, Gesundheit oder Zählkunst zuständig waren. Einen Kriegsgott kannten sie nicht. Die Opfer bestanden ausschließlich aus vegetarischen Produkten.

So bescheiden diese Gaben waren, so überaus prächtig war die Ausstattung der Tempel. Der größte von ihnen war der Sonnengottheit geweiht und mit goldenen Schindeln gedeckt. Die Schränke in seinem Innern waren mit goldenen Kelchen, Schüsseln und anderen Opfergeräten gefüllt, und die Priester trugen goldbestickte Gewänder.

Seit Generationen an Reichtum gewöhnt, den sie ihren Gästen nur aus Gründen der Ästhetik, nicht des Renommees zu zeigen schienen, ahnten die Indianer offenbar nicht, welche Gier sie damit bei den Europäern weckten. Auf zunächst noch höflich verklausulierte, bald aber unverblümte Fragen der portugiesischen Offiziere antworteten sie, das Gold werde zwanzig Tagesreisen entfernt im Norden gewonnen; die Minen befänden sich in der Nähe einer Stadt, die Paridaro heiße und am Ufer des Río Negro gelegen sei.

Weitere Erkundigungen ergaben, daß am Oberlauf des Amazonas nur noch arme, wilde Völker wohnten, unter ihnen solche, »deren Haupthaar bis zum Boden reicht«, und das Land auch nicht mehr so dicht bewaldet war, sondern teilweise in Wüste überging. Daraufhin befahl Kapitän Hernández, entgegen der ursprünglichen Absicht nicht mehr weiter auf dem Amazonas nach Westen, sondern statt dessen auf dem Río Negro nach Norden zu fahren, um sich die Goldminen näher anzusehen.

Der Unterlauf des Flusses erwies sich als ein nicht enden wollendes Überschwemmungsgebiet, so daß die Portugiesen große Mühe hatten, sich zurechtzufinden. Nach dem Rat, den ihnen die Omagua gegeben hatten, hielten sie sich in der Nähe des rechten Ufers, das bald stark nach Westen bog. Mehrere Wochen lang stießen sie nur auf die winzigen Dörfer einiger Fischer, die in Pfahlhäusern wohnten und so arm waren, daß das Plündern kaum lohnte. Anfang Juli 1554 behaupteten einige der Männer unter gräßlichen Flüchen, sie seien von den Omagua mit Absicht in diese Wasserwüste geschickt worden, damit sie sich darin verirrten und kläglich zugrunde gingen. Gerade als sie den Kapitän zwingen wollten, umzudrehen und Manoa zur Strafe niederzubrennen, meldete der Ausguck Berge im Nordwesten. Das Gefälle wurde stärker, und der uferlos scheinende See verwandelte sich in einen Fluß zurück. Bald begegneten ihnen große Boote mit bis zu sechzig Ruderern, die Waren aus dem Bergland nach Manoa transportierten, vor allem Geräte aus Stein, aber auch Steine als Baumaterial. Die Portugiesen hielten eines an und durchsuchten es, fanden aber kein Gold. In ihrer Enttäuschung eröffneten sie das Feuer auf die Indianer, töteten sie und warfen die Leichen in den Fluß.

Am nächsten Tag, es war der 16. Juli, kamen sie endlich nach Paridaro. Sie überbrachten dem Rat die Empfehlungen der Weisen von Manoa und erwarben so das Vertrauen der Indianer; es reichte bald so weit, daß die Portugiesen sogar die Goldminen besichtigen durften, die drei Tagesmärsche nordwärts in den Ausläufern des Nebelgebirges lagen.

Nach ihrer Rückkehr bestürmten die Offiziere den Kapitän, die Stadt anzugreifen. Als der Priester dagegen protestierte, kam es zu einem heftigen Streit. Der Kapitän konnte sich nicht entscheiden; zwar wollte auch er sich nun endlich die Taschen füllen, aber er kannte den großen Einfluß der Jesuiten in Lissabon. Darauf verfielen die Offiziere auf eine niederträchtige Kriegslist. Sie nagelten morgens zwei Äste zu einem rohen Holzkreuz zusammen und steckten es mitten auf der Hauptstraße in den Boden. Die Amazonier, die das wacklige Gebilde nicht als Glaubenssymbol ihrer Gäste zu erkennen vermochten, machten zunächst trotzdem einen Bogen darum, aber als sich die Straße dichter belebte, war es unvermeidlich, daß ein unaufmerksamer Indianer in der Eile gegen das Kreuz stieß und es umwarf. Die Portugiesen, die darauf nur gewartet hatten, hoben es auf, trugen es zum Kapitän und berichteten empört, die Ungläubigen hätten das heilige Zeichen des Erlösers in den Staub getreten; nach dem Gesetz müßten sie nun dafür büßen, und zwar entweder mit ihrer Freiheit oder mit ihrem Leben, auf jeden Fall aber mit ihrem Besitz. Wenn der Kapitän es ihnen aber nach dieser schweren Freveltat nicht erlauben wolle, dem Gesetz des Königs Genüge zu tun, würden sie sich, wie Diogo de Maciel rundheraus sagte, vor die Wahl zwischen ihrem Gehorsam gegenüber dem Kapitän und ihrem Gehorsam gegenüber Gott und dem König gestellt sehen; in diesem Fall würden sie alles daransetzen, sich als fromme Christen und getreue Portugiesen zu erweisen.

Hernández war darüber sehr zornig und erklärte, weil sie versucht hätten, ihn an der Nase herumzuführen, werde er ihnen auch diesmal nicht erlauben, die Stadt zu überfallen und zu plündern. Diogo de Maciel war darüber so wütend, daß er die ganze Nacht trank und sich mit den anderen Offizieren verschwor. Im Morgengrauen schlich er sich in die Kammer des Kapitäns und durchbohrte den Schlafenden mit dem Degen.

Noch mit dem ersten Licht des neuen Tages segelten die Portugiesen ihre Karavelle in den Hafen von Paridaro. Während die einen das Feuer auf die Stadt eröffneten, ruderten die anderen schon an Land und metzelten die Fliehenden nieder. Wie schon im Kampf gegen die Tapajosos entluden sich Gier, Enttäuschung und angestaute Wut der Angreifer in einem Ausbruch unerhörter Bestialität; nicht die so oft als Wilde geschmähten Indianer, sondern die sich selbst als zivilisiert preisenden Europäer waren es, die ihrem tierhaften Tötungstrieb hemmungslos seinen Lauf ließen. Nur einige Frauen blieben verschont; mit ihnen wollten sich die Mörder die Rückreise verkürzen. Außerdem fingen die Portugiesen mehrere besonders kräftige Männer ein, um sie in Lissabon als Sklaven zu verkaufen. Unter dem Schock des plötzlichen Überfalls mit dem lauten Krachen der ihnen unbekannten Schußwaffen waren die Unglücklichen weder zur Flucht noch zu Gegenwehr in der Lage; sie ließen sich widerstandslos fesseln und auf die Karavelle treiben, wo man sie in den Laderaum warf. Alle anderen Indianer, auch die Kinder, wurden umgebracht.

Diogo de Maciel selbst war es, der als erster in den Tempel der Sonnengottheit stürmte; dem Priester, der sich ihm entgegenstellte, bohrte er den Degen durch die Brust. Dann rafften seine Soldaten die goldenen Weihegeräte zusammen, warfen sie in die Opferkörbe und schleppten sie zum Schiff. Andere Portugiesen plünderten die Lagerhäuser und die Wohnungen der vornehmen Omagua. Als sie alles Wertvolle an sich gerissen hatten, warfen sie Brände in die Gebäude, bis die ganze Stadt in Flammen stand; die Hitze wurde so groß, daß sie ablegen mußten, um nicht ihr eigenes Schiff zu gefährden.

Nachdem sich die Gesandtschaft des portugiesischen Königs endgültig in eine Räuberbande verwandelt hatte, achtete, wie in solchen Fällen üblich, auch niemand mehr auf Disziplin. Während das Schiff in Sichtweite oberhalb der brennenden Stadt ankerte, feierten die Mordbrenner zwischen den erbeuteten Schätzen ihren »Sieg« mit einem Saufgelage, das den ganzen Tag andauerte. Als es dunkel wurde, fielen die Bezechten in tiefen Schlaf. Nun erst wagte der Priester, aus seiner Kammer an Deck zu klettern. Da ihm klar war, daß die Mörder des Kapitäns auch ihn umbringen mußten, wenn sie nach ihrer Rückkehr nicht gehenkt werden wollten, beschloß er zu fliehen. Flüsternd verständigte er sich mit den Indianern im Laderaum und erklärte ihnen seinen Plan. Dann öffnete er die Luke und ließ sie heraus. Die Männer schlichen zwischen den schlafenden Portugiesen umher und nahmen einige Gefäße mit Lebensmitteln an sich. Der Priester holte die wasserdichte Kiste mit seinen Büchern und den Meßgeräten und stieg leise in den Fluß. Die Indianer folgten ihm, ohne daß die betrunkenen Portugiesen es merkten. Die Flüchtenden kamen an das jenseitige Ufer und waren wenig später im nächtlichen Urwald verschwunden. Ihrem Gefängnis und der drohenden Sklaverei entronnen, hatten sie eine zweite, sehr viel längere und wahrhaft wundersame Gefangenschaft vor sich.

# TEIL SECHS

## Paradisus

DIE FLÜCHTLINGE, ETWA dreißig Frauen und ebenso viele Männer, eilten die ganze Nacht hindurch auf dem schmalen Pfad zu den Goldminen nach Norden, um die Menschen, die dort lebten, zu warnen. Erst nach Mitternacht wagten sie zu rasten. Die meisten von ihnen hatten noch nicht recht verstanden, was geschehen war. Der Priester berichtete ihnen von dem Mord an dem Kapitän und der Goldgier der Portugiesen; er sagte ihnen auch, daß er sich jetzt ihrer annehmen werde und sie beschützen wolle. Da er sie befreit hatte, glaubten ihm die Indianer und vertrauten sich ihm an; es waren ausnahmslos einfache Menschen, Arbeiter, Fischer und Handwerker, die in der Nähe des Tempels der Sonnengottheit gewohnt hatten und dort den Angreifern als erste in die Hände gefallen waren.

Am Morgen wurde der Zug langsamer, denn mehrere Indianer erlitten jetzt Schwächeanfälle und mußten gestützt werden. Der Priester ließ sie deshalb abermals rasten und die mitgenommenen Schildkröteneier essen, bis sie neue Kraft geschöpft hatten. Zwei kräftige Männer erboten sich, seine Kiste zu tragen.

Um die Mittagszeit hörten sie in der Ferne Hundegebell. Die Indianer begannen vor Furcht zu schreien, aber der Priester beruhigte sie und führte sie vom Weg fort in den dichten Regenwald. Er wußte, daß die Verfolger zuerst zu den Goldminen reiten würden, um sie zu erobern, bevor die indianischen Wächter gewarnt werden konnten.

Einige Zeit später wurde das Gebell lauter; dann hörten sie auch das Schnauben von Pferden. Wie der Priester vermutet hatte, blieben die Verfolger auf dem Weg, auch die Hunde, die an die Pferde gebunden waren, damit sie nicht ihren Nasen, sondern den Befehlen ihrer Herren folgten.

Die nächste Nacht verbrachten die Flüchtlinge schon weit entfernt. Unter den Baumriesen wuchs nur wenig Buschwerk, denn die gewaltigen Kronendächer beanspruchten alles Sonnenlicht für sich. Die Indianer hatten sich so weit gefaßt, daß sie Stöcke abbrachen, um ihren Verfolgern nicht völlig wehrlos ausgeliefert zu sein.

Am zweiten Tag ihrer Flucht wurde das Land höher, denn sie waren nun in die Ausläufer des Nebelgebirges gekommen. Als die ersten Felsen aufragten, bewaffneten sich die Indianer zusätzlich mit Steinen. In der Nacht hörten sie wieder Hundegebell; die Verfolger hatten offenbar die Goldminen erobert und sich erneut auf die Spur der Flüchtlinge gesetzt.

Der Priester wußte, daß die Jagd vor allem ihm galt, da die Meuterer nicht ruhig schlafen konnten, solange ein so glaubwürdiger Zeuge ihres Verbrechens am Leben war. Er dachte daran, sich den Verfolgern freiwillig auszuliefern, um wenigstens die Indianer zu retten, verwarf den Gedanken jedoch wieder, als er sich erinnerte, mit welcher bestialischen Grausamkeit seine Landsleute in der Stadt gewütet hatten; sie würden den Wald nicht verlassen, ehe sie die letzten Omagua aufgespürt und umgebracht hätten.

Am dritten Tag kamen sie an die Böschung des Kraters. Als sie den Kamm erreichten, wurde das Hundegebell plötzlich lauter. Schreiend vor Angst rannten und stürzten die Indianer auf der anderen Seite hinab. Wenn sie sich umschauten, sahen sie hinter sich vierbeinige Kreaturen mit drohend gefletschten Zähnen; in noch viel größeren Schrecken aber wurden sie von weit größeren Ungeheuern versetzt, die zwei Köpfe und sechs Beine besaßen.

Der Priester hatte den Vulkankegel gesehen und dachte in seiner Verzweiflung, daß sich die Indianer auf dem steilen Felsen noch am ehesten gegen Reiter und Hunde würden verteidigen können. So schnell er konnte, führte er sie in die Mitte des Kraters und kletterte mit ihnen an dem scharfkantigen Lavagestein empor. In dieser Minute begann das Gestein plötzlich zu vibrieren; dann quoll schwarzes Gewölk hervor. Der Druck, der sich in der riesigen Lavakammer tief unter dem Kegel seit Millionen Jahren angestaut hatte, suchte sich ein Ventil und begann sich zu entladen.

Die Verfolger fanden sich jäh von einem undurchdringlichen Nebel umhüllt; nach wenigen Atemzügen stürzten sie bewußtlos zu Boden und starben.

Als das Beben endete, entzog dichtes schwarzes Gewölk den Boden des Waldes den Blicken der Überlebenden. Es sollten Tage vergehen, ehe sich der Gemütszustand der Frauen und Männer, die innerhalb weniger Stunden Familie, Heimat und fast das Leben verloren hatten, einigermaßen beruhigte. Jetzt bewährte sich der unerschütterliche Glaube des Priesters. Dieser Glaube gab ihm die Kraft, die nunmehr nötigen lebenswichtigen Entscheidungen zu treffen. Aber auch einige Indianer zeigten Seelenstärke: Zuerst kletterten sie überall auf dem Vulkankegel umher, um festzustellen, ob sich irgendeine Möglichkeit bot, ihn zu verlassen, ohne dabei den tödlichen Nebel durchqueren zu müssen. Dabei hielten sie auch nach Früchten und einem Platz für die Nacht Ausschau. Sie entdeckten die beiden Höhlen, fanden aber auch heraus, daß auf dem Felsen nichts Eßbares wuchs.

Der Priester hoffte, der schwarze Nebel werde am nächsten Tag wieder verschwunden sein. Aber das Gewölk war noch immer da, als die letzten Vorräte zur Neige gingen. Inzwischen hatten die Indianer jedoch in einigen Bäumen, die nahe an dem Vulkankegel wuchsen, Früchte entdeckt. Geschickt flochten sie aus Gräsern ein Seil, das fest genug war, sie zu tragen, warfen es an einem Stein auf den nächsten Baum, bis das Gewicht fest in einer Astgabel saß, und kletterten der Reihe nach auf die große Leguminose, die später Torbaum genannt wurde. Die Dichte der Bäume erleichterte es besonders geschickten Frauen und Männern, durch Kronen zu klettern, bis sie die Früchte einsammeln konnten. Danach banden sie Lianen und Ranken zu ersten Hochbrücken zusammen.

Das Lavagestein lieferte das Rohmaterial für Beile und andere Werkzeuge, und schon nach wenigen Wochen war der Vulkankegel von einem losen Geflecht aus Leitern und Stegen umgeben, das jeden Tag weiter ausgebaut wurde. Als die Gefahr des Verhungerns gebannt war, bauten die Indianer die ersten Hütten auf besonders große Bäume und lebten fortan zwischen den Wolken, den weißen über ihnen, die Regen und damit Leben schenkten, und den schwarzen unter ihnen, die den Tod brachten.

Maria Behring und Sander hatten staunend zugehört; immer noch weit davon entfernt, die irrwitzige Altersangabe des Priesters ernst zu nehmen, mußten sie sich eingestehen, daß die Entstehungsgeschichte des Wolkenwaldes plausibel klang und den Ergebnissen ihrer Recherchen entsprach. Wer immer die Notizen verfaßt hatte, dachte Maria Behring, war jedenfalls kein Schwindler, denn alle naturwissenschaftlichen Angaben stimmten mit der Realität überein. Die historischen Daten würde sie allerdings mit dem portugiesischen Kolonialgeschichtler abklären müssen, den ihr Dr. Sarosi empfohlen hatte; sie konnte es kaum erwarten.

Sander räusperte sich; da erst fiel ihr auf, daß der alte Priester verstummt war und sie erwartungsvoll anblickte. Offensichtlich erwartete er einen Kommentar. Maria Behring überlegte angestrengt; da sie ihn weder kränken noch anlügen wollte, suchte sie nach einer möglichst unverfänglichen Bemerkung. »Ein faszinierender Bericht«, sagte sie schließlich.

»Ihr glaubt mir noch immer nicht«, sagte der Priester, der ihr Zögern richtig gedeutet hatte.

»Nein«, gab Maria Behring zu. »Sie können auf keinen Fall so alt sein. Warum wollen Sie uns das unbedingt einreden?«

»Weil es die Wahrheit ist«, seufzte der Priester, »und weil Ihr das, was hier geschehen ist und geschieht, nur dann verstehen könnt, wenn Ihr glaubt. Denn es ist wahrhaftig so, daß Gott der Herr auch Dinge geschaffen hat, die man nicht mit den Augen, sondern nur mit dem Herzen erkennen kann und die nicht der Verstand, sondern allein der Glaube begreift. Hat er nicht Sarah, Abrahams Eheweib, noch als Greisin fruchtbar werden lassen? Ihr mögt mich nun prüfen, ob ich auch nur eine einzige Frage nicht so beantworten kann, daß Ihr mir glauben könntet, wenn Ihr nur wolltet.«

»Also gut«, sagte Maria Behring. »Warum haben die Indianer Sie, einen Weißen, als ihren Herrn akzeptiert, nachdem sie mit den Weißen doch so schlimme Erfahrungen machen mußten?«

»Nach unserer wundersamen Rettung war es nicht schwer, in dem Ausbruch der schwarzen Wolke den Willen des Herrn zu erkennen und die Geretteten zum wahren Glauben zu bekehren«, antwortete der Priester. »Hatten sie doch einsehen müssen, daß ihre Götzen sie nicht beschützen konnten.«

»Und was war, als sie merkten, daß sie wegen der Wolke nicht in ihre Heimat zurückkehren konnten?«

»Darüber waren sie anfangs sehr unglücklich. Aber sie verstanden bald, daß auch dies dem Willen des Herrn entsprach. Die göttliche Caligo, die sie gerettet hatte, sollte sie auch in Zukunft beschützen.«

»Sie beschützte sie nicht nur, sie hielt sie gefangen«, sagte Maria Behring.

»Zu ihrem Glück«, versetzte der Priester. »Dadurch wurden sie und ihre Nachkommen Kinder des Paradieses.«

»Kinder und Gefangene«, beharrte sie.

»Auch Adam und Eva waren glücklich, so lange sie nicht frei waren. Erst als sie durch die Frucht vom Baum der Erkenntnis zwischen Gut und Böse zu unterscheiden verstanden, kam das Leid in die Welt.«

»Aber diese Wahlfreiheit ist es, was uns Menschen von den Tieren unterscheidet!«

»Für diese Menschen hat es Gott anders bestimmt. Sie sind nicht fähig, böse zu sein.«

»Aber dann sind sie keine vollwertigen Menschen!«

»Vielleicht nicht in dem Sinne wie wir. Aber im Sinne Gottes. Sie sind jedenfalls viel mehr Gottes Ebenbild als wir.«

»Das kann ich einfach nicht glauben. Wenn Gott wollte, daß wir ewig auf Bäumen leben, warum hat er uns dann überhaupt jemals von ihnen herabsteigen lassen?«

»Von den Bäumen herabsteigen?« fragte der Priester verwundert. »Ihr glaubt, die Menschen hätten früher auf Bäumen gelebt?«

»Das glaube ich nicht nur, das ist wissenschaftlich erwiesen«, erwiderte sie. »Oder haben Sie wirklich noch nie etwas von Charles Darwin gehört? Das weiß doch inzwischen jeder, daß Mensch und Affe gemeinsame Ahnen haben!«

Der Priester fuhr erschrocken zurück. »Versündigt Euch nicht, meine Tochter!«

Maria Behring überlegte. Darwins großartiges Buch, das sie schon als Mädchen verschlungen hatte, war 1871 veröffentlicht worden. War es wirklich möglich, daß dieser Alte noch nie etwas davon gehört hatte? Oder stand es vielleicht im katholischen Portugal so lange auf dem Index, daß er es als gläubiger Mensch gar nicht zur Kenntnis nehmen, geschweige denn lesen durfte?

»Also gut«, sagte sie. »Vergessen wir Darwin. Sie wollen also sagen, Gott habe hier einen neuen Garten Eden geschaffen.«

»Ja. Es ist das zweite Paradies.«

»Und warum hat er dann nicht auch wieder einen neuen Baum der Erkenntnis gepflanzt?«

Sie bereute die Frage, kaum daß sie ausgesprochen war.

Der Priester lächelte. »Nachdem Eva auf Geheiß der Schlange –«

»Schon gut«, unterbrach sie ihn. »Was schon beim erstenmal schiefgegangen ist, brauchte hier nicht unbedingt wiederholt zu werden. Warum hat Gott denn diesen Baum überhaupt wachsen lassen? Wollte er uns eine Falle stellen?«

»Es war eine Prüfung für den Gehorsam«, antwortete der Priester.

»Verstehe«, sagte Maria Behring. »Entschuldigen Sie, aber mir kommt das Ganze inzwischen wie ein Laborversuch vor. Gott trägt einen weißen Kittel, und wir sitzen als Meerschweinchen in den Käfigen; er prüft unsere Reaktionen, und wenn er genug von uns hat, zieht er den Stecker raus.«

Der Priester sah sie verständnislos an.

»Entschuldigung«, sagte sie wieder. »Das sind neue Sachen, Erfindungen, von denen Sie nichts wissen können.« Ärgerlich biß sie sich auf die Lippen; jetzt redete sie schon selber so, als sei der Alte wirklich fünfhundert Jahre alt. Selbst wenn er bereits im vergangenen Jahrhundert geboren war, und zwar im allerletzten portugiesischen Bauernkaff, mußte er doch schon einmal etwas von elektrischem Strom gehört haben!

»Erzählt mir mehr davon«, bat der Priester. »Ich habe mich schon immer an den Taten des menschlichen Geistes erfreut, in denen sich immer wieder ein göttlicher Funke erkennen läßt. Denkt nur an Leonardos Ornithopter –«

»Danach wollte ich gerade fragen«, mischte sich Sander ein. »Was ist denn das eigentlich für ein Gerät?«

»Das wißt Ihr nicht?« meint der Priester verwundert. »Ihr seid doch selbst mit einem Himmelsfahrzeug gekommen! Der Ornithopter ist wie ein hölzerner Vogel. Ein Mann kann die Flügel schlagen, indem er Arme und Beine bewegt, und mit dem Kopf betätigt er ein Ruder.«

»Und damit kann man fliegen?«, fragte Sander.

Der Priester zuckte mit den Schultern. »Mit eigenen Augen gesehen habe ich es nicht«, gestand er, »ich kenne die Maschine nur aus Leonardos Schriften. Vielleicht ist es auch nur ein theoretisches Modell. Euer Fluggerät sieht ja auch viel eher aus wie das Schiff, mit dem Alexander der Große gen Himmel fuhr.«

»Alexander der Große?« wiederholte Maria Behring verblüfft. »Der hatte ein Luftschiff?«

»Wußtet Ihr das nicht? Es bestand aus einem Sitz aus Holz, an den zwei gezähmte Greifen gekettet waren. An einer langen Stange war frisches Fleisch befestigt; in ihrer Gier versuchten die Greifen es zu erlangen und stiegen auf diese Weise immer weiter zum Himmel empor, so hoch, daß der Weltherrscher die Erde als Kugel sah. Ein anderes Mal ließ sich Alexander in einem Faß aus Glas in das tiefste Meer hinabsenken und schaute den Ungeheuern des Meeresgrundes zu.«

Maria Behring warf Sander einen Blick zu, der bedeuten sollte, das sie den Alten nun endgültig für verrückt hielt. Aber zu ihrer großen Überraschung nickte Sander und sagte: »Ja, davon habe ich auch schon gehört.« Dann raunte er ihr auf deutsch zu: »Mittelalterliche Legende, unter humanistisch gebildeten Flugschülern sehr beliebt.«

Entgeistert schüttelte Maria Behring den Kopf. Das

ist ja wie verhext, dachte sie. Wenn sie etwas Aktuelles erwähnte, stellte der Alte sich dumm; sobald es aber um irgendwelchen mittelalterlichen Blödsinn ging, war er glänzend im Bilde. Treib nur dein Spiel mit uns, du schlauer Jesuit, dachte sie. Einmal erwische ich dich doch, und dann werde ich dafür sorgen, daß es doppelt peinlich für dich wird!

»Also kein Baum der Erkenntnis«, sagte sie, um zum Kern der Sache zurückzukehren. »Aber ein Baum des Lebens.«

Der Priester nickte ernst. »Von diesem war im ersten Paradies nicht gegessen worden«, bemerkte er. »Aber –«

»Aber im zweiten«, kam ihm Maria Behring ungeduldig zuvor.

Sander warf ihr einen mahnenden Blick zu.

»Ja«, sagte der Priester. »Aber das geschah nicht gegen Gottes Willen, sondern auf seinen ausdrücklichen Befehl.«

»Und wie kam es dazu?« wollte sie wissen.

»Durch eine Offenbarung«, berichtete der Priester. »Damals lebte ich schon viele Jahre in diesem Wald und war sehr alt geworden. Die meisten Indianer, die einst mit mir hierher geflohen waren, weilten schon nicht mehr unter den Lebenden. Sie waren aber als glückliche Menschen gestorben, denn auch wenn sie ihre Heimat nicht wiedersehen durften, hatten sie doch für sich, ihre Kinder und Kindeskinder ein neues Paradies schaffen dürfen, indem sie die vielen Hochstraßen, Brücken und Leitern anlegten, an denen seither unablässig weitergebaut worden ist, Tag für Tag, Woche für Woche, Monat für Monat, Jahr für Jahr. Da sie schon als Kinder mit allem vertraut waren, was Gott in diesen Wäldern für den Menschen wachsen läßt, fanden sie sich auch hier schnell zurecht. Sie ernteten die Früchte, die hier bald in nie gekannter Fülle wuchsen, bauten ihre Hütten, heirateten und bekamen Kinder. Ich aber ließ mich in ihrer Mitte nieder, denn ich hatte erkannt, daß mein Schicksal das eines Einsiedlers sein sollte. Wohnte nicht auch der heilige Antonius in einer Höhle, in einer Felsengrabkammer in der Thebais am Rande der Libyschen Wüste, bedrängt von den Dämonen und doch Sieger über sie?«

»Einen Einsiedler kann man Sie nun nicht gerade nennen«, meinte Maria Behring. »Immerhin leben Sie hier mit einigen hundert Indianern.«

»Trotzdem bin ich allein«, antwortete der Priester. »Auch Antonius hatte stets eine große Schar von Jüngern um sich, Kranke, die von ihm Heilung erhofften, Gläubige, die ihn um Rat fragten, und auch viele andere Eremiten, die bei ihm in der Wüste leben wollten. Aber in seinem Kampf gegen die Versuchung der Welt war er allein, und so wie er war es auch ich.«

»Worin bestand denn diese Versuchung?« fragte Maria Behring.

Der Priester suchte nach Worten. Seine Zuhörer warteten ungeduldig. Jetzt wird es spannend, dachte Maria Behring. Wahrscheinlich war es Macht. Aber würde er das zugeben?

»Es war die Versuchung, aufzugeben«, sagte der Priester. »Aufzugeben und die Last, die Gott mir aufgebürdet hatte, abzuwerfen.«

Maria Behring und Sander schauten einander verwundert an; damit hatten sie nicht gerechnet.

»Aber diese Versuchung«, fuhr der Alte fort, »fiel mich erst an, als ich erkannte, daß ich unsterblich geworden war. Ja, Ihr habt richtig gehört: Solange ich in diesem Wald wohne, werde ich niemals sterben.«

»Wie beneidenswert«, sagte Maria Behring ironisch; natürlich glaubte sie ihm kein Wort.

»Beneidenswert?« wiederholte der Priester fragend und sah sie aus müden Augen an. »O nein, meine Tochter, glaubt das nicht. Ich bin nicht der glücklichste, sondern der unglücklichste Mensch unter der Sonne. Ja, anfangs war ich froh, als ich gewahr wurde, daß ich nicht mehr älter wurde und der Tod, den alle Menschen fürchten, fern von mir blieb. Nach vielen Jahren aber lernte ich die Last des ewigen Lebens kennen. Jeder dieser wunderbaren Menschen hier, die ich mit der Zeit so gut kennengelernt hatte und wie eigene Kinder liebte, starb, und ein Tod ließ mich trauern. Erst starben die, die einst mit mir aus Paridaro geflohen waren. Dann ihre Kinder, die ich mit ihnen aufgezogen hatte. Dann deren Kinder, die wie meine eigenen Kinder gewesen waren. Dann wieder deren Kinder, und so fort; jeden einzelnen von diesen vielen Menschen habe ich begraben und betrauert, als wäre er mein Sohn oder meine Tochter gewesen. Zu dieser Trauer kam Müdigkeit; das ewige Gleichmaß der Jahre stumpfte meinen Geist und meine Sinne ab, denn der Mensch unserer Zeit ist für eine solche Lebensspanne nicht geschaffen. Nur das Gebet gab mir immer wieder neue Kraft. Zur Müdigkeit aber kam der Neid, die größte Sünde; denn je mehr von diesen Menschen ich zu ihrem Schöpfer heimkehren sah, desto schmerzlicher wurde die Gewißheit, daß ich dazu verurteilt war, bis zum Jüngsten Tage allein in diesem Walde ausharren zu müssen; so schön und reich er ist, so ist er doch nur ein schwacher Abglanz der Herrlichkeit, die mich vor Gottes Thron erwartet. Am Anfang dankte ich Gott dafür, daß er den Tod von mir fernhielt. Später aber klagte ich darüber und flehte ihn an, mich sterben zu lassen. Doch er erhörte mich nicht. Ich soll an seiner Statt das neue Paradies hüten, bis das Ende der Welt angebrochen ist und ich mit den Gerechten in das himmlische Paradies einziehen darf.«

»Wenn Sie nicht ewig leben wollen und auch sonst so bescheiden sind, warum lassen Sie sich dann hier als Gott verehren?« fragte Maria Behring herausfordernd.

»Aber das tue ich nicht«, antwortete der Priester. »Diese Menschen sind wie Kinder; sie lieben einfache, klare Bilder und nennen mich deshalb ihren Herrn. Nur die Kleinen glauben, daß ich Gott sei; aber wenn sie älter werden, klärt sich das bald auf. Ich bin der Priester ihrer Gemeinde, nicht mehr und nicht weniger; auch daß sie meine Wächter, die den Lebensbaum hüten, und meine Bediensteten, die mir altem Mann ein wenig zur Hand gehen, ›arcanjos‹ nennen, liegt in ihrer Freude daran begründet, ihre neue Heimat als Paradies zu begreifen. Darum benannte ich die vier Teile dieses Waldes nach den Flüssen des Gartens Eden. Darum auch vermuten sie heute unter diesem schwarzen Gewölk die Hölle, mit jenen sechsbeinigen Ungeheuern, in denen sich die Erinnerung ihrer Vorfahren an die Reiter verbirgt. Ja, Ihr habt recht, wenn Ihr sagt, das alles sei ferne Vergangenheit; aber es ist zugleich der Urgrund, auf dem das Wissen dieser Menschen ruht. Soll ich dieses Fundament erschüttern oder gar zerstören? Alles hat sich nach Gottes Willen gefügt, und es war gut.«

Maria Behring dachte angestrengt nach, aber sie konnte keine Ungereimtheit in der Erzählung des Priesters entdecken; wenn man sich erst einmal darauf eingelassen hatte, die Prämisse zu akzeptieren, daß er vierhundertachtundsiebzig Jahre alt war, fügte sich alles andere logisch zusammen. Also gut, sagte sie zu sich selbst, dann wollen wir den Stier bei den Hörnern pakken. »Wie ist es denn nun dazu gekommen«, fragte sie, »daß Sie ... daß Sie ...« Es kostete sie einige Überwindung, das Wort herauszubringen. »... daß Sie unsterblich sind?« vollendete sie.

Sander hielt den Atem an; auch er spürte, daß jetzt eine wichtige Entscheidung fallen mußte, vielleicht die wichtigste, seit sie mit ihrem Luftschiff in diesen wundersamen Wald gefahren waren.

Der Priester überlegte; dann antwortete er: »Ich habe gewußt, daß Ihr mir diese Frage stellen würdet. Anfangs wollte ich Euch darauf keine Antwort geben. Dann aber wurde mir deutlich, daß Gott Euch nicht zu mir geschickt haben kann, damit ich Euch das Wichtigste verschweige. Die Frucht vom Baum der Erkenntnis ist gegessen, und Ihr mögt selbst für Euch entscheiden, ob es gut ist, vom Baum des ewigen Lebens zu wissen; nehmt es als Prüfung. Denkt aber immer daran, daß Ihr geschworen habt, ihn niemals zu berühren!«

»Ja, natürlich«, sagte Maria Behring ungeduldig.

»Gut«, sagte der Priester. »Hört also: Einmal, als ich schon alt war, ungefähr vierzig Jahre nach unserer Ankunft in dem neuen Paradies, erkrankte ich am Gelben Fieber, das in diesen Breiten viele Europäer befällt. Ich hatte die üblichen Kopf- und Gliederschmerzen; mir war ständig übel, und ich mußte mich oft erbrechen. Die Indianer pflegten mich, so gut sie konnten; daß sie heilkräftige Arzneien besitzen, habt Ihr ja schon erfahren. Aber selbst ihre große Kunst konnte mir nicht helfen. Nach einer vorübergehenden Besserung am dritten Tage stieg das Fieber von neuem an, und in der zweiten Woche lag ich wie tot auf meinem Lager. Als ich schon glaubte, mein letztes Stündlein habe geschlagen, hatte ich nachts eine Erscheinung. Ein Engel trat zu mir ins Zimmer und sagte: ›Erhebe dich und trink aus dem Baum hinter deinem Hause!‹ Ich erwachte und dachte zunächst, ich hätte nur geträumt; da ich aber großen Durst hatte, stand ich auf und ging zu dem Baum. Ich konnte jedoch nicht verstehen, wie ich aus ihm trinken sollte, und legte mich wieder zu Bett. Am Morgen fiel mir das Erlebnis wieder ein, und ich ging noch einmal zu dem Baum. Jetzt erst bemerkte ich, daß die seltsamen Büschel auf seinen Ästen innen hohl waren und klares Wasser enthielten. Ich brach ein Rohr ab, steckte es in einen dieser grünen Becher und trank. Das Wasser war kühl und schmeckte ein wenig wie verdünnter Wein. Auch am Mittag und am Abend trank ich davon. Am nächsten Morgen war das Fieber verschwunden.«

Maria Behring hatte atemlos zugehört; die Gedanken rasten wie Wirbelstürme über die bisher in klare Felder des Wissens gegliederte Ebene ihres Verstandes und warfen die Zäune der gesicherten Erkenntnis um. Also doch, dachte sie. Charon evagatus, der gefährliche, von der Gelbfiebermücke Aëdes aegypti übertragene Arbovirus, von Enzymen der Bromelien zerlegt! Und zwar innerhalb des menschlichen Körpers, nachdem die Infektion bereits in vollem Gange war! Nach den Symptomen sogar während der zweiten Fieberphase, die noch heute in etwa achtzig Prozent der Fälle zum Tode führte! Und offenbar ohne die befallenen Zellen selbst anzugreifen oder gar zu zerstören! Ein Arzneimittel, das mit Arboviren fertig wurde, konnte mit großer Erfolgschance auch gegen Krebs oder Aids eingesetzt werden, dachte sie; noch mehr als die heilende Wirkung aber interessierten sie nun die lebensverlängernden Effekte.

»Seit dieser Stunde trank ich jeden Tag von dem Baum«, fuhr der Priester fort. »Bald merkte ich, daß meine Sehkraft, die schon stark nachgelassen hatte, wieder besser wurde; meine Haut wurde glatt, viele der braunen Flecken, die das Greisenalter ankündigen, verschwanden plötzlich wieder, meine Muskeln kräftigten sich, und selbst meine Haare begannen wieder zu wachsen. Statt weiter zu altern, schien ich auf einmal jünger zu werden. Nach einigen Monaten endete dieser Vorgang. Seither bin ich zwar um Jahrhunderte älter geworden, habe mich aber äußerlich nicht mehr verändert und bin auch nie wieder erkrankt. Nun sagt selbst, ob das nicht ein Wunder ist, das Gott in seiner großen Güte an mir gewirkt hat! Den Baum aber habe ich Lignum vitae genannt, so, wie der Baum des Lebens in der lateinischen Fassung der Heiligen Schrift heißt, der

Vulgata des heiligen Hieronymus, die das Konzil von Trient drei Jahre vor unserer Ausfahrt als für die ganze Christenheit verbindlich erklärte.«

Maria Behring war wie elektrisiert. Alles, worauf sie seit Jahren hingearbeitet hatte, würde nun nicht nur in Erfüllung gehen, sondern durch diese neue Entdekkung noch weit übertroffen werden! Ein Medikament, das in gleicher Weise gegen Krebs und Aids, gegen die mindestens zweihundertfünfzig bisher bekannten Arboviren, die tödliche Infektionen wie Rinderwahnsinn und Zeckenenzephalitis verursachten, und wahrscheinlich gegen Tausende weiterer Krankheitserreger wirksam war, konnte der Menschheit weltweit dauerhafte Gesundheit verleihen, und vielleicht sogar zu Kosten, die den medizinisch noch immer so bedeutsamen Unterschied zwischen Arm und Reich endlich völlig unwichtig machte. Sie nahm sich fest vor, auf einem billigen Endverkaufspreis zu bestehen, auch wenn die Aktionäre dadurch vielleicht um eine noch höhere Dividende gebracht wurden, als sie ihnen jetzt schon winkte; ohnehin würde der Aktienkurs von BPW explodieren.

Noch bedeutsamer aber war, daß die Enzyme der Bromelien aus dem Paradies offenbar auch wie ein Jungbrunnen wirkten, vielleicht sogar wirklich das Leben verlängern konnten – wenn nicht um fünfhundert Jahre, so doch vielleicht um zehn oder zwanzig Prozent, ein Effekt, der besonders bei den Reichen und Schönen der Welt Milliarden einbringen mußte. Sie zog die Nase kraus; auf das Geld kam es ihr eigentlich gar nicht an. Sie würde ihren Vater übertreffen, der so erfolgreich und berühmt gewesen war, daß die Pharmakologen in aller Welt noch heute, ein Vierteljahrhundert nach seinem Tod, voller Ehrfurcht von ihm und seinen wissenschaftlichen Pionierleistungen sprachen. Sie würde den Nobelpreis bekommen und in der ewigen Ruhmeshalle des menschlichen Geistes neben Marie Curie, Lise Meitner und Maria Goeppert Mayer stehen. Vielleicht sogar vor ihnen. Und auch vor Männern wie Wilhelm Roentgen. Oder Robert Koch. Oder Albert Einstein. Nein, dachte sie dann, das ging zu weit. Einstein war unerreichbar, ein Gott. So vermessen wollte sie nicht sein. Aber wenn andere sie neben diesen Riesen rückten – was sollte sie dagegen machen? Sie würde es hinnehmen müssen, bei aller Bescheidenheit. Aber bevor es soweit war, gab es noch viel zu tun.

Das darf doch nicht wahr sein! dachte Maria Behring. War sie denn nur von Idioten umgeben? Jetzt fing auch noch Sander an zu spinnen. Was war denn hier eigentlich los? Zornig hieb sie auf die Tasten ihres Computers, als bestehe das Gerät aus Eisen. Dann besann sie sich und versuchte ihre Erregung zu zügeln. Der Computer kann nichts dafür, sagte sie sich; wenn sie ihn jetzt aus lauter Wut in seine Einzelteile zerlegte, würde sie selbst den Schaden davon haben, nicht Sander, auch nicht der alte Priester, und der Colonel erst recht nicht. Im Gegenteil, dann hatten die drei ihr Ziel erreicht. Hatten sie sich nicht von vornherein gegen sie verschworen? Diese komischen Bemerkungen des Alten, dann der Streit mit Sander, der einfach nicht einsehen wollte, daß sie recht hatte, und schließlich die Drohung dieses venezolanischen Obersten, er werde sie mit Gewalt aus dem Dschungel zurückholen, das roch stark nach Absprache! Nur mit Mühe konnte sie sich von der abwegigen Vorstellung lösen. Du siehst Gespenster, sagte sie sich. Jetzt nur nicht die Nerven verlieren. Nicht ausgerechnet jetzt! Sie begann wieder die Tasten zu drücken, um Dr. Sarosis Computerbrief auf den Bildschirm zu holen.

Ein Wunder war es nicht, daß sie überreizt war, dachte sie dabei. Erst die monatelangen Vorbereitungen auf diese Expedition. Die Kämpfe um die Genehmigungen.

Die mühsamen, Zeit und Kraft raubenden Auseinandersetzungen im Vorstand ihres Unternehmens, bis sie sich endlich gegen diese risikoscheue Altherrenriege durchgesetzt hatte, die nach dem Tod ihres Vaters seit Jahrzehnten daran gewöhnt war, die Dinge einfach laufen zu lassen und sich nur immer die Taschen zu füllen. Die juristischen Auseinandersetzungen mit ihrem Stellvertreter, der schon der Stellvertreter ihres Vaters gewesen, danach auf Wunsch ihrer Mutter Chef geworden war und zu verantworten hatte, daß statt Innovation Stagnation herrschte. Seine arrogante, besserwisserische Attitüde. Seine boshafte Art, sie immer wieder daran zu erinnern, daß er ihren Vater gekannt habe, sie aber nicht. Der ermüdende Kleinkrieg mit seinen Anwälten, die eine möglichst hohe Abfindung für ihn herausschlagen wollten, nachdem er wegen der Kosten der Expedition gekündigt hatte. Die langen Diskussionen mit dem wissenschaftlichen Beirat, der nicht akzeptieren wollte, daß eine einzige Forschungsreise die Mittel für die nächsten fünf Jahre aufzehren sollte, weil er nicht verstehen konnte, was für ein neuartiges, einmaliges und erfolgversprechendes Projekt die Untersuchung der Kronenregion des tropischen Regenwaldes aus einem Luftschiff heraus war. Die zähen Verhandlungen mit nicht weniger als sechs venezolanischen Ministerien, zu denen sie fast ein dutzendmal über den Atlantik geflogen war. Die Besuche bei Professor Halard, der, wie die meisten französischen Wissenschaftler eifersüchtig und auf das eigene Prestige bedacht, lange Zeit jede Kooperation abgelehnt hatte und erst nach einer massiven Spende bereit gewesen war, ihr seine Erfahrungen und Aufzeichnungen zugänglich zu machen. Die ersten Probefahrten mit dem Luftschiff auf der Werft am Bodensee, als immer wieder die Haltevorrichtung versagte und die Ingenieure schon verzweifelten. Die logistischen Probleme, das zerlegte Luftschiff in zwanzig Kargoladungen nach Ciudad Guayana zu fliegen und es dort wieder zusammenzubauen. Die vielfältigen Schwierigkeiten, das Camp zu errichten, die Mitarbeiter einzuweisen ...

Und dann das Schlimmste: der Überfall und die Todesangst, die sie dabei ausgestanden hatte. Die mörderische Brutalität des Garimpeiros, der sie berührt hatte, seine stinkende Nähe, an die sich zu erinnern noch jetzt ein Gefühl der Panik in ihr auslöste. Die Übelkeit, die sie bei dem tödlichen Kuß empfand, und das Grauen in der schrecklichen Minute unter seiner Leiche. Der ohrenbetäubende Knall des Gewehrs, als Sander die beiden anderen Männer erschoß, und das Entsetzen, mit dem sie die drei Leichen in dem schwarzen Schlund des Cerro Impacto verschwinden sah.

Aber auch die Erfolge, die sie für ihre Ausdauer belohnten, hatten viel psychische Kraft gekostet. Das tiefe Glücksgefühl, das sie empfunden hatte, als sie beim ersten Flug mit Sander die Tillandsia von dem fünfzig Meter hohen Dipteryx geholt hatte und danach frei auf dem über siebzig Meter hohen Wollbaum gestanden hatte. Die zufällige Entdeckung der Wolkenwaldmenschen. Die Enträtselung ihres Geheimnisses und schließlich die alle bisherigen Erfolge ihres Lebens sonnenhell überstrahlende Leistung, gefunden zu haben, wonach Generationen von Forschern vergeblich gesucht hatten: ein Medikament, das in der Vielfalt seiner Wirkungen dem Theriak glich – mit dem kleinen Unterschied, daß es nicht wie dieser Zauberbrei der mittelalterlichen Ärzte aus sechzig bis achtzig verschiedenen Zutaten zusammengekocht war, sondern aus dem Saft einer einzigen Pflanze gewonnen werden konnte; und mit dem großen Unterschied, daß es effektiv auf die erkrankten Zellen einwirkte, während die »Theriaca Andromachi«, die noch auf den Leibarzt Kaiser Neros zurückgingen, in ihrer Zusammensetzung aus getrockneten pflanzlichen Drogen und Gewürzen, in erster Linie Meerzwiebel, Baldrian und Opium, aber auch so abenteuerlichen Bestandteilen wie Schlangenfleisch, allenfalls durch den Glauben derer wirkten, die es einnahmen. Alles, was Pharmakologen seit den Anfängen der Menschheit entdeckt, erfunden und entwickelt hatten, würde verblassen vor dem universellen Medikament, das sie aus dem Regenwald am Amazonas mitbringen würde. Dieses Medikament würde »Behringin« heißen und bekannter sein als Aspirin, Chinin und Penicillin zusammen. Sie atmete tief. Nein, dachte sie, jetzt würde sie sich nicht mehr aufhalten lassen, weder von dem Priester noch von Sander noch gar von dem Colonel. Sie war einen viel zu langen Weg gegangen, um jetzt die Frucht nicht zu pflücken, die ihr rund und prall entgegenleuchtete wie der Apfel des Paradieses.

Sie ärgerte sich sogleich über diesen Gedanken. Schon der Priester war ihr damit auf die Nerven gefallen, als er sie nach ihrem Gespräch noch einmal eindringlich ermahnt hatte, die Gesetze des Paradieses zu achten. Obwohl er den Lebensbaum dabei nicht mehr erwähnt hatte, war ihr klar, daß ihm ihr Interesse nicht verborgen geblieben sein konnte; sie kannte sich gut genug, um sich einzugestehen, daß sie zu spontanen Reaktionen neigte und schauspielerische Fähigkeiten nicht zu ihren Gaben zählten. Immerhin schien es ihr gelungen zu sein, den Alten zu beruhigen, auch mit Hilfe Sanders, der an dieser gefährlichen Klippe ihres Gespräches begonnen hatte, eifrig Fragen zu stellen, deren Zweck darin bestand, die Unterhaltung von dem kritischen Punkt abzulenken. Sie selbst war, während die beiden Männer sich nun unterhielten, mit ihren Gedanken bei den Bromelien geblieben und hatte nicht viel von den Antworten des Priesters mitbekommen; nur eine fiel ihr noch ein, weil Sander so verdutzt dreingeschaut hatte. Als er den Alten gefragt hatte, ob er denn sein Tagebuch all die Jahre bis heute fortgeführt habe, hatte der Priester genickt und den jüngsten Band mit seinen Aufzeichnungen aus dem Regal geholt. »Hier, seht selbst«, hatte er gesagt und auf das Datum der letzten Eintragung gedeutet, »siebzehnter März. Das war gestern.«

»Einen Augenblick«, hatte Sander gesagt. »Heute ist der achtundzwanzigste März, also muß gestern der siebenundzwanzigste gewesen sein.« Obwohl er sich seiner Sache völlig sicher gewesen war, hatte er zur Bestätigung noch einmal auf der Datumsanzeige seiner Armbanduhr nachgesehen. Der Priester hatte jedoch darauf bestanden, sich nicht geirrt zu haben, und wäre fast böse geworden, als Sander nicht nachgab. Maria Behring hatte schließlich eingreifen müssen. »Lassen Sie ihn doch mit diesem Datum in Ruhe«, hatte sie gesagt. »Wenn wir uns mal irren, ist es nicht so schlimm. Wir können uns jederzeit korrigieren. Für jemanden, der schon seit Jahrzehnten in diesem Wald lebt und keinerlei Verbindung mehr mit der Außenwelt hat, ist so ein Fehler viel schlimmer und bedrückender. Ich meine, wir sollten diese Lappalie auf sich beruhen lassen.«

Später hatte der Priester davon berichtet, wie die Menschen des Wolkenwaldes in den folgenden Jahren immer stärker daran geglaubt hatten, wirklich in einem Paradies zu leben, und ihr Retter sie in diesem Glauben gelassen hatte, damit sie den Verlust der Heimat und die Ausweglosigkeit ihrer Gefangenschaft zwischen den Wolken leichter ertrugen; wie in den Jahrzehnten und Jahrhunderten danach die Erinnerung an Manoa und das Reich der Omagua fast verblaßt war, bis nur noch Märchen davon übriggeblieben waren; und wie sich die Bewohner des Paradieses von Generation zu Generation allmählich auch körperlich verändert hatten, ohne daß sie selbst es bemerkten, da nur der alte Priester mit der Zeit erkennen konnte, daß die Kinder als Erwachsene immer etwas kleiner wurden, als ihre Eltern oder gar ihre Großeltern gewesen waren. Der Grund für diese Veränderungen war dem Priester unbekannt geblieben; als Sohn einer Zeit, in der Gottes Schöpfung noch als ewig unabänderlich galt und die Menschen von Evolution noch nichts wußten, ahnte er nicht, daß die Natur seine Schützlinge behutsam an ihren neuen Lebensraum in der Kronenregion anpaßte. Dazu gehörte auch, daß sich schließlich auch ihre Hände und ihre Füße umgeformt hatten, mit sechsten Fingern und Zehen sowie einem Abstand zwischen der großen Zehe und den anderen Zehen, um mit dem Fuß besser greifen zu können. Seit seinem Aufbruch aus Afrika hatte der Mensch auch Wüsten und Hochgebirge zu besiedeln gelernt und dabei sogar die Anzahl seiner Pigmente verändert; hier aber hatte er sich, dachte Maria Behring, wieder zu einem Kind jener Region entwickelt, aus der sich seine frühesten Vorfahren einst zur Eroberung der Erde aufgemacht hatten: der Wipfel der hohen Bäume.

Als er erkannt habe, welches Schicksal ihm bestimmt war, sagte der alte Priester, habe er seine Gefangenschaft als Ergebnis des göttlichen Willens akzeptiert und sich darauf beschränkt, das Leben immer neuer Generationen im Wolkenwald zu begleiten. Dabei habe er sich aber niemals als Herr des Paradieses gefühlt, sondern stets als dessen Knecht; auch habe er sich der Schönheit der Kronenregion nicht erfreut, sondern sie immer als fremdartig empfunden, da er niemals habe vergessen können, daß es noch eine andere Welt gab, eine Welt, die sich Jahrhundert um Jahrhundert weiterentwickelte, ohne daß er daran Anteil nehmen konnte.

Danach hatte ein leises Summen des Tonbandgerätes angezeigt, daß der Akkumulator leer war. Daraufhin hatten Maria Behring und Sander sich mit der Erklärung verabschiedet, sie müßten das Gehörte erst einmal verarbeiten, würden aber am nächsten Morgen wiederkommen.

Auf dem Heimweg war Maria Behring trotz eines heftigen Regenschauers ganz euphorisch gewesen und hatte von den Möglichkeiten geschwärmt, die sich für die pharmakologische Nutzung des Bromelienenzyms ergäben. Sander aber hatte ihr durch ständiges Einreden die gute Laune gründlich verdorben. Nachdem er sie daran erinnert hatte, daß sie beide geschworen hatten, »die Finger von diesem Bromelienbaum zu lassen«, wie er sich ausdrückte, hatte er obendrein moralische Bedenken ins Feld geführt, die sie als albern empfand, was sie ihm auch rundheraus gesagt hatte.

»Wir haben kein Recht, uns einfach an diesem Baum zu bedienen«, hatte Sander gesagt. »Er gehört dem Priester; er allein hat zu entscheiden, was damit geschieht.«

»Wie bitte?« hatte sie geantwortet. »Sind Sie verrückt geworden? Glauben Sie vielleicht, er hat das Gelände hier im Katasteramt von Manaus als seinen Privatbesitz eintragen lassen? In das Grundbuch der Provinz Amazonia? Und selbst wenn er das getan hätte, gäbe ihm das noch lange nicht das Recht, der Menschheit ein solches Medikament vorzuenthalten!«

Sanders war stur geblieben. »Da Sie gerade so schön vom Recht reden – soweit ich weiß, war es der Priester, der die heilsame Wirkung dieser Bromelien entdeckte, nicht Sie. Es ist also seine Sache, die Enzyme zu verwerten, und nicht die Ihre.«

»Ich werde ihn angemessen beteiligen, falls es das ist, was Sie stört. Und Sie von mir aus ebenfalls. Als Mitentdecker. Aber Tatsache ist, daß ich es gewesen bin, die als erste erkannt hat, was sich aus diesem hochwirksamen Stoff machen läßt. Der Schimmelpilz ist auch schon seit der Steinzeit bekannt, aber erst Sir Alexander Fleming kam auf die Idee, daraus das Penicillin zu isolieren!«

»Aber vor Fleming galt Schimmel als Gift, und niemand hat geahnt, daß man daraus ein Medikament machen könnte; der Priester hier dagegen kennt die positive Wirkung ganz genau.«

Daraufhin war sie grob geworden. »Der Alte kennt einen Dreck; er weiß überhaupt nicht, was los ist. Wahrscheinlich glaubt er wirklich, daß irgendein Engel das Wasser verzaubert hat. Der hat doch auch sonst Ansichten wie aus dem Mittelalter!«

»Und wenn! Es sind seine Ansichten, und wir haben sie zu respektieren!« Auch Sander war nun laut geworden. Die Indianer, an denen sie vorüberkamen, hatten ihnen verwundert nachgeblickt.

»Wenn wir seine Ansichten respektieren«, hatte sie erwidert, »dann soll er gefälligst auch unsere Ansichten respektieren!«

»Es ist sein Land!«

»Ja, aber es ist unsere Welt!«

»Trotzdem können Sie nicht einfach aus zehntausend Kilometer Entfernung in den tropischen Regenwald düsen und den Menschen, die hier leben, sagen, wie sie sich verhalten sollen!«

»Wenn es für die Zukunft der gesamten Menschheit entscheidend ist, können wir das sehr wohl, und wir tun es auch! Wenn die Brasilianer plötzlich auf die Idee kämen, den gesamten Regenwald von den Anden bis zum Atlantik abzufackeln, glauben Sie, daß dann die Europäer und die Nordamerikaner tatenlos zuschauen könnten? Hier geht es doch auch um unsere Luft, nicht nur um die der Indianer!«

»Das ist ein ganz unfaires Argument. Ihnen kommt es ja überhaupt nicht darauf an, etwas zu retten, sondern Sie wollen den Menschen hier etwas wegnehmen, was Ihnen nicht gehört!«

»Ich will sehr wohl etwas retten. Ich will die Menschen retten, die an Krebs sterben, vor allem die kleinen Kinder. Ich will die Menschen retten, die an Aids verrecken, auch hier vor allem die kleinen Kinder, die sich durch irgendeine Bluttransfusion infiziert haben und sterben müssen, ohne überhaupt richtig gelebt zu haben. Ich will Menschenleben retten, verstehen Sie? Und da ist es mir scheißegal, ob das dem Gesetz entspricht, das sich so ein verrückter alter Pfaffe ausgedacht hat, um für ein paar Eingeborene den lieben Gott zu spielen! Und der, wenn er damit konfrontiert wird, das auch noch abstreitet und so tut, als sei er nur so eine Art Weihnachtsmann für die kleinen Kinder.«

Darauf hatte Sander nichts mehr erwidert, bis sie auf den Matamatá zurückgekehrt waren. Dort hatte sie zu ihm gesagt: »Und jetzt werde ich auch keine Zeit mehr verlieren. Morgen setze ich dem Alten die Pistole auf die Brust. Entweder er rückt freiwillig eine von seinen Bromelien heraus, oder wir nehmen uns eine, ob es ihm paßt oder nicht. Wir gehen einfach mit dem Luftschiff über seinen Garten und säbeln uns eine ab. Dann soll er mal versuchen, das zu verhindern.«

Besorgt hatte Sander überlegt, wie er sie von diesem Plan abbringen könne, ohne daß es nun zu einem ernsthaften Zerwürfnis zwischen ihnen käme. Da er die Hoffnung nicht aufgegeben hatte, sie vielleicht doch noch für einen längeren Aufenthalt in diesem Paradies zu gewinnen, sagte er: »Rufen Sie wenigstens vorher diesen portugiesischen Experten an; vielleicht weiß er etwas, was Sie berücksichtigen sollten, ehe Sie sich endgültig entscheiden.« Er war froh, daß ihm das eingefallen war; heute war es zu spät, nach Europa zu telefonieren, und morgen würden sie wohl wieder bis zum Abend bei dem Priester sitzen; auf diese Weise hatte er zwei, vielleicht sogar drei Tage gewonnen.

Maria Behring dachte nach. Eigentlich war es nur

vernünftig, alle Informationen zu nutzen, auch wenn ihre Entscheidung endgültig war. Außerdem würde es Sander vielleicht zu sehr kränken, wenn sie alles, was er vorbrachte, ohne weiteres verdammte; sie würde seine Dienste noch eine Weile benötigen.

»Also gut«, sagte sie. »Aber das machen wir dann gleich.«

»Das ist keine gute Idee«, sagte Sander leicht verdrießlich. »In Portugal ist es jetzt tiefe Nacht.«

Da hatte sie endgültig die Beherrschung verloren. »Was ist eigentlich los mit Ihnen? Wir ackern seit Wochen in tiefster Wildnis, schlafen auf Bäumen, sind beinahe umgebracht worden, und Sie machen sich Sorgen um irgendeinen portugiesischen Professor, der jetzt gemütlich in seinem Bett liegt und schnarcht!«

Ohne ein weiteres Wort war sie zum Luftschiff hinuntergeklettert; Sander hatte einen Augenblick gezögert und war ihr dann gefolgt. Sie hat es wieder einmal geschafft, dir ein schlechtes Gewissen einzureden, hatte er mißmutig zu sich gesagt. Auch diese Temperamentsausbrüche würde sie sich abgewöhnen müssen, wenn ... Er hatte den Gedanken gleich wieder verworfen. Sie würde sich niemals ändern; besser, er machte sich mit dem Gedanken vertraut, sie so zu akzeptieren, wie sie war.

Als sie in die Gondel gestiegen war, hatte sie den Computer blinken sehen. Sofort hatte sie in das Brieffach umgeschaltet, die Mitteilung auf den Bildschirm geholt und zu lesen begonnen: »... setze ich Ihnen eine letzte Frist bis heute, 27. März, 18.00 Uhr, nach San Simón de Cocuy zurückzukehren ... Falls Sie sich bis dahin nicht persönlich bei mir gemeldet haben, werde ich den Einsatz der Armee anordnen ...«

»Oberst Gómez«, hatte Sander überflüssigerweise gesagt. »Er ist offenbar mit seiner Geduld am Ende.«

»Der kann mich mal!«hatte Maria Behring zornig geantwortet; seit sie kurz vor dem Ziel stand, schien sich jeder die größte Mühe zu geben, ihr ständig neue Knüppel zwischen die Beine zu werfen. Als ob sie nicht schon genug Schwierigkeiten hätte! Mit einem Hieb auf die Löschtaste entfernte sie den Text vom Bildschirm; dann drosch sie auf das Keyboard ein, um Professor Sarosis letzten Brief vom Festplattenspeicher zu holen. Sie notierte die Telefonnummer, befahl dem Computer, die Antennenschüssel nach dem Fernmeldesatelliten auszurichten, koppelte ihr Mobiltelefon an und wählte.

Das Rufzeichen ertönte. Nach einigen Sekunden knackte es in der Leitung. »Hallo?« sagte eine leise Stimme. »Hallo?«

»Sind Sie Professor de Carvalho?« fragte Maria Behring auf portugiesisch.

»Ja«, kam es zurück. »Wer ist denn da?«

»Guten Abend. Äh, ich meine, guten Morgen. Hier ist Maria Behring von Berliner Pharma-Werke. Ich rufe Sie aus Venezuela an. Professor Sarosi war so freundlich, mich Ihnen zu avisieren.«

»Gütiger Himmel! Wissen Sie, wie spät es ist?«

Sie schaute auf ihre Uhr. »Sieben Uhr abends«, antwortete sie. »Bei Ihnen also ein Uhr morgens, nehme ich an.«

»Ja. Ich schlafe schon längst.«

»Entschuldigen Sie bitte. Ich hätte nicht gewagt, Sie zu wecken, wenn es nicht so wichtig wäre.«

»Was denn, bei allen Heiligen? Ist etwas passiert?«

»Hat denn Professor Sarosi nicht mit Ihnen gesprochen?«

»Doch. Er sagte, Sie würden sich für Afonso de Mesa und die Hernández-Expedition zum Amazonas interessieren. Das trifft sich gut, denn ich arbeite sowieso gerade an dem Stoff. Aber hat das nicht bis morgen Zeit?«

»Nein, tut mir leid. Aber ich werde Sie reichlich für Ihre Mühe entschädigen, das verspreche ich Ihnen.«

»Also gut«, seufzte der Professor, der inzwischen vollständig wach geworden zu sein schien. »Sie brauchen Ihr Portugiesisch nicht zu strapazieren, ich habe in Deutschland studiert.«

»Fein. Ich schalte jetzt auf Lautsprecher, damit mein Mitarbeiter Doktor Sander mithören kann.«

Sander mußte grinsen.

»Ja, also, was wollen Sie denn nun wissen?« kam die Stimme des Professors.

»Sagen Sie uns vielleicht erst in groben Zügen, was damals eigentlich los war«, sagte Maria Behring. »Ich meine, Ziel und Zweck und so weiter.«

»Ziel war die Erkundung des Amazonasgebietes und seine Inbesitznahme für die portugiesische Krone«, erklärte der Professor. »Die Flotte segelte am ersten Februar fünfzehnhundertneunundvierzig von der Tejomündung nach Brasilien ab.«

»Hieß das denn damals schon Brasilien?«

Der Professor überlegte kurz. »Nein«, sagte er dann. »Die ersten Reisenden bezeichneten das neue Land als ›Terra Vera Cruz‹, ›Land des wahren Kreuzes‹, nach dem Namen, den ihm sein Entdecker Pedro Alvares Cabral gegeben hatte. Der Name ›Brasilien‹ setzte sich erst in der zweiten Hälfte des sechzehnten Jahrhunderts durch.«

»Und der Amazonas?«

»Der hieß um diese Zeit noch Rio Marannon.«

Alles so, wie der alte Priester gesagt hat, dachte Maria Behring. Aber das hatte nichts zu bedeuten; wer sich für die Geschichte der portugiesischen Kolonien interessierte, konnte so etwas leicht nachlesen. »Geben Sie mir noch einige Daten über die Expedition«, sagte sie.

»Ankunft in der Bahía de Todos los Santos am neunundzwanzigsten März«, sagte der Professor. »Die wichtigsten Teilnehmer waren Tomé de Souza, Generalgouverneur, Pero Borges, Oberrichter, Antonio Cardoso de Barros –«

»Das wissen wir schon«, unterbrach sie ihn. »Wie war das dann mit der Reise zum Amazonas?«

»Ausfahrt von São Salvador am siebzehnten Januar fünfzehnhundertvierundfünfzig. Kapitän war Miguel Hernández, sein Stellvertreter Diogo de Maciel. Der Jesuit Afonso de Mesa aus Sines war als einziger Priester an Bord.«

»Fragen Sie doch mal nach dem Kalender«, raunte Sander ihr zu.

»Kalender? Ach so.« Warum wollte er das denn wissen? »Jetzt noch etwas ganz anderes. Es gibt da so eine seltsame Diskrepanz ... Deshalb würde mich interessieren: Wann wurde in den portugiesischen Kolonien eigentlich der Gregorianische Kalender eingeführt?«

»Wie bitte?« Der Professor schien seinen Ohren nicht zu trauen.

»Der Gregorianische Kalender«, wiederholte Maria Behring.

»Also habe ich doch richtig verstanden«, sagte der Professor. »So auf Anhieb kann ich das nicht sagen.«

»Können Sie nicht mal schnell nachschauen?« fragte sie. »Es ist wirklich sehr wichtig.« Wenn ich auch keine Ahnung habe, warum, fügte sie im stillen hinzu.

»Ja, dazu muß ich aber in meine Bibliothek gehen«, sagte der Professor verdrossen. »Ich befinde mich gegenwärtig in meinem Schlafzimmer, wie Sie sich vielleicht denken können.«

»Haben Sie ein Handy?«

»Ja, natürlich. Ich bin schon unterwegs.« Sie hörten ihn ächzen. Sander schüttelte den Kopf. Eigentlich war es unglaublich, daß sie hier saßen, in der Gondel eines Luftschiffes, das in der Kronenregion des amazonischen Regenwaldes hing, und zuhörten, wie sich ein alter Herr siebentausendfünfhundert Kilometer entfernt etwas mißgelaunt durch seine Akademikerwohnung schleppte.

Eine Minute verging, dann sagte der Professor: »Jetzt bin ich da. Mal sehen, wo das stehen kann. Vielleicht bei Alvares. Ich muß ein bißchen blättern.« Er schwieg wieder für eine Weile. Dann sagte er: »Hier haben wir es. Reform des Julianischen Kalenders nach langen Mühen durch Papst Gregor den Dreizehnten. Um den bis dahin angewachsenen Fehler von zehn Tagen auszugleichen, folgte auf den vierten Oktober der fünfzehnte Oktober fünfzehnhundertzweiundachtzig.«

Maria Behring und Sander sahen sich verblüfft an. »Sagten Sie ›zehn Tage‹?« fragte sie.

»Zehn Tage«, bestätigte der Professor.

»Und wenn es diese Kalenderreform nicht gegeben hätte? Welches Datum hätten wir dann?«

»Sie stellen vielleicht Fragen«, sagte der Professor. »Lassen Sie mich nachdenken ... zehn Tage ... den achtzehnten März, nehme ich an. Aber das ist doch völlig hypothetisch!«

»Natürlich«, sagte sie. »Aber trotzdem interessant.«

»Fünfzehnhundertzweiundachtzig«, sagte der Professor.

»Wie bitte?«

»Im Jahr fünfzehnhundertzweiundachtzig«, sagte der Professor. »Sie wollten doch wissen, wann der Gregorianische Kalender in Portugal eingeführt wurde. Fünfzehnhundertzweiundachtzig. Gleich nach seiner Anwendung in Rom.«

»Aha«, sagte Maria Behring. Auf jeden Fall lag das Datum hinter der Abreise dieses Afonso de Mesa.

»Fragen Sie nach der Bibel«, sagte Sander.

»Ich habe noch eine andere Frage, Herr Professor«, sagte sie. »Es gibt doch diese lateinische Bibel –«

»Sie meinen die Vulgata?« fragte der Portugiese.

»Genau. Sie wurde auf irgendeinem Konzil für die

Christenheit als allgemein verbindlich erklärt. Wann genau ist das gewesen?«

»Ich kann wirklich nicht verstehen, warum Sie mich das fragen«, beschwerte sich der Professor, »aber ich will es nachschlagen. Einen Augenblick bitte ... Hier haben wir es schon: Wurde fünfzehnhundertsechsundvierzig vom Konzil von Trient für authentisch erklärt.«

»Danke«, sagte Maria Behring.

»Es paßt alles zusammen«, sagte Sander.

»Ja«, sagte Maria Behring. »Aber das kann sich doch jeder halbwegs gebildete Mensch so ausgedacht haben.« Was ist los mit ihm, dachte sie? Glaubt er inzwischen etwa wirklich, daß der Priester vierhundertachtundsiebzig Jahre alt ist?

»Was wollen Sie noch von mir wissen?« brachte sich der Professor wieder in Erinnerung.

Maria Behring dachte nach. »Wie sah dieser Priester denn eigentlich aus?« fragte sie dann. Blöde Frage, dachte sie; aber etwas Besseres war ihr nicht eingefallen.

»Darüber gibt es keine Quellen«, antwortete der Professor. »Bis auf den Pfeilschuß, natürlich. Aber der ist der Forschung erst seit kurzer Zeit bekannt. Seit sehr kurzer Zeit sogar.«

Maria Behring und Sander wechselten einen überraschten Blick. »Was sagten Sie?« fragte sie entgeistert. »Habe ich richtig verstanden? Ein Pfeilschuß?«

»Ganz recht«, erwiderte der Professor. »Bei einem Überfall auf Indianer am Fluß Tapajos wurde Mesa von einem Pfeil ins linke Auge getroffen. Er zog ihn heraus, aber das Auge war verloren. Es war übrigens keine besonders ungewöhnliche Verletzung in einer Zeit, in der sich die Menschen von Kopf bis Fuß panzerten und nur das Gesicht frei blieb.«

Maria Behring konnte kaum glauben, was sie hörte. »Aber woher weiß man das? Ich dachte, die Expedition sei verschollen geblieben.«

»Das war die bis vor kurzem herrschende Meinung«, antwortete der Professor. »Aber vor ungefähr drei Wochen hat man in einem Kellergewölbe unserer Universität einen ganzen Stapel alter Geheimakten aus dem sechzehnten Jahrhundert gefunden. Eine von ihnen enthält auch Angaben über die Hernández-Expedition. Sie sind die erste, der ich davon erzähle.«

Maria Behring rang nach Atem; sie wagte nicht an die Konsequenz, die sich aus den Worten des Professors ergab, zu denken. »Was steht denn in diesen Akten?« brachte sie mühsam heraus.

»Ich will es kurz zusammenfassen. Die Expedition bestand nur aus einem einzigen Schiff. Offenbar gab es bald schwere Differenzen zwischen dem Kapitän und seinen Offizieren unter Führung dieses Diogo de Maciel. Es waren die damals üblichen Glücksritter, die mehr an private Beute als an ihre amtlichen Pflichten dachten. Sie zettelten eine Meuterei an, bei der Hernández ermordet wurde. Auch der Priester sollte umgebracht werden, konnte aber mit einigen befreiten Indianern in Richtung der venezolanischen Grenze entkommen. Dort ist er dann wohl zugrunde gegangen, ebenso wie die Meuterer, die ihn verfolgten. Die wenigen Überlebenden segelten mit der Karavelle nach São Salvador zurück. Sie wurden dort streng verhört und verwickelten sich rasch in Widersprüche. Daraufhin wurden sie festgenommen, in Ketten nach Lissabon gebracht und dort in einem Geheimprozeß zum Tode verurteilt.«

»Warum in einem Geheimprozeß?« fragte Maria Behring, nur um irgend etwas zu sagen; noch immer war sie nicht bereit zu akzeptieren, was aus der Mitteilung des Kolonialhistorikers gefolgert werden mußte.

»Damals wurde der Vertrag von Tordesillas noch sehr ernst genommen«, sagte der Professor. »Er teilte die Welt außerhalb Europas entlang einer gedachten Nord-

Süd-Linie zwischen Spanien und Portugal auf. Der größere Teil des Amazonasgebietes lag westlich dieser Linie, also in der spanischen Interessensphäre.«

»Dann hat die Hernández-Expedition also im trüben gefischt«, sagte Maria Behring; mühsam versuchte sie, Ordnung in ihre Gedanken zu bringen.

Sander hatte die Überraschung für sich bereits akzeptiert. Also doch, dachte er. Obwohl es eigentlich unfaßbar war.

»Im trüben? So könnte man es sagen, ja«, bestätigte der Professor. »Deshalb wollte der Hof natürlich nicht, daß die Sache bekannt wurde.«

»Und die Überlebenden wurden mundtot gemacht«, sagte Maria Behring.

»Immerhin waren sie Meuterer«, versetzte der Professor.

»Und der wissenschaftlichen Forschung waren alle diese Informationen bisher unbekannt?« fragte Maria Behring.

»Absolut unbekannt«, bestätigte der Professor. »Wie ich schon sagte: Selbst ich weiß erst seit etwa drei Wochen davon, als ich zu diesem neuen Fund gerufen wurde und eine erste Sichtung vornehmen konnte. Die wissenschaftliche Auswertung steht natürlich noch bevor. Aber das, was ich Ihnen jetzt erzählt habe, kann außer mir und meinen engsten Mitarbeitern eigentlich niemand wissen.«

»Auch nicht in Südamerika?« fragte Maria Behring, als hoffe sie, durch ein kleines Wunder dem großen Wunder zu entgehen.

»In Südamerika schon gar nicht«, sagte der Professor. »Ich habe Ihnen doch gesagt, daß die Gefangenen sofort nach Portugal abgeschickt wurden. Mit Sicherheit sind in São Salvador nicht einmal Akten über sie zurückgeblieben; es war schließlich ein Geheimprozeß, und diese Dinge wurden auch damals sehr ernst genommen.«

»Dann will ich Sie jetzt mal etwas ganz Dummes fragen«, sagte sie. »Stellen Sie sich vor, wir würden hier jemanden treffen, der alle Einzelheiten über die Hernández-Expedition kennt. Wie würden Sie sich das erklären?«

»Aber das ist unmöglich!« sagte der Professor. »Von der Sache wissen bisher nur vier Leute, mich eingeschlossen, und die sind alle noch hier. Sie erzählen auch keine Einzelheiten; jedenfalls nicht, bevor die Akten wissenschaftlich ausgewertet und offiziell publiziert worden sind. Bitte behalten Sie auch das, was ich Ihnen jetzt vorab gesagt habe, einstweilen für sich.«

»Natürlich«, sagte Maria Behring. »Aber trotzdem: Wenn wir jetzt hier jemanden anträfen, der uns genau das sagt, was Sie uns gesagt haben, der aber erkennbar seit Jahren hier mitten im tropischen Regenwald lebt und nachweislich keinerlei Verbindung mit der Zivilisation hat – was würden Sie dazu sagen?«

»Lieber Himmel, was sollte man dazu sagen?« erwiderte der Professor. »Auf solche hypothetischen Fragen antworte ich nicht gern. Ich weiß auch gar nicht, was Sie damit bezwecken. Aber wenn Sie jetzt dort im Urwald wirklich so jemanden gefunden hätten, würde ich sagen, Sie hätten einen Überlebenden dieser Expedition entdeckt.« Sie hörten, wie er lachte. »In diesem Fall wäre Ihre Entdeckung natürlich noch wesentlich interessanter als meine«, fügte er dann hinzu, »denn dieser Überlebende wäre dann ja – lassen Sie mich kurz nachrechnen –, ja, ungefähr fünfhundert Jahre alt.«

# TEIL SIEBEN

# Lignum Vitae

WENIGE MINUTEN SPÄTER dankte Maria Behring dem Professor und verabschiedete sich von ihm; es war ihr schwergefallen, noch einige belanglose Fragen anzufügen, um die Bedeutung, die seine Informationen für sie besaßen, vor ihm zu verschleiern. Als er sich seinerseits erkundigt hatte, wozu sie das alles wissen wolle, hatte sie das Gespräch rasch mit ein paar Floskeln beendet, und es war ihr egal gewesen, ob er sie für unhöflich oder gar für verrückt hielt. Denn das war, wie alles andere, völlig unwichtig gegenüber der kaum faßbaren, ja geradezu absurd erscheinenden Erkenntnis, die sich gleichwohl aus den Angaben des Professors in zwingender Logik ergab: daß der Priester wirklich fast fünfhundert Jahre alt sein mußte, am Leben erhalten durch das geheimnisvolle Enzym aus den Bromelien an der Cecropia. Oder sollte sie für dieses einzigartige Hohlstammgewächs jetzt nicht auch selbst konsequenterweise den Ausdruck »Lignum vitae« verwenden? Noch wehrte sich ihr in den klassischen Dimensionen der Wissenschaft erzogener Verstand gegen die siegreiche Übermacht des bisher für irrational Gehaltenen, aber die Bastionen des konventionellen Denkens bröckelten unter dem unwiderstehlichen Druck der neuen, gleichfalls in Logik gepanzerten Argumente. Die letzten Entlastungsversuche des treuesten Freundes menschlicher Vernunft, des Zweifels, scheiterten, denn trotz angestrengter Versuche konnte er keine Lücke in der Folgerichtigkeit des schlüssigen Denkens entdekken; es hatte ihren Geist so dicht umzingelt, daß schließlich nur noch die Kapitulation blieb.

»Geben Sie mir mal eine Zigarette«, sagte sie zu Sander. Er griff in seine Brusttasche, hielt ihr die Packung hin, gab ihr Feuer und bediente sich dann auch selbst.

Der Sturm der Ideen, die jetzt frei durch alle Regionen ihres Geistes stoben, ließ ihr fast schwindlig werden. Als erstes würde sie die Enzyme der Bromelien isolieren und die molekulare Struktur dieser Biokatalysatoren bestimmen. Diesen Teil der Untersuchung würde sie noch im Feldlabor am Cocuy durchführen, zusammen mit Meybohm, dem sie hundertprozentig vertrauen durfte. Wahrscheinlich würden sich dabei schon erste Hinweise auf die Substratspezifität der Enzyme und die Qualität der daraus folgenden enzymatischen Katalyse ergeben. Danach würde es wohl nicht mehr besonders schwierig sein, den Wirkstoff synthetisch herzustellen. Natürlich würde sie niemandem erzählen dürfen, nicht einmal Professor Meybohm, woher der Stoff in Wirklichkeit stammte und welche Geschichte sich mit seiner Beschaffung verband. Sie würde einfach behaupten, sie habe ihn aus einigen Bromelienextrakten vom Río Manipitari zusammengemixt. Sie lächelte. Diesmal würde es der Menschheit nicht schaden, daß Eva den Apfel des Paradieses pflückte!

Auch Sander war ziemlich durcheinander, obwohl er es etwas leichter hatte als sie, die ungeheuerliche Erkenntnis zu verarbeiten. Zwar war auch sein Verstand den logischen Kategorien des technisch-wissenschaftlichen Zeitalters verhaftet, aber in seinem Geist hatte sich eine kleine Gruppe abenteuerlicher, frei vagabundierender Gedanken aus den Tagen seiner Kindheit durch die Jahre seines Erwachsenendaseins gerettet, allen Verfolgungen zum Trotz, denen sie von seiner professionellen Disziplin her ausgesetzt waren. Diese seine Phantasie war es nun, die es ihm erleichterte, das Unerhörte zu akzeptieren, allerdings mit einer anderen Konsequenz, als Maria Behring erwartet hatte.

Sie schaltete den Computer aus; das Gerät, dieser Pseudohomunkulus des Plastikzeitalters, konnte jetzt, da es um souveräne Entscheidungen selbständig denkender Geister ging, nicht mehr von Nutzen sein. Allenfalls hätte sie noch einmal die Fakten zur Abwägung auf dem Monitor versammeln können, aber für sie gab es jetzt kein Für und Wider mehr und somit auch keinen Anlaß für Diskussionen. Sie zog noch einmal an der Zigarette, die jetzt, da das Wesentliche durchdacht war, nicht mehr schmeckte, und drückte sie im Aschenbecher aus. Dann schaute sie Sander an, der sie aufmerksam beobachtet hatte, und sagte: »Sie haben es ja wohl schon die ganze Zeit über vermutet, aber ich konnte es einfach nicht glauben. Vielleicht wollte ich auch nur nicht. Jetzt ist mir alles klar. Ich schlage vor, daß wir nun keine Zeit mehr verlieren. Morgen früh fahren wir zu dem Vulkanfelsen, schneiden uns ein paar Bromelien ab – und dann nichts wie zurück zum Cocuy. Kurz und schmerzlos, das ist das beste.«

Zu ihrer Überraschung schüttelte Sander den Kopf. »Ohne mich«, sagte er entschlossen. »Da mache ich nicht mit.«

Sie konnte es nicht glauben. »Wie bitte? Was ist denn los? Sind Sie nicht ganz bei Trost? Ich habe gesagt, morgen früh fahren wir!«

»In Ordnung«, sagte Sander, »nach Cocuy. Aber nicht über den Vulkanfelsen.«

»Ach nein«, sagte sie betroffen. »Sind Sie jetzt der Boß? Hören Sie: Das ist immer noch meine Expedition! Ich bezahle Sie, und ich sage, was Sie zu tun haben. So steht es in unserem Vertrag! Sie werden tun, was ich sage!«

»Nicht, wenn Sie etwas Kriminelles von mir verlangen«, erwiderte Sander. »Was Sie vorhaben, ist Diebstahl. Da mache ich nicht mit.«

Sie holte tief Luft. »Das hatten wir doch vorhin schon mal«, sagte sie. »Sind Sie denn immer noch nicht klüger geworden? Dabei ging es vorhin nur um Medikamente, um Heilmittel gegen Krebs, Aids und was sonst noch alles. Was heißt überhaupt ›nur‹? Das ist ja wohl auch schon wichtig genug. Aber jetzt geht es um ein Präparat, das Leben verlängern kann, vielleicht sogar den Tod für immer besiegt. Haben Sie das überhaupt begriffen?«

»Allerdings«, sagte Sander trotzig. »Aber das ist kein Argument für Sie, sondern eins für mich.«

»Ach ja?« sagte sie zornig. »Bin ich vielleicht sechzig, oder sind Sie es? Glauben Sie vielleicht, Sie werden länger leben als ich? Was soll dieser Unsinn?«

Sander fuhr sich mit der Zunge über die Lippen. »Ich glaube, ich weiß, warum der Priester nicht will, daß andere aus den Bromelien trinken«, sagte er.

»Und? Warum denn?«

»Überlegen Sie mal. Wenn alle diese Indianer hier sich an dem Lebensbaum bedienen dürften – was wäre die Folge? Sie würden alle viel länger leben als sonst, vielleicht sogar überhaupt nicht mehr sterben. Dann würden hier in diesen Bäumen vielleicht acht- oder zehntausend Menschen zurechtkommen müssen. Können Sie sich das etwa vorstellen? Die Bäume hier tragen enorm viele Früchte, aber für mehr als tausend Menschen würde das in keinem Fall reichen. Und dann?«

»Ich habe gar nichts dagegen, daß der Alte den Indianern die Bromelien vorenthält«, sagte Maria Behring. »Aber er hat kein Recht, sie der Welt vorzuenthalten!«

»Denken Sie doch mal nach!« rief Sander beschwörend. »Wenn wir diese Bromelien stehlen und daraus ein Medikament produzieren, das Menschen fünfhundert Jahre lang leben läßt – wie würde es zwei oder drei Generationen später auf der Welt aussehen? Schon jetzt ist die Übervölkerung die größte Gefahr.«

»Das ist dummes Zeug. Wenn man die Ressourcen

sinnvoll einsetzt, kann dieser Planet auch zwanzig oder dreißig Milliarden Menschen ernähren. Denken Sie nur an die Proteinreserven in den Ozeanen! Und wenn man endlich lernt, die Sonnenenergie richtig zu nutzen, läßt sich wahrscheinlich bald die Sahara bewässern.«

»Vor ein paar Tagen haben Sie noch ganz anders geredet«; sagte Sander. »Ich will Ihnen mal sagen, was wirklich mit Ihnen los ist: Sie wollen berühmt werden und wahrscheinlich auch noch reicher, als Sie ohnehin schon sind.«

»Was fällt Ihnen eigentlich ein? Das sind blanke Unterstellungen!«

»Es ist die Wahrheit!«

»Nein, ist es nicht!«

»Doch. Und das wissen Sie ganz genau. Sie haben über die Folgen Ihres Plans noch gar nicht richtig nachgedacht. Geben Sie es ruhig zu. Sie denken nur an die Sensation und an die Vorteile, die sich daraus für Sie persönlich ergeben. An die Menschen hier aber denken Sie überhaupt nicht, auch nicht an den Rest der Welt.«

»Sie sind nicht nur unverschämt, sondern auch ein Dummkopf. Wer sagt Ihnen denn, daß sich aus diesen Bromelien wirklich ein lebensverlängerndes Präparat herstellen läßt? Vielleicht wirkt es unter veränderten klimatischen Bedingungen ganz anders! Vielleicht handelt es sich auch nur um einen Irrtum der Natur, der mit wissenschaftlichen Mitteln nicht nachvollziehbar ist. Und selbst wenn wir es schaffen, ist noch lange nicht gesagt, ob wir es auch auf den Markt bringen. Immerhin wird das Bundesgesundheitsministerium zustimmen müssen. Oder glauben Sie, daß bei uns jeder alles verkaufen darf, was er will? Mit der Abtreibungspille von Hoechst war es genauso; in Frankreich darf sie seit Jahren verordnet werden, in Deutschland nicht, obwohl Hoechst ein deutsches Unternehmen ist.«

»Das sind doch alles Nebensächlichkeiten«, sagte Sander. »Wenn etwas einmal erfunden ist, schafft es niemand wieder aus der Welt. Das ist wie mit der Atombombe. Die ersten Kernforscher haben auch nicht geahnt, was sie der Menschheit damit antun.«

»Hören Sie doch auf!« sagte Maria Behring und hob die Augen zum Himmel. »Die Atombombe! Ausgerechnet! Damit können Sie doch heute kein kleines Kind mehr erschrecken!«

»Vor ein paar Jahren konnte man das sehr wohl«, beharrte Sander.

»Das war doch nur Politik«, sagte sie verächtlich. »Ein paar Linke wollten gegen die bürgerliche Regierung Stimmung machen, das war alles. Übrigens, falls Sie das nicht wissen: Die gleichmäßige Verteilung von Atombomben auf beiden Seiten des Eisernen Vorhangs hat Europa fast ein halbes Jahrhundert lang Frieden beschert.«

»Aber danach ging es um so schlimmer los.«

»Sie sind wirklich ein Idiot. Entschuldigen Sie, wenn ich das so unverblümt sage. Das, wovor Sie die Menschheit bewahren wollen, und zwar aus Gründen, die ich wirklich nicht nachvollziehen kann, ist doch schon längst in vollem Gange. Was glauben Sie denn, was für Medikamente wir und die anderen Pharmaunternehmen in den vergangenen hundert Jahren hergestellt haben – lebensverkürzende etwa? Nein, sondern solche, die kranke Menschen gesund machen. Damit sie nicht an ihren Krankheiten sterben, sondern weiterleben. Wissen Sie eigentlich, wie hoch die durchschnittliche Lebenserwartung der Deutschen war, ehe es die Pharmaindustrie gab? Fünfunddreißig Jahre! Heute sind es über vierundsiebzig Jahre. Sollen wir jetzt vielleicht, weil der Raum in Deutschland in letzter Zeit ein bißchen knapper geworden ist, den Leuten die Medikamente wegnehmen, damit sie wieder ein bißchen früher verrecken?«

»Das ist etwas ganz anderes«, gab Sander zurück. »Ich sage ja: Was mal erfunden worden ist, schafft keiner mehr aus der Welt. Man muß sich also vorher überlegen, was man erfinden will.«

»Sie reden wie diese Heinis, die dauernd gegen die Gentechnologie protestieren«, sagte sie. »Die wissen gar nicht, daß der Mensch schon seit der Steinzeit Gentechnologie betrieben hat. Und daß wir, wenn er das nicht getan hätte, heute gar nicht mehr auf der Welt wären. Wir haben nur überlebt, weil schon unsere frühesten Vorfahren Wege fanden, das Nahrungsangebot zu verbessern. Natürlich nicht mit Elektronenmikroskop und Laserstrahlen, aber durch Kreuzung verschiedener Arten, was für die Gene praktisch auf das gleiche hinauslief: äußerst effektive Verbesserungen biologischer Systeme, die von der Natur nicht vorgesehen waren und erst durch menschlichen Eingriff erzielt werden konnten. Aus Wildgräsern wie dem Einkorn wurde zum Beispiel der moderne Saatweizen. Ist Ihnen klar, was das bedeutet?«

»Ja«, sagte Sander. »Man kann auf gleicher Fläche sehr viel mehr ernten. Aber überhaupt nicht klar ist mir, wohin das eigentlich führen soll. Seit Beginn der Weltgeschichte bauen immer mehr Menschen immer mehr an, um immer mehr Menschen zu ernähren, die ihrerseits immer mehr anbauen. Irgendwann muß damit doch mal Schluß sein! Ich meine, unsere Welt ist doch nicht ausklappbar, oder?«

»Wenn unsere Vorfahren so gedacht hätten wie Sie, würden wir heute noch auf Bäumen sitzen«, sagte sie höhnisch.

»Na und?« erwiderte er. »Das wäre bestimmt nicht das Schlechteste, wie man hier sieht.«

»Für Typen wie Sie vielleicht«, sagte sie. »Für Leute, die damit zufrieden sind, wenn sie sich nur den Bauch vollschlagen und den Rest des Tages faulenzen dürfen. Mir genügt das aber nicht. Ich habe ein paar Fähigkeiten, aus denen ich noch etwas machen möchte, wenn Sie gestatten.«

»Dagegen habe ich nichts. Aber ich werde mich nicht an etwas beteiligen, was ich nicht verantworten kann.«

»Verantworten, verantworten«, äffte sie ihn nach. »Wer glauben Sie eigentlich zu sein? Sie haben ja überhaupt keine Ahnung, wovon Sie reden!«

»Ich bin nur Pilot«, sagte Sander steif, »aber als Mensch trage ich genausoviel Verantwortung wie Sie.«

Maria Behring hatte sich immer mehr in Rage geredet. Nur mühsam konnte sie sich davor zurückhalten, Sander zu beschimpfen; statt dessen sagte sie in gespielter Kühle: »Wenn Sie glauben, daß Sie mich mit diesem Mist überzeugen können, irren Sie sich gewaltig. Ich glaube, Sie sind einfach nur feige. Von mir aus fahren wir morgen zurück nach Cocuy. Dort schmeiße ich Sie hochkant hinaus, suche mir einen neuen Piloten, und übermorgen bin ich wieder hier.« Dann gibt es auch keine Behringia sanderiana, fügte sie in Gedanken hinzu, sondern höchstens eine Behringiana hosenscheißeriana, zum Gedenken an einen Hasenfuß von ganz besonderer Lächerlichkeit. Unglaublich, was der Kerl sich herausnahm! Sie stand vor der größten Entdeckung der Geschichte, und er mimte den Moralischen! Fast war sie versucht, sein Honorar zu verdoppeln, aber nach kurzer Überlegung verwarf sie den Gedanken wieder. Das fehlte noch, daß er für sein Gezicke auch noch Geld kassierte!

»Das können Sie natürlich tun«, sagte Sander. »Aber dann habe ich mir wenigstens nichts vorzuwerfen. Dann tragen Sie für alles, was passiert, die alleinige Verantwortung.«

In äußerster Erbitterung rang Maria Behring nach Luft. Dann besann sie sich; vielleicht konnte sie ihn umstimmen, wenn er begriff, worum es wissenschaftlich überhaupt ging. »Also gut, einen letzten Versuch mache ich noch mit Ihnen«, sagte sie. »Hören Sie gut zu, und versuchen Sie mir zu folgen. Ich habe den Eindruck,

Sie glauben, ich will so eine Art Ewiges-Leben-Elixier auf den Markt bringen. Vielleicht unter dem Namen Eternity, so wie irgendein Parfüm, nach dem Motto: »Jedes Jährchen ein Schlückchen, und der Tod ist dein Freund‹. Das ist natürlich dummes Zeug. Ich will Ihnen erklären, wie das mit dem Sterben abläuft. Der Alterungsprozeß ist zum großen Teil das Ergebnis von Zerstörungen, die elektrisch geladene Sauerstoffmoleküle in den Zellen anrichten. Diese Moleküle entstehen als natürliche Nebenprodukte bei Verbrennungsprozessen im Körper. Diese Verbrennungsprozesse sind erforderlich, weil die Zellen dabei den Sauerstoff, der ihnen mit dem Blut zugeführt wird, in Energie umwandeln. Ein Fluch unseres Planeten mit seiner sauerstoffreichen Atmosphäre, wenn Sie so wollen. Das Leben konnte sich hier nur auf Sauerstoffbasis entwickeln. Aber Sauerstoff ist zugleich auch das aggressivste Element, das es gibt. Wenn eines Tages wirklich einmal kleine grüne Männchen aus dem Weltraum auf die Erde zufliegen, werden sie zwar von weitem alles ganz toll finden, das viele blaue Wasser, die großen grünen Wälder und so weiter, aber wenn sie erst mal gelandet sind, werden sie sagen: ›Oha, dieser viele Sauerstoff, das reine Gift – nichts wie weg hier!‹ Es wäre für sie so, als würden sie durch einen Salzsäuresee paddeln.« Sie suchte den Faden, den sie in ihrer Erregung verloren hatte, fand ihn wieder und fuhr fort: »Diese freien Radikalen aber, diese vertrackten Sauerstoffmoleküle, vagabundieren durch den ganzen Körper. Sie brennen Löcher in Zellwände und zerstören Teile des genetischen Materials. Sie können sogar Kettenreaktionen auslösen. Das ist der Preis, den alle luftatmenden Lebewesen zahlen.«

Sander sagte nichts; er konnte sich denken, worauf sie hinauswollte, aber das würde an seiner Einstellung nichts ändern.

Maria Behring musterte ihn. Verstand er überhaupt,

was sie sagte? Vielleicht war es besser, wenn sie sich noch etwas einfacher ausdrückte. »Es gibt aber offenbar Möglichkeiten, diese freien Radikalen zu bekämpfen«, erklärte sie. »Die vielversprechendsten Versuche wurden mit Enzymen gemacht. An der Southern Methodist University in Dallas haben Genetiker einen Stamm von Fruchtfliegen gezüchtet, dessen Individuen zwei bestimmte Enzyme in erheblich größerer Menge produzieren, als das normale Fruchtfliegen tun. Das eine Enzym heißt Superoxid-Dismutase, das andere Katalase. Können Sie mir folgen?«

Sander nickte. Er wollte sie nicht ärgern. Er wollte ihr nur nicht helfen, die Bromelien zu stehlen.

»Diese beiden Enzyme bekämpfen die freien Radikalen und verhindern, daß sie so viele Zerstörungen anrichten, wie sie das normalerweise tun würden«, erläuterte Maria Behring weiter. »Also haben die Forscher die Gene dieser Insekten so manipuliert, daß die Fliegen seither viel mehr von diesen beiden körpereigenen Enzymen ausschütten als vorher. Und was, glauben Sie, war die Folge?« Sie sah ihn erwartungsvoll an.

»Die Viecher lebten länger«, sagte Sander.

»Sie haben es erfaßt«, sagte sie. »Die gentechnisch veränderten Fliegen erreichten eine um fünfzig Prozent gesteigerte Aktivität gegen die freien Radikalen, und prompt überstieg ihre Lebensdauer die ihrer Artgenossen um dreißig Prozent. Auf Menschen übertragen, würde das bedeuten, daß wir künftig hundert Jahre alt werden können, und zwar alle, und bei guter Gesundheit.«

Sander schüttelte den Kopf. »Ich möchte kein gentechnisch veränderter Mensch sein«, sagte er.

Sie schaute ihn wütend an. »Sagen Sie mir das, wenn Sie auf dem Sterbebett liegen«, warf sie ein, »vorher glaube ich es nämlich nicht. Natürlich ist das, was man bei diesen Fliegen gemacht hat, nicht ohne weiteres auch an Menschen zu machen; das wäre einstweilen noch zu gefährlich. Aber es ist ein Weg, auf dem die Forschung weitergehen kann. Und auch weitergehen wird, das können Sie mir glauben. Außerdem gibt es noch andere Möglichkeiten.«

»Dann braucht man also diese Bromelien überhaupt nicht«, sagte Sander.

»Doch«, sagte sie sanft, da sie sich nun als Siegerin fühlte. »Mit den Enzymen aus den Bromelien können wir die Sache wahrscheinlich abkürzen. Das würde vielen Menschen helfen.« Sie beobachtete seine Reaktion. »Und wahrscheinlich auch viele Tierversuche überflüssig machen«, fügte sie hinzu. Da er Regung erkennen ließ, die auf ein Einlenken hindeutete, meinte sie schließlich: »Außerdem wäre das dann keine gentechnologische, sondern eine ganz natürliche Methode. Kein menschlicher Eingriff in die göttliche Schöpfung wie diese anderen Experimente. Sondern lediglich die Nutzung dessen, was die Natur für uns bereithält.«

Sie betrachtete ihn gespannt.

Sander überlegte. Hatte sie wirklich nichts von dem begriffen, was er gesagt hatte? Er räusperte sich und sagte: »Sie haben jetzt ziemlich lange geredet. Nun können Sie mir auch mal zuhören.«

»Ich höre«, sagte sie.

»Kennen Sie die Legende vom Jungbrunnen?« fragte er. »Die Leute im Mittelalter glaubten daran, daß Greise und alte Weiber in sein Wasser stiegen und als Jünglinge und Mädchen wieder herauskämen.«

»Die Sehnsucht der Menschen, dem körperlichen Verfall zu entgehen, ist eben schon sehr alt«, sagte sie vorsichtig. Worauf wollte er hinaus?

»Das meine ich nicht«, entgegnete er. »Ich will etwas ganz anderes sagen. Haben Sie gewußt, daß die Konquistadoren den Jungbrunnen auch in Amerika suchten? Und zwar überall, von Florida bis nach Peru?«

»Das ist mir bekannt«, erwiderte sie.

»Sie haben ungeheure Strapazen auf sich genommen, um diesen Brunnen zu finden.«

»Na und? Meinen Sie vielleicht, uns wird es hier zu leicht gemacht?«

»Nein. Aber Ponce de León und viele andere Männer kamen dabei ums Leben.«

»Diese Gefahr besteht hier nicht. Außerdem kann ich ganz gut auf mich aufpassen. Und wenn Sie wollen, können Sie mich ja beschützen.«

Sander überhörte ihren Sarkasmus. »Gefunden wurde der Jungbrunnen nie.«

»Was wollen Sie damit sagen?«

»Daß es diesen Jungbrunnen nie gegeben hat«, sagte Sander. »Es war immer nur eine Legende. Die Männer sind einem Traum nachgejagt. Einem Traum wie dem von El Dorado, von Manoa, den Amazonen und so weiter. Der Regenwald ist voller solcher Träume. Wer aber diese Träume verwirklichen will, wird diesen Wald zerstören.«

»Wieso?« fragte sie.

»Ganz einfach. Wenn Sie diese Bromelien stehlen und Medikamente daraus machen, wird es hier bald zugehen wie beim Goldrausch in Alaska. Zehntausende von Glücksrittern werden hier einfallen und nicht eher ruhen, als bis sie gefunden haben, was sie suchen.«

»Das können wir getrost dem Oberst überlassen«, sagte sie. »Die Armee wird schon mit diesen Kerlen fertig.«

»Nein«, sagte Sander. »Glauben Sie mir, ich habe das alles schon mal mitgemacht, in Venezuela, neunzehnhundertneunundsechzig. In San Salvador de Paúl. Haben Sie den Namen schon mal gehört?«

Sie schüttelte den Kopf.

»Ein winziges Dorf im Staat Bolívar«, berichtete Sander. »Ein paar Hütten, unerträgliche Hitze, jede Menge Moskitos. Plötzlich fand ein Landarbeiter einen Diamanten. Wenige Wochen später wühlten dort auf einer Fläche von nur vier Quadratkilometern nicht weniger als achttausendfünfhundert Menschen die Erde um und holten täglich Klunker für zwei Millionen Dollar heraus. Es war Irrsinn. Die Behörden mußten eine Piste anlegen, um die Versorgung mit Lebensmitteln zu gewährleisten, sonst hätte es vom ersten Tag an Mord und Totschlag gegeben. Ich flog damals Diamantenhändler aus Brasilien dorthin. Mitten im Urwald stand eine Bretterstadt. Kneipen, Spielhöllen und Bordelle. Tagsüber war die Luft von Flüchen dick, nachts dröhnten Schlager. Überall Besoffene, denen das Messer locker saß. Jeden Tag gab es Tote. Und später ist das noch an vielen anderen Orten passiert. Wollen Sie, daß das auch hier so wird?«

»Von mir erfährt keiner, woher ich die Enzyme habe«, sagte Maria Behring. »Und wenn auch Sie den Mund halten, kann nichts passieren.«

»Sie haben keine Ahnung«, sagte Sander erbost. »Sie machen sich überhaupt keine Vorstellung, was das in diesen Ländern hier für Menschen sind. Diese Leute sind arm, aber nicht dumm und auch nicht schwach. Sondern sie sind schlau, entschlossen und gefährlich. Die Männer verstehen zu kämpfen, und sie verstehen zu töten. Ein Wort, ein Hinweis, nur ein Gerücht, und sie machen sich auf den Weg. Dann kann sie nichts und niemand mehr aufhalten, keine Indianer und keine Armee. Als erstes kommen sie nach Cocuy. Sie werden jeden Mann und jede Frau hier so lange ausfragen, bis sie wissen, wo überall wir gewesen sein könnten. Die Leute von Cocuy werden sie zur Neblina schicken, schon allein um sie wieder loszuwerden. Die Neblina ist das am wenigsten erforschte Gebiet; dort ist alles möglich. Diese Glücksritter werden nichts von Arzneien verstehen, aber sie werden denken, sie können das Nötige darüber genauso schnell lernen, wie sie gelernt haben,

Gold zu waschen oder nach Diamanten zu graben. Wahrscheinlich wird ihnen das sogar gelingen. Sie werden die Indianer ausquetschen. Sie werden den Jungbrunnen suchen, um sein Wasser zu verkaufen. Wekken Sie nicht die Leidenschaften dieser Leute, sonst ist die ganze Neblina verloren! Und wecken Sie nicht die Geister der alten Legenden, denn ihre Macht über die Menschen ist unwiderstehlich, und wenn sie erst einmal wach sind, kann sie niemand mehr aufhalten, bis alles hier vernichtet ist. Ich weiß, Sie halten nicht viel von Priestern. Aber ohne den alten Gottesmann und seine Religion wären diese Menschen hier längst in die Steinzeit zurückgefallen, so wie die anderen Indianer, die das Kolonialzeitalter überlebt haben. Es sind die letzten Amazonier, die hier in völliger Unschuld leben – und Sie denken nur daran, ihr kleines Paradies auszubeuten! Ich liebe dieses Land, und ich liebe diesen Wald. Ich werde nicht mithelfen, ihn zu zerstören. Er ist wie ein lebendes Wesen – nehmen Sie ihm nicht das Herz! Machen Sie ihn nicht zum Steinbruch für den Tempel Ihrer Ruhmsucht! Zu einem lebenden Leichnam, der nur noch eine Weile als Organspender fungiert!« Er verstummte; schon lange hatte er nicht mehr so viel an einem Stück geredet.

»Spielen Sie nicht den Romantiker«, sagte sie kalt. »Sie waren Legionär, Sie haben Menschen umgebracht, nicht ich! Ich will Leben retten. Und das werde ich auch tun. Das schwöre ich.«

»Dann habe ich Ihnen nichts mehr zu sagen«, sagte Sander. »Morgen fahren wir nach Cocuy. Dann können Sie mich von mir aus auszahlen. Überlegen Sie sich aber gut, was Sie dann tun! Der Wald gehört nicht Ihnen. Sehen Sie zu, daß er nicht durch Ihre Schuld für immer zerstört wird.«

Um zwei Uhr morgens lag der Wolkenwald in der tiefsten Stille, die sich in diesem Teil der Biosphäre mit seinen vielgestaltigen, unter der ständigen Knappheit an Nährstoffen selbst die winzigsten ökologischen Nischen besetzenden Lebensformen entwickeln konnte. Die nachtaktiven Tiere hatten nun den ersten Teil ihrer produktiven Phase hinter sich gelassen, die hauptsächlich dem Aufspüren, dem Erbeuten und dem Verzehren von Nahrung diente, in zweiter Linie aber der Pflege sozialer Kontakte bis hin zu deren wichtigster und höchstentwickelter Form, der für die Fortpflanzung nötigen Tätigkeit, gewidmet war; nun legten viele eine Ruhepause ein, um Kräfte für den zweiten Teil der Nacht zu sammeln, deren letzte Minuten wegen des dann zurückkehrenden Lichtes am gefährlichsten waren: Wer bis dahin nicht einigermaßen satt und sicher war, erhöhte sein Lebensrisiko beträchtlich.

Die tagaktiven Bewohner der Kronenregion hatten zu dieser Zeit ihre tiefsten Schlafphasen erreicht, und die wenigen elektromagnetischen Impulse, die ihre Hirnzellen auch jetzt noch erzeugten, waren längst zu schwach, um körperliche Aktivitäten anzuregen, die besondere Geräusche verursachen konnten, etwa unbewußtes Schreien und Stöhnen oder das eine bequemere Schlafposition suchende Sichwälzen im Nest. Auch Sander schlummerte fest; der Streit hatte ihn zwar erst spät einschlafen lassen, nun aber kostete sein Geist die Ruhephase voll aus. Arglos hatte sich sein Verstand von den Zinnen der Wachsamkeit zurückgezogen; das Mißtrauen, das Vorsichtige oft nur einen leichten Schlaf finden läßt, ruhte vergessen im tiefsten Verlies seines Gemüts.

Maria Behring stand in der halbgeöffneten Tür der Hütte, schaute prüfend zum Himmel und nickte dann zufrieden mit dem Kopf. Sie war den gesamten bisherigen Teil der Nacht wachgeblieben und hatte die Idee, die sich bald nach dem Streit in ihrem Kopf festgesetzt hatte, zu einem sorgfältig durchdachten Plan ausgearbeitet. Zwischendurch war sie alle halbe Stunde aufgestanden und hatte den Nachthimmel betrachtet, dessen Wolkenbedeckung ein entscheidender Faktor für das Gelingen ihres Vorhabens war. Bis Mitternacht hatte die inzwischen schon etwas breitere Sichel des zunehmenden Mondes zusammen mit den Sternen für eine Helligkeit gesorgt, die es Maria Behring unmöglich gemacht hätte, ihre Absicht in die Tat umzusetzen. Danach aber hatte der Himmel sich immer stärker zugezogen, und nun hatte sich die Luftfeuchtigkeit in einer dreitausend bis siebentausend Meter hohen Schicht so stark verdichtet, daß sie das Licht der Himmelskörper bis auf wenige Lux absorbierte; es war so dunkel, daß Maria Behring kaum die Hand vor den Augen sehen konnte.

Sie lauschte in das Innere der Hütte, aus der Sanders regelmäßige Atemzüge drangen. Wenn alles gutginge, würde er nichts merken, ehe sie wieder in die Zivilisation zurückgekehrt wären; dann aber würde sie sich seinen Vorwürfen zu stellen wissen.

Vorsichtig Fuß vor Fuß setzend, um nirgends anzustoßen, schlich sie hinaus und zog die Tür hinter sich zu. Dann tastete sie sich zu der Leiter vor und kletterte einige Meter in die Tiefe. Erst jetzt knipste sie die Taschenlampe an, die an der Vorderseite ihres Overalls eingehängt war. In dem schwankenden Lichtkegel arbeitete sie sich in die Tiefe, bis sie die Gondel des Luftschiffes erreicht hatte. Sie öffnete die Tür und stieg hinein.

Die Infrarotgeräte lagen in ihrer Kiste. Maria Behring öffnete sie, nahm erst ihre Brille, dann die Batterie heraus und kontrollierte die Ladeanzeige. Die Batterie war voll. Genug Energie für drei Stunden, dachte Maria Behring; bis dahin würde sie längst zurück sein.

Sie entflammte ihr Feuerzeug, hielt einen Korken über

die Flamme und schwärzte sich sicherheitshalber sorgfältig Stirn und Wangen. Dann nahm sie die Armbanduhr mit dem Leuchtzifferblatt ab, steckte sie in die Brusttasche, schob die Arme in die Tragegurte und nahm den Batterietornister auf den Rücken. Zum Schluß setzte sie die Brille auf und schaltete den Infrarotstrahl ein. Als sie schon aus der Gondel klettern wollte, fiel ihr siedendheiß ein, daß die Taschenlampe an ihrer Brust noch immer brannte. Vor Schreck wurde ihr fast übel. Rasch knipste sie die Lampe aus. In einem leichten Anfall von Panik setzte sie nun sogar die Brille noch einmal ab, um mit eigenen Augen zu kontrollieren, daß die Birne nicht mehr glühte. Sie hätte das Gerät am liebsten in der Gondel zurückgelassen, aber das hätte bedeutet, daß sie bei einem plötzlichen Ausfall des Infrarotstrahlers keine Chance gehabt hätte, vor dem Morgengrauen zum Luftschiff zurückzufinden.

Sie atmete ein paarmal tief durch, um das Adrenalin schneller abzubauen, setzte die Infrarotbrille zum zweitenmal auf und schaltete den Strahler ein. Schlagartig sah sie ihre Umgebung in dem ihr nun schon vertrauten blaßgrünen Licht. Vorsichtig stieg sie aus der Gondel und kletterte die Leiter hinauf.

Der Infrarotstrahl aus dem kleinen Sender zwischen den beiden Okularen der Brille folgte ihrem Blick auf die Brücke zum Axtbrecherbaum; in dem gespenstischen Schein sahen die Lianen wie riesige Pythonschlangen aus. Entschlossen machte sie sich auf den Weg.

Ein leichter Wind bewegte die Blätter der Bäume, und einige Insekten flogen surrend an Maria Behrings Ohren vorbei. Nach einer Weile bemerkte sie vor sich ein flatterndes Tier, konnte aber nicht unterscheiden, ob es sich um einen Kauz oder um eine Fledermaus handelte.

Die Stille des Waldes hatte für Maria Behrings Empfinden nichts Beruhigendes; ihr wäre eine etwas geräuschvollere Kulisse für ihre Aktion lieber gewesen, denn diese hätte das Entdeckungsrisiko vermindert. So mußte sie sich nicht nur darauf konzentrieren, den Weg zu finden, sondern auch darauf, möglichst leise zu sein, besonders dann, wenn sie an Hütten vorüberkam.

Nach ihrem Zeitplan würde es auf diese Weise etwa eine halbe Stunde dauern, bis sie den Vulkankegel erreichte. Höchstens eine Viertelstunde würde vergehen, bis sie durch die Wohnung des Priesters in den Hinterhof eingedrungen wäre und von der Rückseite des Lebensbaumes eine Bromelie abgeschnitten hätte. Eine weitere halbe Stunde für den Rückweg – wenn alles gutgeht, dachte sie, liege ich spätestens um halb vier wieder in meiner Hängematte.

Als sie ein Drittel der Strecke zurückgelegt hatte, begann es so heftig zu regnen, daß sie für einige Minuten Schutz unter dem Blätterdach eines Bombaxbaumes suchen mußte, um nicht völlig durchnäßt zu werden. Sie war froh, daß ihr Zeitplan genügend Reserven enthielt; kritisch würde es erst werden, wenn sie um fünf Uhr noch nicht wieder zu ihrer Hütte auf dem Matamatá zurückgekehrt wäre. Trotzdem ging sie, als der Regen aufgehört hatte, etwas schneller, nicht so sehr, um die Zeit aufzuholen, sondern von wachsender Spannung getrieben; sie konnte es kaum erwarten, ihr Messer an eine dieser Wunderbromelien zu setzen, für die sie so viel zu riskieren bereit war.

Eine weitere Verzögerung gab es, als sie sich mehreren Hütten auf einem riesigen Feigenbaum näherte und feststellte, daß in einiger Entfernung davon ein seltsam geformtes Wesen stand; erst bei näherem Hinsehen erkannte sie, daß es in Wirklichkeit zwei eng miteinander verschlungene Gestalten waren, die leise redeten und lachten. Maria Behring blieb stehen und wartete eine Weile, sah aber bald ein, daß sich das Liebespaar wohl kaum so bald in die Hütten zurücktrollen würde, denen es entflohen war, um ungestörte Zweisamkeit zu genießen. Es blieb ihr nichts anderes übrig, als sich vorsichtig an den beiden vorüberzuschleichen.

Nach einer Dreiviertelstunde hatte sie den Torbaum erreicht. Gabriel schlief wie bei ihrem ersten Vorstoß eine Woche zuvor am anderen Ende der Hochbrücke auf dem Boden, ein Bein auf die dickste Liane gelegt. Maria Behring tastete nach ihrem Elektrostick. Was sie jetzt tun mußte, tat ihr zwar leid, war aber eine unvermeidliche Notwendigkeit im Dienste der Wissenschaft. Sie atmete tief durch, betrat die Brücke und ging entschlossen auf den Indianer zu. Er würde einen plötzlichen Schmerz verspüren und in der nächsten Sekunde das Bewußtsein verlieren; am nächsten Tag würde er in seiner Unwissenheit wahrscheinlich glauben, er habe nur geträumt.

Schon nach den ersten Schritten stellte Maria Behring fest, daß die Erschütterungen den Erzengel aufgeweckt hatten; er stand auf und starrte ihr entgegen, ohne sie freilich in der Dunkelheit ausmachen zu können. »Wer ist da?« fragte er laut und hob sein Flammenschwert, um jederzeit zuschlagen zu können.

Maria Behring lief rasch auf ihn zu; dadurch begann die Brücke stärker zu vibrieren. Gabriel schien an diesen Erschütterungen zu erkennen, daß es für ihn gefährlich wurde, denn sein Gesicht nahm wieder einen Ausdruck kämpferischer Entschlossenheit an. Doch ehe er irgend etwas unternehmen konnte, um sich zu verteidigen, hielt Maria Behring den Elektrostick an die nackte Haut deines Oberkörpers. Ein Lichtblitz zuckte durch die Nacht, und der Erzengel sackte bewußtlos zusammen. Maria Behring versuchte ihn aufzufangen, aber er war schwerer, als sie gedacht hatte, und entglitt ihr; immerhin konnte sie verhindern, daß sein Kopf auf dem Boden aufschlug.

Sie bettete ihn möglichst bequem auf die kleine Wiese an der Brücke. Dann ging sie zu der Höhle, zog vorsichtig die Tür aus Palmholz auf und lauschte. Als sie kein Geräusch hörte, schlüpfte sie hinein und blickte sich um.

In dem Raum schien sich außer dem Priester niemand aufzuhalten. Auf Zehenspitzen schlich sie zu dem Paravent und spähte über den Rand. Wie sie es erwartet hatte, lag der Alte in seinem Bett und schlief. Unwillkürlich mußte sie lächeln. Er würde nie erfahren, was in dieser Nacht geschehen war, dachte sie, und deshalb auch nicht gekränkt sein können. Hatte sie ihm nicht überhaupt frank und frei erklärt, daß sie sich nun einmal für die Pflanzen seines Waldes interessierte?

Sie wandte sich um, ging zu der zweiten Tür, öffnete sie und trat in den kleinen Innenhof. Im selben Augenblick begann es wieder zu tröpfeln. Sie zögerte einen Augenblick und überlegte, ob es nicht besser wäre, in der Höhle zu warten; dann aber siegte ihre Ungeduld, und sie ging durch den Regen zu der Cecropia. Da der Baum sehr nahe an dem Felsen wuchs, der den Hof wie eine Mauer abschloß, war es nicht leicht, an seine Rückseite zu gelangen, und sie mußte sich erst an einigen Ästen vorüberwinden. Bald stand sie so eng an dem Stamm, daß der Regen sie nicht mehr erreichen konnte. Überrascht stellte sie fest, daß sie darüber nicht erleichtert war, sondern statt dessen ein Gefühl der Beklemmung in ihr aufstieg; sie mußte sich eingestehen, daß sie die abwegige Befürchtung hegte, der Lebensbaum dieses Paradieses werde sich irgendwie gegen den Raub der Bromelie zur Wehr setzen, etwa indem er plötzlich seine Äste um sie schloß und sie gefangenhielt, bis es hell wurde, oder sie überhaupt nicht mehr freigab, bis sie qualvoll verhungert war. Späteren Besuchern würde man dann als grausame Warnung ihr von Ästen umwachsenes Skelett zeigen ... Jetzt reiß dich zusammen, sagte sie sich. Was soll dieser Unsinn? Wir arbeiten hier für die Wissenschaft und nicht für irgendeinen albernen Gruselfilm!

Sie beugte sich zu der Bromelie, die am nächsten wuchs, und nahm sie sorgfältig in Augenschein. Die auffallend großen Blüten ließen Maria Behring zuerst glauben, sie habe eine Tillandsia pretiosa vor sich, die sie auf einer früheren Expedition in Ekuador untersucht hatte. Bei der Pflanze auf der Cecropia aber waren die Deckblätter weniger spreizend und enthielten deutlich sichtbare Nerven; der Blütenkelch war nicht elliptisch zugespitzt, sondern eher wie eine Trompete geformt, wie Maria Behring es noch nie gesehen hatte. Außerdem war die Bromelie viel kleiner, denn die Trichterrosette maß höchstens zwölf Zentimeter, während sie bei der ekuadorianischen Tillandsia einen halben Meter tief wurde. Kein Zweifel, das war eine neue Art, vielleicht sogar eine eigene Unterfamilie; »Behringoidae« schien ihr kein schlechter Name dafür.

Sie untersuchte Blüten- und Staubblätter und konzentrierte sich dann auf die tief eingeschlossenen Griffel. Obwohl sie versuchte, die verschiedenen Teile der Pflanze nur langsam und äußerst vorsichtig auseinanderzubiegen, hatten die bissigen kleinen Ameisen den Eindringling bereits bemerkt und quollen in hellen Scharen aus ihren Nestern in den großen Hohlkammern der Äste.

Also gut, sagte Maria Behring zu sich, Ende der Veranstaltung! Rasch zog sie ihr Messer aus der Tasche und schnitt die Bromelie vom Stamm; dabei mußte sie ziemlich viel Kraft aufwenden, denn die Wurzeln des Epiphyten waren fest wie Draht.

Als sie schon die ersten Ameisenbisse spürte, löste sich die Aufsitzerpflanze endlich von dem Ast. Maria Behring wand sich aus der Enge zwischen Baum und Fels hervor, holte einen durchsichtigen Plastikbeutel aus der Hosentasche, entfaltete ihn, stopfte die Bromelie hinein und sicherte den wasserdichten Verschluß. Dann hängte sie sich den Beutel um den Hals. Geschafft, dachte sie. Wenn sie Glück hatte, waren in dem Beutel auch noch ein paar Ameisen gefangen, die der Entomologe untersuchen konnte, um herauszufinden, wie das Bromelienenzym auf ihren Chitinpanzer, ihre Atmung und ihren Stoffwechsel wirkte.

Als sie in die Höhle zurückkehren wollte, war ihr plötzlich, als bewege sich die Tür. Starr vor Schreck blieb sie stehen; dann fiel ihr ein, daß sie so gut wie unsichtbar war, und sie beruhigte sich ein wenig. Dennoch hielt sie den Atem an und drückte sich dicht gegen den Felsen, als die Tür nun tatsächlich aufging und der alte Priester in den Innenhof trat.

Maria Behring tastete nach dem Elektrostick. Die verbliebene Ladung würde genügen, auch noch den Alten zu Boden zu schicken, wenn es wirklich nottat. Dennoch war es das letzte Mittel, das sie anwenden wollte, denn dann würde sie noch in der Nacht mit dem Luftschiff verschwinden müssen, auch wenn es noch so riskant war, in völliger Dunkelheit unter den Ästen des Matamatá aufzusteigen; niemand würde glauben, daß Priester und Wächter zur gleichen Zeit denselben Traum gehabt hätten.

Der Priester trat ins Freie und ging durch den kleinen Hof auf die Cecropia zu. Er bewegte sich, als wäre es taghell; Maria Behring beruhigte sich mit dem Gedanken, daß er diese Sicherheit nicht etwa einer besonderen Kraft seiner Augen, sondern lediglich seiner Erfahrung aus zahllosen nächtlichen Spaziergängen verdankte.

Erst jetzt erkannte sie, daß er in seiner rechten Hand einen dicken Grashalm hielt, der ihm offenbar als Trinkrohr dienen sollte. Plötzlich blieb der Alte stehen, drehte sich um und blickte genau in ihre Richtung. Nur mit Mühe unterdrückte sie den Impuls zu fliehen.

Der Priester verharrte fast eine Minute lang und lauschte. Maria Behring atmete so leise wie möglich; als sie schon dachte, er würde sie trotzdem hören, wandte er sich zu ihrer Erleichterung wieder dem Baum zu. Als er die ersten Äste berührte, begann er sich an ihnen zum Stamm vorzutasten, bis er auf eine Bromelie stieß. Er befühlte die Pflanze, bis er den Tank gefunden hatte, steckte den Trinkhalm hinein und begann geräuschvoll zu saugen.

Prost, sagte Maria Behring erleichtert zu sich selbst und schob sich vorsichtig in Richtung Tür. Es würde schon eines geschulten Botanikerauges bedürfen, die Stelle an der Rückseite des Baumes wiederzufinden, von der sie die kleine Bromelie geschnitten hatte, dachte sie; mehr als ein paar Kratzer von ihrem Messer in der Rinde der Cecropia konnte dort kaum zu sehen sein.

Als sie die Tür erreicht hatte, schob sie zwei Finger unter den Rahmen und zog das Holz langsam zu sich, bereit, beim geringsten Geräusch ohne weiteres loszulaufen, so schnell sie nur konnte. Es gelang ihr jedoch, die Tür ohne jeden Laut zu öffnen und sich geräuschlos hindurchzudrücken. Sie eilte durch die Höhle und lief durch die andere Tür hinaus.

Auf dem Vorplatz war alles ruhig; der Erzengel ruhte immer noch auf der Erde, in derselben Lage, wie sie ihn in das krautige Bulbostylisgras gebettet hatte.

Sie schaute zum Himmel und stellte beruhigt fest, daß die Wolkendecke immer noch dicht geschlossen war. Der Regen aber hatte aufgehört. Es war Zeit, in die Hütte zurückzukehren, dachte sie; morgen würden sie in aller Frühe nach Cocuy fahren, den größten Schatz im Gepäck, den je ein Mensch von einer Expedition nach Hause gebracht hatte. Ein überwältigendes Glücksgefühl durchflutete sie, bis eine warnende Stimme in ihrem Inneren sagte: Konzentration, bitte! Ausflippen kannst du, wenn du wieder in der Hängematte liegst!

Fuß vor Fuß setzend, ging sie durch das hohe Gras auf den Liegenden zu. Plötzlich spürte sie wieder ein Gefühl der Angst und dachte einen Augenblick, der Erzengel könne ja inzwischen wieder zu sich gekommen sein und stelle sich vielleicht nur bewußtlos, um sie besser packen zu können, wenn sie dicht genug an ihm vorüberkäme. Tatsächlich lag er so, daß sie wie beim erstenmal über ihn hinwegsteigen mußte, um auf die Brücke zu gelangen. Sie wußte, daß es nicht leicht sein würde, ihm zu entkommen, wenn er wirklich in diesem kritischen Augenblick zugriff.

Einen Meter vor ihm blieb sie stehen und beobachtete ihn aufmerksam. Er rührte sich nicht. Sie zögerte kurz, dann griff sie in die Hosentasche und holte den Elektrostick heraus. Auch wenn es gesundheitsschädlich sein konnte, einen Mann in so kurzem Abstand zweimal mit fünfzigtausend Volt zu schocken, würde sie lieber dieses Risiko in Kauf nehmen, als sich von ihm festhalten zu lassen.

Sie setzte den rechten Fuß vor, bis er fast die Schulter des Erzengels berührte, zog dann das linke Bein nach und hob es über den Körper des Liegenden, den Elektrostick immer auf ihn gerichtet. Genau in diesem Moment begann Gabriel leise zu stöhnen und den Kopf zu bewegen. Rasch beugte sie sich vor, bis sie mit der freien Hand das Lianengeländer berührte, zog auch das rechte Bein über den Indianer hinweg und stand auf der Brücke.

Der Erzengel stöhnte noch einmal und richtete sich langsam auf. Schnell wandte Maria Behring sich ab und eilte über die Brücke davon. Hinter sich hörte sie ein lautes Keuchen; die Schwankungen auf der Brücke verstärkten sich. Erschrocken hielt sie inne. Obwohl es gefährlich schien, sich in vollem Lauf umzudrehen, konnte sie der Versuchung nicht widerstehen. Entsetzt erkannte sie, daß der Erzengel nur noch wenige Meter hinter ihr war. Gleich würde er sie eingeholt haben. In diesem Augenblick stolperte sie, verlor das Gleichgewicht und stürzte auf den Boden der Brücke. Der Aufprall war so heftig, daß ihr der Elektrostick aus der Hand gerissen wurde. Verzweifelt streckte sie den Arm aus, um ihn aufzufangen, aber es war schon zu spät: Das Gerät rollte über den Rand der Brücke und fiel in die Tiefe.

In der nächsten Sekunde war der Erzengel über ihr. Sie hob das Knie, um es ihm in den Leib zu stoßen, wie sie es bei Selbstverteidigungskursen gelernt hatte, und riß an seinen dichten Haaren, aber der Indianer war viel stärker, als sie geglaubt hatte; seine Arme umschlangen sie wie ein Schraubstock. »Hierher!« schrie er immer wieder. »Hierher! Auf die Brücke! Kommt mir zu Hilfe!«

Verzweifelt wand sich Maria Behring unter dem Erzengel und versuchte mit aller Kraft sich loszureißen, aber immer wenn sie eine seiner Hände mit Mühe abgestreift hatte, packten seine Finger an einer anderen Stelle um so fester zu. In äußerster Not zog sie das Messer aus der Tasche; jetzt war sie bereit, ihn zu töten. Aber bevor sie zustoßen konnte, hörte sie plötzlich einen dumpfen Schlag; der Griff des Erzengels gab nach, und sein Körper wurde schlaff.

Keuchend wälzte sie sich unter ihm hervor und schaute nach oben. Ein grelles grünes Licht blendete sie. »Sander«, sagte sie, »sind Sie das?«

Es war Sander.

»Sie müssen wahnsinnig geworden sein«, hörte sie ihn sagen. »Jetzt nichts wie weg hier! Zum Schiff! Vielleicht schaffen wir es noch!«

Er packte sie grob am Arm, stellte sie auf die Beine und zog sie hinter sich her. Keuchend und stolpernd folgte sie ihm; Schweiß strömte ihr über den ganzen Körper, und ihre Muskeln zitterten vor Anstrengung so stark, daß sie sich kaum auf den Beinen halten konnte.

Der Torbaum ragte vor ihnen auf. Als sie die Brücke verließen und gehetzt die Leiter hinaufkletterten, sahen sie hinter sich schemenhafte Gestalten.

Vom Vulkankegel erklang das laute Alarmsignal einer Rindentrompete, und bald glommen überall im Wald kleine Lichtpunkte auf; die Indianer hatten Fackeln entzündet und eilten aus allen Richtungen zu ihrem Herrn.

»Weiter!« stieß Sander hervor. »Noch haben sie uns nicht!«

Er zerrte sie die letzten Sprossen der Leiter hinauf und stieß sie in Richtung der Zedrachbäume. »Los! Laufen Sie, so schnell Sie können!«

»Ich weiß nicht, wohin!« ächzte sie; in ihrer Verwirrung hatte sie völlig die Orientierung verloren.

»Laufen Sie hinter mir her!« sagte Sander und eilte davon, immer wieder den Kopf drehend, um zu sehen, ob sie ihm folgen konnte. Sie schaffte es einigermaßen, aber nach fünf Minuten blieb sie erschöpft stehen. »Ich kann nicht mehr«, sagte sie und lehnte sich keuchend an das Lianengeländer des Hochweges.

Er schob die Infrarotbrille auf die Stirn und schaute sich um. Die Wolkendecke hatte sich gelockert und begann bereits das Licht des Mondes und der Sterne hindurchzulassen. Nur noch wenige Minuten, und sie würden den Vorteil ihrer technischen Sichtgeräte verloren haben. Jetzt erkannte er, daß von allen Seiten Fackeln näher kamen. Der Trompeter auf dem Vulkankegel blies immer weitere Signale.

»Wo haben Sie Ihren Elektrostick?« fragte er Maria Behring. »Schnell, her mit dem Ding!«

»Verloren«, stieß sie keuchend hervor. »Als sich der Kerl auf mich stürzte.«

»Liegt das Ding noch auf der Brücke?« fragte Sander, obwohl es sinnlos war, gegen die Übermacht ihrer Verfolger dorthin zurückkehren zu wollen.

Sie schüttelte heftig den Kopf. »Es ist über den Rand gerollt«, sagte sie kleinlaut.

»Dann weiter«, befahl er. »Los, noch haben wir eine Chance!«

Schwerfällig setzte sie sich wieder in Gang; es war klar, daß sie nicht mehr lange durchhalten würde. Aber auch Sander benötigte schon nach drei Minuten eine neue Pause. Wieder schob er die Brille zurück. Der Himmel war inzwischen so hell, daß man den Hochweg gut erkennen konnte. Die Fackeln rückten immer näher; bald würden sie überflüssig sein.

»Runter mit dem Infrarotgerät«, befahl er. »Das bringt jetzt nichts mehr.«

»Wie?« fragte Maria Behring verwirrt.

»Runter damit!« befahl Sander barsch und riß ihr den schweren Batterietornister vom Rücken. Sie schob die Brille zurück. »Tatsächlich«, sagte sie, als sie sah, wie hell der Himmel inzwischen geworden war. »Es hat sich wohl alles gegen uns verschworen!«

Er stellte seinen Tornister neben dem ihren ab, legte die beiden Brillen darüber und sagte: »Halten Sie noch ein paar Minuten durch, wie sind gleich am Schiff.«

»Ich versuche es«, brachte sie heraus. »Also los!«

Sie liefen weiter, merkten aber bald, daß der Boden des Hochweges viel stärker bebte, als er es nur aufgrund ihrer Schritte getan haben würde.

»Schneller!« rief Sander. »Sie kommen näher!«

»Ich kann nicht!« keuchte Maria Behring.

»Geben Sie mir Ihre Hand!« sagte Sander und zerrte die Taumelnde vorwärts, aber nach wenigen hundert Metern gab er es auf.

»Es geht nicht«, ächzte sie völlig erschöpft. »Lassen Sie mich hier. Sehen Sie zu, daß wenigstens Sie zum Luftschiff durchkommen. Sagen Sie Oberst Gómez Bescheid; er soll mich hier raushauen. Die Indianer werden mir schon nicht gleich den Kopf abreißen.«

Sander ging vor ihr auf die Knie und wandte ihr den Rücken zu. »Steigen Sie auf und halten Sie sich gut fest«, schlug er vor. »Ich nehme Sie Huckepack.«

»Aber das hat doch keinen Sinn«, sagte sie. »Tun Sie, was ich gesagt habe!«

Er zögerte immer noch. »Sicher?« fragte er.

»Klar bin ich sicher«, antwortete sie.

»Also gut«, sagte er.

Er gab sich einen Ruck und lief los. Aber schon nach wenigen Metern sah er, daß einige Indianer aus der anderen Richtung entgegenkamen.

»Zu spät«, sagte er.

»Weil Sie erst immer so lange über alles diskutieren müssen!« sagte sie vorwurfsvoll. Sie war völlig fertig.

»Unsinn«, sagte er. »Wir hätten es so und so nicht geschafft. Wahrscheinlich haben sie das Schiff schon längst umstellt.« Kampfbereit baute er sich vor ihr auf. »Mal sehen, ob die sich wirklich an uns herantrauen«, sagte er.

»Lassen Sie den Unfug«, sagte sie. »Das macht alles nur noch schlimmer. Wir werden so tun, als wüßten wir von nichts. Ich sage einfach, daß ich den Priester heimlich aufsuchen wollte, um mit ihm über unsere Abreise zu sprechen.«

»Das glaubt er nie«, sagte Sander.

»Er soll uns erst einmal das Gegenteil beweisen«, erwiderte sie.

Sander schaute auf ihre Brust. »Was haben Sie denn da?« fragte er.

»Ach so«, sagte sie. »Das hätte ich beinahe vergessen.« Sie nahm den Beutel vom Hals und warf ihn über das Lianengeländer.

»Sie haben es wirklich getan!« sagte Sander. »Sie waren heimlich am Lebensbaum und haben eine Bromelie abgeschnitten. Sie müssen ganz von Sinnen sein!«

Sie gab keine Antwort.

Von beiden Seiten näherten sich nun Indianer. Sie blieben in einigen Metern Entfernung stehen und richteten ihre Blasrohre auf die Verfolgten.

»Rühren Sie sich nicht«, sagte Sander zwischen den Zähnen.

»Keine Sorge«, sagte Maria Behring, »die tun uns nichts.«

Sander hob langsam die Hände und hielt den Indianern die Innenflächen entgegen, um seine Waffenlosigkeit zu demonstrieren. »Friede«, sagte er laut auf guaraní.

»Was wollt ihr?« fragte Maria Behring, deren Atem sich langsam wieder beruhigte. »Wir haben nichts Unrechtes getan!«

Die Indianer gaben keine Antwort. Sie kamen nicht näher, ließen aber die Blasrohre nicht sinken. Nach einigen Minuten kam Bewegung in sie; von hinten drängten sich einige Männer durch die Reihen. Es waren Gabriel und die anderen Erzengel.

Maria Behring und Sander warteten beklommen, bis Gabriel vor ihnen stand. Blut lief ihm über das Gesicht. »Ihr habt das Gesetz gebrochen«, sagte er düster.

»Nein«, antwortete Maria Behring. »Wir haben nichts Unrechtes getan.«

»Hören Sie schon auf«, murmelte Sander. »Damit kommen wir doch nie im Leben durch!«

»Schweigt!« herrschte Gabriel sie an. »Ihr habt die schwerste Sünde begangen und das heiligste Gesetz des Herrn gebrochen! Nun sollt ihr dafür die gerechte Strafe erleiden. Ihr seid meine Gefangenen; wenn es Tag geworden ist, wird der Herr über euch richten.«

Die anderen Erzengel traten hinter Sander und Maria Behring und fesselten ihnen die Hände auf den Rükken.

»Gehen wir«, befahl Gabriel.

»Wohin?« fragte Maria Behring, der das volle Ausmaß des Desasters erst jetzt so richtig zu Bewußtsein zu kommen schien.

»An einen Ort, von dem ihr nicht entweichen könnt«, sagte Gabriel finster. »Wir bringen euch in die Katakomben.«

Der große Nashornkäfer stemmte seine dunkelbraunen, stachligen Beine gegen die Erdklümpchen auf seiner Bahn und schob sich schwerfällig vorwärts. Es war ein Weibchen. Zwei Stunden zuvor hatte es seine Eier in einem morschen Baumstamm abgelegt, dessen faulendes Holz den Larven drei Jahre lang Nahrung in Fülle bieten würde; nun suchte die mehr als sechs Zentimeter lange Koleoptere mit dem markanten, gabelverzweigten Horn auf dem Schild einen Platz, an dem sie geschützt den Tag erwarten konnte. Ihre nervösen Bewegungen zeigten, daß sie allmählich ungeduldig wurde, denn aus ihr unbegreiflichen Gründen kam sie trotz äußerster Anstrengungen nicht recht voran; jedesmal wenn sie den kleinen Erdhaufen überwunden hatte, erhielt sie einen Stoß und purzelte wieder hinunter.

»Nun hören Sie doch endlich auf damit«, sagte Sander, der das nicht länger mit ansehen konnte. »Lassen Sie das Tierchen in Frieden. Es kann wirklich nichts dafür.«

Maria Behring legte den kleinen Zweig zur Seite, mit dem sie den Käfer geneckt hatte, und sagte: »Schon gut. Das Warten geht mir auf die Nerven. Was der Alte wohl ausheckt? Ich hoffe nur, er ist nicht so verrückt, wirklich zu glauben, daß er uns wegen Bromeliendiebstahls einsperren kann. Dieser Wald mag noch so weit von der Zivilisation entfernt sein, er untersteht trotzdem den Gesetzen Brasiliens, und nach denen steht das Abschneiden von Pflanzen nicht unter Strafe, nicht einmal in Nationalparks.«

»Das wird uns hier nicht viel nutzen«, sagte Sander zweifelnd. »Sie haben doch selber gesagt, daß sich der

Priester als eine Art Herr über Leben und Tod fühlt. Machen Sie sich lieber auf einiges gefaßt!«

»Wir werden uns nichts von ihm gefallen lassen«, sagte sie kampfeslustig. »Vor allem soll er mir schlüssig beweisen, daß ich wirklich in seinem Garten war. Bin neugierig, wie er das anstellen will.«

»Ich glaube nicht, daß es hier zugeht wie bei einer Zivilklage vor dem Amtsgericht Charlottenburg«, sagte Sander sarkastisch. »Ich glaube auch nicht, daß Sie einen Pflichtverteidiger bekommen. Und erst recht nicht, daß es hier die Möglichkeit einer Berufung gibt. Oder glauben Sie, daß Sie hier auf irgendeine moderne Strafprozeßordnung setzen können? Wollen Sie vielleicht den Richter wegen Befangenheit ablehnen? Wir sollten uns lieber gut mit ihm stellen. Legen Sie ein Geständnis ab, zeigen Sie ein bißchen Reue oder wenigstens Bedauern, von mir aus heucheln Sie ihm was vor, dann läßt er uns vielleicht ohne weitere Fisimatenten laufen. Wenn Sie ihn aber provozieren, wird er das Gefühl bekommen, daß er etwas für seine Autorität tun muß, und das kann nicht gut für uns sein.«

»Umgekehrt wird ein Schuh daraus«, sagte Maria Behring. »Wenn wir dem Alten gleich die Zähne zeigen, wird er sich hüten, allzusehr auf den Putz zu hauen; ich werde ihm von Anfang an klarmachen, daß er völlig auf dem Holzweg ist.«

Sander seufzte; so bewundernswert er ihre kämpferische Art sonst fand, hier war sie seiner Meinung nach völlig fehl am Platze. »Versuchen Sie es lieber mit Diplomatie«, wiederholte er. »Hauptsache, wir kommen hier möglichst bald wieder raus! Alles andere ist jetzt nebensächlich.«

»Machen Sie sich nur nicht in die Hosen«, sagte sie spöttisch. »Mit dem werden wir schon fertig.« Es war klar, daß sie mit »wir« nicht sie beide, sondern allein sich selbst meinte.

Da sie nach ihrer Gefangennahme fünf Stunden vorher von den Indianern getrennt zu dem Vulkankegel geführt worden waren, hatten sie kein Wort miteinander sprechen können. Danach, in die Katakomben gesperrt, hatten sie die Zeit zu einer Erkundung ihres ungewöhnlichen Gefängnisses genutzt. Der Eingang lag etwa vierzig Meter von der Höhle des Priesters entfernt hinter gelbblühenden Oleandersträuchern. Als Gabriel die Gittertür aus starken Bambusstäben öffnete und die Gefangenen etwas heftiger, als sie erwartet hatten, hineinstieß, hatten sie die Ausmaße der Grotte wegen der Dunkelheit nicht sofort richtig einschätzen können, aus der klaren, kühlen Luft in ihr jedoch auf eine beachtliche Größe geschlossen. Als dann endlich der Morgen gekommen und Tageslicht in die Höhle gefallen war, hatten sie zu ihrem Erstaunen festgestellt, daß sich die Decke mindestens zwölf Meter hoch über ihren Köpfen wölbte. Der lehmige Boden war weich und feucht, und während die Nacht wich, kehrten Fledermäuse durch die Bambusstäbe zu ihren Schlafplätzen zurück.

Die Höhle reichte so weit in den Felsen, daß sie fast den gesamten Vulkankegel auszufüllen schien. Als die Sonne etwas höher stand, hatten sie erst den mittleren und dann den hinteren Teil der leicht gewundenen Grotte untersucht und dabei zu ihrer großen Verblüffung festgestellt, daß sie fast vollständig mit Grabstätten ausgefüllt war. Zwischen Fußboden und Decke waren jeweils zwanzig Nischen übereinander in den weichen Tuffstein gehauen. In ihnen schimmerten bleich die Gebeine der Toten; sie waren mit verschränkten Armen und angewinkelten Beinen bestattet worden. Im hinteren Teil verästelte sich die Höhle in mehrere Gänge, die parallel zueinander verliefen und dicht mit solchen Wandnischen besetzt waren; die Gesamtanzahl hatte Maria Behring auf neuntausend Gräber geschätzt. »Es stimmt genau«, hatte sie gesagt. »Rechnen wir mal zwanzig Tote im Jahr. Macht ungefähr vierhundertfünfzig Jahre. Hier ruhen sie alle.« Mit fasziniertem Kopfschütteln hatte sie hinzugefügt: »Und der Alte hat sie alle überlebt.«

Bei diesen Worten war es Sander kalt über den Rükken gelaufen; die Vorstellung, daß vielleicht auch er eines Tages hier liegen würde, hatte nichts Verlockendes für ihn.

Danach hatten sie die Gittertür untersucht und festgestellt, daß den dicken Bambusstämmen ebenso wie dem seitlich in den Felsen eingelassenen Riegel ohne Werkzeug unmöglich beizukommen war.

»Das geht höchstens mit Feuer«, hatte Sander festgestellt.

»Haben Sie denn Ihr Feuerzeug dabei?« hatte Maria Behring gefragt.

Sander hatte genickt und auf seine Brusttasche geklopft, um die Auswölbung zu spüren, zu seiner eigenen Beruhigung nicht weniger als zu der ihren. »Aber solange der da draußen sitzt, wird uns das nichts nutzen«, hatte er hinzugefügt.

Einer der anderen Erzengel hatte sich zehn Meter vor dem Eingang der Höhle auf einem Felsen niedergelassen, um sich in den Strahlen der Morgensonne zu wärmen. Von Zeit zu Zeit drehte er sich prüfend nach den Gefangenen um. Sein Gesichtsausdruck ließ nichts Gutes erwarten.

Als Maria Behring und Sander festgestellt hatten, daß sie vorderhand nichts unternehmen konnten, hatten sie sich gegenseitig über ihre Erlebnisse in der Nacht unterrichtet. Maria Behring hatte ihren mißlungenen Coup freimütig in allen Einzelheiten geschildert und sich auch nicht davon irritieren lassen, daß Sander zwischendurch immer wieder zeigte, wie wenig Verständnis er für ihr Verhalten aufbringen konnte. Erst zum Schluß hatte sie ihrem Ärger nachgegeben und gesagt:

»Hinterher kann man leicht kritisieren. Wenn es geklappt hätte und wir jetzt im Luftschiff säßen, mit Kurs Cocuy, würden Sie nicht dauernd so dumm mit dem Kopf schütteln. Warum haben Sie sich eigentlich eingemischt? Wenn Sie nicht auch noch dazugekommen wären, könnten Sie jetzt schon längst mit Verstärkung auf dem Rückweg sein.«

Obwohl er sich völlig unschuldig fühlte, hatte er gewußt, daß sie in diesem Punkt recht hatte. »Ich habe gedacht, ich könne Sie noch zurückhalten«, hatte er sich verteidigt. »Als ich aufwachte und merkte, daß Sie nicht mehr in Ihrer Hängematte lagen, war mir gleich mulmig. Draußen vor der Hütte waren Sie auch nicht, also kletterte ich in das Schiff hinunter und sah, daß eins der Infrarotgeräte fehlte.« Es war wirklich unglaublich von ihr, ihn jetzt auch noch in die Defensive drängen zu wollen!

Danach hatte er erzählt, wie er sich gleichfalls eine Infrarotbrille aufgesetzt hatte und durch den Wald geeilt war, um sie einzuholen und zu verhindern, daß sie ihren Plan wirklich ausführte, und wie er dann an der Brücke gesehen hatte, daß sie von dem Wächter festgehalten wurde.

»Womit haben Sie eigentlich zugeschlagen?« hatte sie an dieser Stelle wissen wollen.

»Mit seinem Flammenschwert. Er hatte es fallen lassen, weil er beide Hände frei haben wollte. Ich sah es auf der Brücke liegen und zog es ihm über den Schädel. Ich fürchte, jetzt habe ich einen Freund weniger.« Wie zur Entschuldigung hatte er hinzugefügt: »Ich habe gedacht, daß wir es noch zurück zum Schiff schaffen, aber das war ja leider ein Irrtum.«

»Allerdings«, hatte sie erwidert. »Wenn Sie etwas besonnener gewesen wären, hätten Sie gar nicht erst das Infrarotgerät genommen, sondern wären gleich mit dem Luftschiff gestartet und hätten mich mit dem Scheinwerfer gesucht. Ich glaube kaum, daß dieser Engel mich noch länger festgehalten hätte, wenn Sie mit donnernden Motoren auf ihn zugerast wären.«

»Nachher ist man immer schlauer«, hatte er sich verteidigt. »Aber wie hätte ich denn wissen können, in welcher Situation ich Sie antreffen würde? Hätte Ihr Plan bis dahin funktioniert, wäre er durch mich verraten worden. Oder glauben Sie, die Indianer wären nicht sofort aus ihren Hütten gesprungen, wenn ich mit dem Schiff über sie hinweggerauscht wäre?«

Darüber stritten sie sich nun schon die ganze Zeit, aber es war klar, daß Maria Behring nur ein Rückzugsgefecht führte und ihre Aggressivität lediglich Ausdruck ihres schlechten Gewissens war.

Kurz vor zehn Uhr erschienen die anderen Erzengel und stellten sich vor der Höhle auf. Gabriel schob den Riegel zurück und öffnete die Gittertür. »Kommt heraus«, befahl er. »Die Stunde des Gerichts ist gekommen, und ihr sollt nun für eure Verfehlungen Rechenschaft ablegen.« Seine Worte klangen ernst.

»Hören Sie auf mich!« sagte Sander ein letztes Mal.

»Ich weiß schon, was ich tue«, kam ihre entschiedene Antwort.

Sie wurden von den Erzengeln in die Mitte genommen. Als sie durch die blühenden Oleanderbüsche geführt wurden, hörten sie über sich lautes Stimmengewirr, und als sie ins Freie traten, sahen sie, daß sich die Bewohner des Wolkenwaldes auf den drei Zedrachbäumen versammelt hatten.

»Das sieht aber gar nicht gut aus«, murmelte Sander besorgt. »Der Priester will hier wohl eine Art Schauprozeß veranstalten!«

Maria Behring nickte. Auch sie war überrascht. Sie hatte auf ein klärendes Gespräch mit dem Priester gehofft, bei dem sie alle Register ihrer Überzeugungskraft ziehen wollte. Nun aber erkannte sie, daß ihnen offenbar eine Gerichtsverhandlung bevorstand, bei der es darauf ankommen würde, die Wirkung jedes einzelnen Wortes auch auf die Zuschauer zu bedenken; sie wußte, daß bei einem Prozeß vor Publikum der Anschein des Rechts ebenso wichtig war wie das Recht selbst.

Der Priester saß hinter einem Tisch, der etwas erhöht über dem kleinen Vorplatz aufgestellt war, und trug eine schlichte Albe mit gekreuzter violetter Stola unter dem Zingulum, als wolle er seinen Gefangenen die Beichte abnehmen. Seine Haltung strahlte Autorität, sein Gesicht Entschlossenheit aus. Es würde nicht leicht sein, mit ihm zu einer Einigung zu kommen, dachte Sander; der Alte war offenbar entschlossen, vor seinem versammelten Volk ein Exempel zu statuieren. Sanders Besorgnis verstärkte sich noch, als er neben dem Tisch die beiden Infrarotgeräte entdeckte.

»Ob sie wissen, was das ist?« fragte er Maria Behring.

Sie zuckte mit den Schultern. Da sie nicht die Absicht hatte, von ihrer Unschuldsbehauptung abzurükken, bemühte sie sich, möglichst gelassen zu wirken. Hoch auf den Ästen über sich sah sie Ani, Senex und Wolkenfänger sitzen; die Gesichter der drei zeigten größte Bestürzung. Maria Behring lächelte ihnen aufmunternd zu; es konnte nicht schaden, ein paar Zuschauer auf ihre Seite zu ziehen.

Sander zuckte zusammen, als unmittelbar hinter ihm die Rindentrompete ertönte; das Geheul fuhr ihm durch Mark und Bein, und er dachte: So muß es beim Jüngsten Gericht zugehen, wenn die Toten von ihren Gräbern auferstehen.

Als der Trompeter sein Instrument abgesetzt hatte, kehrte auf dem Platz und in den Bäumen tiefste Stille ein. Der Priester sah die beiden Gefangenen durchdringend an. Dann sagte er mit erhobener Stimme in guaraní: »Fremdlinge, die Ihr unsere Gäste wart! Gnädig haben wir Euch bei uns aufgenommen und mit allem wohl versorgt, sowohl mit der Nahrung des Leibes wie auch mit jener des Geistes. Dennoch habt Ihr Euch dafür nicht dankbar erwiesen, sondern im Gegenteil unsere Gastfreundschaft auf das übelste mißbraucht. Ihr habt uns belogen und hintergangen. Am schlimmsten aber ist, daß Ihr das erste und höchste Gesetz dieses Waldes gebrochen habt. Denn Ihr habt Euch in der Bosheit Eurer Seelen unterstanden, vom Baum des Lebens zu essen!«

Bei diesen Worten wurde unter den Zuschauern empörtes Gemurmel hörbar. Der Priester wartete, bis sich alle wieder beruhigt hatten; dann fuhr er fort: »Was habt Ihr dazu zu sagen?«

Maria Behring zögerte keine Sekunde. »Sie irren sich!« rief sie laut. »Wir sind unschuldig und haben nichts Unrechtes getan. Niemand hat uns verboten, nachts durch den Wald zu laufen; in Wahrheit wollten wir Sie nur aufsuchen, um mit Ihnen vertraulich über unsere Abreise zu reden. Da wir nicht wußten, wie und wann Sie das Ihrem Volk sagen wollten, beschlossen wir, Sie im geheimen zu besuchen, so wie beim erstenmal. Doch noch ehe wir die Brücke überqueren konnten, fiel uns Ihr Erzengel an. Da bekamen wir es mit der Angst und versuchten zu fliehen.«

»Lüge!« rief Gabriel zornig. Die Zuschauer tuschelten aufgeregt miteinander.

»Es ist die Wahrheit«, sagte Maria Behring mit fester Stimme. »Wer meint, daß ich lüge, möge es mir beweisen!«

Der alte Priester sah sie mit bohrenden Blicken an. »Ihr seid also gar nicht in meiner Wohnung gewesen?« fragte er.

Maria Behring schüttelte den Kopf. »Nein«, antwortete sie energisch. »So weit sind wir gar nicht gekommen!«

»Folglich seid Ihr also auch nicht am Baum des Lebens gewesen?«

»Wie hätten wir das wohl fertigbringen können?« fragte Maria Behring angriffslustig wie jemand, der sich auf dem Boden der lautersten Wahrheit bewegt und über ganz unberechtigte Zweifel empört ist.

»Lüge!« rief Gabriel wieder.

Der Priester hob die Hand. »Und also habt Ihr auch keine Frucht vom Baum des Lebens geschnitten?« fragte er weiter.

»Nein, natürlich nicht«, sagte Maria Behring, entschlossen, die einmal gewählte Verteidigungstaktik bis zum Schluß durchzuhalten, mochte da kommen, was wollte.

Der Priester zeigte auf Sander. »Und Ihr?« fragte er. »Ihr seid auch nicht in meiner Wohnung gewesen?«

»Was sagt er?« fragte Sander.

Maria Behring übersetzte es ihm.

»Nein«, antwortete er, froh, nicht lügen zu müssen; in dieser Kunst hatte er sich noch nie als besonders talentiert erwiesen.

»Und auch nicht in meinem Garten?«

Diesmal verstand Sander ohne Hilfe. »Nein!«

»Und nicht am Baum des Lebens?«

»Nein.« Die Zuschauer begannen wieder miteinander zu tuscheln.

»Lange mache ich diesen Quatsch nicht mehr mit«, sagte Maria Behring aufgebracht. »Für wen hält der Kerl sich eigentlich?«

»Ruhig«, mahnte Sander. Das fehlte noch, daß sie jetzt die Nerven verlor!

Der Alte gab Gabriel einen Wink. »Tritt vor, mein Sohn«, sagte er, »und erzähle uns, was du bemerkt hast.«

Gabriel stellte sich auf den freien Platz zwischen dem improvisierten Richtertisch, den anderen Erzengeln und den Angeklagten, deutete auf die Brücke und berichtete: »Als es noch ganz dunkel war, wohl um die zweite Stunde des Morgens, wurde ich plötzlich gewahr, daß eine fremde Person die Brücke betreten hatte. Ich rief, aber sie gab keine Antwort und blieb auch nicht stehen, sondern lief sogar noch schneller auf mich zu, so, als wolle sie mich angreifen. Ich hob mein Schwert, um mich zu wehren, da spürte ich plötzlich einen Schmerz, als habe mich ein Pfeil in die Brust getroffen, und fiel bewußtlos zu Boden.«

»Wie viele Personen sind es gewesen?« forschte der Priester.

»Auf der Brücke war nur eine Person«, antwortete Gabriel. »Ob noch eine zweite auf dem Torbaum stand, konnte ich nicht erkennen.«

»Das wird ja langsam eine richtige Posse«, sagte Maria Behring laut auf portugiesisch. Der Priester schaute sie irritiert an.

»Seien Sie still«, raunte Sander ihr zu. »Diese Aussage beweist noch gar nichts!«

»Schweigt!« befahl der Alte. »Ihr könnt nachher noch reden. Laßt den Zeugen weiter aussagen!« Er wandte sich wieder Gabriel zu. »Was ist dann geschehen?«

»Ich lag einige Zeit bewußtlos auf der Erde. Als ich wieder erwachte, hörte ich im Gras Schritte rascheln. Ehe ich noch ganz zu mir gekommen war, lief die Person schon wieder über die Brücke zum Torbaum zurück. Ich verfolgte sie und warf sie zu Boden. Als ich mit ihr rang, traf mich ein Schlag auf den Kopf, und ich wurde wieder bewußtlos.« Zornig schaute er Sander an.

»Hast du die Person erkannt?« fragte der Priester.

Der Erzengel zeigte auf Maria Behring. »Sie war es«, erklärte er. »Es war eine Frau, das merkte ich sofort. Und keine andere Frau im Wolkenwald ist so groß und kräftig. Ihr Mann muß es gewesen sein, der mich dann niederschlug.«

»Das bestreite ich nicht«, sagte Sander, »und es tut mir auch leid. Ich hatte große Angst um meine Frau und wußte nicht mehr, was ich tat.« Er hoffte, der Priester werde den Wink mit dem Zaunpfahl verstehen. Falls nicht, würde er deutlicher werden müssen. Hatte er den Indianer nicht dabei überrascht, wie er mit einer sich nach Kräften wehrenden Frau rang?

Der Priester sah Maria Behring an. »Was habt Ihr dazu zu sagen?«

»Das ist alles dummes Zeug«, antwortete Maria Behring. »Als ich über die Brücke ging, stürzte er sich plötzlich auf mich. Ich bekam Angst und versuchte zu fliehen. Mein Mann wollte mir helfen.«

Der Alte sah sie wieder durchdringend an. »Ist das wirklich die Wahrheit?« fragte er noch einmal.

»Wir haben nichts Falsches getan!«

Widerwillig mußte Sander zugeben, daß sie mit ihrer Taktik recht zu behalten schien. Frechheit siegt, dachte er hoffnungsvoll; aber ganz ohne Schuldbekenntnis unsererseits wird der Priester die Sache schwerlich auf sich beruhen lassen können. Er räusperte sich. »Ich sprechen?« fragte er.

Der Priester nickte.

Sander suchte nach den richtigen Worten. »Was heißt Zwischenfall?« fragte er Maria Behring.

Sie sagte es ihm.

»Der Zwischenfall uns leid tut«, sagte Sander. »Unsere Schuld. Wir nicht nachts durch den Wald laufen.«

»Gütiger Himmel«, murmelte Maria Behring neben ihm.

»Was heißt ›verzeihen‹?« fragte er sie.

Sie sagte es ihm, fügte dann aber hinzu: »Jetzt ist aber Schluß. Dieses weinerliche Getue macht mich ganz krank. Von mir aus können Sie sich im Staub wälzen, wenn Ihnen danach ist. Aber erwarten Sie nicht, daß ich mich neben Sie werfe!«

»Es ist nur ein bißchen Show«, sagte Sander und wandte sich wieder dem Priester zu. »Es uns tun leid!« rief er wieder.

Der Priester nickte ernst. Sander erwartete, daß er nun eine leichte Buße über sie verhängen werde, um seine Autorität zu beweisen. Statt dessen winkte der Alte jedoch einem anderen Erzengel. »Uriel, tritt vor!«

Der Indianer gehorchte; er war etwas kleiner als Gabriel, aber nicht weniger kräftig. Sander beobachtete ihn gespannt; da sie während ihres bisherigen Aufenthalts im Wolkenwald hauptsächlich mit Gabriel und seiner Familie beschäftigt gewesen waren, hatten sie von den anderen Erzengeln nur wenig Notiz genommen und kannten sie eigentlich kaum. Maria Behring trat nervös auf der Stelle; sie schien mit ihrer Selbstbeherrschung am Ende. »Was soll das jetzt noch!« schimpfte sie.

»Cool bleiben«, mahnte Sander wieder.

Die Unruhe unter den Zuschauern wuchs. Der Priester hob die Hand. »Erzähle uns, was du am Baum des Lebens entdeckt hast!«

Sander erstarrte; er konnte kaum glauben, daß die Beweisaufnahme trotz seiner Bitte um Entschuldigung fortgesetzt wurde.

»Fußspuren«, sagte Uriel.

Sander staunte. Konnten die Indianer auf vulkanischem Fels Fußabdrücke lesen?

»Wo?« fragte der Priester.

»Überall, wo wir das Mehl ausgestreut hatten«, sagte der Erzengel. »Die meisten jedoch an dem Baum.«

Sander stand wie vom Blitz getroffen; fast wären ihm die Knie weich geworden. Maria Behring hielt es nicht mehr aus. »Mehl?« rief sie mit blitzenden Augen. »Sie haben Mehl ausgestreut?«

»Ich habe die ganze Zeit über gewußt, was Euer eigentliches Ziel war«, sagte der Priester zornig. »Ihr wolltet stehlen, was Euch nicht gehört und niemals gehören darf. Ihr wolltet mich täuschen. Ich aber habe Euch durchschaut.« Er deutete auf die Infrarotgeräte. »Schon seit Ihr zum erstenmal kamt, ahnte ich, daß Ihr eine Zauberlampe besitzen mußtet, die nur Euren Augen leuchtet, so daß Ihr zu sehen vermögt, wenn für andere tiefste Dunkelheit herrscht. Seid Ihr damit nicht schon früher an meinem Wächter vorübergeschlichen? Darum befahl ich, den Boden des Gartens mit Mehl zu bedecken.«

»Das war eine Falle!« rief Maria Behring.

Sie zitterte vor Wut. Ausgetrickst von diesem mittelalterlichen Pfaffen, diesem selbsternannten Zwergengott, diesem egoistischen Kolonialpriester, der ohne eigenes Verdienst ein Mittel zur Unsterblichkeit gefunden hatte, das er mit niemandem teilen wollte, und der jetzt auch noch moralisierend über sie zu Gericht sitzen wollte – das war mehr, als sie ertragen konnte. »Ja, ich war an diesem Lebensbaum«, hörte Sander sie sagen, »und ich habe mir eine von diesen Pflanzen abgeschnitten, die auf ihm wachsen. Woher nehmen Sie das Recht, mir das verbieten zu wollen?«

Unter den Zuhörern brach helle Empörung aus.

»Es ist das Gebot des Waldes, das Euch untersagt, von den Früchten des Lebensbaumes zu essen!« rief der Priester. »Ihr habt geschworen, es zu befolgen.«

Sie wechselte in das Portugiesische, das mehr Feinheiten für das bot, was sie jetzt sagen wollte. »Das haben wir nur getan, um Ihnen den Spaß an diesem ...« Sie suchte nach dem passenden Wort. »... an diesem ... diesem abgeschmackten Herrgottspielen zu lassen«, entgegnete sie. »Sie sind aber kein Gott, sondern nur ein Priester, der sich in diesem Wald von primitiven Wilden anbeten läßt.«

»Hören Sie auf!« ächzte Sander entsetzt.

Aber sie geriet jetzt richtig in Fahrt. »Für mich ist das Götzendienerei, nichts weiter, und wenn Sie noch so viele gute Gründe dafür vorbringen können, alter Mann! Wenn Ihre Herrschaft hier sich auf solche Verbote gründet, dann dient sie nicht den Menschen hier, sondern nur Ihnen und Ihrer Machterhaltung!«

Die Zuschauer, die nichts mehr verstanden, waren aufgestanden. »Teufelin!« schrie einer von ihnen, und andere fielen ein.

»Hören Sie auf, um Gottes willen!« sagte Sander beschwörend. »Sie reden sich um Kopf und Kragen, und mich dazu!«

»Ja, Ihrer Macht!« wiederholte Maria Behring. Das Geschrei der Indianer machte sie noch wütender.

»Genug!« rief der Priester auf guaraní in den Tumult. »Schafft sie zurück in die Katakomben! Sie haben gestanden, daß sie schuldig sind.«

Die Erzengel griffen zu und zerrten die Gefangenen fort. Minuten später saßen sie wieder hinter der Gittertür. Maria Behring schnaufte vor Empörung.

»Was haben Sie sich bloß dabei gedacht?« fragte Sander vorwurfsvoll. »Jetzt sitzen wir erst richtig in der Klemme!«

»Sie können ihm ja weiter was vorwinseln«, herrschte sie ihn an.

Als sie sich etwas beruhigt hatte, sagte sie: »Hören Sie. Eigentlich wollte ich nur den Prozeß unterbrechen, um etwas Zeit zum Nachdenken zu gewinnen. Außerdem kommen wir mit dem Alten wohl besser klar, wenn wir portugiesisch mit ihm reden. Dann muß er nicht vor seinen Indianern den starken Mann spielen.«

»Wir sind im Unrecht«, sagte Sander. »Vorsicht, da kommt er!«

»Aha«, sagte sie triumphierend, »jetzt hat er wohl gemerkt, daß diese Tour bei mir nicht zieht!«

Der Priester blieb vor dem Gitter stehen und streckte Maria Behring wie zur Abwehr den Zeigefinger entgegen. Dann sagte er: »Nicht meine Macht, sondern die Macht des Herrn ist es, die über diesen Wald wie über die ganze Welt gebietet, und nicht mein Wille, sondern sein Wille ist es, der Sühne für Euren Frevel verlangt!« Er sprach portugiesisch; es war offenkundig, daß er die Sprache benutzte, damit die Erzengel ihr Gespräch nicht verstehen konnten. Sander fühlte neue Zuversicht; jetzt kam es darauf an, daß Maria Behring möglichst vernünftig mit dem Priester sprach. Seine Hoffnung wurde jedoch schnell enttäuscht, als er ihr höhnisches Lachen hörte.

»Der Wille des Herrn?« wiederholte sie spöttisch. »Wann hat der Herr Ihnen denn gesagt, was er will? Vielleicht heute früh, als Sie nach meinen Spuren gesucht haben, in dem Mehl, das Sie vorher ausgestreut haben? Wenn es tatsächlich einen Gott gibt, glauben Sie dann im Ernst, daß er nichts Besseres zu tun hat, als sich um ein paar Bromelien zu kümmern und darüber verärgert zu sein, daß sich noch jemand anderes als sein Hoherpriester für sie interessiert?«

»Wenn diese Pflanzen so unwichtig sind, warum habt Ihr dann das Gesetz übertreten?« fragte der Priester. »Ihr lügt und lügt in einem fort.«

Sander folgte dem Wortwechsel mit einem Gefühl tiefer Niedergeschlagenheit; obwohl die Sache mit jedem Wort schlimmer wurde, war er inzwischen zu apathisch, um noch einmal einzugreifen. Statt dessen gab er sich einem Fatalismus hin, der immer stärker von seinen Gedanken Besitz ergriff; außerdem erschien es ihm jetzt, da auf ein einigermaßen annehmbares Ende des improvisierten Gerichtsverfahrens nicht mehr zu hoffen war, vernünftiger, wenn er seine Kräfte für die Folgen schonte, die es zweifellos bald durchzustehen galt.

»Für mich sind diese Bromelien keineswegs unwichtig«, rief Maria Behring, »und für die Welt dort draußen auch nicht. Sie haben ja gar keine Ahnung, wieviel Gutes sich mit ihnen bewirken ließe! Viele Krankheiten könnten besser bekämpft werden als bisher, und viele Menschen, die bald sterben müssen, könnten länger leben. Aber nein: Ausgerechnet Sie, der Sie gar nicht richtig einzuschätzen wissen, was Sie in diesen Bromelien vor sich haben, wollen das verhindern. Und warum? Aus purer Eigensucht. Niemand außer Ihnen soll die Segnungen dieser wunderbaren Pflanzen erfahren; Sie allein wollen sie genießen, als sei die Schöpfung Gottes nur für Sie gemacht.«

»Wenn Gott gewollt hätte, daß alle Menschen auf Erden am Wunder des Lebensbaumes teilhaben sollen«, antwortete der Priester mit erhobener Stimme, »dann hätte er überall solche Bäume wachsen lassen, nicht nur hier.«

»Gott hat so manches nur in einem bestimmten Teil der Welt wachsen lassen, und trotzdem gedeiht es heute auch anderswo«, konterte sie. »Denken Sie etwa, die Kartoffel war nur für die Indianer bestimmt? Oder der Zucker? Der Kakao? Der Mais? Oder das Chinin nur für die Leute in Peru? Die wußten ja nicht einmal, was in dieser Baumrinde war und wie es wirkte! Erst durch uns Europäer ist es zum weltweit verbreiteten Heilmittel geworden, das Tausende von Malariakranken gerettet hat. Wäre es nach Ihnen gegangen, hätten sie wohl alle sterben sollen!«

»Das ist die Arroganz der Europäer, die glauben, daß die Welt ihnen gehört und sie nicht einmal mehr fragen müssen«, sagte der Priester. »So raubt Ihr Euch wohl heute noch den Reichtum der Erde zusammen und fühlt Euch dabei gar im Recht!«

»Heißt es nicht gerade in der Bibel, daß sich der Mensch die Erde untertan machen soll?« fragte Maria Behring triumphierend. »Wenn die Portugiesen nicht solche tüchtigen Seefahrer gehabt hätten, wären sie noch heute nur ein primitives Bauernvolk irgendwo am Rand Europas!«

»Nun lassen Sie es gut sein«, versuchte Sander sich

einzumischen, aber sie fuhr ihn an: »Halten Sie den Mund!«

Die Erzengel schauten dem Wortwechsel verständnislos zu.

»Auf die Konquistadoren jedenfalls hätten diese Menschen hier gut verzichten können«, gab der Priester zurück. »Ihr aber seid auch nicht besser als Cortés und Pizarro und wie sie alle heißen! Als vermeintliche Freunde schleicht Ihr Euch ein, dann aber stehlt Ihr das Kostbarste. Und warum tut Ihr das? Aus sündiger Gier!«

»Cortés und Pizarro suchten nach Gold«, verteidigte sich Maria Behring. »Ich aber suche nach Arzneimitteln, die Menschen gesund machen und vielleicht sogar den Tod besiegen können!«

»Den Tod kann nur Christus besiegen!« rief der Alte; vor Zorn bebte er am ganzen Leib.

»Mit dieser Pflanze können es auch wir«, entgegnete sie. »Gott hat uns erschaffen. So mag er uns nun auch tun lassen, wozu er uns befähigt hat.«

»Nein!« sagte der Priester. »Ihr dürft auch anderes nicht, wozu Ihr zweifellos die Fähigkeit besitzt: morden – und stehlen!«

»Ich habe niemanden umgebracht und auch niemanden bestohlen. Dieser Wald gehört nicht Ihnen und Ihren Indianern, sondern der ganzen Welt!«

»Nein! Er gehört denen, die in ihm wohnen und für die er von Gott geschaffen wurde, so, wie einst das Paradies für die ersten Menschen geschaffen wurde. Niemand hat das Recht, etwas daraus wegzunehmen.«

»Sie entstammen einer anderen Zeit und können deshalb nicht wissen, daß der tropische Regenwald am Amazonas als Erbe der gesamten Menschheit betrachtet wird«, sagte Maria Behring. »Denn er erzeugt den Sauerstoff, den wir brauchen; man nennt ihn deshalb auch die grüne Lunge des Planeten. Glauben Sie vielleicht, wir sehen tatenlos zu, wenn dieser Wald nun gerodet, von landsuchenden Bauern abgebrannt und vernichtet wird? Glauben Sie im Ernst, wir könnten diesen Wald denen überlassen, die ihn für sich allein haben wollen? Soll die Welt vielleicht untergehen, nur damit das Besitzrecht der im Regenwald lebenden Menschen nicht angetastet wird? Sie können diesen Wald ja nicht einmal beschützen! Vielleicht dauert es nicht mehr lange, und es kommen andere zu euch, Männer mit modernen Waffen, die noch schneller schießen und besser treffen als einst die portugiesischen Arkebusen. Sie werden euch allesamt töten und den Wald niederbrennen! Wir aber können euch helfen, und wir werden es auch tun, wenn Sie uns nur lassen. Denn dieser Wald gehört uns allen, wie auch die Meere der Welt allen Menschen gehören und nicht nur den Fischern an ihren Küsten!«

»Allen Menschen? Ihr meint: Euch!« rief der alte Priester. »Ihr seid nicht die ersten, die meinen, sie könnten sich ohne Rücksicht auf die Rechte der Einheimischen nehmen, was ihnen gefällt! Noch im Jahr bevor ich von São Salvador ausfuhr, hatte der Papst in eigener Person unseren König ermächtigt, die Länder der Ungläubigen zu erobern, die Einwohner aber zu vertreiben, zu versklaven oder zu töten! Der Heilige Vater selbst hat das erlaubt, in einer päpstlichen Bulle, beginnend mit den Worten ›Divino amore communiti‹, so heftig wir Jesuiten auch dagegen kämpften! Denn auch wir kamen einst in dieses Land, um die Indianer vor den Konquistadoren zu schützen; Ihr habt gehört, was daraus geworden ist. Der Wald ist unser, und wir werden ihn mit niemandem teilen. Um unser Schicksal aber braucht Ihr Euch nicht zu sorgen, denn das liegt allein in Gottes Hand.«

Für einen Augenblick war Maria Behring perplex; daß ausgerechnet ein Jesuit die Beschlüsse des Papstes verdammte, hatte sie nicht erwartet. Das mußte ja ein fürchterliches Durcheinander gewesen sein in den ersten Jahren der Kolonisation, dachte sie; um so weniger war sie nun bereit, irgendwelche Gesetze, Grundsätze oder Autoritäten aus dieser Zeit zu respektieren, zumal den Priester, der sich die Sache der Eingeborenen offenbar so zu eigen gemacht hatte, daß er darüber die berechtigten Interessen der gesamten Menschheit vergaß. »Daß ihr Jesuiten bei diesen Verbrechen nicht mitgemacht habt, ehrt euch«, antwortete sie. »Aber das heißt noch lange nicht, daß Sie deshalb berechtigt sind, über diesen Wald zu verfügen, als sei er Ihr Eigentum. Sie sind hier genausowenig zur Welt gekommen wie wir; die Menschen aber, die sich wirklich als die Kinder dieses Waldes fühlen dürfen, haben keinen Anteil an dem Baum, weil Sie ihn für sich allein beanspruchen.« Das war ein bißchen unfair, gestand sie vor sich selbst, weil ihm ja wirklich nichts anderes übrigblieb, als so zu handeln. Aber hatte er sich nicht ebenfalls unfair verhalten? Mehl auf den Boden zu streuen! Fast hätte sie gelacht. So ein billiger Trick! Und sie war darauf hereingefallen! Fast wie die Heinzelmännchen von Köln! Bei diesem Gedanken brach sie tatsächlich in ein bitteres Gelächter aus.

Der Priester starrte sie an und bekreuzigte sich. »Ihr müßt den Verstand verloren haben«, sagte er.

»Im Gegenteil«, antwortete sie spöttisch. »Ich habe ihn wiedergefunden. Was wollen Sie nun eigentlich tun? Wollen Sie uns von Ihren Indianern umbringen lassen, natürlich ganz christlich?« Sie glaubte nun zu wissen, wie sie ihn einschüchtern konnte. »Wir sind nicht allein auf der Welt. Man weiß, wohin wir gezogen sind und wo wir uns heute befinden. Wenn wir nicht zurückkehren, wird man uns suchen. Was wollen Sie dann sagen? Daß Sie hier Herr über Leben und Tod sind? Daß Sie das ewige Leben besitzen und es mit niemandem teilen wollen? Oder wollen Sie Ihre nächsten Besucher töten?« Sie machte eine, wie sie hoffte, wirkungsvolle Pause; dann fuhr sie fort: »Aber vielleicht wollen Sie uns nur aus diesem Paradies vertreiben? Nur zu! Sie können Ihren Garten behalten, mich interessiert er nicht mehr. Solche Bromelien werden wohl auch anderswo zu finden sein.«

»Hören Sie endlich auf!« mahnte Sander, der ihre Absicht nicht gleich verstand. »Das führt doch zu nichts!« Er wollte ihr beruhigend die Hand auf den Arm legen, aber sie schüttelte ihn heftig ab; wieder ging der Zorn mit ihr durch.

»Mag sein, daß es wirklich einen Gott gibt, der über das Schicksal der Menschheit entscheidet«, sagte Maria Behring zu dem Priester. »Sie aber sind ein Mensch wie wir und haben eine solche Entscheidung bestimmt nicht zu treffen. Vielleicht können Sie tatsächlich verhindern, daß wir an diese Bromelien herankommen. Aber Sie können nicht alle aufhalten, die noch diesen Wald aufsuchen werden. Eines Tages wird es vorbei sein mit Ihrer Selbstherrlichkeit!«

»Ist das wirklich Euer Wunsch?« fragte der Priester. »Wollt Ihr wirklich, daß sie von allen Enden der Erde hierherkommen, die Konquistadoren und die Kaufleute, die Goldsucher und die Sklavenjäger, die Glücksritter und die Geschäftemacher, und unseren Wald mit ihrer Besitzgier erfüllen? Das ist also das Schicksal, das Ihr uns zugedacht habt! Uns soll es ergehen wie einst den Inka und den Azteken. Erst wird man uns den größten Schatz entreißen, und dann, wenn nichts anderes von Wert mehr vorhanden ist, die Körper der Menschen selbst zu Geld machen. Aber das werde ich zu verhindern wissen. Und nun ist es endgültig genug! Ihr werdet Euer Urteil bald erfahren.« Zornig drehte er sich um und ging durch die Oleanderbüsche davon.

»So«, sagte Maria Behring befriedigt. »Dem habe ich es gegeben. Das hat mir schon lange auf der Seele gelegen. Dieser bigotte Pfaffe mit seinem Allmachtsanspruch! Aber der kann vielleicht seinen Indianern Angst machen, mir nicht.«

»Ich weiß nicht recht«, murmelte Sander.

»Haben Sie denn überhaupt nichts kapiert?« fragte sie zufrieden. »Ich habe ihm doch eindeutig klargemacht, daß er keine andere Wahl hat, als uns nach Hause zu schicken! Und das hat er genau verstanden, glauben Sie mir! Er wollte es nur nicht gleich zugeben. Wahrscheinlich überlegt er jetzt, wie er noch eine möglichst dramatische Urteilsverkündung zelebrieren kann. Vielleicht mit Bibel oder so. Fanfarenstöße. Drohend erhobenes Flammenschwert, wie bei Adam und Eva. Von mir aus. Kann er alles haben.« Sie machte eine kleine Pause; dann lächelte sie, und es war kein freundliches Lächeln. »Aber wenn wir erst wieder im Luftschiff sitzen«, fügte sie hinzu, »fahren wir schnurstracks wieder hierher, landen in seinem Garten und schnappen uns die Bromelien.« Voller Genugtuung rieb sie sich die Hände. »Das wird ihn lehren, sich mit Maria Behring anzulegen.«

Sander konnte kaum glauben, was er hörte. »Sie sind wirklich hartgesotten«, bemerkte er.

»Das macht die Wissenschaft«, erwiderte sie. »Ohne ein bißchen Stehvermögen kommt man in der Forschung zu nichts.«

»Hoffentlich funktioniert alles so, wie Sie es sich vorstellen«, sagte Sander.

»Das ist für mich überhaupt keine Frage«, erwiderte sie überzeugt.

Sie hockten fast eine Stunde lang auf dem Boden der Katakombe, von Gabriel und den anderen Erzengeln bewacht. Sanders neuer Mut drohte schon bald zu sinken, aber Maria Behring gab ihm immer wieder einen aufmunternden Klaps auf die Schulter. »Sie werden schon sehen«, sagte sie. »Heute abend sind wir in Cocuy.«

»Ihr Wort in Gottes Ohr«, sagte er. Er hatte den Spruch schon viele Male verwendet, ihn aber noch nie so ernst gemeint wie jetzt.

Später schaute auch sie immer öfter auf ihre schwarze Luxusuhr. Kurz vor Mittag hörten sie die Rindentrompete.

»Na endlich«, sagte Maria Behring unternehmungslustig. »Es geht los.«

Gabriel öffnete das Bambustor. »Kommt«, befahl er. »Jetzt wird euer Urteil gesprochen.«

Sie gingen an ihm vorbei durch die Oleanderbüsche und auf den kleinen Platz. Die Äste der Zedrachbäume waren wieder oder immer noch mit vielen Menschen gefüllt. Auch Ani, Senex und Wolkenfänger schauten zu ihnen herab. Der Priester saß an seinem Tisch; die Bibel lag aufgeschlagen vor ihm.

Maria Behring stieß Sander in die Seite. »Was habe ich gesagt!« raunte sie ihm zu.

Die Rindentrompete ertönte zum zweitenmal, und alle Gespräche verstummten.

Die Menschen des Regenwaldes warteten. Die Sonne stand nun senkrecht über den Bäumen, und Sander spürte, wie ihm Schweißtropfen durch die Augenbrauen liefen; er wischte sie ab, bevor sie ihm in die Augen dringen konnten.

Der Priester hob langsam den Blick von dem Buch und sah die beiden Angeklagten an. Sander versuchte seinen Gesichtsausdruck zu lesen. Maria Behring war sich ihrer Sache völlig sicher.

Der Priester schlug eine Seite in seiner Bibel zurück. Dann räusperte er sich und sagte in guaraní: »Eine Sünde ist geschehen, die mit schwerer Strafe belegt ist; denn wer sich Gott widersetzt, soll ausgemerzt werden wie Sodom und Gomorrha. Mein ist die Rache, spricht der Herr!«

Sander erschrak. Was sollte das bedeuten? »Ruhig«,

hörte er Maria Behring neben sich flüstern, »alles nur Rhetorik; der tut uns nichts.«

Der Priester blickte sie drohend an; dann fuhr er fort: »Doch unser Gott ist auch ein gnädiger Gott; weil Jesus am Kreuz den Opfertod für uns starb, wird dem reuigen Sünder vergeben.«

Sander atmete erleichtert auf; das klang schon besser. Maria Behring stieß ihn aufmunternd an. Die Zuhörer auf den Ästen und auch die Erzengel gaben keinen Laut von sich.

»Die Sünde, die in dieser Nacht begangen wurde, gleicht der ersten aller Sünden«, fuhr der Priester fort. »Denn so steht es geschrieben: ›Gott der Herr gebot dem Menschen und sprach: Du sollst essen von allerlei Bäumen im Garten; aber von dem Baum der Erkenntnis von Gut und Böse sollst du nicht essen; denn welches Tages du davon ißt, wirst du des Todes sterben.‹«

Maria Behring übersetzte leise mit. Sander preßte die Lippen zusammen; auch wenn er diese Worte nicht mehr für bare Münze nahm, konnte er doch nicht verhindern, daran zu denken, was er im Fall eines Todesurteils unternehmen würde. Kampflos würden sie ihn jedenfalls nicht bekommen, Maria Behring ebensowenig!

»Im irdischen Paradies dieses Waldes steht nicht mehr, wie einst im himmlischen Paradies, ein Baum der Erkenntnis des Guten und des Bösen«, fuhr der Priester fort, »denn diese Erkenntnis ist uns durch das Wort Gottes schon vor vielen Jahren zuteil geworden. Wohl aber steht in diesem irdischen Paradies, wie einst im himmlischen, ein Baum des Lebens.«

Ein leichter Windstoß fuhr über den Platz. Der Priester sprach weiter:

»Als Adam und Eva vom Baum der Erkenntnis des Guten und des Bösen gegessen hatten, sagte der Herr: ›Siehe, Adam ist geworden als unser einer, und weiß, was gut und böse ist. Nun aber, daß er nicht ausstrecke seine Hand, und breche auch von dem Baume des Lebens, und esse, und lebe ewiglich.«

Sander spürte Maria Behrings Ellenbogen an seiner Hüfte. »Gleich haben wir es hinter uns«, fügte sie hinzu, als sie übersetzt hatte.

»Und trieb Adam aus dem Paradies«, sprach der Priester feierlich, »und lagerte vor den Garten Eden den Cherub mit einem flammenden Schwert, zu bewahren den Weg zu dem Baum des Lebens. Amen.«

»Amen«, murmelten die Indianer im Chor.

»Die Vertreibung Adams und Evas aus dem Garten Eden war die gerechte Strafe für jene, die vom Baum der Erkenntnis des Guten und des Bösen gegessen hatten«, rief der Priester. »Denn jene, die so gern im Paradies geblieben wären, mußten es verlassen und durften nie wieder in diese ihre Heimat zurückkehren.«

Diesmal übersetzte Maria Behring nur zögernd; besorgt registrierte Sander einen etwas unsicheren Ton in ihrer Stimme.

»Eine andere Strafe muß also jene treffen, die vom Baum des Lebens aßen, das Paradies aber verlassen wollen, um nach Hause zurückzukehren«, sagte der Priester zu ihrer Überraschung. »Denn so, wie Adam und Eva ihre Heimat für immer verloren, darf auch die Strafe für Josef und Maria nicht geringer sein.« Er schwieg bedeutungsvoll. Dann fuhr er fort: »Darum soll nun dieses Urteil mit Gottes Segen gesprochen und gültig sein. So, wie Adam und Eva nie mehr in ihre Heimat zurückkehren durften, sollen auch Josef und Maria nie mehr in ihre Heimat zurückkehren, sondern für immer bei uns bleiben, um ihre Sünden abzubüßen und danach ein Teil unseres Volkes zu sein, so lange sie leben.«

Maria Behring starrte den Priester fassungslos an; sie konnte kaum glauben, was sie gehört hatte. »Das gibt es doch nicht!« stieß sie zwischen zusammengebissenen Zähnen hervor.

»Was ist?« fragte Sander ungeduldig. »Was hat er gesagt?«

»Daß wir hierbleiben sollen«, rief Maria Behring empört. »Das ist doch nicht zu fassen! Sind Sie verrückt geworden?« Sie wollte sich auf den Priester stürzen; Sander hielt sie mit aller Kraft fest.

»Hierbleiben?« fragte er verständnislos. »Was ist denn daran so schlimm?«

»Für immer, Sie Idiot!« schrie sie und strampelte aus Leibeskräften, um sich aus seinem Griff zu befreien.

»Für immer?« wiederholte Sander blöde. Dann verstand er. »Sie meinen, er will, daß wir bis an unser Lebensende seine Gefangenen bleiben?«

»Ja«, rief sie. »Lassen Sie mich los!«

»Seien Sie vernünftig«, sagte Sander. »Sie würden keine fünf Meter weit kommen!«

Sie wehrte sich noch einige Sekunden, dann gab sie auf. »Es kann ja höchstens ein paar Tage dauern, bis sie uns aus den Katakomben wieder herauslassen«, sagte sie trotzig. »Dann hauen wir mit dem Luftschiff ab.«

Der Priester hatte gewartet, bis sie sich wieder beruhigt hatte. »Das fliegende Schiff aber wird zerstört«, fuhr er fort. »Und niemals wieder soll geduldet werden, daß solch ein Teufelswerk in unserem Walde landet.«

Maria Behring ballte vor Zorn die Fäuste.

»Das Luftschiff«, stieß sie hervor. »Sie wollen es zerstören!«

»Zerstören?« rief Sander. »Mein Luftschiff?«

»Sie denken, daß wir dann für immer hierbleiben müssen«, sagte Maria Behring.

»Das Urteil ist gesprochen«, sagte der Priester. »Bis das fliegende Schiff zerstört ist, sollen die Gefangenen in den Katakomben gehalten werden. Morgen mögen sie dann in ihre Hütte zurückkehren. Sie sollen in sich gehen und Buße tun. Danach soll ihnen verziehen werden. Im Namen des Vaters, des Sohnes und des Heiligen Geistes. Amen.«

»Amen«, sagten die Indianer voller Inbrunst; sie schienen keinerlei Zweifel an der Gerechtigkeit des Urteils zu hegen.

Die Erzengel packten wieder zu und schleppten die Widerstrebenden in die Katakomben zurück. Dort stieß Gabriel die Gefangenen hinter die Gittertür und schob den Riegel vor. Uriel setzte sich auf einen kleinen Felsen; die anderen verschwanden wieder.

Sander hockte wie betäubt auf der Erde. Maria Behring setzte sich neben ihn und rüttelte ihn an der Schulter. »Lassen Sie sich etwas einfallen!« rief sie. »Denken Sie nach!«

»Was glauben Sie denn, was ich die ganze Zeit tue?«

»Können die Indianer das Luftschiff überhaupt zerstören?« fragte sie. »Sie haben keine Metallwerkzeuge.«

»Mit der Trevirahülle werden sie bestimmt nicht fertig«, sagte er. »Und mit den Stahlteilen auch nicht.« Er biß sich auf die Lippen. »Aber natürlich können Sie einigen Schaden anrichten«, fügte er hinzu. »Zum Beispiel am Armaturenbrett. Die Glasscheiben einschlagen, Schieber verbiegen, Griffe abbrechen.«

»Vielleicht kommen sie gar nicht durch die Tür«, sagte Maria Behring hoffnungsvoll.

Sander verzog das Gesicht. »Sie ist offen«, gestand er. »Als ich Ihnen nachging, habe ich vor lauter Eile vergessen, sie abzuschließen.«

»Vielleicht wissen sie nicht, wie die Klinke funktioniert«, sagte sie.

»Wolkenfänger weiß es bestimmt«, widersprach Sander. »Als wir den Computer nach unten trugen, hat er zugeschaut, wie ich die Tür aufmachte.«

»Können wir denn gar nichts tun?« rief sie. »Es muß doch irgendeine Möglichkeit geben! Schließlich sind wir zwei hochqualifizierte Spezialisten aus dem zwanzigsten Jahrhundert gegen einen Haufen Wilde und einen geisteskranken Priester mit dem technischen Kenntnisstand von vor vierhundertachtundsiebzig Jahren!«

»Sie haben den Alten unterschätzt«, sagte Sander. »Er ist schlau wie ein Kojote.«

»Sie scheinen ihn ja noch zu bewundern«, sagte sie empört.

»Er hat uns nun mal im Sack.«

»Sie finden sich aber schnell damit ab. Es sieht fast so aus, als wären Sie froh, hierbleiben zu können.«

»Tue ich nicht. Mir fällt nur so schnell kein Ausweg ein. Haben Sie ein bißchen Geduld!«

»Geduld! Geduld!« äffte sie ihn nach. »Wie lange denn? Bis unser Luftschiff in Fetzen hängt? Oder diese Wilden irgendwie die Halterung losgekriegt und das ganze Ding auf den Boden hinuntergeworfen haben? In diese schwarzen Schwaden hinein?«

»Ich glaube nicht, daß sie die Halterung lösen können, auch mit Gewalt nicht; diese Kohlefasergestänge sind unheimlich stabil. Denken Sie daran, daß diese Streben eine halbe Tonne Druck aushalten müssen.«

»Wenigstens etwas«, sagte Maria Behring. »Was schlagen Sie also vor?«

»Abwarten. Vorsicht, da kommt der Alte.«

Der Priester trat diesmal nicht so nahe wie zuvor an das Gitter heran. »Findet Euch damit ab«, sagte er auf portugiesisch. »Ich hatte Euch gewarnt. Ich kann und darf es nicht zulassen, daß Ihr in Eure Heimat zurückkehrt und dort von der heiligen Kraft des Lebensbaumes erzählt. Eure Landsleute und auch alle anderen Völker würden wie die Ameisen in diesen Wald ziehen und ihn zerstören. Ich werde dafür sorgen, daß es Euch bei uns gutgeht. Ihr werdet ein schönes Leben haben, in Frieden, Eintracht und eines Tages vielleicht auch in einem festeren Glauben an Gott.«

»Dafür werden Sie büßen«, versetzte Maria Behring finster.

»Geht in Euch«, erwiderte er beschwörend. »Es ist für uns alle das Beste und für die Menschheit auch. Oder glaubt Ihr, es würde die Menschen glücklich machen, wenn sie ein Mittel fänden, den Tod zu besiegen? Die Welt wäre bald immer dichter und dichter bevölkert, und überall würden Hungersnöte ausbrechen. Am Ende würde man die alten Menschen, die nicht sterben wollen, mit Gewalt in ihre Gräber schicken müssen, damit die Jungen leben können. Kinder müßten ihre Eltern erschlagen, um nicht zu verhungern. Wollt Ihr das? Nun, falls Ihr es wirklich wollt oder in Eurer Torheit in Kauf zu nehmen bereit wart, habe ich es nun für immer verhindert. Gabriel und die anderen Männer sind schon unterwegs; sie holen ihre Äxte. Ihr aber werdet diesen Wald niemals wieder verlassen.«

Es war drückend heiß. Die Sonne hatte auf ihrer von präziser Himmelsmechanik vorgeschriebenen Bahn den Höchststand überschritten, aber bis zum Horizont war es noch weit, und die Kraft des kosmischen Wasserstoffofens heizte die Atmosphäre über dem Regenwald nun auf über sechzig Grad auf. Für Warmblütler war es längst sinnlos geworden, sich durch die Gluthitze zu bewegen; denn der Energieverbrauch, der jetzt notwendig würde, um die Körpertemperatur nicht über das vertretbare Maß ansteigen zu lassen, stand in keiner vernünftigen Relation mehr zu dem möglichen Energiegewinn, der etwa durch den Fang eines Beuteinsekts zu erzielen war. Daß die Rechnung des Lebens im wesentlichen auf einem für den Organismus möglichst positiven Verhältnis zwischen Aufwand und Ertrag beruhte, war im Regenwald besonders gut zu erkennen. Um diese Bilanz wenigstens ausgeglichen zu halten, hatten die höherentwickelten Lebewesen der Kronenregion wie Affen, Nagetiere und Vögel nun die relative Kühle schattiger Zufluchtsorte unter dichten Blätterdächern aufgesucht.

Auch die Menschen des Wolkenwaldes waren in ihre Hütten heimgekehrt, um den Nachmittag in ihren Hängematten zu verdösen; nur Uriel war als Wächter zurückgeblieben. Seit die Hitze schier unerträglich geworden war, lag er im Schatten einer Scharlachkordie. Dabei drehte er seinen Gefangenen den Rücken zu, so daß sie nicht wußten, ob er wachte oder schlief.

Maria Behring und Sander hatten sich einige Meter in das Innere der Katakomben zurückgezogen. Nach einiger Zeit raffte sich Sander aus seiner Lethargie auf und leuchtete mit seinem Feuerzeug in die Wandgräber, um zu sehen, ob sich dort etwas fand, was sich zu ihrer Rettung verwenden ließe. Ihm gruselte, als er die grinsenden Schädel aus der Nähe betrachtete; in dem flackernden Licht schienen die Toten wieder lebendig zu werden. Da die Verstorbenen jedoch nicht nach indianischer Sitte, sondern nach christlichem Ritus beigesetzt worden waren, lagen weder Waffen noch Geräte noch andere Grabbeigaben in den Nischen, und Sander kehrte enttäuscht zu Maria Behring zurück.

»Nichts?« fragte sie.

»Nichts« antwortete er. »Und unser Wächter?«

»Hat sich schon seit einer Viertelstunde nicht mehr gerührt. Ich glaube, er ist eingeschlafen. Wir müssen es einfach riskieren.« Sie zog das Messer, mit dem sie die Bromelien abgeschnitten hatte, aus der Hosentasche. »Wir könnten versuchen, die Tür damit aufzukriegen.«

»Sie haben ein Messer?« staunte Sander. »Warum haben Sie mir nichts davon gesagt?«

»Bisher dachte ich nicht, daß ich es benötigen würde«, sagte sie. »Also, was meinen Sie?«

Sander schüttelte den Kopf. »Sie wissen doch, was für einen leichten Schlaf die Indianer haben. Er würde sofort aufwachen und Alarm schlagen. Und dann sind wir auch das Messer los.«

»Also müssen wir den Kerl irgendwie außer Gefecht setzen. Und zwar so schnell wie möglich. Denn wenn wir noch lange warten, hauen sie uns das Luftschiff tatsächlich in Stücke. Können Sie ihm nicht einen Stein an den Kopf werfen?«

»Reden Sie keinen Unsinn«, sagte Sander. »Selbst wenn ich ihn träfe, würde er höchstens eine Beule abbekommen. Und danach bestimmt nicht mehr einschlafen. Nein, da muß uns schon etwas Besseres einfallen.«

»Dann strengen Sie sich gefälligst an«, sagte sie gereizt. »Bisher haben Sie hier nicht besonders viel geleistet, wenn ich das so ehrlich sagen darf.«

»Sie auch nicht«, erwiderte Sander ungerührt. Seine Schuld war es schließlich nicht, daß sie sich in dieser Lage befanden.

»Ich habe immerhin ein Messer«, versetzte sie. »Sie hingegen haben nicht einmal eine Idee. Langsam habe ich wirklich den Eindruck, Sie haben sich schon damit abgefunden hierzubleiben. Bitte, von mir aus. Aber vorher holen Sie mich gefälligst hier raus!«

»Nicht so laut«, sagte er warnend.

Sie blickte zu dem Wächter und fuhr etwas leiser fort: »Allmählich habe ich wirklich die Nase voll von Ihnen. Seit Tagen sind Sie überhaupt keine Hilfe mehr. Gegen die Beschaffung einer Bromelienprobe haben Sie opponiert, als sei das hier etwas Heiliges. Bei der Gerichtsverhandlung haben Sie mich nicht unterstützt, sondern dem Alten sogar noch recht gegeben. Und jetzt haben Sie nichts anderes zu bieten als ein paar halbherzige Versuche, den Toten irgend etwas Brauchbares zu klauen.«

»Ich tue, was ich kann«, sagte er verstimmt. Was stellte sie sich eigentlich vor? Daß er wie Superman durch die Gitterstäbe brach und sie im Flug nach Hause trug?

»Das scheint mir aber ziemlich wenig«, lästerte sie.

Plötzlich sah er im Halbdunkel neben sich etwas Rotblaues glänzen, und ein kühner Gedanke schoß ihm durch den Kopf. »Geben Sie mir Ihr Halstuch. Schnell!«

»Was?«

Er streckte die rechte Hand aus. Mit jeder Sekunde fügten sich mehr Teile des Puzzles in seinem Kopf zu einem verwegenen Plan zusammen. »Das Halstuch!«

Maria Behring löste den Knoten und gab ihm das Tuch. Er nahm es, legte es auf seine linke Hand und griff blitzschnell zu. Ein häßliches Knacken ertönte.

»Was haben Sie denn da?« fragte sie unangenehm berührt.

Er hob seine Beute vom Boden auf, sorgfältig darauf achtend, daß sie ganz von dem Tuch umschlossen blieb. »Baumsteigerfrosch«, sagte er.

»Igitt«, sagte sie angeekelt. »Und dazu haben Sie mein schönes Halstuch versaut?«

»Wissen Sie denn nicht, wie giftig diese Viecher sind?«

»Natürlich. Was glauben Sie denn, mit wem Sie reden? Schließlich verwenden die Indianer das Hautgift für ihre Pfeile. Pharmakologisch höchst interessanter Stoff. Lassen Sie mal sehen.«

Er hielt das tote Tier mit der Linken fest und schlug mit der Rechten vorsichtig den Stoff zurück, bis die blaurot glitzernde Haut des kleinen Raniden sichtbar wurde.

»Phyllobates melanorrhinus Dumeril«, sagte sie. »Auch Phyllobates bicolor genannt, wie man hier besonders schön erkennen kann. Wirklich sehr giftig. Aber warum haben Sie das Tier getötet? Es hätte doch genügt, es hinauszuwerfen!«

»Wir brauchen das Gift«, sagte er und zeigte auf das Rohrgras, das hinter dem Bambusgitter wuchs. »Schneiden Sie mir mal zwei Halme ab, aber die dicksten, die Sie finden können!«

Überrascht schaute sie ihn an. Er nickte zufrieden; es war Zeit, ihr zu beweisen, daß er nicht der Versager war, für den sie ihn inzwischen offenbar hielt.

Maria Behrings Herz klopfte schneller. »Sind Sie sicher, daß das funktioniert?«

»Sicher ist, daß wir das Luftschiff nur retten können, wenn wir hier möglichst bald rauskommen.«

Nun kamen ihr doch Skrupel. »Dürfen wir ihn umbringen?« fragte sie beklommen. Der Tod der drei Garimpeiros war schlimm genug, auch wenn sie Verbrecher gewesen waren. Aber einen der Indianer zu töten schien ihr durch nichts gerechtfertigt, ganz zu schweigen von den Folgen, die eine solche Tat für sie haben mußte, wenn sie es nicht schafften zu entkommen.

»Ich werde ihn nur betäuben«, erklärte Sander zu ihrer Erleichterung. »Damit er nicht Alarm schlagen kann. Er wird ein paar Stunden schlafen, das ist alles. Hören Sie: Die Kerle wollen mein Schiff kaputtmachen! Ich will verdammt sein, wenn ich das zulasse!«

»Können Sie denn so genau dosieren?«

»Ich habe Ihnen doch erzählt, daß ich einmal für ein paar Wochen bei Indianern festsaß. Da habe ich nicht nur gelernt, durchs Blasrohr zu pusten. Bei den Indianern wissen schon die Zehnjährigen, wie man Gift gewinnt und anwendet. Nun machen Sie schon!«

Gehorsam schlich sie zu dem Bambusgitter, legte sich auf den Bauch, schob langsam beide Arme zwischen den Stäben hindurch und schnitt zwei der größten Halme ab. Ebenso lautlos kehrte sie zurück. »Hier«, sagte sie. »Sind die in Ordnung?«

»Perfekt«, erwiderte er. Er nahm den dünneren Halm und schob ihn durch das Maul des toten Frosches, bis er am Unterleib wieder heraustrat. Dann steckte er den Halm so in die Erde, daß die kleine Amphibie in der Luft hing. Maria Behring sah fasziniert zu.

»Da vorn liegen ein paar Palmblätter«, sagte Sander.

»Ich hole sie«, sagte Maria Behring.

Als sie mit den vertrockneten Blättern zurückkehrte, sah sie, wie Sander einen Streifen aus ihrem Halstuch riß und dann einen der Stoffäden aus dem Gewebe löste.

»He, das war teuer«, sagte sie.

»Gute Qualität«, lobte Sander und betastete prüfend die Palmblätter, die sie ihm reichte. Er nahm es ihr nicht übel, daß sie Unsinn redete; während er seine Spannung in praktisches Handeln umsetzen konnte, war sie zum Zuschauen verurteilt.

Vorsichtig befühlte er die dickste Rippe des Palmblattes. »Das Messer!«

Sie legte ihm den Griff in die Hand.

Vorsichtig drückte er die Spitze der scharfen Klinge gegen das Oberblatt und durchtrennte die harte Epidermis, bis er die weiche Masse des Mesophylls erreichte. Maria Behring hockte neben ihm und nickte anerkennend; sie hätte nicht geglaubt, daß er das Messer so geschickt handhaben würde.

Sander schnitt der Länge nach durch das Ventralmeristem in der Mitte des Blattes und löste vorsichtig die Rippe heraus. Sie war ungefähr so lang und dick wie ein Zahnstocher.

»Sehr gut«, murmelte Maria Behring.

Er nahm den Baumwollfaden und wickelte ihn mit geübten Fingern um das hintere Ende des winzigen Pfeils. Dann drückte er Daumen- und Fingernagel der linken Hand von zwei Seiten immer wieder fest gegen die Spitze, bis eine spiralige Kerbe entstand. Zufrieden betrachtete er sein Werk. Wenn alles gutginge, würde der Pfeil beim Aufprall an dieser Stelle abbrechen und nur die äußerste Spitze mit dem Gift in der Haut des Indianers zurücklassen; der Getroffene würde glauben, er habe sich in einen Dorn gelegt.

Sander holte sein Feuerzeug aus der Brusttasche,

entzündete es und hielt die Flamme eine Handbreit unter den toten Frosch. Nach einer Weile begann die Haut der Amphibie ein milchiges Sekret auszuschwitzen. Es fiel in kleinen Tropfen auf das Tuch. Sander tauchte die dünne Spitze der Palmblattrippe in die giftige Masse und hielt den Pfeil dann prüfend gegen das Licht. Das Gift war rasch getrocknet und überzog die Spitze nun wie eine dünne Hülle aus grauem Wachs.

»Das sollte genügen«, meinte Sander zufrieden.

»Wieviel Milligramm mögen das sein?« fragte Maria Behring besorgt.

»Zwei oder drei«, sagte Sander beruhigend. »Damit killen Sie nicht einmal ein Karnickel. Heute abend ist der Erzengel wieder frisch und munter.«

»Hoffentlich treffen Sie auch«, bemerkte sie bange.

Sander nahm den größeren der beiden Halme und hielt ihn vor das Auge. »Perfekt«, wiederholte er. Er steckte den Halm zwischen die Lippen und blies ein paarmal hindurch. Dann schob er den Pfeil in das Röhrchen; er glitt ein wenig zu leicht hinein. »So wird das nichts«, sagte er nüchtern. Er zog einen zweiten Faden aus dem Halstuch und wickelte ihn zusätzlich um das hintere Ende des Pfeils. »Zweiter Versuch.« Diesmal paßte der Pfeil genau in das Röhrchen. »Also los!«

Er schlich zu dem Bambusgitter; der Indianer bewegte sich immer noch nicht. Ein prüfender Blick auf das Gras zeigte Sander, daß es absolut windstill war. Gerade als er den Halm an den Mund setzen wollte, drehte sich Uriel um. Rasch versteckte Sander den Pfeil hinter dem Rücken.

Der Wächter sprang auf. »Was macht ihr da? Los, zurück!« Drohend kam er auf sie zu, eine schwarzglänzende Keule aus Eisenholz in der Hand.

Sander ging langsam rückwärts, bis er wieder einige Meter von der Tür entfernt war.

Uriel untersuchte das Bambusgitter, konnte aber

nichts Beunruhigendes entdecken. »Bleibt, wo ihr seid!« ermahnte er die Gefangenen und kehrte zu seinem Platz im Schatten zurück. Eine Zeitlang saß er auf dem Boden und beobachtete sie; dann bettete er sich wieder bequem in das hohe Gras.

Sie warteten, bis er den Kopf nach der anderen Seite drehte. Dann legte Sander sich auf den Bauch und kroch geräuschlos zu dem Gitter. Noch immer bewegte kein Windhauch die Halme. Er steckte das Röhrchen zwischen die Lippen, blies die Backen auf und visierte den Rücken des Erzengels an. Mit einem leisen Zischen flog der Pfeil aus dem Halm.

Der Indianer fuhr auf, stieß einen leisen Schmerzensschrei aus und tastete mit den Händen auf seinem Rükken umher. Sander kroch hastig zurück in die Dunkelheit der Katakombe.

Gelenkig drehte der Erzengel Arme und Oberkörper, um mit den Fingern an die schmerzende Stelle zu kommen; befriedigt erkannte Sander, daß er genau zwischen die Schulterblätter getroffen hatte. Nach einigen Sekunden hatte Uriel es geschafft; er zog die winzige Spitze aus der Haut und schleuderte sie zornig von sich. Dann legte er sich wieder hin. Es war offensichtlich, daß er nicht daran dachte, die Gefangenen könnten etwas mit dem Schmerz in seinem Rücken zu tun haben.

Gespannt warteten sie. Nach einigen Minuten richtete sich Uriel erneut auf. Er dehnte ein paarmal den Hals, als habe er sich verlegen, und faßte sich an die Kehle. Dann legte er sich wieder hin, aber schon wenige Sekunden später hob er sich auf die Knie. Seine Hände zitterten.

»Es geht gleich los«, flüsterte Sander.

»Ich sehe es«, sagte Maria Behring.

Uriel stützte sich schwerfällig auf Hände und Knie. Nach wenigen Sekunden begann er sich zu erbrechen. Das Zittern griff auf seinen ganzen Körper über und wurde zu einem krampfartigen Zucken; dann fiel der Indianer zu Boden und blieb bewegungslos liegen.

Sander nahm das Messer und schnitt die Verschnürungen auseinander, die das Bambusgestänge zusammenhielten. Bald hatte er die ersten Bastriemen durchtrennt. Er gab das Messer zurück, schob seinen Körper in das Gitter und drückte mit aller Kraft, bis eine der Stangen zerbrach und er durch die Lücke schlüpfen konnte.

Maria Behring folgte ihm. Sie eilten zu dem Indianer. Sander hob die Keule auf. Maria Behring drehte Uriels Kopf zu sich herum und schob eines der Augenlider nach oben. »Perfekt dosiert«, sagte sie erleichtert. »Er schläft. In ein paar Stunden dürfte er wieder auf den Beinen sein.«

Sander packte die Keule fester und schlich in gebeugter Haltung durch die Oleanderbüsche. Maria Behring folgte dicht hinter ihm; seine Entschlossenheit flößte ihr Zuversicht ein.

Der Vorplatz war leer, aber am Anfang der Brücke stand einer der Erzengel. Sander schlich sich gekonnt an ihn heran und schlug zu. Dann ließ er rasch die Waffe fallen, fing den Betäubten mit einem Griff unter die Achseln auf und ließ ihn geräuschlos in das hohe Gras gleiten.

Sie eilten über die Brücke. Nirgends waren Indianer zu sehen, auch nicht vor den Hütten am Hochweg zu dem Matamatá; der Wald schien wie ausgestorben.

Nach einer Viertelstunde kam der große Baum in Sicht, an dem das Luftschiff festgemacht war. Sander blieb stehen und versuchte zu erkennen, ob sich Indianer in dem Fahrzeug befanden, konnte aber niemanden entdecken.

Rasch ging er zu der Leiter und kletterte in die Tiefe. Die Hülle des Luftschiffes schien unversehrt, aber die Fensterscheiben waren zerschlagen. Als Sander die offene Tür sah, blieb er stehen.

»Was ist?« flüsterte Maria Behring hinter ihm. »Sind sie drin?«

Sander hob die Keule und kletterte in die Gondel. Sie war leer. Er ließ die Waffe sinken und sah sich fassungslos um.

Hinter ihm drängte Maria Behring herein. »Mein Gott«, sagte sie.

Die Indianer hatten Verwüstungen angerichtet, als hätten sie dazu tagelang Zeit gehabt. Die meisten Kisten waren geöffnet und ausgeleert worden; überall in der Gondel lagen Geräte, Werkzeuge, Medikamente, Decken, Verbandszeug und Lebensmittel verstreut. Die Sitzpolster waren aufgeschlitzt, die Seile durchgeschnitten, Griffe und Hebel verbogen. Computer und Monitor lagen zertrümmert auf dem Boden, aus Video- und Audiokassetten waren die Bänder herausgerissen, Kamera und Tonbandgerät zertrümmert; nur fest verschlossene Leichtmetallkisten hatten dem Wüten widerstanden.

Am schlimmsten zugerichtet war das Armaturenbrett. An allen Anzeigegeräten für Gasdruck, Temperatur, Geschwindigkeit, Ladedruck und Kraftstoffdurchfluß, auch an Ampere- und Variometer, Drehzahlmesser, Audio Selector, den beiden Tankanzeigen und den verschiedenen Navigations- und Kommunikationsgeräten waren die Scheiben zerschlagen, die Zeiger abgebrochen und die digitalen Leuchtdioden zerstört worden. Auch die Gashebel, der Brandhahn, die Schieber für die Ballonetts, Generatoren, Kraftstoffpumpen, Blower und die vielen anderen Installationen waren verbogen, die Schalter für die Magnete, für Alternatoren, Innen- und Außenbeleuchtung abgebrochen und die meisten Sicherungenherausgerissen.

»Kriegen Sie das wieder hin?« fragte Maria Behring; das Herz klopfte ihr bis zum Halse.

Sander blickte auf das Chaos. »Ich weiß nicht«, sagte er zweifelnd.

»Können Sie nicht wenigstens versuchen, das Nötigste zu reparieren?«

»Selbst wenn wir auf die meisten Geräte verzichten – wir brauchen Strom, vor allem auf dem Starter, und natürlich Kraftstoff«, erwiderte Sander. Er legte die Keule zur Seite und kletterte auf den Pilotensitz. »Aber selbst das wird Stunden dauern«, sagte er kopfschüttelnd.

»Fangen Sie an!« sagte Maria Behring. »Sehen wir, wie weit wir kommen!«

Sander legte die Hand auf den Starter und versuchte den zerbrochenen Schalter zu betätigen; es rührte sich nichts.

»Sieht nicht gut aus«, sagte er und suchte auf dem Boden nach der Sicherung. Als er sie gefunden hatte, stellte er fest, daß auch sie zerbrochen war. Er klappte den Kasten mit den Reservesicherungen auf. Sie waren unversehrt. Er nahm eine von ihnen heraus und betätigte wieder den Starter. Nichts.

Sander stieg von seinem Sitz, kroch unter das Armaturenbrett und angelte nach den elektrischen Leitungen. Bald hielt er mehrere abgerissene Kabel in der Hand.

»Aus«, sagte er. »Sie haben auch die Kabel durchgeschnitten.«

»Da sind sie«, sagte Maria Behring und zeigte zum Fenster hinaus.

Sander hatte nicht recht zugehört. »Haben Sie verstanden?« fragte er. »Sie haben auch die Kabel durchgeschnitten!«

»Ich habe sehr wohl verstanden«, antwortete Maria Behring; ihr Gesicht war bleich. »Sie kommen. Sie sind schon oben auf dem Matamatá.«

Sander griff nach seiner Keule, ging zum Fenster und schaute nach oben. »Wie viele sind es?« fragte er.

»Mindestens zwanzig«, antwortete sie. »Gabriel ist auch dabei. Sie haben ihre Blasrohre mit.«

»Haben sie uns schon gesehen?«

»Ich weiß nicht.« Suchend schaute sie sich um. »Sollen wir uns in der Hülle verstecken?«

»Sinnlos«, sagte Sander. »Es hilft nichts, wir müssen das Schiff aufgeben.«

»Nein!« rief sie. »Auf keinen Fall!«

»Es gibt keinen anderen Weg!« sagte er beschwörend. »Holen Sie die Atemschutzgeräte heraus!«

Er schaute wieder aus dem Fenster; die Indianer waren höchstens noch zehn Meter über ihnen. Sie schienen völlig sorglos zu sein, denn sie schwatzten und lachten.

Herr im Himmel, dachte Sander, laß nicht zu, daß die Kerle uns wieder in die Katakombe schleppen! Während er flehend nach oben schaute, fiel sein Blick auf den Schalter der Warnanlage; der Plastikknopf war unbeschädigt. Rasch zog Sander an ihm. Ein schrilles Geheul ließ ihn zusammenzucken; es klang, als kreischten tausend wilde Tiere zugleich.

Die New Yorker Feuerwehr, dachte Sander begeistert. Das einzige, was hier noch funktionierte, war ausgerechnet der als Warnsignal einprogrammierte Sirenenton der New Yorker Feuerwehr! Trotz der verzweifelten Lage hätte er fast gelacht. Er hob die Hand und schaltete die Sirene wieder aus. Unglaublich, was das Schicksal für Spott mit ihm trieb!

Über sich hörte er laute Entsetzenschreie. Die Indianer flüchteten in panischer Angst. So schnell sie konnten, kletterten sie die Leiter wieder hinauf und rannten über die Brücke davon.

»Sie hauen ab!« jubelte Maria Behring. »Sie haben es geschafft, Sander! Was für eine grandiose Idee!« Ihre Freude klang schon fast hysterisch.

»Holen Sie die Atemschutzgeräte heraus«, sagte Sander noch einmal. »Wir seilen uns mit der Winde ab und gehen durch das Gas.«

Ihre Euphorie verflog so schnell, wie sie gekommen war.

»Sie glauben, die kommen wieder?«

»Ja. Jetzt halten sie die Sirene vermutlich für schreckliches Teufelsgeheul. Aber wenn sie feststellen, daß außer dem Geräusch nichts Bedrohliches auf sie zukommt, werden sie ihre Angst schnell verlieren.«

Sie dachte nach. »Sie haben recht«, sagte sie dann. »Vermutlich hätte ich schon viel früher auf Sie hören sollen.«

Er verkniff sich eine Antwort.

Maria Behring beugte sich über den Metallkasten mit den Atemschutzgeräten, stellte das Ziffernschloß ein und klappte den Deckel auf. Sander machte sich inzwischen an der Winde zu schaffen.

»Funktioniert sie denn?« fragte Maria Behring nervös.

»Wir nutzen sie mechanisch, ohne die Elektrik«, sagte Sander. »Was wiegen Sie denn?«

»Wie bitte?«

»Wieviel Sie wiegen! Ich muß den Widerstand einstellen.«

»Ach so. Fünfundfünfzig Kilo.«

»Ich fünfundsiebzig«, sagte Sander. »Macht zusammen hundertdreißig.« Er klappte die Meßskala der Winde heraus und stellte den Verzögerer ein.

»Ich habe gar nicht gewußt, daß die Winde auch ohne Strom funktioniert«, gestand Maria Behring.

»Ja. Gott sei Dank«, sagte er mit Nachdruck. »Wir stellen uns auf den Haken, ich zuerst, dann Sie, auf meinen Fuß«, erklärte er. »Ich löse die Sperre, und sie spult sich durch unser Gewicht ab. Wenn der Boden unten nicht allzu hart ist, sollten wir einigermaßen vernünftig aufkommen.«

Maria Behring zog die Atemschutzgeräte heraus und überprüfte die Anzeige auf den Sauerstoffflaschen. »Alles in Ordnung«, meldete sie.

Plötzlich hörten sie über sich wieder Stimmen. »Schalten Sie die Sirene ein!« rief Maria Behring. »Sie sind wieder da.«

»Beeilen Sie sich!« sagte Sander. Er legte den Warnschalter um und ließ die Sirene heulen, bis die Indianer wieder geflohen waren. Diesmal liefen sie jedoch nicht mehr so weit davon.

»Die lernen schnell«, sagte Sander. Er öffnete den Hebel, der den Boden der Gondel verriegelte, und stieß die Klappen auf. Zehn Meter unter ihnen wallte das schwarze Gewölk.

Maria Behring nahm das Sauerstoffgerät auf den Rücken und setzte die Atemschutzmaske auf.

»Halten Sie sich gut fest«, sagte Sander.

Sie nickte und hob den Daumen.

Sander schaute wieder aus dem Fenster. Die Indianer hatten sich von dem erneuten Schrecken erholt und kletterten die Leiter hinab, Gabriel an der Spitze; als er Sander erblickte, hob er sein Blasrohr. Rasch sprang Sander auf; ein kleiner Pfeil bohrte sich in seinen Sitz.

»Nichts wie weg hier!« rief Sander erschrocken. In fieberhafter Hast schulterte er sein Sauerstoffgerät, setzte sich die Schutzmaske auf und trat in den Haken der Winde. Maria Behring stellte ihren Stiefel auf den seinen und klammerte sich fest, mehr an Sander als an dem Seil.

Sander löste die Winde; das starke Drahtseil gab nach, und sie schwebten durch den offenen Boden der Gondel, als ihre Verfolger gerade den Rumpf des Luftschiffes erreichten.

Während sie immer tiefer sanken, schauten sie nach oben; das letzte, was sie sahen, war das zornige Gesicht des Erzengels, der zehn Meter über ihnen sein Flammenschwert schwang und die Waffe dann nach ihnen schleuderte. Es flog so knapp an Sander vorbei, daß er den Luftzug spürte. Dann umhüllte sie das schwarze Gewölk. Das Phänomen, das sie so sehr gefürchtet hatten, erwies sich jetzt als hilfreich, indem es sie den Blikken und den Blasrohren ihrer Verfolger entzog.

Das dunkle Gewölk schlug über Maria Behring und Sander zusammen, als wären sie in einen See getaucht. Während sie rasch tiefer sanken, schaltete Maria Behring die Taschenlampe an ihrer Brust ein und richtete sie nach oben. Nur etwa drei oder vier Meter des Drahtseils waren zu sehen, dann wurde der Strahl von den zahllosen winzigen Asche- und Rußpartikeln der vulkanischen Dämpfe verschluckt.

Maria Behring drehte die Lampe und leuchtete seitlich umher. Einmal fuhr der Lichtschein über Sander, der mit der Schutzmaske wie eine riesige Fliege aussah; geblendet schloß er die Augen. Hinter ihm war anfangs alles grau, dann aber schien es plötzlich, als führen sie in einem Lift an einer grauen Betonwand entlang. Maria Behring zwinkerte kurz mit den Augen, um die Sehschärfe zu erhöhen, und erkannte die rissige Rinde des Matamatá; sie waren noch etwa fünf Meter von dem Stamm entfernt.

Sander griff nach Maria Behrings Hand und drehte sie mitsamt der Lampe nach unten. Sie verstand, was er damit ausdrücken wollte, und spannte die Beinmuskeln an. Die Landung war noch härter als befürchtet, denn der schwarze Grund raste ihnen wie eine Asphaltplatte entgegen. Sander zog die Knie an, um den Aufprall abzufedern, und ließ das Seil los. Maria Behring aber landete auf der scharfen Oberkante einer riesigen Wurzel; mit einem Schmerzensschrei stürzte sie auf den Boden.

Erschrocken wollte Sander zu ihr eilen, konnte aber

seine Beine kaum bewegen; es fühlte sich an, als steckten sie in zähem Schlamm. Er tastete mit den Händen umher und stellte fest, daß er fast bis zu den Knien in einer weichen Masse aus verfaulten Blättern stand.

Maria Behring saß auf dem Boden und hielt sich den Knöchel. Sander versuchte sie aufzuheben, aber sie zeigte auf ihren Fuß und schüttelte heftig den Kopf. Daraufhin ging er in die Hocke und deutete auf seinen Rükken. Sie zögerte einen Moment; da ihr jedoch nichts anderes übrigblieb, stemmte sie sich hoch, setzte sich auf ihn und hielt sich an seinen Schultern fest.

Sander kam mühsam auf die Beine; schon seit Jahren hatte er sich kein derartiges Gewicht mehr aufgeladen. Schwankend machte er sich auf den Weg nach Süden; die knapp eineinhalbtausend Meter bis zum Kraterrand mußten in der Zeit, die ihnen blieb, zu schaffen sein, dachte er; dann würde man weitersehen.

Schwerfällig stakste er durch den Morast der faulenden Blätter; fast bei jedem Schritt sank er bis zu den Knöcheln ein, und schon nach wenigen Metern begann er unter der Anstrengung zu keuchen. Maria Behring leuchtete auf seinen Weg; von Zeit zu Zeit schienen sich die schwarzen Schwaden zu lichten, doch jedesmal flogen bald wieder neue Nebelwolken heran.

Als Maria Behring merkte, daß Sanders Kräfte nachließen, schlug sie ihm mehrmals kräftig auf die Schulter, löste ihren Griff und ließ sich auf den Boden gleiten. Schwer atmend blieb Sander stehen; sie hatten erst etwa fünfzig Meter geschafft. Maria Behring drehte ihn um und beleuchtete die Sauerstoffflasche auf seinem Rücken. Natürlich, dachte sie, er hat gar nicht richtig aufgedreht. Rasch holte sie das Versäumnis nach. Sander tat ein paar tiefe Züge und erholte sich rasch. Nach einer Weile nickte er und nahm sie wieder auf den Rükken.

Als sie weiterstapften, sahen sie vor sich in den Nebelschwaden etwas Weißes schimmern; es lag genau auf ihrem Weg. Beim Näherkommen erkannten sie große Knochen, einen Tierschädel, eine verrostete Arkebuse und einen Totenkopf, der noch immer einen Helm trug. Hier also hatten die sechsbeinigen Teufel ihr Ende gefunden.

Nach weiteren hundert Metern mußte Sander Maria Behring wieder absetzen und hockte sich auf den Boden. Sie nahm die Sauerstoffflasche von ihrem Rücken und leuchtete auf die Anzeige. Der Inhalt reichte noch für eineinhalb Stunden. Wenn sie weiter so langsam vorwärtskamen, konnte es knapp werden. Sie zeigte Sander ihre Uhr und gab ihm durch Zeichen zu verstehen, daß sie nun wieder versuchen wolle zu laufen. Er nickte. Sie schnallte sich das Gerät erneut auf den Rücken und humpelte einige Schritte, stieß aber gleich wieder einen Schmerzensschrei aus. Sander eilte zu ihr und stützte sie. Sie legte ihren rechten Arm um seinen Nacken und versuchte, nur auf dem linken Bein weiterzuhüpfen, aber schon nach wenigen Sätzen ging ihr die Kraft aus, und Sander mußte sie abermals auf den Rücken nehmen.

Hoffentlich hält er das durch, dachte sie, als sie ihn unter der Belastung immer lauter keuchen hörte. Sie bemühte sich, möglichst exakt nach Süden zu leuchten und, wenn sie einem Baumstamm ausweichen mußten, gleich danach auf den kürzesten Weg zum Kraterrand zurückzufinden. Wenn sie sich jetzt auch noch verirrten, konnte es lebensgefährlich werden.

Zu ihrem Glück wurde der Boden bald etwas fester, und sie kamen ein wenig schneller voran. Nach einer Stunde hatten sie nach ihrer eigenen Schätzung etwa vierhundert Meter zurückgelegt. Bei der nächsten Rast überprüfte Maria Behring wieder die Sauerstoffflaschen und rechnete den Verbrauch hoch. Dann hielt sie Sander erneut ihre Armbanduhr vor die Augen und tippte energisch auf die Digitalanzeige.

Sander nickte müde. Seine Brust schmerzte, sein Rachen war vom Sauerstoff wund, und seine gesamte Beinmuskulatur zitterte fibrillär; er begann Oberschenkel und Waden zu massieren, um Krämpfen vorzubeugen.

Nach einigen Minuten raffte er sich wieder auf. Schon als er Maria Behring auf den Rücken nahm, wankte er leicht; während er durch den Wald stapfte, kam es ihr vor, als könne jeder Schritt der letzte vor einem Zusammenbruch sein. Nach einer Viertelstunde blieb Sander mit rasselnden Lungen an den gut zwölf Meter breiten Brettwurzeln eines riesigen Baumes stehen. Maria Behring rutschte herunter und klopfte ihm aufmunternd auf den Rücken. Da er nicht mehr die Kraft aufbrachte, sich umzudrehen, hüpfte sie auf einem Bein um ihn herum und hielt ihm vier Finger vor die leicht beschlagenen Augengläser der Maske. Noch vierhundert Meter! Hoffentlich hielt er durch. Sie verspürte ein fast zärtliches Gefühl der Verbundenheit, als sie ihn keuchend vor sich stehen sah.

Sander ging wieder in die Knie; es tat Maria Behring fast körperlich weh zu sehen, wie er litt. Sie setzte sich wieder auf seinen Rücken und schlang die Arme um ihn. Als er sich in die Höhe stemmte, drang ein tiefes, gequältes Stöhnen aus seiner Brust. Torkelnd setzte er sich in Bewegung, schleppte sie um die gewaltigen Brettwurzeln herum und stapfte weiter in die Richtung, die ihm ihre Taschenlampe wies.

Bei der nächsten Pause schaute Maria Behring erneut auf die Uhr; der Sauerstoff reichte allenfalls noch für eine Stunde, und der Kraterrand war mindestens noch dreihundert Meter entfernt. Sander lag neben ihr auf dem Rücken und rang nach Atem. Sie wartete, bis er sich einigermaßen erholt hatte; dann stützte sie sich auf Hände und Knie und kroch weiter.

Was soll das? dachte er. Wollte sie sich jetzt etwa ohne

ihn davonmachen? Mühsam hob er sich auf die Knie. Sie winkte ihm zu. Ächzend stand er auf und ging zu ihr. Sie kroch weiter, und er stapfte schwerfällig hinter ihr her.

Nach hundert Metern setzte sie sich erschöpft hin und schaute auf ihre Uhr. Noch eine halbe Stunde! Sie hielt Sander das Zifferblatt hin. Er nickte und deutete auf seinen Rücken. Diesmal hatte sie Mühe, sich an ihm festzuhalten. Mechanisch setzte er Schritt vor Schritt. Nach fünfzig Metern begann er zu taumeln; rasch löste sie sich von ihm.

Er zeigte nach unten. Sie leuchtete auf ihre Füße und sah, daß sie im Wasser standen. Ein Bach? fragte sich Maria Behring. Ein See? Natürlich, es mußte ein Kratersee sein, der seit Jahrhunderten unter dem Gewölk verborgen lag. Sie richtete den Strahl ihrer Taschenlampe nach vorn; so weit er reichte, wurde er von einer schwarzen Wasserfläche reflektiert.

Es gab nichts zu überlegen; auf Händen und Knien kroch sie hinein. Als sie merkte, daß das Gewässer rasch tiefer wurde, reichte sie Sander die Taschenlampe und versuchte zu schwimmen. Sander stieg neben ihr immer tiefer in das Wasser, das ihm bald bis an den Bauch, dann bis an die Brust reichte. Schließlich mußte er ebenfalls schwimmen. Nach einer Minute bekamen sie wieder Boden unter die Füße. Der Sauerstoff in den Flaschen würde nun jede Sekunde verbraucht sein.

Eilig arbeitete sich Maria Behring aus dem schlammigen Wasser heraus und kroch die glitschige Böschung hinauf; Sander folgte ihr so dicht, daß sein Kopf fast ihre Füße berührte. Gerade als er merkte, daß seine Flasche leer war, schwebte ein heller Schimmer über ihnen; Sekunden später lichtete sich das Gewölk, und sie krochen erschöpft auf das im Sonnenschein liegende Gelände.

Sander riß sich die Atemschutzmaske vom Gesicht

und pumpte die heiße Luft in seine Lungen, bis er laut husten mußte. Maria Behring schlug ihm auf die Schulter und deutete nach oben; sie hatte nicht die Kraft zu sprechen, aber Sander verstand auch ohne Worte, daß sie einen ausreichenden Sicherheitsabstand zu dem Gas einlegen wollte. Um die Last der Atemschutzgeräte erleichtert, robbten sie hangaufwärts. Einige Minuten später lagen sie auf dem Kraterrand im Gras.

»Wir haben es geschafft«, stieß Maria Behring hervor.

Sander nickte.

»Und ich habe gewußt, daß wir es schaffen«, fügte sie hinzu.

»Ja«, keuchte Sander. »Aber wir sind noch lange nicht in Sicherheit.«

»Das schaffen wir auch noch«, sagte sie zuversichtlich. »Bisher haben wir es noch jedesmal geschafft, wenn wir es zusammen angepackt haben.«

»Das stimmt«, sagte er.

Sie blickten auf den Wolkenwald.

»Sieht so friedlich aus«, sagte sie.

»Ja«, sagte Sander. »Jetzt ist er wieder so friedlich, wie er war, bevor wir hergekommen sind.«

Sie sah ihn von der Seite an. »Sie hätten mich ja da unten liegen lassen können, wenn Sie meinen, daß ich es verdient habe.«

»Entschuldigung«, sagte er. »Ich wollte Ihnen keine Vorwürfe machen. Jetzt ist es sowieso zu spät.« Er schaute nach Norden, wo sich in der Ferne der Tafelberg des Cerro de la Neblina erhob. Das Licht der Sonne färbte die Felswand gelb.

»Wie lange werden wir brauchen?« fragte sie.

»Zwei oder drei Tage, schätze ich. Geben Sie mir mal das Messer.«

Er ging zu einer kleinen Gruppe von Tachigalien, suchte eine Weile umher, brach dann einen kräftigen, gleichmäßig gegabelten Ast ab und schnitt ihn zu einer Krücke zurecht. »Hier, versuchen Sie mal.«

Sie humpelte einige Schritte. »Zu lang«, erklärte sie.

»Besser als zu kurz«, sagte er und säbelte mit dem Wellenschliff ein Stückchen ab; es war eine mühselige Arbeit.

Sie blieben zunächst auf dem Kraterrand und gingen um den Wolkenwald herum zu seiner Nordseite. Dort stiegen sie in die Ebene hinunter und wanderten auf den Tafelberg zu. Als es dunkel wurde, legten sie sich unter einen der Baumriesen. Sein Blätterdach war dicht genug, daß sie im Trockenen schliefen, obwohl in der Nacht mehrere starke Regenfälle niedergingen.

Am Morgen erwachte Maria Behring mit dem Kopf auf Sanders Brust; sein Arm lag um ihre Schulter. Verlegen befreite sie sich und richtete sich auf. Sie befühlte ihren Fuß. Er schmerzte und war noch stärker geschwollen als am Tag zuvor.

Sander war aufgewacht, als sich der Druck von seiner Brust gelöst hatte. »Was ist mit Ihrem Fuß?« fragte er, als er sie herumtasten sah. »Besser?«

Sie schüttelte den Kopf. »Schlechter«, sagte sie. »Ich glaube, er ist tatsächlich gebrochen.«

»Ich werde Sie tragen«, sagte Sander.

Sie schüttelte wieder den Kopf. »Das schaffen Sie nicht.«

»Was schlagen Sie dann vor? Etwa, daß ich Sie hier zurücklassen soll?«

»Genau«, sagte sie. »Gehen Sie zum Neblina. Bestimmt sitzt der Teniente immer noch dort oben. Er soll den Oberst alarmieren. Dann holen Sie mich mit dem Hubschrauber heraus.«

»Nein. Ich lasse Sie hier nicht allein.«

»Doch!« sagte sie bestimmt. »Hier habe immer noch ich das Sagen. Wir haben einen Vertrag miteinander. Vergessen Sie das nicht!«

»Ich pfeife auf Ihren Vertrag. Wir sind hier im Dschungel und nicht auf irgendeiner märkischen Schafweide! Ich habe keine Lust, hier morgen vor Ihren abgenagten Knochen zu stehen und mich vom Oberst fragen zu lassen, wie ich eine Frau mit einem gebrochenen Fuß unter Jaguaren und Pythonschlangen zurücklassen konnte.«

»Ich habe ja mein Messer«, sagte sie eigensinnig.

Er lachte sarkastisch und packte die Krücke. »Noch ein Wort«, drohte er, »und ich haue Ihnen das Ding hier über den Schädel!«

»Und dann?« fragte sie spöttisch.

»Dann binde ich Ihnen Hände und Füße zusammen und schleppe Sie wie ein Pekari nach Hause.«

»Soso«, sagte sie. »Wie ein Pekari. Wirklich reizend.«

Er hörte an ihrem Tonfall, daß er gewonnen hatte. »Ja«, sagte er. Seinen drohenden Ton noch etwas verstärkend, fügte er hinzu: »Wie ein kleines, dickes Nabelschwein!«

»Wie charmant Sie sein können«, sagte sie.

Trotz ihrer ernsten Lage mußten sie lachen. Sie lachten, als hätten sie den Verstand verloren. Ihre Psyche reagierte mit Hysterie darauf, daß sich nach der ungeheuren Anspannung des vergangenen Tages endlich ein Gefühl der Erleichterung Bahn brechen wollte, aber immerzu neue Widrigkeiten dem entgegenstanden. Ihre Leidensfähigkeit schien nun endgültig erschöpft. War nicht doch alles vergeblich? So lagen sie da und schüttelten sich vor Lachen, bis Maria Behring sich plötzlich wieder aufrichtete und sagte: »Still! Hören Sie nichts?«

Sander verstummte und stützte sich auf den Ellenbogen. Dann sprang er auf. »Ein Hubschrauber!« rief er. »Schnell!« Er lief unter dem Baum hervor auf eine kleine Lichtung und wedelte wild mit den Armen. Maria Behring eilte zu ihm. Wie die Verrückten tanzten sie umher; sie hörten auch dann nicht auf, als der Hubschrauber schon gelandet war. Ihre Bewegungen verlangsamten sich erst, als sich die Tür öffnete und Oberst Gómez herauskletterte.

Der Oberst eilte durch das Gras auf Sander und Maria Behring zu. »Um Himmels willen«, sagte er. »Was ist passiert?«

»Wir hatten einen Unfall«, sagte Maria Behring mit brüchiger Stimme. Dann klappte sie wie in Zeitlupe zusammen; Sander fing sie im letzten Augenblick auf.

Gómez drehte sich um und brüllte gestikulierend Befehle. Zwei Soldaten eilten mit einer Trage herbei. Sie legten die Bewußtlose darauf und trugen sie in den Hubschrauber.

»Bringen Sie sie nach Cocuy«, sagte Sander, der gesehen hatte, daß der Hubschrauber voll war. »Ich werde hier auf Sie warten.«

»Wo denken Sie hin!« protestierte der Oberst. »Ich lasse zwei von meinen Leuten hier. Steigen Sie ein! So gesund sehen Sie nicht aus, daß ich Sie guten Gewissens hier zurücklassen könnte.«

Sander gehorchte. Der Hubschrauber hob ab und ratterte im Tiefflug über den Regenwald. Der Oberst spähte besorgt nach allen Seiten. Erst als sie die unsichtbare Grenze zu Venezuela hinter sich gelassen hatten, entspannte er sich. »Was ist denn passiert?« fragte er und zerrte eine Kühltasche unter seinem Sitz hervor. Mit einem festen Ruck zog er den Reißverschluß auf. Dann holte er zwei Büchsen Bier heraus und gab Sander eine davon. »Trinken Sie erst einmal. Ich bin wirklich froh, daß ich Sie gefunden habe.« Er riß seine Büchse auf. »Worauf warten Sie noch?«

Sander stieß mit ihm an und schüttete sich das Bier genießerisch in den Mund. Dann sagte er: »Also, es war so –«

Aber der Oberst ließ ihn nicht ausreden. »Nein, erzählen Sie es mir nicht«, sagte er. »Lassen Sie mich raten. Sie hatten einen Unfall. Plötzlicher Druckverlust im Helium. Mußten eine Notlandung machen. Richtig?«

»Richtig«, sagte Sander.

»Dabei konnten Sie natürlich keine Rücksicht auf Landesgrenzen nehmen. Richtig?«

»Richtig.«

»Als Pilot war es Ihre Pflicht, einen möglichst sicheren Platz für die Notlandung zu suchen. Richtig?«

»Genauso war es«, sagte Sander.

»Unter diesen Umständen ist es nicht strafbar, eine internationale Grenze zu verletzen. Richtig?«

Sander trank wieder einen tüchtigen Schluck. »So besagen es die internationalen Luftfahrtbestimmungen.«

Der Oberst lächelte. »Ich habe mir gleich gedacht, daß es für einen hervorragenden und gesetzestreuen Piloten wie Sie keinen anderen Grund gegeben haben kann, ohne offizielle Genehmigung der betreffenden Behörden bei unseren brasilianischen Nachbarn zu landen.«

»Natürlich nicht«, sagte Sander.

»Das wußte ich. Und das Luftschiff? Verloren, nehme ich an.«

»Leider ja. Völlig zerstört. Sinnlos, es zu bergen.«

»Glauben Sie, daß man es überhaupt jemals wiederfinden wird?«

Sander schüttelte den Kopf. »Bestimmt nicht«, sagte er.

»Ich werde meine brasilianischen Kollegen natürlich trotzdem informieren«, sagte der Oberst. »Auch wenn sie vermutlich nach einer Stecknadel im Heuhaufen suchen werden, nicht wahr? Ich meine, Sie haben doch bestimmt überhaupt keine Ahnung, wo genau Sie eigentlich heruntergegangen sind.«

»Keinen blassen Schimmer. Wenn man versucht, so ein Ding möglichst lange in der Luft zu halten, achtet man nicht mehr so auf Karte und Kompaß.«

»Natürlich nicht«, sagte der Oberst sanft. »Ich gratuliere Ihnen, daß Sie das so gut hingekriegt haben. Sie sind wirklich ein ganz hervorragender Pilot.«

»Nun tun Sie mir aber entschieden zuviel der Ehre an«, sagte Sander.

»Nein«, hörten sie plötzlich Maria Behring sagen. »Der Oberst hat ganz recht.«

»Frau Doktor!« rief der Oberst erfreut durch das Dröhnen des Hubschraubers. »Geht es Ihnen wieder besser?«

»Ich habe gehört, was Sie gesagt haben«, antwortete sie. »Sie sind wirklich ein sehr kluger Mann.«

»Zuviel der Güte«, wehte der Oberst bescheiden ab.

»Nein«, sagte sie. »Ich muß gestehen, daß ich anfangs ...« – sie zögerte wirkungsvoll – »... gewisse Vorbehalte hatte. Ich meine, nicht gegen Sie als Menschen natürlich, aber gegen diese militärischen Angelegenheiten. Wir Wissenschaftler glauben immer, daß es keiner besonderen intellektuellen Anstrengungen bedürfe, bei der Armee Karriere zu machen. Das ist ein großer Irrtum. Ich wäre froh, wenn es gelänge, einem Mann die Verantwortung für die Sicherheit unserer gesamten Einrichtungen in diesem schönen Erdteil zu übertragen.«

Der Oberst mußte lachen. »Vielen Dank«, erwiderte er. »Aber mich hindert eine lange Familientradition daran, jemand anderem als meinem Land und meinem Land anders als in Uniform zu dienen. Mein Urgroßvater kämpfte unter Simón de Bolívar, achtzehnhundertneunzehn bei Boyacá und achtzehnhundertneunundzwanzig bei Carabobo. Seien Sie trotzdem meiner Dankbarkeit versichert.«

»Hören Sie auf«, sagte sie. »Wir stehen tief in Ihrer Schuld. Sie haben für uns Kopf und Kragen riskiert.«

»Ganz so schlimm war es nicht«, sagte Gómez lächelnd. »Notfalleinsätze auf Territorien jenseits der Grenze sind schon seit neunzehnhunderteinundsiebzig durch ein bilaterales Abkommen zwischen Venezuela und Brasilien gedeckt. Unter ganz bestimmten Voraussetzungen natürlich.«

Maria Behring richtete sich auf. »Bekomme ich auch ein Bier?« fragte sie.

»Aber natürlich. Entschuldigen Sie.« Der Oberst griff in seine Kühltasche.

»Wie haben Sie uns denn so schnell gefunden?« fragte Maria Behring. »Ich meine, eigentlich waren wir doch die ganze Zeit drüben am Río Manipitari ...«

»Über diesen Wäldern kann man sich ja so leicht verirren«, sagte der Colonel.

»Das stimmt«, erwiderte Maria Behring. Es war ihr klar, daß irgendwo in dem Luftschiff oder ihrer Ausrüstung ein Abhörgerät installiert gewesen sein mußte. Aber wo hatten Gómez' Leute die Wanze versteckt? Sie überlegte. Dann kam ihr ein Gedanke. »O nein«, sagte sie.

Sander schaute sie neugierig an.

Maria Behring zog die Lampe aus der Tasche und schraubte den Stab auf. Hinter dem Stromabnehmer klebte ein winziges elektronisches Teil; es war nicht größer als eine Tablette.

»Sie war in der Taschenlampe«, erklärte sie Sander.

»Was denn?«

»Die Wanze!«

»Wanze?« fragte der Oberst interessiert. »Zeigen Sie mal.« Ehe Maria Behring es verhindern konnte, hatte er ihr die kleine Metallhülse aus der Hand genommen.

»He«, sagte sie. »Geben Sie das wieder her.«

Der Oberst reagierte nicht; statt dessen hob er das Minigerät vor die Brille. »Das ist keine Wanze«, stellte er fest.

»Ach!« sagte sie sarkastisch. »Na, Sie müssen es ja wissen!«

»Ich meine, es ist kein elektronisches Abhörgerät«,

präzisierte der Colonel. »Es handelt sich vielmehr um einen kleinen, offenbar aber sehr leistungsfähigen Peilsender.«

»Wo ist denn da der Unterschied?« wollte Maria Behring wissen.

»Ganz einfach«, erklärte Gómez. »Ein Abhörgerät überträgt Töne. Stimmen, Worte. Aber nur über eine begrenzte Entfernung. Meistens ungefähr ein bis zwei Kilometer weit. Dort muß dann ein Aufnahmegerät stehen. Ein Peilsender dagegen strahlt nur ein Dauersignal aus. Dafür aber über sehr große Distanzen. Dadurch kann man ihn genau lokalisieren – und natürlich auch die Person, der man ihn ... äh ... mitgegeben hat. Ihre Konkurrenz scheint ja in ihren Methoden nicht eben wählerisch zu sein!« Er spitzte die Lippen und begann ein Lied zu pfeifen.

»Konkurrenz!« versetzte Maria Behring mit einem abschätzigen Lachen. »Das war keineswegs unsere Konkurrenz!«

»Wer sonst sollte auf so eine Idee kommen?« fragte der Oberst und ließ das Gerät in seiner Brusttasche verschwinden.

»Jetzt ist ja wohl klar, wem das Ding gehört«, stellte sie fest.

»Wie?« meinte der Oberst; dann lächelte er. »Aber nein, meine Liebe, wo denken Sie hin! Die Armee hat mit dieser Angelegenheit nicht das geringste zu tun. Solche Geräte sind in Venezuela illegal, das müßten Sie doch wissen! Es ist deshalb meine Pflicht, es einzuziehen. Möchten Sie Anzeige gegen Unbekannt erstatten?«

Maria Behring mußte lachen. »Wer immer sich das ausgedacht hat, versteht jedenfalls seine Sache. Die Taschenlampe ist so ziemlich das einzige Gerät, das man im Urwald immer bei sich trägt. Weil man sie jederzeit brauchen kann. Zum Beispiel, wenn mal der Stromgenerator ausfällt.«

Der Oberst schmunzelte.

»Ich glaube, wir haben Ihnen mehr zu verdanken, als wir zugeben dürfen«, fügte sie hinzu.

Gómez hob abwehrend die Hand. »Ich habe nur den einen Wunsch, daß Sie die Gastfreundschaft unseres schönen Landes noch recht lange in Anspruch nehmen.«

»Ich danke Ihnen«, sagte Maria Behring.

»Und dann hätte ich noch eine kleine Bitte«, fügte der Oberst hinzu.

»Und die wäre?«

»Was immer zu Ihrem ... äh, Unfall geführt hat«, sagte der Oberst, »und was immer davor oder danach geschehen ist – reden Sie mit niemandem darüber. Es könnte sonst vielleicht unerfreuliche Verwicklungen geben.«

»Natürlich«, versicherte sie.

»Danke.« Er zögerte. »Sie werden es ohnehin bald erfahren«, sagte er dann. »Man spricht in der ganzen Gegend über nichts anderes. Die drei Garimpeiros, die uns so viel Ärger gemacht haben, sind gefunden worden.«

»Hat man sie verhaftet?« fragte Sander geistesgegenwärtig.

»Nein«, antwortete der Oberst. »Sie waren tot. Eine brasilianische Patrouille fand ihre Spuren in der Nähe eines Cerro Impacto. Wissen Sie, was das ist?«

»Ist das nicht so ein großes Loch im Boden?« fragte Maria Behring.

»Es ist ein Intrusionskrater«, erklärte der Oberst. »Manche werden einige hundert Meter tief. Bei uns gibt es eine ganze Reihe davon, in Brasilien aber auch ein paar. Man weiß noch nicht genau, was eigentlich passiert ist. Die Gewehre der drei lagen gleich neben einem solchen Cerro Impacto unter einem Strauch. Außerdem gab es Schleifspuren zum Rand des Cerro Impacto. Die Brasilianer haben eine Winde geholt und einige Polizisten abgeseilt. Die drei Verbrecher lagen zerschmettert auf dem Grund. Man hat sie nach Manaus geflogen und dort gerichtsmedizinisch untersucht. Es steht fest, daß sie erschossen wurden, ehe man sie in den Intrusionskrater warf. Vermutlich hatten sie andere Garimpeiros zu überfallen versucht und wurden dabei umgebracht.«

»Höchstwahrscheinlich«, bemerkte Sander.

»Es ist nicht schade um diese Kerle«, fuhr der Oberst fort. »Aber wie gesagt: Wenn Sie etwas gesehen oder gehört haben, behalten Sie es lieber für sich.«

»Natürlich«, sagte Maria Behring. »Wir haben aber weder etwas gesehen noch etwas gehört.«

»Natürlich nicht«, sagte der Oberst.

Nach der Landung in Cocuy ließ Maria Behring sich in die Krankenstation tragen. »Ruhen Sie sich gut aus«, sagte sie zu Sander. »Und vielen Dank für alles.«

»Schon gut«, erwiderte er bescheiden.

Sie nickte ihm zu. »Besuchen Sie mich morgen.«

»Ja«, sagte er.

Er schlug sich in der Kantine den Bauch voll, neugierig beobachtet vom Personal, das sich nicht traute, ihn auszufragen. Dann zog er sich in seinen Container zurück und trank Bier, bis es dunkel wurde. Irgendwann schlief er ein.

Als er aufwachte, hörte er ein Flugzeug landen. Er schaute aus dem Fenster. Der Rumpf trug die Aufschrift »Deutsche Rettungsflugwacht«.

Er zog sich frische Sachen an und eilte hinaus. Maria Behring stand an der Gangway des kleinen Jets.

»Da sind Sie ja«, sagte sie. »Ich wollte gerade nach Ihnen schicken. Der Fuß ist leider wirklich gebrochen. Ich lasse ihn lieber gleich in Berlin operieren. In diesem Flieger werde ich bestimmt bestens versorgt.«

»Sicher«, pflichtete Sander ihr bei.

Sie streckte ihm die Hand hin. »Ich danke Ihnen noch einmal für alles«, sagte sie feierlich. »Ohne Sie wäre das alles ... nicht so gut abgegangen.«

Er nahm ihre Hand; sie war so glatt und kühl wie damals bei ihrer ersten Begegnung in der Suite des »Intercontinental Guayana«. »Man tut, was man kann«, sagte er.

Was ist? dachte sie. Wollte er sie denn gar nicht mehr loslassen?

Sander schaute sie traurig an. »Sie haben uns beiden nicht die geringste Chance gegeben«, sagte er.

Maria Behring zögerte einige Augenblicke. Dann straffte sie sich. »Nein«, erwiderte sie.

Er nickte. »Mein Pech«, sagte er und gab ihre Hand frei.

Wieder schwiegen sie eine Weile. »Es tut mir leid«, sagte sie schließlich. »Aber es wäre sowieso nichts geworden mit uns beiden; dazu sind wir viel zu verschieden.«

Sander wußte nicht, was er erwidern sollte.

»Ich meine, wir sind doch beide nicht die Typen, die heiraten und Kinder kriegen«, fuhr sie fort, um keine peinliche Pause entstehen zu lassen. »Und dann ist da ja auch noch die Firma.«

»Natürlich«, sagte er unglücklich. »Ich verstehe.«

»Sind Sie mir auch bestimmt nicht böse?«

»Nein.«

»Ja, dann«, sagte sie. »Also – auf Wiedersehen!«

»Auf Wiedersehen!«

Maria Behring humpelte die Leiter hinauf; Sander schaute ihr nach.

»Kommen Sie denn wieder her?« rief er ihr zu. »Ich meine, wenn Ihr Fuß auskuriert ist?«

»Vielleicht«, erwiderte sie. »Aber bestimmt nicht so bald. Wir wollen erst mal abwarten, wie sich die Regierung hier zu den Ereignissen stellt. Ich meine –«

»Da ist nichts zu befürchten«, versetzte er beruhigend. »Gómez wird es schon so hinbiegen, daß niemand erfährt, was wirklich los war.«

»Ja, sicher«, sagte sie. Dann fiel ihr etwas ein. »Hören Sie: Morgen kommt unser Notar aus Caracas und macht mit Ihnen einen neuen Vertrag. Beratende Tätigkeit. Laufzeit drei Jahre. Gleiches Honorar. Dann sind Sie aus dem Gröbsten raus.«

»Lassen Sie nur«, sagte er. »Ich komme schon klar.«

»Sicher?«

»Sicher.«

Das Flugzeug rollte über die Startbahn, wendete und sauste mit laut dröhnenden Motoren an der kleinen Flugplatzbaracke vorbei. Maria Behring schaute nachdenklich aus dem Fenster. Als Sander in ihr Blickfeld kam, winkte sie ihm zu, obwohl sie wußte, daß er sie nicht sehen konnte. Er winkte nicht.

Sie drehte vorsichtig den Kopf. Der Arzt und die Krankenschwester waren in eine angeregte Unterhaltung vertieft; es ging um irgendeinen spannenden Rettungseinsatz in Tansania, mit dem verglichen dieser Trip nach Venezuela offenbar langweiliger Routinekram war. Sie konnte sich vorstellen, wie die beiden dachten. Unglaublich, daß sich diese verwöhnte Ziege wegen eines gebrochenen Fußes von einem ärztlichen Flugrettungsdienst aus Venezuela abholen ließ. Aber wenn sie das nötige Kleingeld hatte ...

Maria Behring lächelte. Über dem Atlantik würde sie sich das Telefon bringen lassen und ihren venezolanischen Notar aufscheuchen. Er würde Sander schon zu überreden wissen, dachte sie. Die meisten Männer waren zu stolz, von einer Frau Geld anzunehmen; unter ihresgleichen aber regelten sie so etwas immer recht vernünftig.

»He!« rief sie.

Arzt und Krankenschwester drehten sich um.

»Ja, Frau Doktor, können wir etwas für sie tun?« fragte der Arzt.

»Allerdings«, sagte Maria Behring aufgeräumt. »Bringen Sie mir mal einen anständigen Whisky. Und nehmen Sie sich auch selber einen!«

Er nickte und kam wenig später mit dem Gewünschte zurück.

Maria Behring nahm das Glas und betrachtete die goldgelbe Flüssigkeit. Möge das Leben gut zu Ihnen sein, Sander, dachte sie. Sie sind ein guter Mensch. Ich trinke auf Sie!

Sander schaute dem Flugzeug nach, bis es hinter den Wipfeln der Bäume verschwunden war. Noch nie hatte er sich so elend gefühlt.

Eine schwere Hand legte sich auf seine Schulter. Es war Gómez. »Kommen Sie«, sagte der Oberst mitfühlend, »gehen wir etwas trinken. Sie sehen so aus, als könnten Sie einen vertragen.«

Im Wolkenwald war es Abend geworden. Das Zwielicht des scheidenden Tages hatte begonnen, den Blüten und Blättern die Farbe zu stehlen; was in der hellen Sonne lebensfroh geleuchtet hatte, schien jetzt müde und stumpf, und das alles beherrschende Grün mit seinen vielen hundert Schattierungen verblaßte im schwindenden Licht rasch zu gleichförmigem Grau. Es waren jene magischen Minuten, die der Uirapurú, der brasilianische Flötenzaunkönig, mit seinem unvergleichlichen Gesang erfüllte, einem Gesang, der so bezaubernd war, daß in dieser Zeit alle anderen Vögel des Waldes verstummten.

Der amerikanische Teil des weltumspannenden Bioms, das man den tropischen Regenwald nennt, drehte sich mit der Erdkugel ostwärts, verließ den kosmischen Scheinwerferkegel des Zentralgestirns und tauchte in den Schatten ein, in dem sich die Atmosphäre auf etwa vierzehn Grad abkühlen würde. Die mikroskopisch kleinen Chlorophyllkraftwerke in den Zellen der Blätter stellten den lebenerzeugenden Produktionsprozeß bis zum nächsten Morgen ein. Ein Zwergseidenäffchen schleckte zum letztenmal für diesen Tag süßen Saft an seiner Zapfstelle in der Rinde einer Leguminose, bevor es sich zum Schlafplatz seiner Horde trollte.

Wolkenfänger saß auf dem obersten Ast des Axtbrecherbaumes und schaute zu der Stelle hinunter, an der die beiden Teufel mit den Wespenköpfen an ihrem zauberischen Spinnenfaden in die schwarze Höllenwolke hinabgetaucht waren. Die Bewohner des göttlichen Gartens waren in großer Gefahr gewesen, denn beide Satansgehilfen hatten sich schlau verstellt, und fast wäre es ihnen gelungen, die Frucht vom Baum des Lebens zu stehlen. Aber der Herr hatte seine Herde beschützt und die Teufel vertrieben; sie würden nicht wiederkehren, denn ihr Zauberschiff war zerstört und würde für immer an dem Matamatá bleiben, künftigen Generationen zur Warnung und zur Mahnung. Das Paradies war wieder sicher, so wie das Nest des Kolibris an den Zweigen des Korallenbaumes; niemals, niemals würde es anders sein.

# Bestseller

## 12 ausgesuchte Top-Titel in neuer Ausstattung

Dean Koontz
-Eiszeit
Nr. 25334, DM 12,--

Sue Harrison
- Schwester Mond
Nr. 25335, DM 12,--

Ephraim Kishon
-Ein Apfel ist an allem schuld
Nr. 25336, DM 12,-

PhilippVandenberg
-Der grüne Skarabäus
Nr. 25337, DM 12,--

Diana Beate Hellmann
-Laras Geschichte
Nr. 25338, DM 14,--

Leslie L. Lawrence
-Das Auge von Sindsche
Nr. 25339, DM 12,--